Bruno Grösel

Bühnentechnik

Mechanische Einrichtungen

R. Oldenbourg Verlag Wien München 1995

Die Deutsche Bibliothek – CIP-Einheitsaufnahme

Grösel Bruno:
Bühnentechnik : mechanische Einrichtungen / Bruno Grösel. –
München ; Wien : Oldenbourg, 1995
  ISBN 3-486-23170-7 (München)
  ISBN 3-7029-0396-8 (Wien)

© 1995. R. Oldenbourg Verlag Ges.m.b.H. Wien

Das Werk ist urheberrechtlich geschützt. Jede Verwertung außerhalb der Grenzen des Urheberrechtsgesetzes ist ohne Zustimmung des Verlages unzulässig und strafbar. Das gilt insbesondere für Vervielfältigungen, Übersetzungen, Mikroverfilmungen und die Einspeicherung und Bearbeitung in elektronischen Systemen.

Herstellung: Druckhaus Grasl, A-2540 Bad Vöslau

Umschlaggestaltung: Katharina Uschan (unter Verwendung eines Fotos der Wiener Volksoper)

ISBN 3-7029-0396-8 R. Oldenbourg Verlag Wien
ISBN 3-486-23170-7 R. Oldenbourg Verlag München

Vorwort

Technischer Aufwand garantiert nicht die Qualität einer Aufführung. Ein Theater- oder Opernbetrieb ohne Einsatz bühnentechnischer Einrichtungen wäre aber nur sehr eingeschränkt möglich. Der Techniker muß die Voraussetzungen für den Künstler schaffen, das Bühnenbild zu gestalten und mit szenischen Effekten zu arbeiten. Nur mit technischen Mitteln sind Aufbau und Wechsel von Bühnenbildern in angemessener Zeit realisierbar. Ihr Einsatz erfolgt meist im für den Zuschauer Verborgenen – „hinter den Kulissen".

Mit dem Fortschritt der Technik werden auch diese technischen Bühneneinrichtungen immer leistungsfähiger, aber auch komplexer, und erfordern für die Planung und Konstruktion, aber auch für deren betrieblichen Einsatz und Wartung immer größeres technisches Wissen.

Meist werden unter „bühnentechnischen Einrichtungen" im engeren Sinn universell einsetzbare mechanische Einbauten in Ober- und Unterbühne verstanden, also Hubpodien, Drehbühnen, Prospektzüge, Vorhangeinrichtungen etc. Im weiteren Sinn kann dieser Begriff auch die Beleuchtungs- und Tontechnik umfassen. Diese fachspezifische Trennung in bühnenmechanische Ausrüstungen, Beleuchtungs- und Tontechnik ist im allgemeinen bei Herstellern von Bühnenausrüstungen, aber auch bei Ausbildung und Einsatz des Fachpersonals an Bühnen gegeben.

Dieses Buch befaßt sich mit den vielfältigen Aspekten der Bühnentechnik im engeren Sinn, also mit mechanischen Einrichtungen. Daher müssen Fachgebiete wie Maschinenbau, elektrische und hydraulische Antriebstechnik, aber auch Grundlagen der Mechanik einbezogen werden.

Um einem möglichst großen Interessentenkreis fachspezifische Informationen zu bieten, wurde in der Gliederung des Buches darauf Bedacht genommen, Personen unterschiedlichen technischen Ausbildungsgrades anzusprechen.

In vielen Abschnitten ist das Buch für Absolventen einer Pflichtschule mit technisch orientiertem Berufsschulwissen und praktischer Bühnenerfahrung sicher verständlich. Es ist aber unvermeidbar, in manchen Teilen des Buches auch höheres Fachwissen vorauszusetzen. Doch selbst in diesen Teilen wird versucht, grundlegende Aussagen möglichst allgemeinverständlich zu formulieren, freilich da und dort auch unter Verzicht auf streng wissenschaftliche Exaktheit.

Das Vorwort bietet auch Gelegenheit, allen zu danken, die mich bei der Ausarbeitung des Manuskriptes unterstützt haben. Mein besonderer Dank gilt Herrn Helmut Großer, der durch seine langjährige Berufserfahrung wertvolle Hinweise vor allem von der Warte des Betreibers aus geben konnte, und Herrn Rudolf Biste († im Sommer 1994), der aus der Sicht des Bühnenplaners zum guten Gelingen des Buches beigetragen hat. Bedanken möchte ich mich auch bei all jenen, die Bildmaterial zur Verfügung gestellt und dadurch geholfen haben, den Buchinhalt zu veranschaulichen. Zum Schluß möchte ich auch dankend die gute und verständnisvolle Zusammenarbeit mit dem Oldenbourg Verlag, insbesondere mit Herrn Dr. Cornides und Herrn Mag. Unterhofer, erwähnen.

Wien, im September 1994 B. Grösel

Inhaltsverzeichnis

Teil 1 Bühnentechnische Einrichtungen, Bauarten und Einsatzkriterien 9

    1.1   Historische Entwicklung 9
    1.2   Raumkonzepte 12
    1.3   Aufgaben bühnentechnischer Einrichtungen 24
    1.4   Bühnensysteme 24
    1.5   Transport- und Lagersysteme 33
    1.6   Technische Einrichtungen der Unterbühne 39
        1.6.1 Hubpodien 39
        1.6.2 Bühnenwagen 65
        1.6.3 Drehscheiben und Drehbühnen 69
        1.6.4 Mobile Podien und Tribünen 78
    1.7   Technische Einrichtungen der Oberbühne 83
        1.7.1 Feste Einbauten in der Oberbühne 86
        1.7.2 Einrichtungen des Proszeniums 90
        1.7.3 Hubzüge 96
        1.7.4 Spezielle Einrichtungen zur Spielraumbegrenzung 115
        1.7.5 Mechanische Einrichtungen für die Beleuchtungstechnik 116
        1.7.6 Flugwerke 121
    1.8   Sicherheitstechnische Einrichtungen des Brandschutzes 123
        1.8.1 Schutzvorhänge (Kurtinen) 123
        1.8.2 Rauchgasabzuganlagen 129
        1.8.3 Wasser-, Lösch- und Kühlanlagen 130
    Hinweise für ergänzende Literatur zu Teil 1 132

Teil 2 Antriebe bühnentechnischer Anlagen 133

    2.1   Manuelle Antriebe 133
    2.2   Elektrische Antriebe 134
        2.2.1 Gleich- und Drehstromantriebe klassischer Bauart 134
        2.2.2 Servomotortechnik 142
        2.2.3 Linearmotortechnik 144
    2.3   Hydraulische Antriebe 144
        2.3.1 Bauelemente und deren Schaltzeichen 144
        2.3.2 Möglichkeiten der Veränderung der Arbeitsgeschwindigkeit 155
    2.4   Hydrostatische Antriebe im Vergleich zu elektrischen Antrieben 159
    2.5   Bedienung der Bühnenantriebe 161
        2.5.1 Anforderungen an das Konzept der Bedienung 161
        2.5.2 Betriebsarten bei Gruppenfahrten 164
        2.5.3 Aufbau des Rechnersystems 165
        2.5.4 Organisation von Steuerstellen 165
        2.5.5 Beispiele für Steuerpulte 168

Teil 3 Grundlagen der Mechanik 173

    3.1   Das Internationale Einheitensystem 173
    3.2   Grundbegriffe der Kinematik 175
    3.3   Grundbegriffe der Dynamik 179

	3.4	Reibung	181
		3.4.1 Arten der Reibung	181
		3.4.2 Adhäsionsbedingung	182
	3.5	Wirkungsgrad	183
	3.6	Leistungsermittlung	185
	3.7	Grundbegriffe der Hydraulik	187
		3.7.1 Grundbegriffe und -beziehungen	187
		3.7.2 Hydrostatische Geräte mit linearer und rotierender Arbeitsfunktion	189
		3.7.3 Hydrospeicher	191
		3.7.4 Rohrleitungen	193
	3.8	Hydraulikflüssigkeiten	193
	3.9	Schwingungen	196
		3.9.1 Einmassenschwinger	198
		3.9.2 Schwingendes Kontinuum	205
		3.9.3 Schwingungserregung	208
		3.9.4 Wahrnehmung von Schwingungen	209
	3.10	Akustik	210
		3.10.1 Schall und Hörempfinden	210
		3.10.2 Schallfeldgrößen	213
		3.10.3 Maßnahmen zur Lärmreduktion	218

Teil 4 Projektierungs- und Konstruktionshinweise zu Bauelementen der Bühnentechnik 221

	4.1	Seile und Seiltriebe	221
		4.1.1 Seile	221
		4.1.2 Windentrieb	228
		4.1.3 Treibscheibentrieb	228
		4.1.4 Klemmtrieb	231
	4.2	Ketten und Kettentriebe	232
		4.2.1 Ketten	232
		4.2.2 Kettentrieb	235
	4.3	Keil- und Spindeltriebe	237
		4.3.1 Keiltrieb	237
		4.3.2 Spindeltrieb	239
	4.4	Zahntriebe	242
		4.4.1 Verzahnung	242
		4.4.2 Getriebe	245
	4.5	Gelenkwellen	245
	4.6	Besonders reibungsarme Lagerung	249
		4.6.1 Hydrostatische Lagerung	249
		4.6.2 Luftkissentechnik	249
		Hinweise für ergänzende Literatur zu den Teilen 2, 3 und 4	251

Teil 5 Sicherheitsvorschriften 253

	5.1	Gefährdungen des Bühnenpersonals und der Darsteller	253
	5.2	Gefährdungen der Zuschauer	256

Register 257

Anzeigenteil 261

1 Bühnentechnische Einrichtungen, Bauarten und Einsatzkriterien

In diesem Abschnitt sollen die Vielfalt bühnentechnischer Einrichtungen, deren Bauarten und Einsatzkriterien in systematischer Form beschrieben werden. Zu Beginn sei ganz kurz die historische Entwicklung des europäischen Theaters dargelegt.

1.1 Historische Entwicklung

Als Wurzel des Theaterbaus im europäischen Abendland kann man das **griechische Amphitheater** (Abb. 1.1/1) ansehen. Die Plätze der Zuschauer waren in einem Kreisring nach außen hin ansteigend angeordnet. Davor befand sich die Spielfläche für die Schauspieler. Sie bestand aus einer Art Vorbühne, dem sogenannten **Proszenium**, und einer dahinter erhöht angeordneten Bühne, genannt **Skene**. Proszenium und Skene waren bereits architektonisch durch Säulen, Stützen und Überdachung gestaltet. Im Zentrum des Kreises befand sich der Platz für den Chor, das sogenannte **Orchestra**.

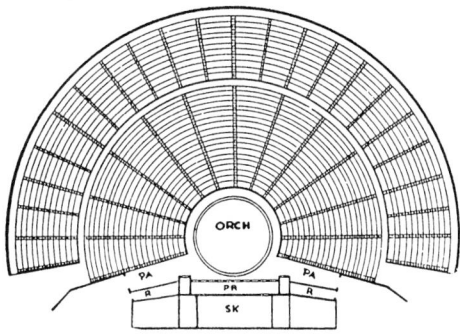

Abb. 1.1/1: Griechisches Amphitheater – Grundrißschema
Bildnachweis: Merkblatt 289 (s. Verzeichnis ergänzender Literatur)

Die Begriffe des griechischen Theaters werden auch heute verwendet, allerdings mit etwas geänderten Bedeutungen. Aus dem Orchestra wurde der Bereich der Musiker, das **Orchester**, aus dem architektonisch gestalteten Proszenium die Umrahmung der Bühnenöffnung. Aus dem ursprünglich als Skene benannten Bauteil entwickelte sich letztlich das **Bühnenhaus. Theatron** bezeichnete zunächst nur den Bereich der Zuschauer; später verwendete man den Begriff **Theater** für den gesamten Baukomplex, also Zuschauerraum und Bühne.

Im **römischen Theater** beließ man einerseits nach griechischem Vorbild die Längsorientierung, indem ein Halbkreisabschnitt den Zuschauern und ein hievon getrennter Bereich den Schauspielern zugedacht war. Andererseits war im römischen **Arenatheater,** das in römischer Zeit vorwiegend sportlichen Veranstaltungen, Tier- und Gladiatorenkämpfen Platz bot, eine im Zentrum gelegene Sandfläche rundum von einem Zuschauerbereich umschlossen. Diese zweite Variante findet sich im Zirkus und im Arenatheater moderner Prägung wieder.

Bereits im antiken Theater wurden bemalte Tafeln zwischen den Säulen als Dekorationen verwendet und mit **drehbaren dreiseitigen Prismen** sehr einfache Verwandlungen des Bühnenbildes vorgenommen. In der Telari-Bühne der frühen Renaissance wurde diese Idee wieder aufgegriffen. Es wurde aber auch schon **maschinelle Bühnentechnik** angewandt, um einen Gott als „**Deus ex** machina" (lat. „Gott aus der Maschine") mit Versenkungen oder Flugapparaten plötzlich erscheinen zu lassen.

Das Theatergeschehen des Mittelalters war vor allem durch kirchliche Mysterien- und Passionsspiele geprägt. Als Bühne dienten Kirchen oder Plätze. Häufig war durch die bestehende Architektur oder durch Gerüstbauten eine dreiteilig gestufte Anordnung für Hölle, Erde und Himmel als Spielfläche gestaltet, oder es wurden nebeneinander fix aufgebaute Bühnendekorationen verwendet. Das Spielgeschehen fand in mehreren Szenenbereichen gleichzeitig (simultan) statt oder wechselte von einem Dekorationsabschnitt zum anderen. Man bezeichnet diese Bühnenform daher auch als **Standortbühne** oder **Simultanbühne**. Das Bühnenbild mußte also nicht gewechselt werden, daher waren auch keine technischen Einrichtungen für Verwandlungen erforderlich.

Das weltliche Theatergeschehen war auf die Benützung von Scheunen und einfachen Bretterbuden angewiesen oder spielte sich in Sälen und Höfen mit einfachster Bühnengestaltung ab. Erst im 16. Jahrhundert entstanden sogenannte **Spielhäuser**.

In England sollen bereits damals **Wagen mit darauf aufgebauten Szenerien** vor das Publikum geschoben worden sein, um den raschen Wechsel eines Bühnenbildes zu ermöglichen. Man könnte dies als Vorläufer des heutigen Schiebebühnensystems ansehen. In Italien konstruierte **Leonardo da Vinci** die erste **Drehbühne** für eine Hochzeits-Festaufführung.

Der klassische Theaterbau der italienischen Renaissance versuchte die Formen des antiken Theaters verkleinert in einen geschlossenen Raum zu übertragen. Das **Teatro Olimpico** des Architekten **Palladio** in Vicenza ist dafür ein interessantes Beispiel: Durch betont perspektivische Gestaltung der Bühnenarchitektur wurde ein Bühnenraum mit besonderer Tiefenwirkung geschaffen.

Zur besseren Raumausnutzung erfand man das **Rangtheater,** in welchem bis zu sechs übereinander angeordnete Ränge etwa halbkreisförmig von der einen Seite der Prozeniumswand zur anderen reichten. Im höfischen Theater waren auf den Rängen oft nur Logen vorhanden; man bezeichnet dies als **Logentheater**. Der Zuschauerraum dieses klassischen Theaters war bereits, wie heute üblich, durch die Prozeniumswand und den Vorhang von der eigentlichen Spielfläche, dem **Bühnenhaus,** getrennt. Diese Bauform des klassischen Theaters wird auch heute noch weitgehend beibehalten, allerdings wird im modernen Rangtheater wieder die offene Sitzreihenanordnung bevorzugt.

Während man im Shakespeare-Theater Dekorationsteile nur wenig verwendete und Szenenwechsel oft nur symbolisch andeutete, führte später der allgemeine Trend zu immer größerem Einsatz von Dekorationsmaterial; dies erforderte technische Mittel zur variablen Bühnenraum- und Szenengestaltung.

Das in Europa bis zum Ende des 19. Jahrhunderts generell übliche Bühnensystem war die sogenannte **Kulissenbühne.** Der Bühnenraum wurde an der Bühnenhinterwand durch einen bemalten **Prospekt**, seitlich durch hintereinander versetzt angeordnete bemalte Bildflächen, hängend oder stehend, und oben durch Bogen oder Soffitten begrenzt (siehe Abb. 1.1/2). Dekorationselemente waren auf vom Schnürboden herabhängenden horizontalen Latten befestigt und konnten aus dem Sichtbereich der Zuschauer durch Hochziehen dieser Latten entfernt bzw. durch Absenken in den Sichtbereich der Zuschauer verfahren werden. Stehende Seitenkulissen konnten auf schmalen verfahrbaren Traggestellen, bezeichnet als **Kulissenwagen,** von der Seite her in die Bühne ein- bzw. ausgefahren werden. Diese Kulissenwagen waren in 2 bis 4 cm breiten über die gesamte Bühnenbreite reichenden Spalten, sogenannten **Freifahrten**, eingebaut. Zwischen diesen Freifahrten waren teilweise vertikal verfahrbare Bodenelemente zum plötzlichen Erscheinen- oder Verschwindenlassen von Bildteilen, sogenannte **Kassetten**, eingebaut. Zum Verschließen geöffneter Kassetten dienten **Kassettenklappen**.

1.1 Historische Entwicklung

Ein typisches Element dieser Zeit war auch der heb- und senkbare **Gitterträger** – ein Element der Bühnentechnik, das manchmal auch noch in modernen Bühnen, z. B. im Staatstheater Stuttgart, zu finden ist. Damit ist eine sehr schmale Versenkeinrichtung in Bühnenbreite gemeint, die als biegesteifer Fachwerksträger ausgeführt ist. Um einen entsprechenden Spalt im Bühnenboden freizugeben, sind die Hubpodien mit **Gitterklappen** versehen. Auf dem Gitterträger können schmale Kulissenelemente montiert und vor allem für szenische Effekte eingesetzt werden. Auf der Vorderseite kann also ein Prospekt befestigt werden oder z. B. eine Wasserwellenblende hochgefahren werden. Damit kann auch im Zusammenspiel mit seitlich verfahrbaren Blenden und in der Oberbühne abgehängten Soffitten die Durchblicköffnung der Guckkastenbühne (s. Kap. 1.2) variiert werden. Der Gitterträger wird mit vom Schnürboden herabhängenden Seilen vertikal verfahren.

Zur rückseitigen Begrenzung des Bühnenbildes verwendete man manchmal einen sogenannten **Wandelprospekt**. Bei diesem wurden mehrere Bühnenbilder auf einer Stoffbahn nebeneinandergemalt; die Stoffbahn konnte dann auf zwei an der linken und rechten Seite der Bühnenrückwand stehenden Zylindern auf- bzw. abgewickelt werden.

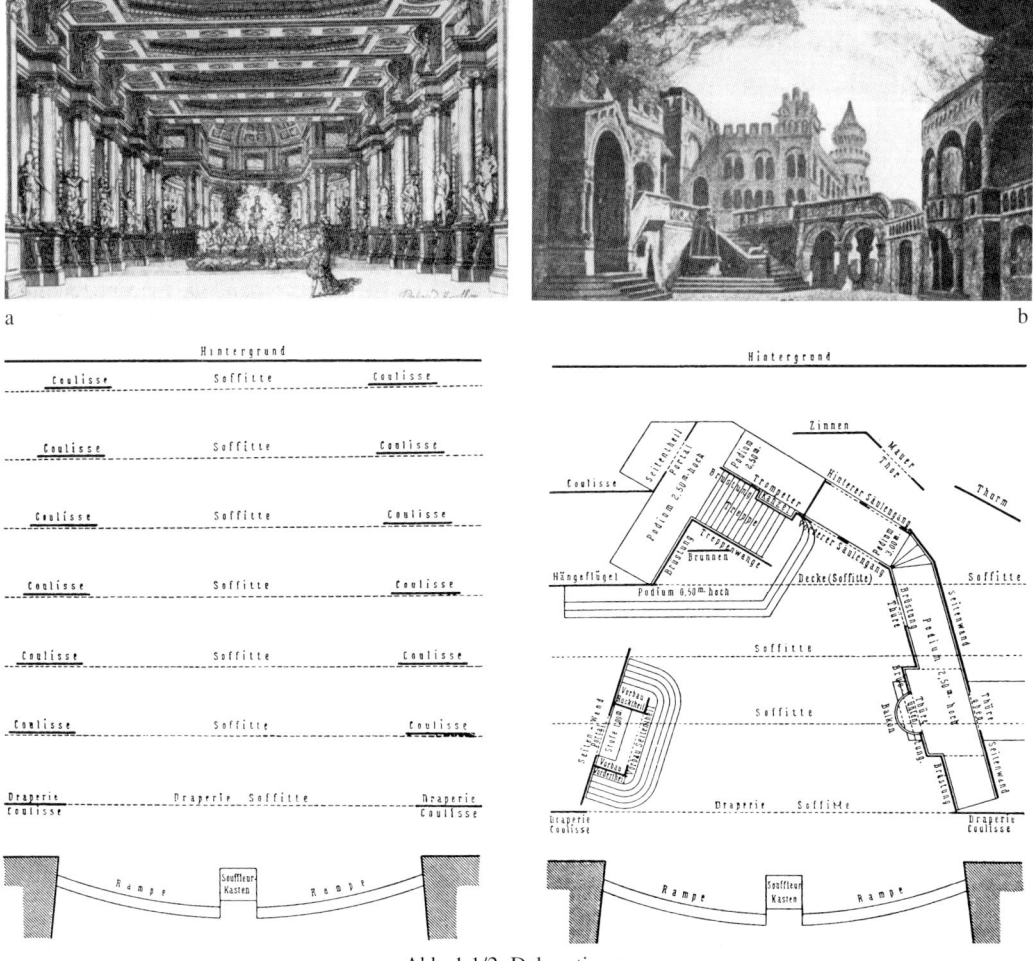

Abb. 1.1/2: Dekorationen
a) bei der Kulissenbühne, b) mit plastischen Dekorationen
Bildnachweis: Merkblatt 289

Bei der **Kulissenbühne** wurde die Bühnenraumgestaltung also durch bemalte Flächenelemente vorgenommen. Die zwischen den einzelnen Kulissen vorhandenen Gassen dienten den Schauspielern zum Auftritt; man sprach daher auch von **Gassensystem**. Durch perspektivisch gemalte Prospekte und Soffitten entwarf man effektvolle Bühnenbilder mit großer Tiefenwirkung. Die Perspektive wurde durch einen in Richtung Hinterbühne ansteigenden Bühnenboden, den **Bühnenfall,** noch verstärkt.

Allmählich wurde das Bedürfnis immer größer, echte Bühnenaufbauten und plastische Dekorationen zu verwenden (siehe Abb. 1.1/2). Damit waren rasche Verwandlungen aber nicht mehr nur durch Heben und Senken oder Verschieben von leichten Flächendekorationselementen wie bei der Kulissenbühne möglich. Es mußten aufwendigere technische Einrichtungen geschaffen werden, die den raschen Transport von schweren räumlichen Bühnenaufbauten ermöglichten. So entstanden große heb- und senkbare **Bühnenpodien**, verfahrbare **Bühnenwagen** und **Drehbühnen**. Ein schräg ansteigender Bühnenboden erwies sich dann allerdings als unzweckmäßig.

Ein besonderer Entwicklungsschub in der Bühnentechnik setzte um die Jahrhundertwende ein. Die „Asphalia-Gesellschaft für die Herstellung zeitgemäßer Theater" und der österreichische Ingenieur **Robert Gwinner** (Wien, Budapest) entwickelten gegen Ende des 19. Jahrhunderts das sogenannte **Asphalia-System**. Die Erfindungen betrafen neue Konzepte zur Verbesserung der Akustik und Ventilation, vor allem aber hydraulisch betriebene Bühnenpodien in der Unterbühne und an Drahtseilen hängende Zugeinrichtungen in der Oberbühne. Der Ingenieur **Fritz Brandt** (Berlin) entwarf ein Nebenbühnensystem mit horizontaler Verwandlungsmöglichkeit, bekannt als **Reformbühne Berlin**. In durch Schiebetüren oder schalldämmende Vorhänge von der Hauptbühne trennbaren Seitenbühnen konnten auf verfahrbaren Bühnenwagen Bühnenbilder vorbereitet und auf die Hauptbühne verfahren werden. Etwa um die gleiche Zeit entdeckte **Karl Lautenschläger** (München) die Drehbühne für das heutige Theater wieder, insbesondere als **Zylinderdrehbühne** mit eingebauten Versenkeinrichtungen.

1.2 Raumkonzepte

Für die räumliche Anordnung von Zuschauer- und Bühnenbereich gibt es unterschiedliche Konzepte.

Bei der **Guckkastenbühne** nach Abb. 1.2/1a (auch **Rahmenbühne** genannt) ist eine Längsorientierung des Theaters gegeben. Die Zuschauer blicken aus dem Zuschauerraum auf eine durch optische

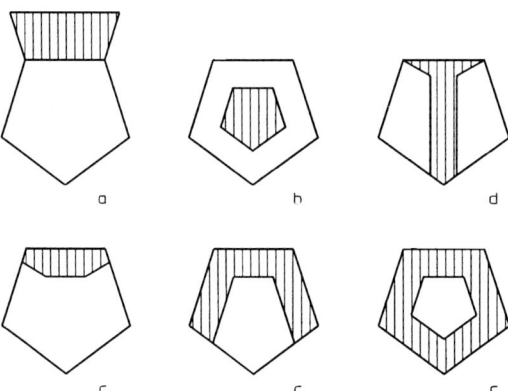

Abb. 1.2/1: Anordnung der Spielfläche und des Zuschauerbereichs (nach DIN 56 920, Blatt 1)
a) Rahmenbühne, Guckkastenbühne, b) Arenabühne, c) Raumspielfläche (drei Varianten als Beispiele), d) Stegspielfläche – schraffierte Fläche ... Bühne, weiße Fläche ... Zuschauerraum

1.2 Raumkonzepte

Einengung getrennte Spielfläche. Diesen den Blick begrenzenden Rahmen nennt man **Proszenium** bzw. **Proszeniumsöffnung**.

Bei der **Arenabühne** nach Abb. 1.2/1b ist die Szenenfläche allseitig von Zuschauerplätzen umgeben; die Zuschauer blicken also aus allen Richtungen auf eine zentral angeordnete Bühne.

Neben diesen beiden Grundformen sind noch Bühnenanordnungen mit nicht allseitig von Besucherplätzen umgebenen Spielflächen verschiedenster Form möglich – bezeichnet als **Raumspielflächen** nach Abb. 1.2/1c – sowie die z. B. für das japanische Kabukitheater typische **Stegspielfläche** nach Abb. 1.2/1d.

Zu erwähnen ist auch noch die sogenannte **Thrust-Stage**. (Der englische Begriff „thrust" bedeutet „Vorstoß"; „thrust into" heißt „sich drängen in" oder „to thrust out" „herausstrecken".) Damit ist eine in den Zuschauerraum hineinragende Bühne gemeint, die an drei Seiten von Publikum umgeben ist.

Raumbereiche einer Guckkastenbühne

Im folgenden sollen insbesondere die bühnentechnisch spezifischen Raumanordnungsmöglichkeiten im Bühnenhaus einer Guckkastenbühne näher erläutert werden:

Bei Kleinbühnen ist die Bühne eine auf einer Podestkonstruktion auf etwas höherem Niveau angeordnete Fläche bei etwa normaler Raumhöhe. Bei größeren Bühnen ist oberhalb der Hauptspielfläche der Bühne ein großer Freiraum vorhanden, um Hängedekorationen oberhalb der vom Zuschauer einsehbaren Hauptbühne speichern zu können. Dadurch erhält der Bühnenraum eine turmartige Struktur.

Eine wesentliche Erweiterung des Raumangebotes kann dadurch erfolgen, daß der Bühne auf gleichem Niveau noch Nebenräume zugeordnet werden. Darin können stehende Dekorationselemente bereitgestellt und bei Wechsel des Bühnenbildes in den Blickbereich der Zuschauer gebracht werden. In diesem Sinn können neben der eigentlichen von den Zuschauern einsehbaren Spielfläche – der **Hauptbühne** – links und rechts von der Hauptbühne **Seitenbühnen** bzw. hinter der Hauptbühnenfläche eine **Hinterbühne** angeordnet sein (siehe Abb. 1.2/2).

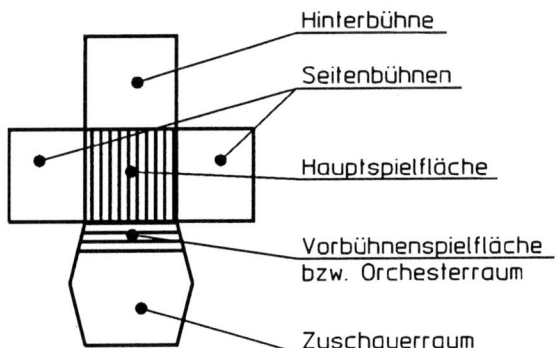

Abb. 1.2/2: Lage und Bezeichnung der Bühnenflächen in einer Rahmenbühne (DIN 56 920, Blatt 2)

Für Auftritte von unten ist es aber auch wichtig, einen Raum unterhalb der Hauptbühne vorzusehen. Während man den bereits erwähnten Bereich oberhalb des Bühnenniveaus als **Oberbühne** bezeichnet, nennt man diesen Raumbereich **Unterbühne**.

Abb. 1.2/3 zeigt Längsschnitt und Grundriß eines Theaters mit zwei Seiten- und einer Hinterbühne, Ober- und Unterbühne.

14 1 Bühnentechnische Einrichtungen, Bauarten und Einsatzkriterien

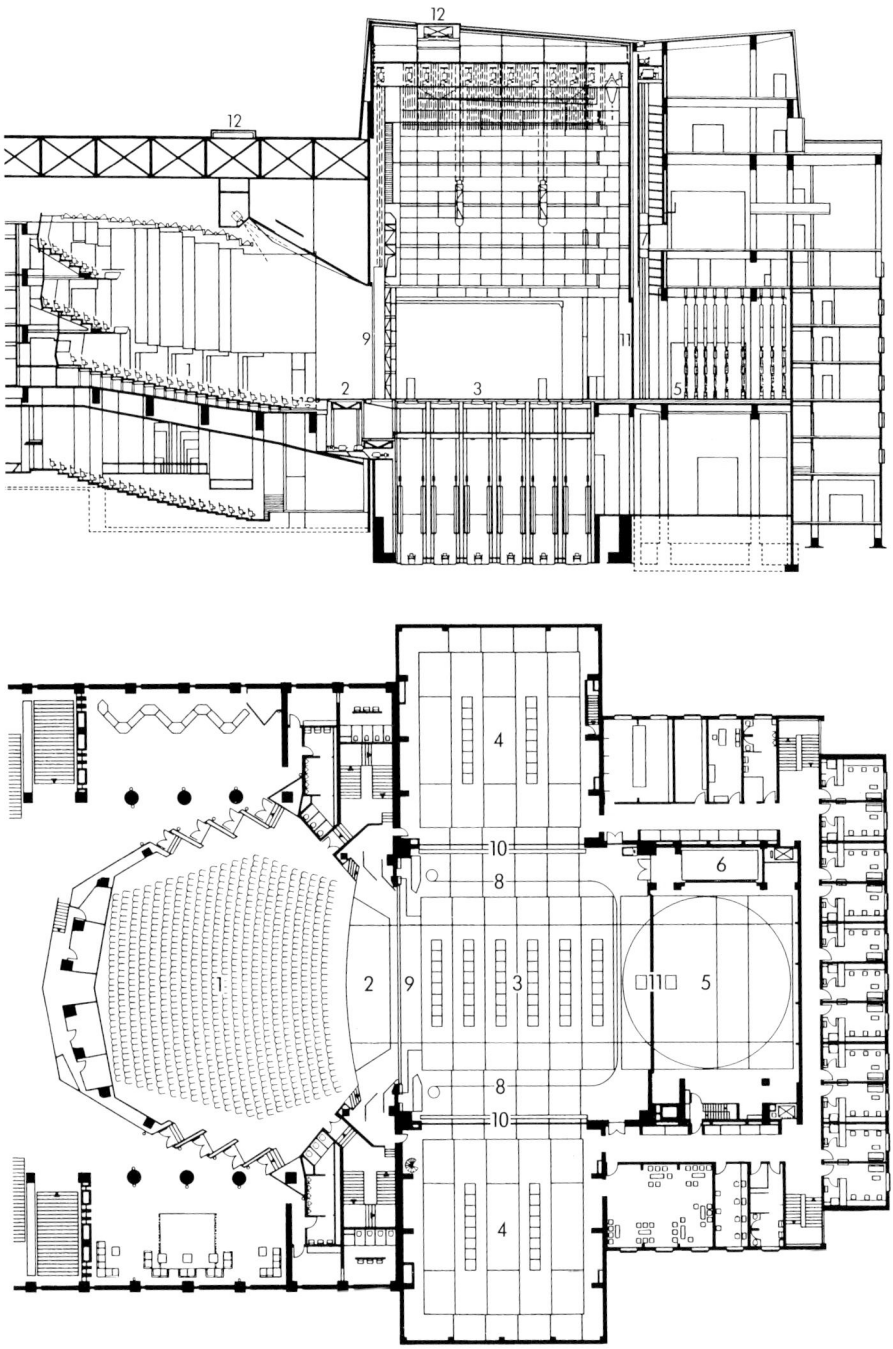

Abb. 1.2/3: Längsschnitt und Grundriß eines Theaters

1 Zuschauerraum
2 Vorbühne – Orchester
3 Hauptbühne
4 Seitenbühne
5 Hinterbühne mit eingebauter Drehscheibe
6 Lastenaufzug (Kulissenaufzug)
7 Prospektaufzug, Prospektlager
8 Rundhorizont
9 Eiserner Vorhang
10 Seitenbühnentore
11 Hinterbühnentor
12 Rauchklappen

Bildnachweis: Krupp Industrietechnik GmbH (D-Duisburg), in der Folge mit „Krupp" zitiert

1.2 Raumkonzepte

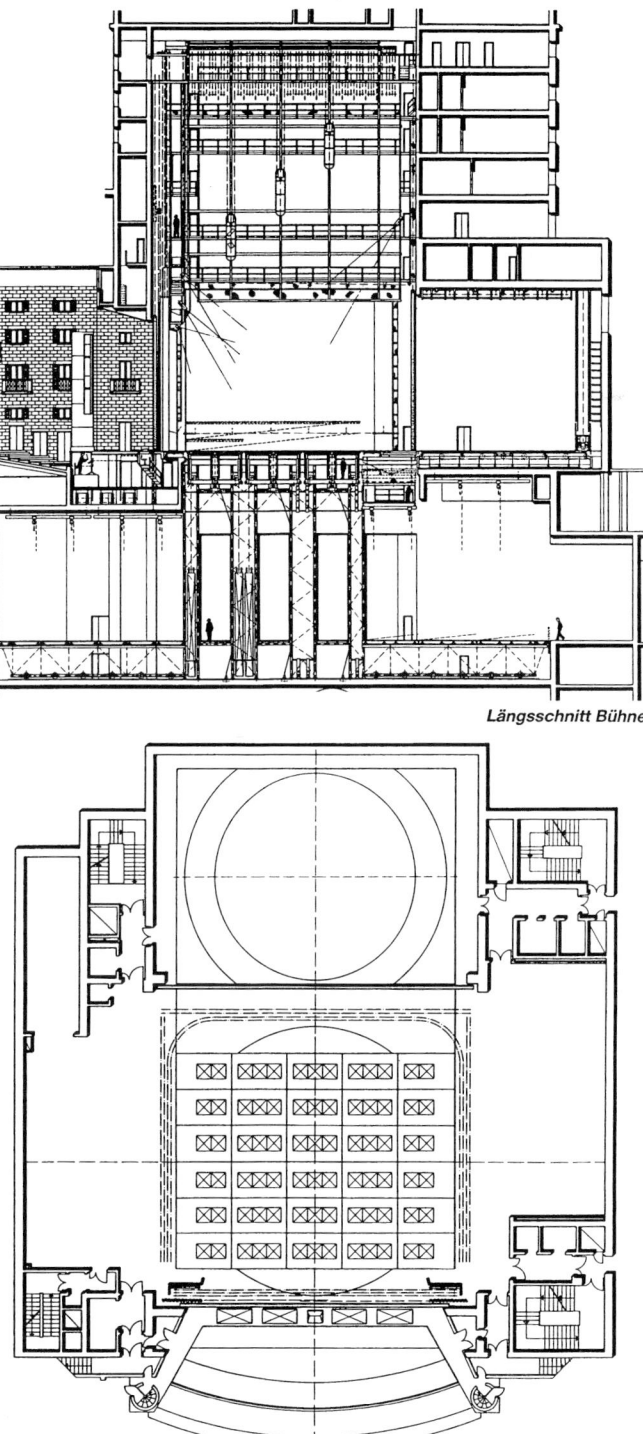

Abb. 1.2/4: Oper Carlo Felice, Genua
Längsschnitt und Grundriß der Bühne
Bildnachweis: BTR 4/1991

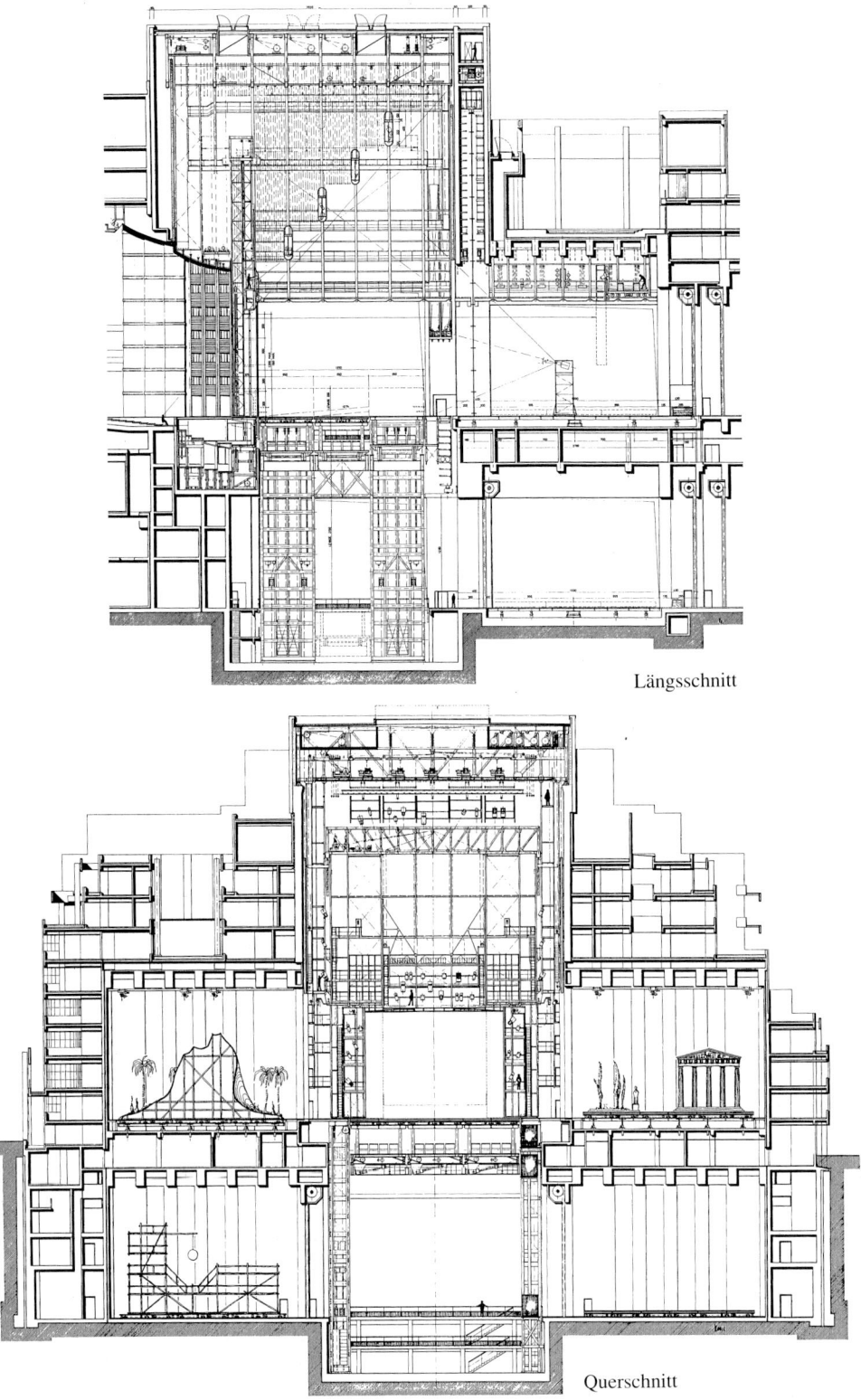

Längsschnitt

Querschnitt

1.2 Raumkonzepte   17

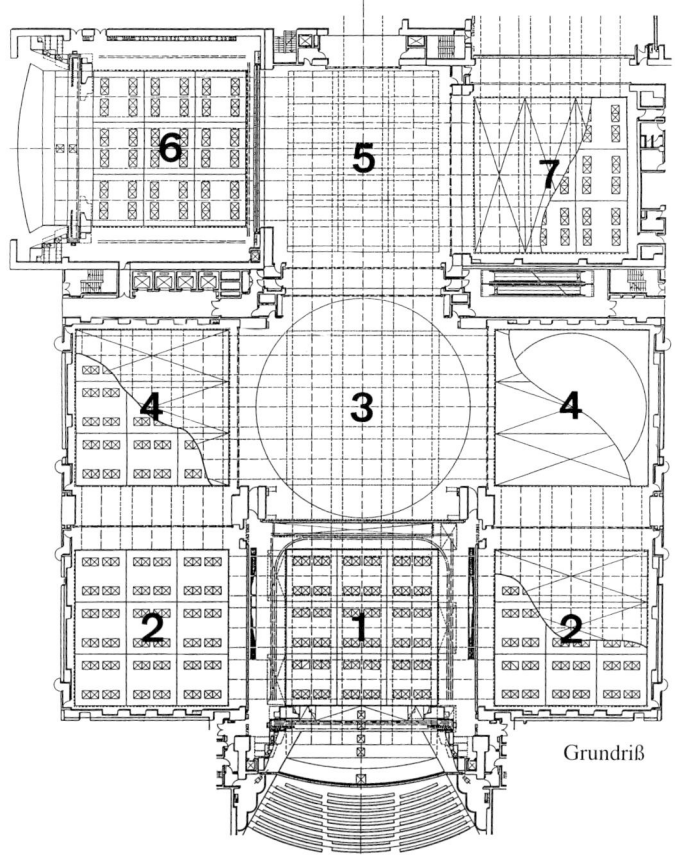

Abb. 1.2/5: Opera de la Bastille, Paris – Längsschnitt, Querschnitt und Grundriß

Grundriß: *1* Hauptbühne
2 Seitenbühnen vorne
3 Hinterbühne mit Rangierdrehscheibe
4 Seitenbühnen hinten
5 Rangier- und Vorbereitungsraum
6 Probebühne
7 Nebenbühne

Unterhalb dieser Bühnenflächen befinden sich in der Unterbühne ebenfalls Nebenbühnen, insbesondere wieder eine Rangierdrehscheibe unter *3*.

Bildnachweis: BTR 5/1989, R. Biste – K. Gerling, Architektur- und Ingenieurbüro (D-Berlin)

Nicht nur unterhalb der Hauptbühne, sondern auch unterhalb der Seitenbühnen oder der Hinterbühne können Zusatzräume zur Bereitstellung von Dekorationen vorhanden sein. Aus Abb. 1.2/4 ist das Raumkonzept der Oper Genua zu ersehen, wobei insbesondere auf den Bühnenraum unterhalb des Zuschauerraumes hinzuweisen ist.

Besonders großzügig im Raumangebot ist die Opera de la Bastille in Paris ausgestattet. Der Abb. 1.2/5 ist zu entnehmen, daß sowohl auf Bühnenniveau als auch im Kellergeschoß sehr viele zusätzliche Bühnenflächen – auch eine Probebühne – zur Verfügung stehen. In beiden Ebenen können Bühnenwagen im Ringverkehr verfahren werden; deren Vertikaltransport erfolgt mit den Hubpodien der Hauptbühne.

In Opernhäusern und Musiktheatern ist knapp vor der Proszeniumsöffnung ein **Orchesterraum** vorhanden. Soll er je nach Bedarf verschieden gestaltet werden können, ist er mit Hubpodien ausgestattet. Je nach Hubstellung dieser Podien kann dieser Bereich dann als Spielfläche – als sogenannte **Vorbühne** – dienen oder mit zusätzlicher Bestuhlung dem **Zuschauerraum** zugeordnet werden. Oder es wird ein Orchestergraben geschaffen, dessen Größe bei Vorhandensein mehrerer **Orchesterpodien** der Zahl der Musiker angepaßt werden kann (s. auch Kap. 1.6.1).

Es sei auch auf die Möglichkeit verwiesen, den Boden im Zuschauerraum vor dem Orchesterpodium kippbar auszuführen. In horizontaler Lage dient dieser Bereich des Parketts als Erweiterung der Bühne, in geneigter zur Bühne hin abfallender Stellung bietet er Zuschauern Platz. Diese Anordnung existiert z. B. im Kulturpalast Dresden.

Gestaltung von Mehrzweckräumen

Während in einem ausschließlich für Aufführungszwecke konzipierten Theater mit Guckkastenbühne der Zuschauerraum bis auf die eben beschriebenen geringfügigen Variationsmöglichkeiten im Orchesterbereich nicht veränderbar ist, sind in Mehrzweckhallen und modernen Experimentier- und Arenabühnen meist umfassendere Gestaltungsmöglichkeiten gegeben; insbesondere kann die Sitzanordnung durch Podien und Tribünen variiert werden.

Abb. 1.2/6 zeigt z. B. einen Mehrzweckraum, der sowohl als Theater als auch als Konferenzzentrum genützt werden kann. Zur **Umgestaltung des Auditoriums** ist auch dieses mit Hubpodien ausgestattet, so daß ein ebener oder ein gestufter Boden erzeugt werden kann.

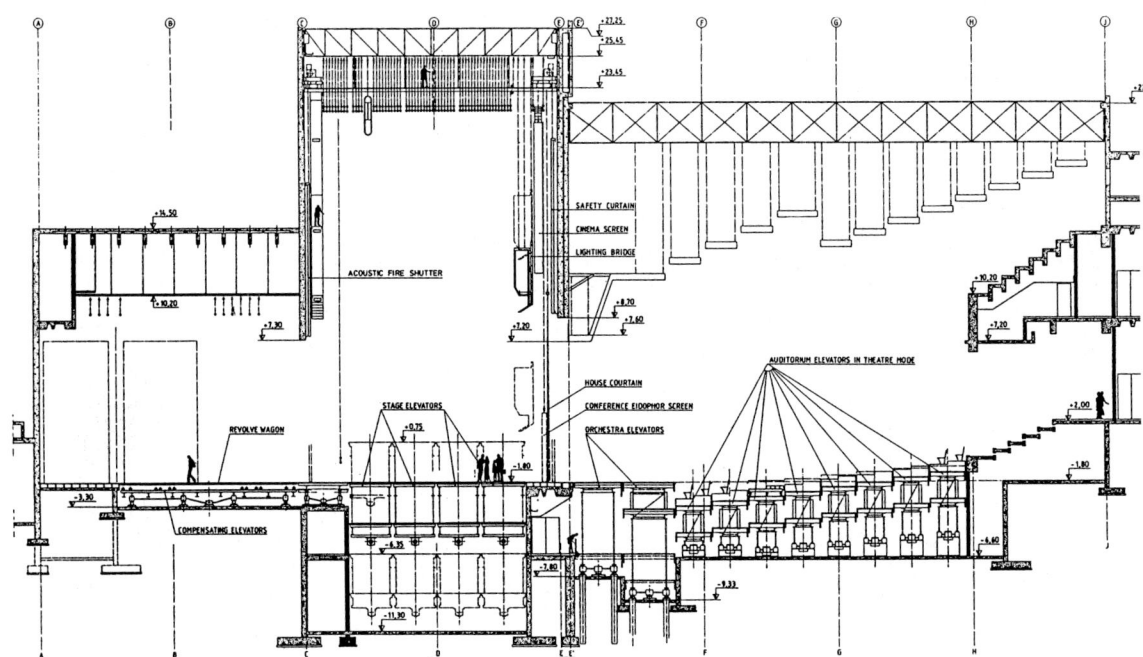

Abb. 1.2/6: Konferenzzentrum Kuwait – Längsschnitt durch Bühne und Zuschauerraum (Hauptbühne mit Doppelstockpodien, Hinterbühne mit Ausgleichspodien und Drehscheibenkassettenwagen, Zuschauerraum mit Orchesterpodien und Saalpodien) – Zeichnung: Waagner-Biró Stahl- und Maschinenbau GmbH (A-Wien), in der Folge kurz „Waagner-Biró" genannt – BTR 2/1989

Das Kongreßzentrum Berlin ist mit einer von der Saaldecke **absenkbaren Tribünenanlage** ausgestattet. In Abb. 1.2/7 sind die Tribünen sowohl in abgesenkter Stellung für Theater, Konzerte, Vorträge und Kongresse als auch während des Hochziehens zur Umgestaltung für Bankette, Bälle und ähnliche Veranstaltungen dargestellt. (Die Hubketten werden nach dem Absenkvorgang in die Saaldecke gezogen.)

1.2 Raumkonzepte

Abb. 1.2/7: Kongreßzentrum Berlin – Von der Saaldecke absenkbare Tribünenanlage
a) abgesenkte Stellung, Hubketten noch nicht ausgehängt und hochgezogen, b) beim Hochziehen der Tribünen,
c) Kettenhubwerk
Fotos: Krupp

Abb. 1.2/8: Felsenreitschule Salzburg – Klapptribünen
Fotos: Waagner-Biró

Hochklappbare Zuschauertribünen werden in der als „Felsenreitschule" bezeichneten Freiluft-Festspielstätte in Salzburg verwendet, um die Sitzplätze vor Witterungseinflüssen zu schützen (Abb. 1.2/8).

Variable Gestaltungsmöglichkeiten sind auch im neuen Konzerthaus in Athen gegeben, um das Haus für Konzerte, Theateraufführungen und Kongresse nutzen zu können (siehe Abb. 1.2/10).

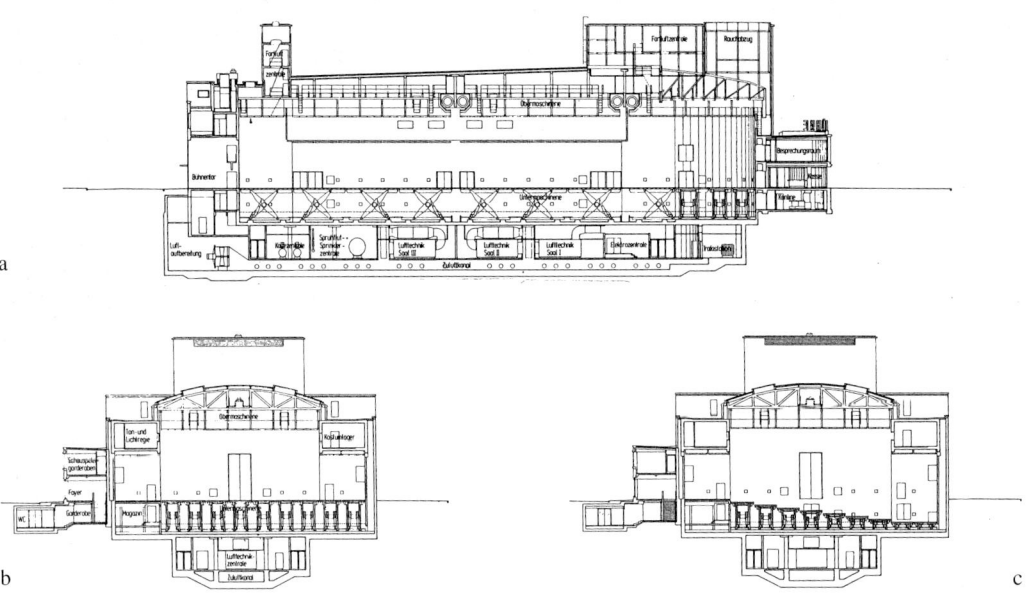

Abb. 1.2/9: Schaubühne Berlin
a) Längsschnitt, b) Querschnitt, c) Querschnitt mit unterschiedlich eingestellten Hubpodien
Bildnachweis: BTR 2/1982

1.2 Raumkonzepte

Abb. 1.2/10: Megaro Musikis Athinon, Konzerthalle Athen in einigen Raummodifikationen
Fotos: Bayrische BühnenBau GmbH, in der Folge kurz „Bayrischer BühnenBau" genannt (siehe auch BTR 4/1993)

22 1 Bühnentechnische Einrichtungen, Bauarten und Einsatzkriterien

Ein interessantes Beispiel für große Flexibilität stellt die Schaubühne Berlin dar. Mit ihr sollte ein Theaterraum geschaffen werden, der nicht von vornherein durch Bühneneinrichtungen und Tribünen in fixer Raumanordnung in seiner Nutzung vorherbestimmt ist. Daher ist der **gesamte Saalboden** mit 76 hydraulisch angetriebenen **Scherenhubpodien** (siehe Kap. 1.6.1) versehen. Im Dachbereich steht eine Lichtgitterrost-Decke als Arbeitsboden, vor allem zur Montage von Punktzügen und Beleuchtungskörpern, zur Verfügung. (Siehe Abb. 1.2/9, 1.2/13.)

Erwähnenswert sind auch die technisch aufwendigen Sonderausstattungen des Friedrichstadtpalastes in Berlin (Abb. 1.2/11, 1.2/12), der ganz nach dem Muster der großen Show-Theater in Las Vegas gestaltet wurde. Im Vorbühnenbereich kann über ein Rundpodium ein **Wasserbecken**, eine **Eisarena** oder eine **Zirkusmanege** hochgefahren werden.

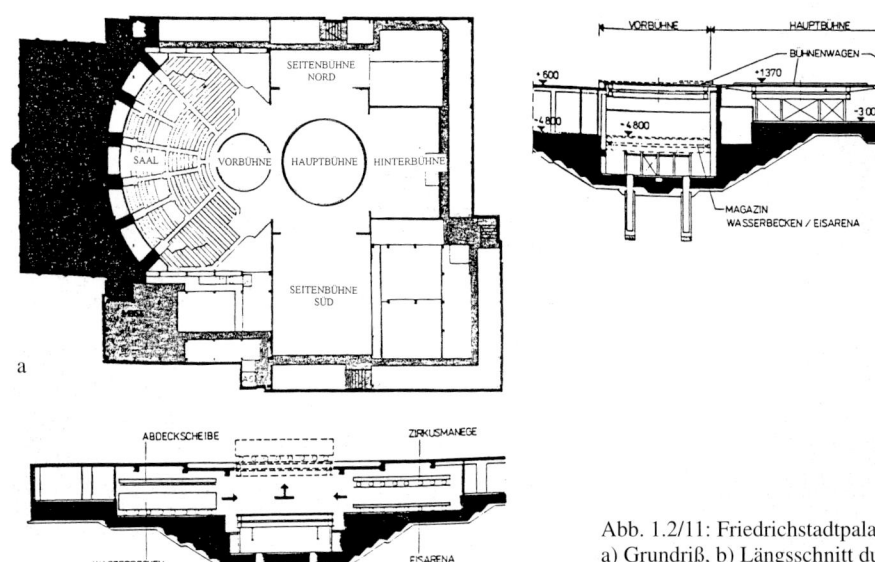

Abb. 1.2/11: Friedrichstadtpalast Berlin
a) Grundriß, b) Längsschnitt durch Vor-, Haupt- und Hinterbühne, c) Querschnitt durch Vorbühne
Bildnachweis: BTR 6/1985

Abb. 1.2/12: Friedrichstadtpalast Berlin – Zentrales Hubpodium der Vorbühne mit Eisarena
Foto: Sächsische Bühnen-, Förderanlagen- und Stahlbau-GmbH (D-Dresden), in der Folge kurz „Sächsischer Bühnenbau" genannt

1.2 Raumkonzepte

Abb. 1.2/13: Schaubühne Berlin
a) Raumgestaltung durch verschiedene Hubstellungen der Scherenhubtische, Gitterrostdecke über dem gesamten Raum für flexiblen Einsatz der Obermaschinerie; b) Scherenhubtische in der Unterbühne
Fotos: Otto Vogel KG, Theaterbühnenbau; Stahl-, Metallbau GmbH & Co. (D-Berlin), in der Folge kurz „Vogel" genannt

1.3 Aufgaben bühnentechnischer Einrichtungen

Zu den bühnentechnischen Einrichtungen zählt man üblicherweise:

- mechanische Systeme zur Gestaltung des Bühnen- und Zuschauerraumes in Spielstätten wie Sprech-, Musik- und Tanztheatern, Opernhäusern, Konzertsälen, aber auch in Konferenzräumen und Mehrzweckhallen,
- mechanische Systeme zum Bewegen von Bauelementen der Bühne, zur szenischen Gestaltung und für Verwandlungen zum Wechseln des Bühnenbildes,
- mechanische Systeme zum Fördern und Lagern von Dekorationselementen,
- mechanische Einrichtungen für den Brandschutz,
- Einrichtungen der Beleuchtungs- und Projektionstechnik,
- akustische Systeme der Tontechnik.

Dieses Buch befaßt sich mit der in obiger Aufzählung genannten Vielfalt an **mechanischen Einrichtungen**, also nicht mit Beleuchtungs-, Projektions- und Tontechnik. Diese mechanischen Einrichtungen dienen zum Heben, Senken, Kippen, Verfahren oder Drehen von Bühnen- oder Zuschauerraumelementen und von Dekorationen und sind manuell, elektromechanisch oder hydraulisch angetrieben. Es handelt sich also um **fördertechnische Einrichtungen** zum vertikalen oder horizontalen bzw. translatorischen oder rotatorischen Bewegen von Lasten, gegebenenfalls auch von Personen. Bühnentechnik kann somit als eine Spezialdisziplin allgemeiner Fördertechnik angesehen werden. Diese Tatsache macht klar, daß Entwicklungstendenzen in der allgemeinen Fördertechnik naturgemäß, wenn auch in speziellen Ausprägungen, in der Bühnentechnik ihren Niederschlag finden. Der Einsatz dieser Fördermittel erfolgt in der Mehrzahl vom Zuschauer unbemerkt vor und nach der Aufführung bzw. in den Aktpausen. Die Art der Spielplangestaltung vieler europäischer Theater- und Opernbühnen, mit unterschiedlichen Aufführungen an aufeinanderfolgenden Tagen und Probenbetrieb während des Tages, erfordert rasche Transportmöglichkeiten oft tonnenschwerer Dekorationselemente. Ein derartiger Bühnenbetrieb benötigt daher universell einsetzbare Fördermittel in der Bühne.

Die Bewegbarkeit von Bühnenelementen ermöglicht aber, wie bereits erwähnt, auch deren Verwendung zur **szenischen Bühnenraumgestaltung**. So können z. B. Hubpodien zur Gestaltung des Bühnenbodens oder als Tragelemente für Bühnenaufbauten herangezogen werden.

Für den Zuschauer wird die Bühnentechnik bei deren Einsatz während des Spielgeschehens oder bei Verwandlungen auf offener Bühne bei **szenischen Effekten** sichtbar. In der technischen Konzeption einer hiefür vorgesehenen Einrichtung sind geringe Schallemissionen während der Bewegung und vor allem hohe Arbeitsgeschwindigkeiten sowie deren stufenlose Steuer- oder Regelbarkeit gefordert.

Mechanische Bühneneinrichtungen können also – kurz zusammengefaßt – für folgende Zwecke eingesetzt werden:

- für **transporttechnische Aufgaben**,
- zur **Raumgestaltung** sowie
- für **szenische Effekte**.

Zu den mechanischen Einrichtungen der Bühnentechnik zählt man im allgemeinen aber auch **Sicherheitseinrichtungen** im Sinne des Brandschutzes, wie Schutzvorhänge und Rauchgasabzugsanlagen, da deren Funktion ebenfalls mechanischer Abläufe bedarf.

1.4 Bühnensysteme

Eine wesentliche transporttechnische Aufgabe besteht darin, einen raschen Wechsel des Bühnenbildes zu ermöglichen, indem auf der Bühne eingesetzte Dekorationen aus dem Spielbereich entfernt werden und bereits vorbereitete Gesamtszenerien oder Szenenelemente aus Bereitschaftsstellungen

1.4 Bühnensysteme

für das Spielgeschehen entnommen werden. Diesem Zweck dienen verschiedene Bühnensysteme. Bereits in Kap. 1.1 wurden im historischen Rückblick verschiedene Möglichkeiten erwähnt; hier sollen zusammenfassend die aus heutiger Sicht wichtigsten Konzepte dargelegt werden.

Im Schnürboden abgehängte Dekorationselemente können durch Senken in den bzw. durch Heben aus dem Blickbereich der Zuschauer verfahren werden. Damit kann das Bühnenbild in einfacher Weise verändert werden.

Sieht man von den in Abschnitt 1.1 erwähnten ebenen Kulissenwagen, die in Freifahrten seitlich verschoben werden können, ab, so gibt es für am Bühnenboden stehende räumliche Dekorationselemente im Prinzip folgende Möglichkeiten, diese in den oder aus dem für den Zuschauer sichtbaren Bühnenbereich zu bewegen:

– **Vertikales Verfahren** des gesamten oder von Teilen des Bühnenbodens: Dieses Konzept wird als **Hubpodien- bzw. Versenkbühnensystem** (Abb. 1.4/1a) bezeichnet und eigentlich nur in Kombination mit anderen Systemen angewandt. Hier sei als Beispiel auf die Einsatzmöglichkeit der **Doppelstockpodien** der Hamburgischen Staatsoper verwiesen, die in Kap. 1.6 und Abb. 1.6/29 näher beschrieben werden.

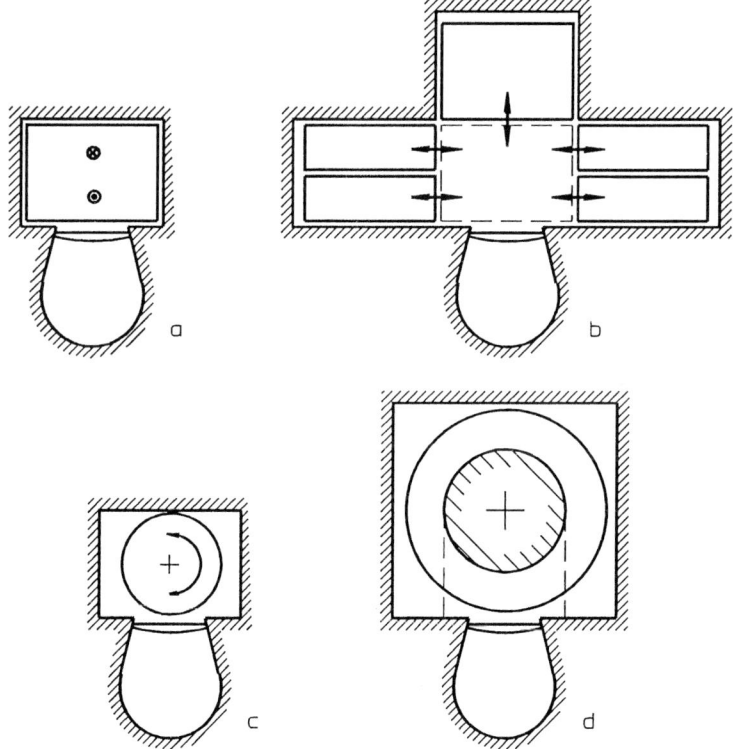

Abb. 1.4/1: Bühnensysteme – Grundformen
a) Versenkbühne, b) Schiebebühne, c) Drehbühne mit Vollscheibe, d) Drehbühne mit großer Ringscheibe

– **Horizontales translatorisches Verfahren** des Bühnenbodens: Dieses Konzept nennt man **Schiebebühnen- oder Wagenbühnensystem** (Abb. 1.4/1b). Es ist in all jenen Fällen realisiert, wo Bühnenwagen zwischen Haupt- und Seitenbühne und/oder Haupt- und Hinterbühne verfahren werden können. Zum Ausgleich der Niveauunterschiede, die durch die Bauhöhe der Bühnenwagen entstehen, sind meist Ausgleichspodien (siehe Kap. 1.6.1) eingebaut.

- **Horizontale Rotation des Bühnenbodens**, bezeichnet als **Drehbühnensystem** (Abb. 1.4/1c): Die Drehbühne kann als einfache Drehscheibe (Abb. 1.6/47b) wie z. B. auch im „Theater in der Josefstadt" in Wien (Abb. 1.6/45) oder mit zwei rotierenden Ebenen in Doppelstockausführung (Abb. 1.6/47c) ausgeführt sein. Es kann aber auch eine zusammenklappbare oder zerlegbare Drehscheibe (Abb. 1.6/41, 1.6/42) auf den Bühnenboden aufgelegt werden.

Das Raumkonzept sollte eine Drehscheibe mit einem Durchmesser ermöglichen, der viel größer als die Breite der Bühnenöffnung im Proszenium ist. Nur dann kann ein umfassender Dekorationsaufbau am drehbaren Bühnenboden Platz finden, da keine zu großen Seitensegmente fester Bühnenkonstruktion verbleiben.

Gemäß diesem Prinzip wurde auch das Konzept einer **Ringdrehbühne** (Abb. 1.4/1d) erdacht, bei dem die Breite der Ringscheibe eine ausreichende Tiefe des Bühnenbildes bietet und der kreisförmige Kern als Magazin dienen kann. Die dazu erforderliche Raumgröße ist aber kaum realisierbar. Als Alternative kommen **Riesendrehscheiben,** kleinere Ringscheibenlösungen mit als Bühnenraum integriertem Kern oder mit einer ebenfalls drehbaren Kernscheibe in Frage. (Beispiele werden am Ende dieses Kapitels behandelt.)

Sehr oft finden sich Kombinationen der drei grundsätzlichen Bewegungsmöglichkeiten:

- **Podienbühne mit Bühnenwagen (Hub-Schiebebühne)** Abb. 1.4/2a: In den Seitenbühnen, der Hinterbühne und gegebenenfalls in den seitlichen Randbereichen der Hauptbühne sind Ausgleichspodien. Unterhalb der Hauptbühne befindet sich eine Unterbühne, ausgerüstet mit Hubpodien von großem Verfahrweg. Sie ermöglichen einen Vertikaltransport zwischen beiden Ebenen. Damit können auch Dekorationen auf Bühnenwagen in der Unterbühne bereitgestellt werden. Selbstverständlich können die Podien auch die Funktion von Ausgleichspodien übernehmen. Als Beispiel sei auf die Wiener Staatsoper (Abb. 1.4/3) verwiesen.

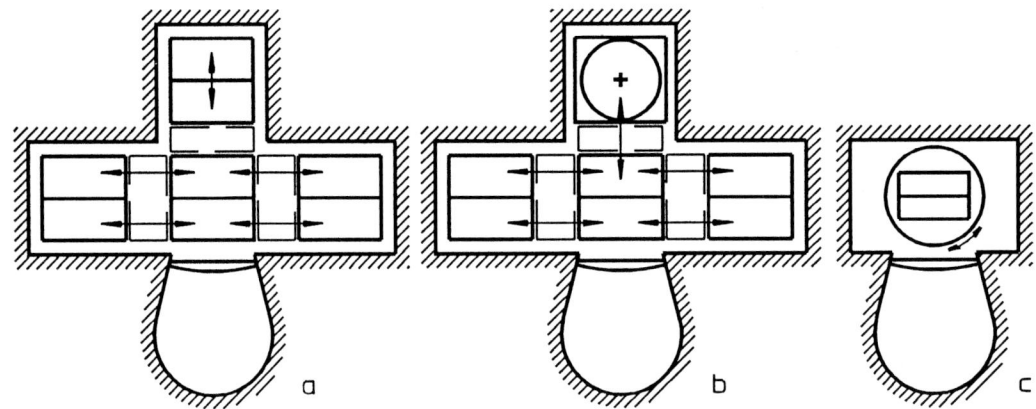

Abb. 1.4/2: Bühnensysteme – kombinierte Systeme
a) Podienbühne mit Bühnenwagen, b) Podienbühne mit Bühnenwagen, insbesondere einem Drehscheibenkassettenwagen in der Hinterbühne, c) Zylinderdrehbühne mit eingebauten Hubpodien

- **Schiebebühne mit Drehscheibenkassettenwagen:** Baut man in einen Bühnenwagen, meist dem Hinterbühnenwagen, eine Drehscheibe nach Abb. 1.4/2b ein, so sind Schiebebühnen- und Drehbühnensystem kombiniert.
- **Podienbühne mit Bühnenwagen, insbesondere auch einem Drehscheibenkassettenwagen:** Als Beispiel sei die Oper Genua (Abb. 1.2/4) erwähnt. Als besonders komplexes Beispiel für ein Bühnenwagenkonzept in einer Podienbühne, bei dem ein Bühnenwagen auch eine Drehscheibe eingebaut hat, kann die in Abb. 1.2/5 dargestellte Bühnenanlage der Oper Paris dienen.

1.4 Bühnensysteme

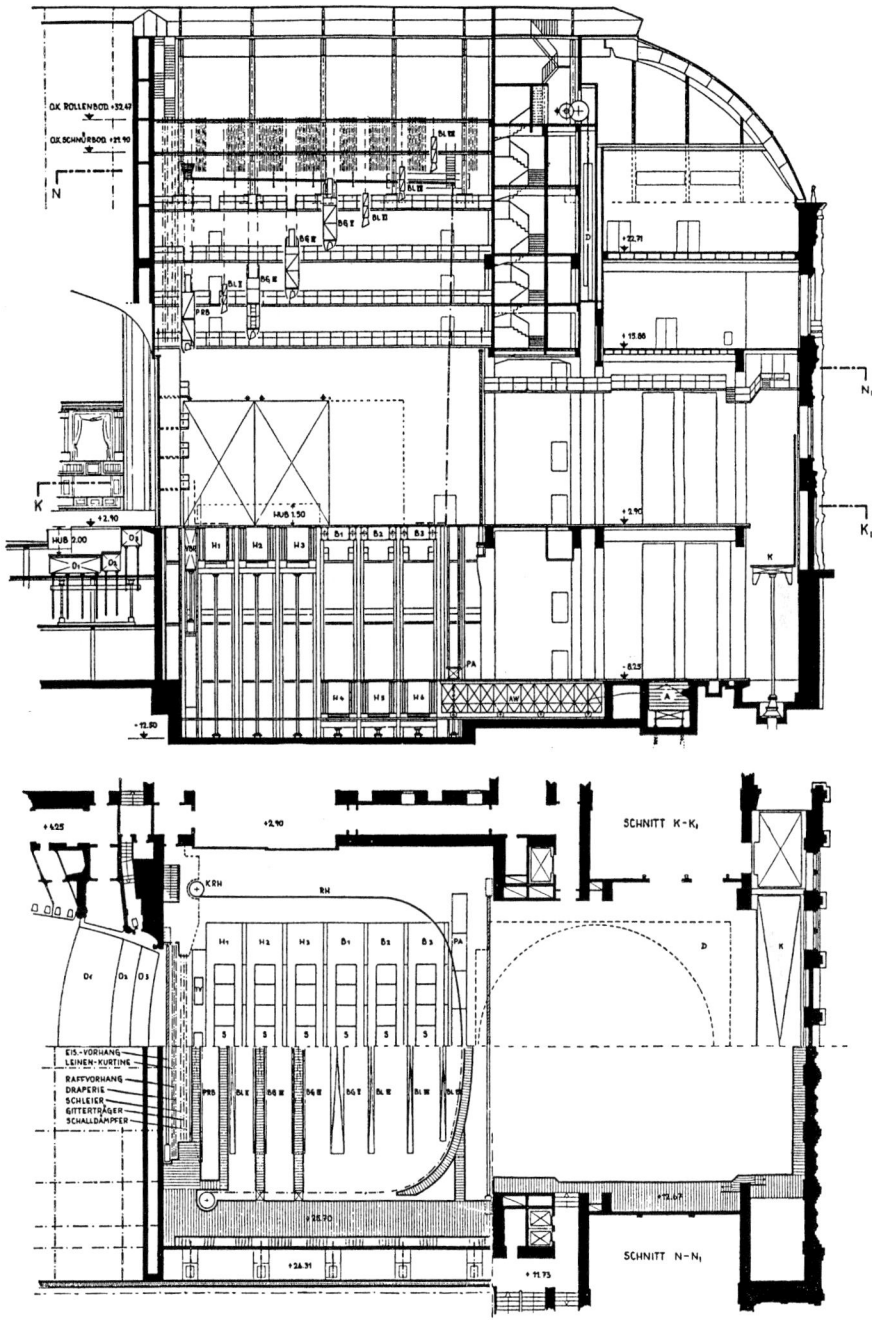

Abb. 1.4/3: Staatsoper Wien – Längsschnitt und Grundriß

- H 6 Hubpodien in Doppelstockausführung (H_1–H_3 in oberer, H_4–H_6 in unterer Stellung dargestellt)
- B 3 Bühnenwagen (Brückenwagen)
- AW Ausgleichswagen (kann unter die Hubpodien verfahren werden, wenn diese hochgefahren sind)
- D auflegbare Drehscheibe (zusammenklappbar)
- O 3 Orchesterpodien
- PA Prospektaufzug
- K Kulissenwagenaufzug zum Transport der LKW-Anhänger auf Bühnen- oder Unterbühnenniveau
- A Ablage für Bühnenhilfswagen
- RH Rundhorizontanlage

Bildnachweis: Merkblatt 289

– **Podienbühne mit auflegbarer Drehscheibe:** Bei diesem Konzept wird im Bedarfsfall eine in zerlegtem oder zusammengeklapptem Zustand magazinierte Drehscheibe auf die Podienbühne aufgelegt (s. Kap. 1.6.3 bzw. Abb. 1.6/41).

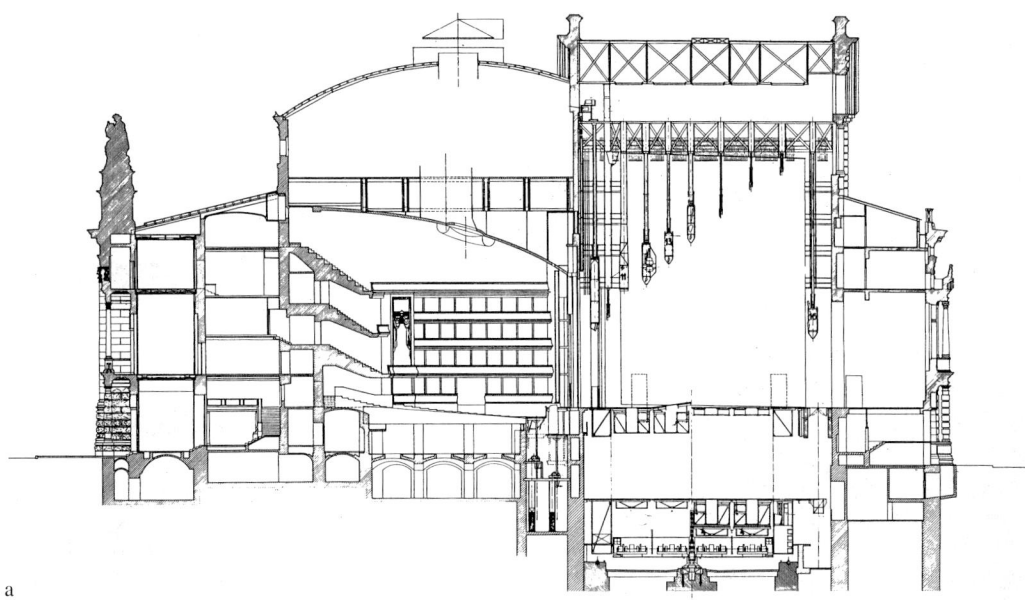

a

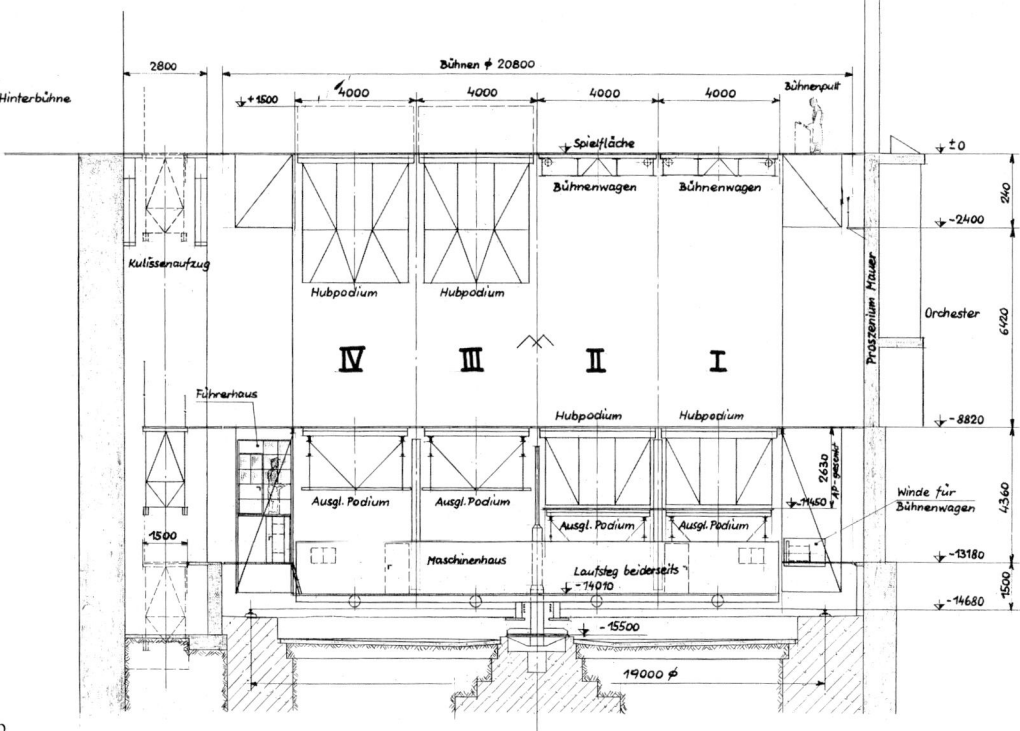

b

Abb. 1.4/4: Wiener Burgtheater – a) Längsschnitt, b) Zylinderdrehbühne
Bildnachweis: Waagner-Biró

1.4 Bühnensysteme

Abb. 1.4/5: Wiener Burgtheater – Zylinderdrehbühne mit Podien
Foto: Waagner-Biró

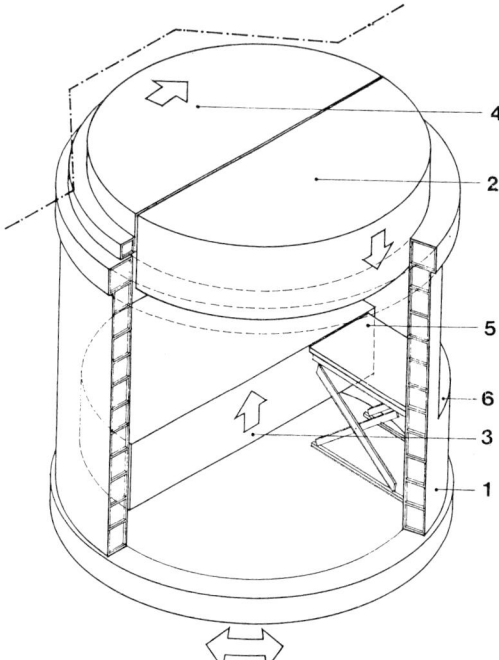

Abb. 1.4/6: National Theatre London –
Schemaskizze der Zylinderdrehbühne

1 Drehzylinderrahmen
2 Hubpodium A
3 Hubpodium B
4 Ausgleichs-Drehsegment
5 absenkbare Ladefläche
6 Transportöffnung

Bildnachweis: BTR 3 /1977

– **Drehbühne mit eingebauten Hubpodien** (Abb. 1.4/2c): Bei diesem System sind in einem drehbaren Zylinder Hubpodien eingebaut. Durch zusätzliche Verwendung von Bühnenwagen können auch bei dieser Lösung Versenkbühnen-, Schiebebühnen- und Drehbühnensystem kombiniert werden.

Als Beispiel für Drehbühnen mit eingebauten Hubpodien wird auf die in Abb. 1.4/4 und 1.4/5 dargestellte **Zylinderdrehbühne** des Wiener Burgtheaters verwiesen. In dieser Zylinderdrehbühne sind vier Hubpodien in Doppelstockausführung (s. Kap. 1.6.1) und unterhalb jedes Podiums ein Ausgleichspodium untergebracht. Ferner sind im Drehzylinder auf Bühnenniveau zwei Brückenwagen (s. Kap. 1.6.2 und Abb. 1.6/37) eingebaut. Dadurch kann bei jeder Stellung der Hubpodien, auf Bühnenniveau (0,0 m) und in der Unterbühne auf Niveau – 8,82 m, eine geschlossene Ebene gebildet werden. Auf diesen Ebenen können dann in der Unterbühne magazinierte Hilfsbühnenwagen verfahren werden.

Es sollen aber auch exemplarisch drei Sonderlösungen von Drehbühnensystemen erwähnt werden:

In Abb. 1.4/6 ist das Prinzip der Zylinderdrehbühne des National Theatre London dargestellt. Im Drehzylinder sind zwei Hubpodien mit halbkreisförmiger Grundrißfläche eingebaut. Die durch Absenken eines Podiums entstehende Öffnung auf Bühnenniveau kann durch eine im Zylinder drehbar gelagerte Scheibe geschlossen werden. Diese halbkreisförmige Scheibe übernimmt somit als drehbares Element die Funktion des soeben beschriebenen verfahrbaren Brückenwagens.

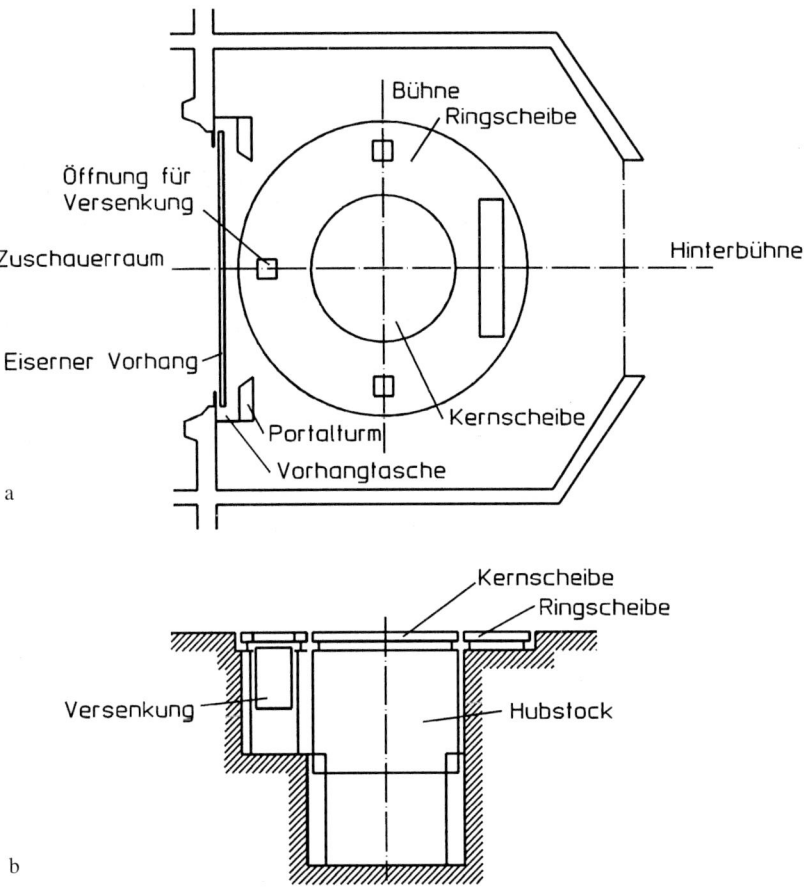

Abb. 1.4/7: Drehbühnensystem der Wiener Volksoper – a) Grundriß, b) Kern- und Ringscheibe
Bildnachweis: Waagner-Biró

1.4 Bühnensysteme

Eine andere Sonderlösung zeigen die Abb. 1.4/7 und Abb. 1.4/8: In der Wiener Volksoper ist auf einem zylindrischen Hubpodium eine drehbare **Kernscheibe** aufgesetzt, und diese Einheit ist von einer **Ringscheibe** umgeben. Somit können unabhängig voneinander Drehbewegungen von Ring- und Kernscheibe und eine Hubbewegung des Kernzylinders (auch Hubstock genannt) überlagert werden. Für szenische Effekte kann sich z. B. die Kernscheibe durch Überlagerung einer Rotation der Scheibe mit einer Hubbewegung des Kernzylinders emporschrauben, während die Ringscheibe in entgegengesetzter Richtung rotiert.

Abb. 1.4/8: Drehbühnensystem der Wiener Volksoper – Kernzylinder mit Kernscheibe
Foto: Waagner-Biró

Besonders erwähnenswert ist das Konzept der **Großdrehbühne** in der Oper Frankfurt am Main nach Abb. 1.4/9. In einer sehr großen Drehscheibe mit 37,4 m Durchmesser ist exzentrisch eine kleine Drehscheibe von 16 m Durchmesser eingebaut. Die kleine Drehscheibe entspricht etwa der Bühnengröße und kann durch Schutztore von der übrigen Großscheibe abgeschottet werden. Die große Scheibe dient vor allem der Vorbereitung und Bereitstellung für den Repertoire- und Probenbetrieb, die kleine Scheibe kann in der Funktion einer normalen Drehbühne eingesetzt werden.

Probebühne

Sofern es das Raumkonzept zuläßt und die Betriebsführung erfordert, situiert man in Bühnennähe eine **Probebühne,** wobei es transporttechnisch möglich sein sollte, Bühnenwagen dorthin zu verfahren. Auch hiefür kann die Oper Paris als Beispiel dienen (Abb. 1.2/5).

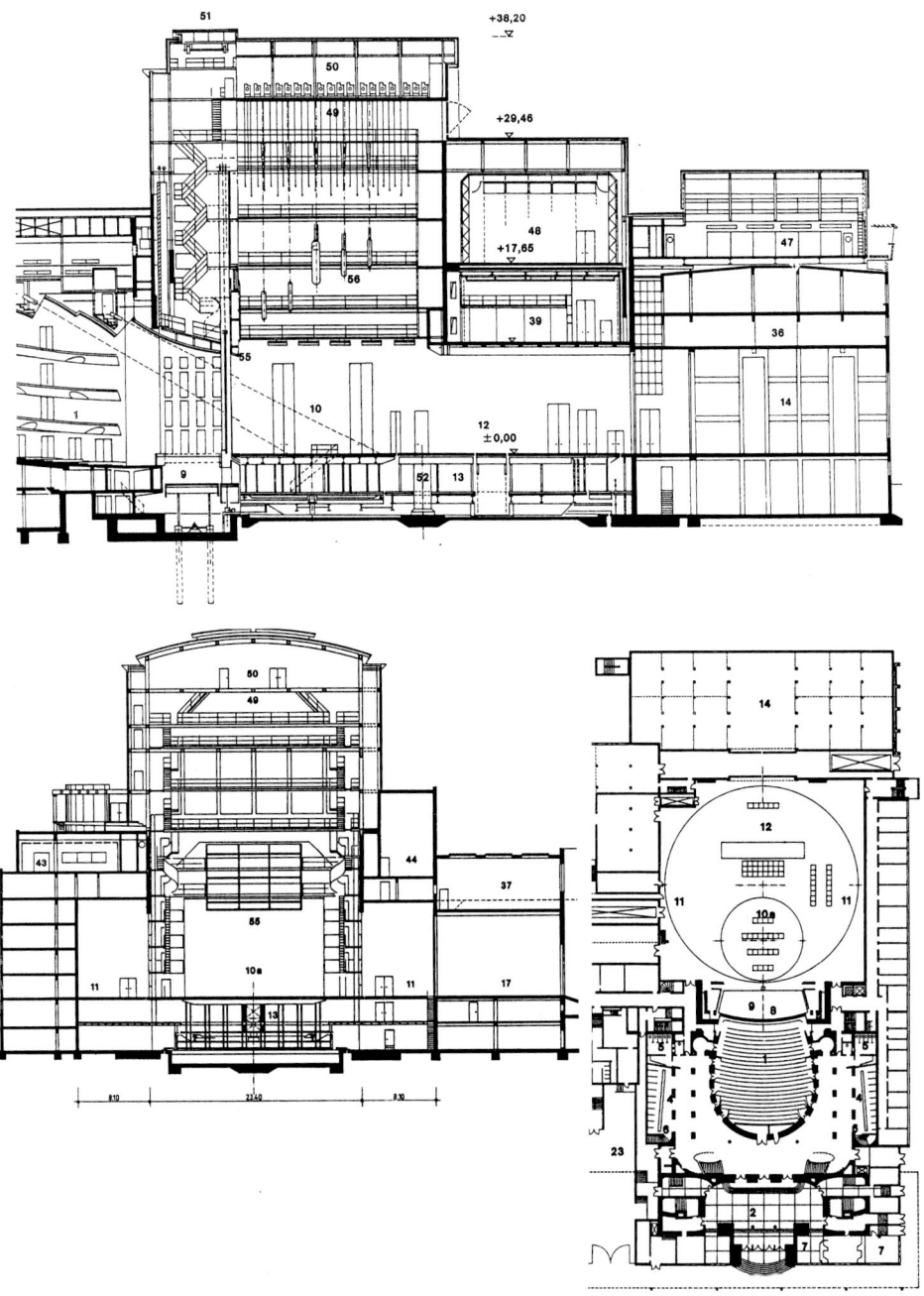

Abb. 1.4/9: Drehbühnensystem der Oper Frankfurt – Längsschnitt, Querschnitt und Grundriß

1	Zuschauerraum	12	Hinterbühne
8	Eiserner Vorhang	13	Unterbühne
9	Orchestergraben	14	Kulissenlager
10	Bühne	17	Magazin/Lager
10a	kleine Drehscheibe	43	Tonstudio
11	Seitenbühne	44	Klimazentrale
49	Schnürboden		
50	Maschinenraum		
51	Rauchgasabzugklappen		
52	Königstuhl (große Drehbühne)		
55	Portalbrücke		
56	Beleuchterbrücke		

Bildnachweis: BTR 2/1992

Fernsehstudios

Das Anforderungsprofil für Bühnen in **Fernsehstudios** ist grundsätzlich ein anderes. So entfallen Unterbühneneinrichtungen gänzlich. Es ist vielmehr ein besonders ebener und glatter **Studioboden** sehr hoher Tragfähigkeit gefordert, da mobile technische Einrichtungen frei verfahrbar sein müssen. Daher kommen Holzböden wie im Theater nicht in Frage. Als Oberbühneneinrichtung ist im Deckenbereich ein **Beleuchtungsrost** spezieller Konzeption üblich. Neben Laufstegen zur Bedienung und Wartung wird aus Deckenfeldern mit längs- und querorientierten Schlitzen eine **Lichtgitterdecke** gebildet, welche die Möglichkeit bietet, **Teleskop-Hängestative** für Scheinwerfer eventuell auch über Weichensysteme zu verfahren und Punktzugwinden als Hubzüge (Kap. 1.7.3) einzusetzen. Außerdem ist zur Spielraumbegrenzung (Kap. 1.7.4) meist eine Horizontanlage vorhanden.

1.5 Transport- und Lagersysteme

Im vorigen Abschnitt wurden Transportsysteme zum Verändern bzw. Wechseln von Bühnenbildern behandelt. Momentan nicht eingesetzte Dekorationselemente oder ganze Bühnenbilder werden während der Vorstellung in Nebenbühnenbereichen aufbewahrt. Dekorationselemente müssen aber auch über längere Zeiträume in oder außerhalb der Spielstätte gelagert werden.

Prospektmagazine im Bühnenbereich

Besonders wichtig ist es, Lagermöglichkeiten für die langen und daher schwierig zu transportierenden Prospektrollen in unmittelbarer Nähe zur Bühne zu schaffen. Dazu dienen **Prospektlager** verschiedenster Bauart:

Oft ist in Bühnennähe ein Lagerraum mit einem von einem Aufzug aus bedienbaren Kragarmregal vorhanden. Das Bühnenpersonal kann mit dem Aufzug zur gewünschten Regalhöhe hochfahren und die Prospektrollen aus- oder einlagern. Ein seitlich der Bühne situierter Lagerraum sollte so angeordnet sein, daß die Prospektrollen ohne Verschwenken parallel zum Proszenium ein- oder ausgebracht werden können. Der Lagerraum kann sich auch unterhalb der Hauptbühne befinden und von einem als **Prospekthebebühne** konzipierten Aufzug wie in der Semperoper Dresden nach Abb. 1.6/2 bedient werden.

Eine andere Möglichkeit besteht darin, die Prospektrollen zwar ebenfalls in der Unterbühne, aber in einem Hubpodium der Hauptbühne unterzubringen. In diesem Fall wird nicht der Bedienungsstand, sondern das Regal vertikal verfahren und die Manipulation des Aus- und Einlagerns kann von Bühnenniveau aus erfolgen. Dadurch müssen aber relativ schwere Massen bewegt werden. Meist wird bei diesem Konzept das – vom Zuschauerraum betrachtet – letzte Bühnenpodium als **Prospekthubpodium** ausgebildet. Ein solches Prospekthubpodium ist z. B. im Opernhaus Zürich eingebaut und in Abb. 1.5/1 ersichtlich. (Siehe auch Abb. 1.6/6.)

Eine betriebstechnisch interessant erscheinende Lösung wurde in der Pariser Oper realisiert. In Abb. 1.2/5 sieht man in der Oberbühne im vordersten Abschnitt der Hinterbühne ein hohes zweizeiliges Prospektlager mit 2×20=40 Lagerflächen, in denen die Prospektrollen in wannenartigen Prospektlager-Containern aufbewahrt werden können. Zwischen den Fächern ist ein mit Fahrkabinen für Personen ausgestatteter Containeraufzug installiert, der bis auf Bühnenniveau abgesenkt werden kann. Im normalen Prospekt-Wechselbetrieb werden die Container jedoch auf einem **Arbeitswagen** abgesetzt, der für zwei Container Platz bietet und in der Höhe der ersten Arbeitsgalerie eingebaut ist. Abb. 1.5/2 zeigt das Prospektlager mit diesen Fördergeräten und insbesondere diesen einer Kranbrücke ähnelnden Arbeitswagen, der von der vordersten Portalstellung bis zur Rückwand der Hinterbühne verfahren werden kann. Damit sollte die Möglichkeit geschaffen werden, diese Arbeitsvorgänge unabhängig von auf Bühnenebene stattfindenden Montagearbeiten durchzuführen. Abgesehen von der Tatsache, daß bei der konkreten Ausführung in der Oper de la Bastille die Länge

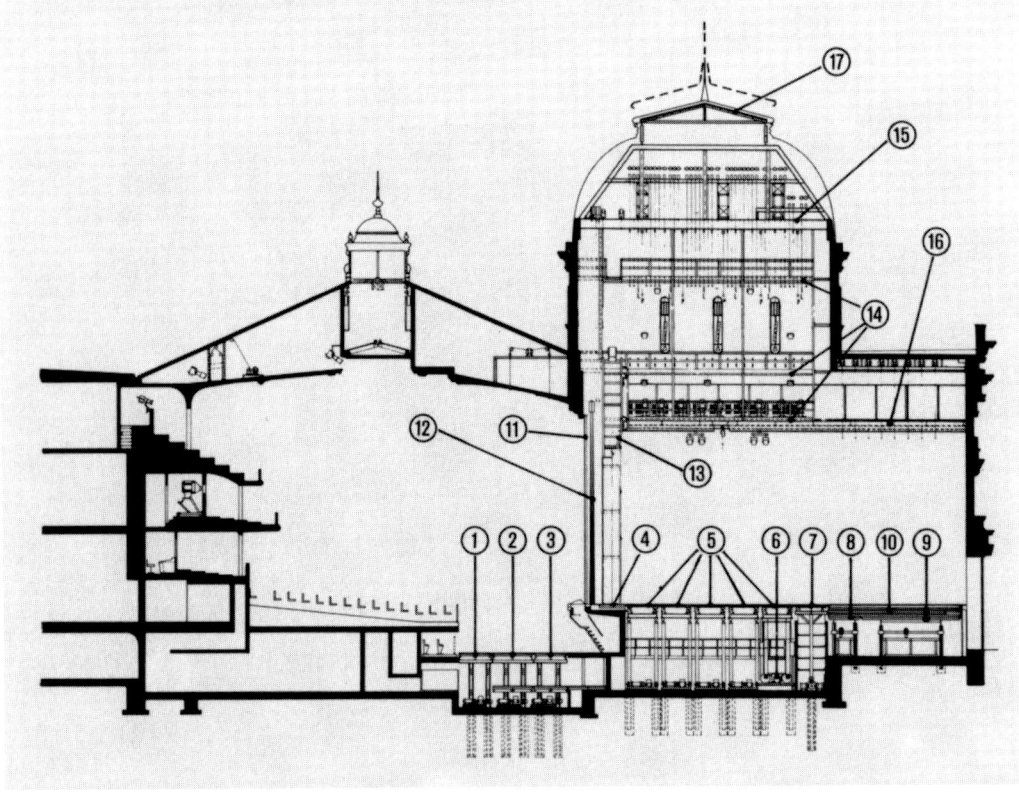

Abb. 1.5/1: Opernhaus Zürich – Längsschnitt durch Bühne und Zuschauerraum

1 Parkettpodium mit Gestühlwagen
2 Orchesterpodium II mit Schleppboden
3 Orchesterpodium I mit Schleppboden
4 Ausgleichswagen mit Schrägstellplattform
5 5 Bühnenpodien mit Schrägstellplattform
6 Tischversenkung, fahrbar unter Bühnenboden
7 Prospekthubpodium mit Schrägstellplattform
8 Hinterbühnenpodium I
9 Hinterbühnenpodium II
10 Schiebebühne mit Drehscheibe
11 Eiserner Vorhang
12 Hauptvorhang
13 Portalbrücke
14 3 Arbeitsgalerien
15 Schnürboden – Hauptbühne
16 Schnürboden – Hinterbühne
17 Rauchhaube

Bildnachweis: MAN Gutehoffnungshütte AG (D-Oberhausen), in der Folge kurz „MAN" genannt

der Container zu knapp bemessen wurde, hat sich dieses System aber auch deshalb nicht bewährt, weil der Arbeitswagen wegen herabhängender Dekorationen in seiner Verfahrbarkeit im praktischen Betrieb sehr stark behindert wird.

Eine Sonderlösung stellt das Prospektlager des Nationaltheaters München (Abb. 1.5/3) dar. Es handelt sich um ein neben der Bühne situiertes Regallager mit einem Regalbediengerät. Links und rechts stehen übereinander je 14 Kragarm-Regalebenen zur Verfügung. Die Besonderheit dieses Lagers ist, daß **wannenartige Containereinheiten** jeweils aus fünf hintereinanderliegenden Einzelwannen bestehen. Im Regal müssen sie daher mit Oberrahmen zu einer tragfähigen Gesamteinheit verbunden werden. Beim Auslagern werden sie auf einen aus fünf gelenkig gekuppelten Laufwagen bestehenden Transportwagen abgesetzt und vom im Lager verbleibenden Oberrahmen getrennt. Die Laufwagen fahren auf Schwenkrollen und können so bei engen Platzverhältnissen auf der Bühne um Kurven gelenkt werden.

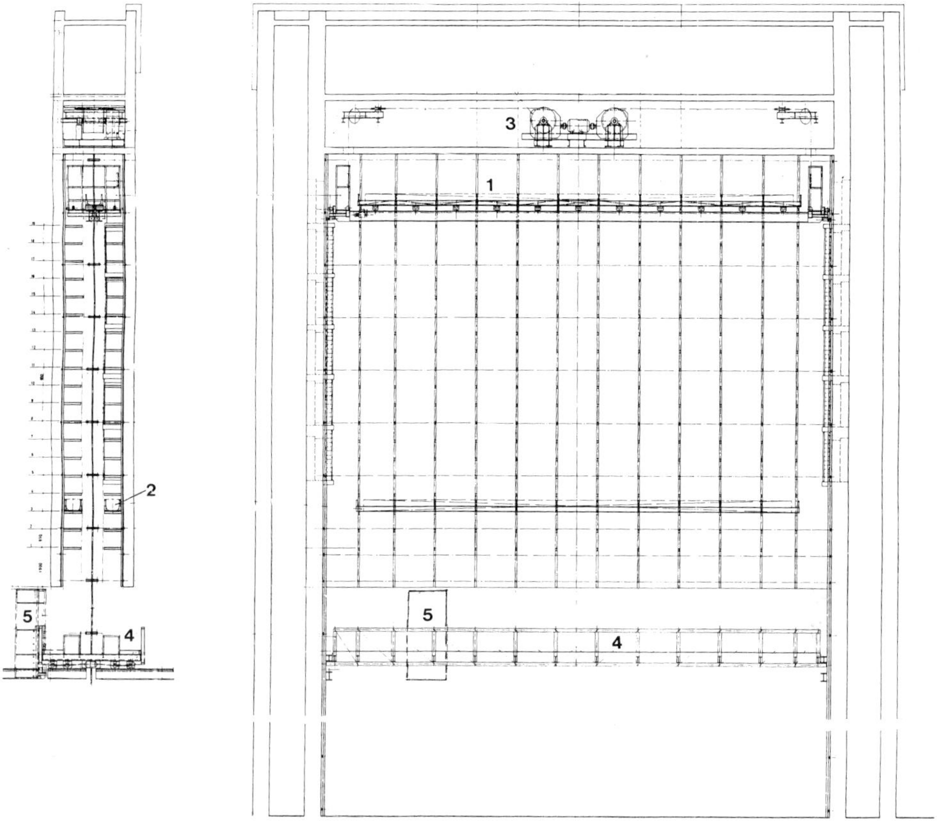

1.5 Transport- und Lagersysteme

Abb. 1.5/2: Prospektlager der Pariser Oper

1 Prospektaufzug   *3* Maschinenraum   *5* fahrbare Hubarbeitsbühne
2 Prospektlager-Container   *4* Prospektwagen

Bildnachweis: BTR 5/1989

Abb. 1.5/3: Prospektlager des Nationaltheaters München
a) Regal mit eingelagerten Containerwannen und Unterwagen, b) Transportrahmen (Greifrahmen) mit Oberrahmen,
c) Transportrahmen und verriegelter Oberrahmen mit Container

Bildnachweis: BTR 4/1989

Dekorationsdepots im Bühnenbereich

Neben der soeben beschriebenen Lagerung von Prospektrollen als speziellem Langgut sind natürlich auch sonstige Dekorationselemente unterzubringen. Meist müssen dazu aufgrund des viel zu geringen Platzangebotes Hinter- und Seitenbühnen herangezogen werden. Manchmal bietet sich aber doch die Möglichkeit, andere Nebenräume, meist unterhalb des Bühnenniveaus, als Depots zu verwenden. Die Dekorationselemente werden dann getragen oder mit kleinen palettenähnlichen Transportwagen verfahren und mit den Hubpodien auf Unterbühnenniveau gebracht. In den Depoträumen stehen meist Deckenkrane oder Hubzüge einfachster Bauart zur Verfügung.

Von der Spielstätte räumlich getrennte Kulissendepots

Wegen des meist viel zu geringen Raumangebotes in Theatern und Opernhäusern müssen Dekorationen aber auch außerhalb, in oft einige Kilometer entfernten Kulissendepots, untergebracht werden. Das heißt, der Spielbetrieb einer Großbühne erfordert vielfach nicht nur transporttechnische Lösungen im Sinne innerbetrieblicher Förder- und Lagertechnik, sondern auch Verkehrstechnik durch Verwendung von im öffentlichen Verkehr zugelassenen Spezial-Transportfahrzeugen zur Beförderung von Dekorationselementen zwischen Theater und Kulissendepot.

Auch diesem Zweck dienen Lösungen allgemeiner Transport- und Lagertechnik, wie sie etwa in Produktion und Distribution eingesetzt werden. Dekorationen müssen mit Spezialfahrzeugen transportiert bzw. manipuliert und in Regalen eingelagert werden. Für Be- und Entladung der Straßen-

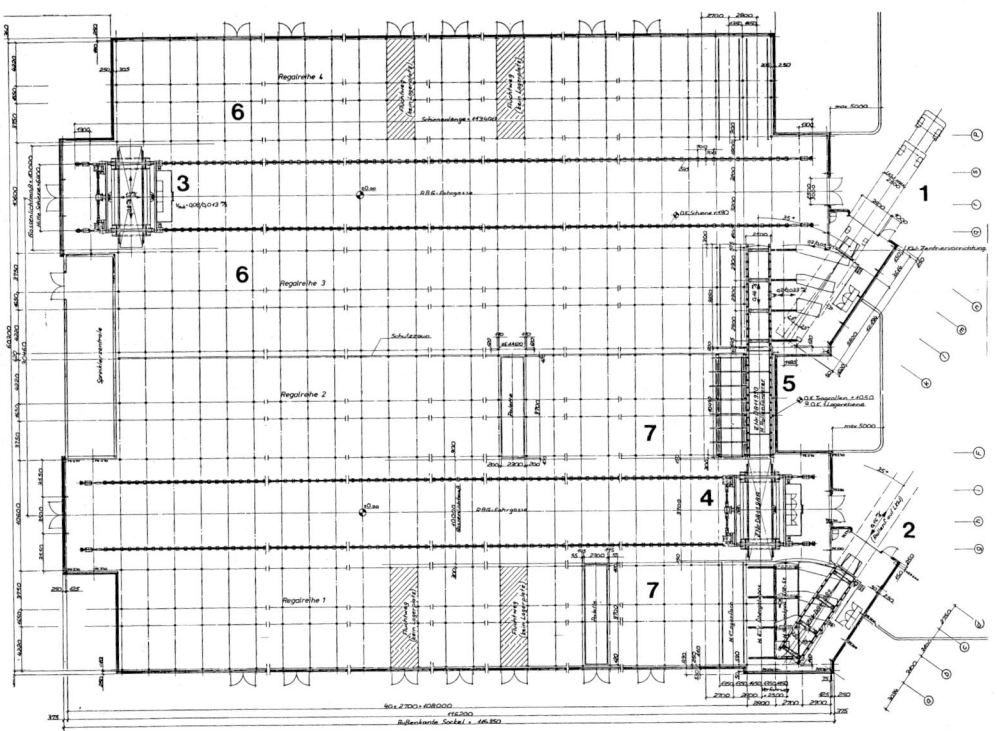

Abb. 1.5/4: Dekorationsmagazin in München/Poing – Lager im Grundriß

1, 2 Andockstationen für LKW-Anhänger zur Ein- und Auslagerung
3, 4 schienengebundene Regalbediengeräte
5 Rollenförderer zum Quertransport
6 Regale bedient vom Regalbediengerät 3
7 Regale bedient vom Regalbediengerät 4

Bildnachweis: BTR 4/1989

transporter und Ein- bzw. Ausbringung der Dekorationen in die Spielstätte sollten transporttechnisch günstige Bedingungen geboten werden. Oft liegen Bühnenebene und Straße auf unterschiedlichem Niveau, so daß geeignete Fördermittel zur Überwindung dieser Höhendifferenz erforderlich sind. In Abb. 1.4/3 ist an der Rückwand der Hinterbühne der Wiener Staatsoper ein großer **Kulissenwagenaufzug** zu erkennen, auf dem Spezialanhänger für den Dekorationstransport ohne Zugfahrzeug Platz finden und vertikal verfahren werden können.

Eine in transport- und lagertechnischer Hinsicht moderne Lösung ist in München verwirklicht. Die Dekorationen werden in speziellen von der Längs- oder Stirnseite beladbaren **Dekorationsbehältern** transportiert und gelagert. Zum Verfahren der Behälter an der Spielstätte dienen **Transportwagen** mit Rollenbahnen auf der Ladefläche. Ebenso sind die **LKW-Anhänger** auf ihrer Ladefläche mit Rollenbahnen ausgestattet. Als Kulissendepot steht ein dreistöckiges Regallager mit vier

a
b

c
d

Abb. 1.5/5: Dekorationsmagazin in München/Poing – Palettenmanipulation an der Spielstätte
a) Beladen eines Dekorationsbehälters, b) Transportwagen für Dekorationsbehälter mit Rollenförderer, c), d) Beladen eines LKW-Anhängers mit einem Dekorationsbehälter
Fotos: Carl Schenck AG (D-Darmstadt)

Lagerzeilen und zwei Lagergassen zur Aufnahme von insgesamt 457 Containern zur Verfügung. Ein- und Auslagerung erfolgt automatisch mit zwei schienengebunden verfahrbaren Regalfahrzeugen. In Abb. 1.5/4 ist das Lager im Grundriß dargestellt. Abb. 1.5/5 erläutert die Behältermanipulation an der Spielstätte und Abb. 1.5/6 jene im Depot. Durch dieses in München realisierte Behälter-Konzept entfallen Umlade- und Sortiervorgänge; so wie die Behälter auf der Bühne beladen werden, werden sie bei neuerlichem Spieleinsatz auch wieder entladen. Daraus resultieren natürlich große betriebsorganisatorische Vorteile.

Sollen im internationalen Gastspielbetrieb für den Transport der Dekorationen Container eingesetzt werden, sind i. a. genormte ISO-Container zu verwenden. Wegen der kleineren Abmessungen und schwierigeren Manipulation (eingeschränkte Zutrittsmöglichkeit) ergeben sich aber betriebliche Nachteile.

a

b

c

d

Abb. 1.5/6: Dekorationsmagazin in München/Poing – Palettenmanipulation im Lager
a) Straßentransporter bei der Andockstelle, b) Entladen (Ausfahren) des Dekorationsbehälters auf einen schwenkbaren Rollenförderer, c) Beschickung des Regalbediengerätes, d) dreistöckiges Paletten-Regallager
Fotos: Carl Schenck AG

1.6 Technische Einrichtungen der Unterbühne

Der Begriff **Unterbühne** wurde bereits im Kapitel „Raumkonzepte" erläutert. Spieltechnisch ist das Vorhandensein einer Unterbühne äußerst wichtig, auch wenn darin keine technischen Einrichtungen besonderer Art vorhanden sind. Denn mit einer unterhalb des Bühnenniveaus liegenden Ebene werden Auftritte von unten bzw. Abgänge nach unten durch Öffnungen im Bühnenboden ermöglicht. In diesem Abschnitt werden technische Einrichtungen behandelt, deren Einbaulage sich im wesentlichen auf oder unter Bühnenniveau befindet, das sind Hubpodien bzw. Versenkungen, Bühnenwagen und Drehbühnen.

1.6.1 Hubpodien

Klassifikation und Verwendungszweck

Hubpodien sind betretbare Elemente des Bühnenbodens, die vertikal verfahren werden können. Der Hub der Podien reicht meist von einer Höchstlage einiger Meter über Bühnenniveau bis zu einer Tiefstlage weit unter Bühnenniveau. Daher werden Hubpodien auch als **Versenkeinrichtungen** bezeichnet. Die Bezeichnung der Podien drückt oft deren Verwendungszweck aus:

Bühnenpodien sind Podien, die im Bereich der Hauptbühne eingebaut und normalerweise bezüglich der angewandten Technik so konzipiert sind, daß sie auch szenisch eingesetzt werden können (s. Kap. 1.3). Sie erstrecken sich meist mit rechteckiger Grundrißfläche über die gesamte Bühnenbreite und sind in Bühnenlängsachse hintereinander angeordnet (s. Abb. 1.2/3, Abb. 1.4/3).

Noch größere Flexibilität bieten Podien, die im Grundriß nicht Rechtecke in Bühnenbreite, sondern im Schachbrettmuster angeordnete Quadrate oder Rechtecke sind. Als Beispiele für eine **Schachbrettbühne** seien die Semperoper (Abb. 1.6/2) und das kleine Wiener Theater Akzent (Abb. 1.6/1) erwähnt. Bei letztgenanntem umfassen die Schachbrettpodien nicht nur die Bühnenfläche, sondern auch den vorderen Teil des Zuschauerraumes. Dies hatte in brandschutztechnischer Hinsicht aufwendige Maßnahmen im Bereich des Eisernen Vorhanges zur Folge.

 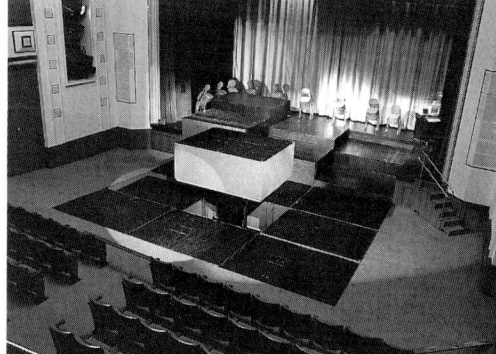

Abb. 1.6/1: Schachbrettpodien im Theater Akzent in Wien – Podien in verschiedenen Hubstellungen auf der Bühne und im Zuschauerraum
Fotos: Waagner-Biró

Bühnenpodien können aber auch in großen Drehbühnen eingebaut sein. Als Beispiel sei die mit vier Hubpodien ausgestattete Zylinderdrehbühne des Wiener Burgtheaters (Abb. 1.4/4, 1.4/5) genannt. Sonderkonstruktionen, wie z. B. im Smetanatheater in Prag (Abb. 1.6/3), ermöglichen es, die gesamte Kreisfläche des Bühnenbodens mit den Podien zu erfassen. Abb. 1.6/4 zeigt eine historische Aufnahme einer großen Zylinderdrehbühne mit Podien in Schachbrettanordnung.

Ausgleichspodien sind Podien mit nur sehr geringem Hubweg, die zum Ausgleich von Niveauunterschieden dienen, wie sie beim Verfahren von Bühnenwagen aufgrund deren Bauhöhe zwangsläufig entstehen. In Abb. 1.6/2 sind Ausgleichspodien in den Seitenbühnen und in der Hinterbühne, aber auch an den Seiten der Hauptbühne zu sehen.

Orchesterpodien sind Podien im Bereich des Orchesters und passen sich in ihrer Grundrißform ein- oder mehrteilig der Grundrißfläche des Orchestergrabens an. Abb. 1.6/5 zeigt am Beispiel des Aalto-Theaters in Essen deutlich die Konturen der Orchesterpodien, die zur Bildung einer großen Vorbühnenfläche hochgefahren sind. In Abb. 1.8/1 sind die Orchesterpodien des Großen Festspielhauses in Salzburg zu sehen.

Mit Hilfe dieser Orchesterpodien kann der Vorbühnenbereich flexibel gestaltet werden. Je nach Anzahl der abgesenkten Podien kann die Größe des Orchesterraumes variiert werden. Sind alle Orchesterpodien auf das Niveau des Zuschauerraumes verfahren, so kann der Orchesterbereich mit Sitzreihen versehen werden. Werden Orchesterpodien auf Bühnenniveau hochgefahren, so kann die Spielfläche der Hauptbühne in den Zuschauerraum hinein vergrößert werden. Dadurch kann das Spielgeschehen auch vor das Proszenium in den Zuschauerraum hinein verlagert werden. Im Opernhaus Zürich (Abb. 1.5/1) ist außer zwei Orchesterpodien noch ein sogenanntes **Parkettpodium** mit Gestühlwagen eingebaut.

Ein als Doppelstock ausgeführtes Orchesterpodium (s. nächsten Abschnitt „Bauweisen von Hubpodien") kann auch derart eingesetzt werden, daß die obere Ebene als Vorbühnenfläche und die untere Ebene als Vergrößerung des Orchesterraumes dient.

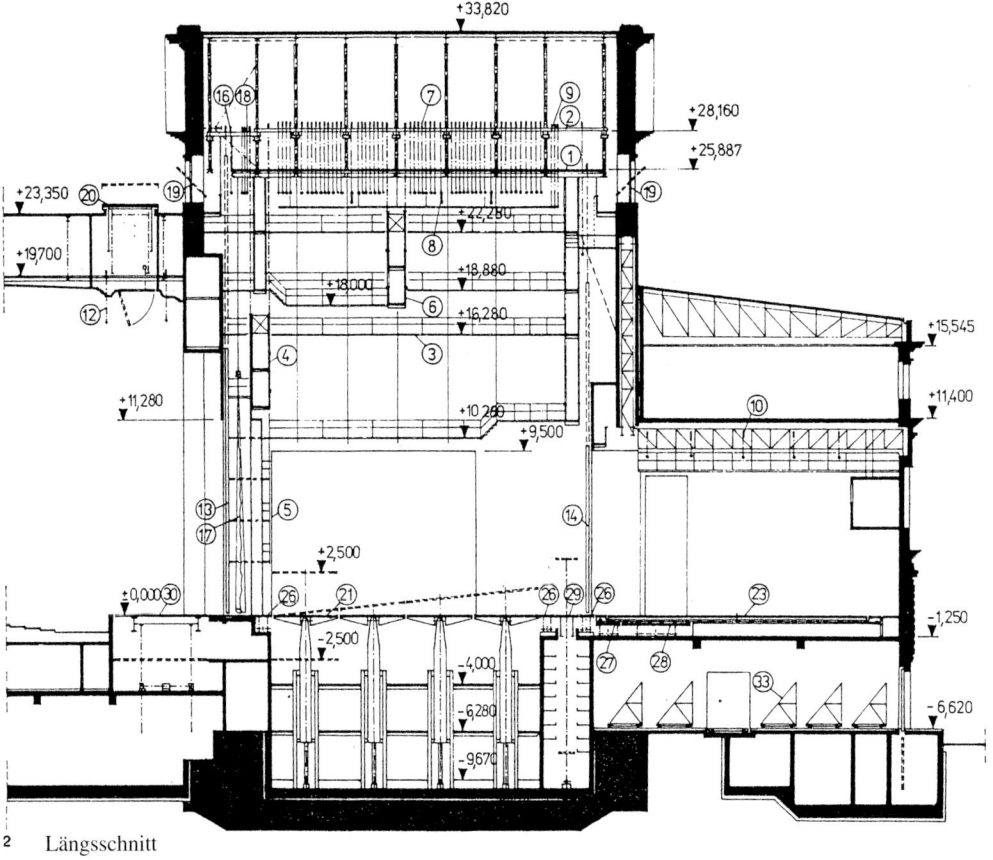

2 Längsschnitt

1.6 Technische Einrichtungen der Unterbühne

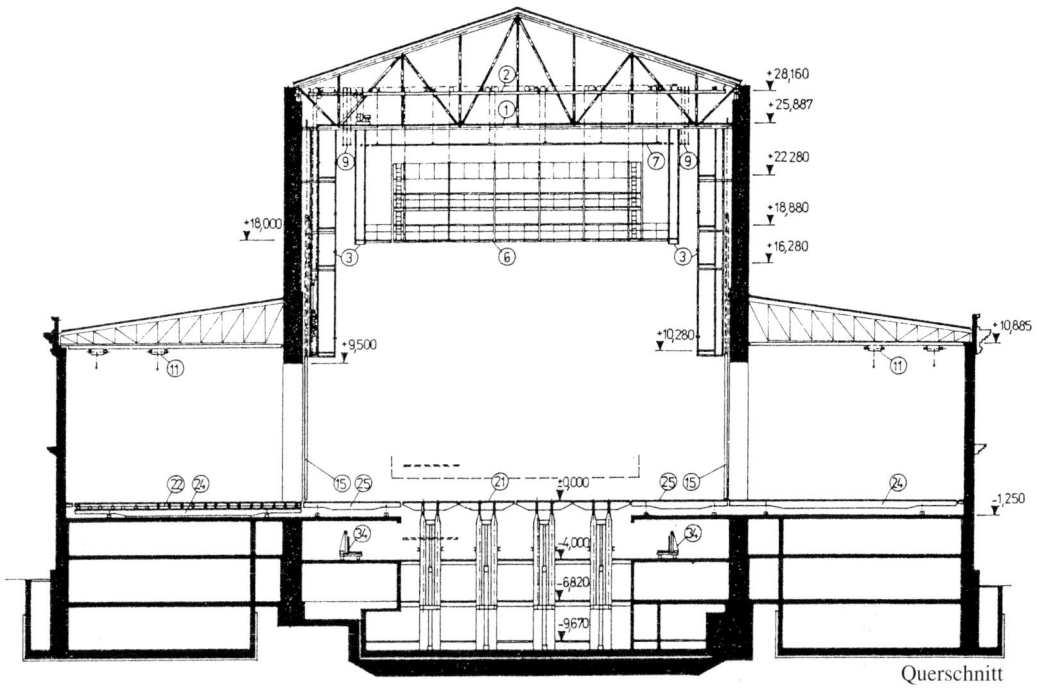

Querschnitt

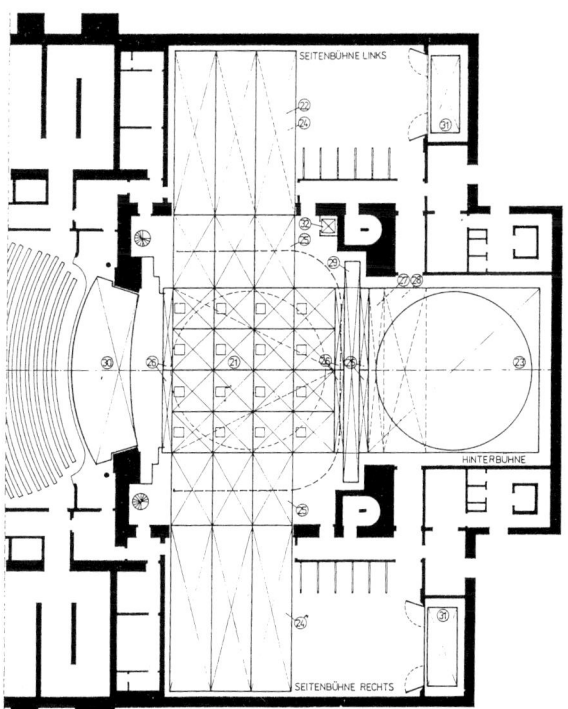

Grundriß

1 Arbeitsebene am Schnürboden
2 Rollenrost
3 Arbeitsgalerien und Verbindungsstege
4 Portalbeleuchterbrücke
5 Portaltürme
6 Beleuchterbrücke
7 Maschinendekorationszüge
8 Beleuchtungszüge
9 Rundstangenzüge (Rundprospektzüge)
10 Elektrozüge in der Hinterbühne
11 Elektrozüge in der Seitenbühne
12 Punktzugeinrichtung über der Vorbühne
13 Schutzvorhang
14 Hinterbühnentor
15 Seitenbühnentor
16 Vorhang
17 teilbarer Hubvorhang
18 Schallvorhang
19 Rauchgasabzuganlage der Hauptbühne
20 Rauchgasabzuganlage des Zuschauerraumes
21 Hubpodien in der Hauptbühne
22 Seitenbühnenwagen
23 Hinterbühnenwagen mit Drehscheibe
24 Ausgleichspodien in der Seitenbühne
25, 26 Ausgleichspodien in der Hauptbühne
27, 28 Ausgleichspodien in der Hinterbühne
29 Prospekthebebühne
30 Orchesterhubpodien
31 Transporthebebühne für Dekorationen
32 Aufzug
33 Transport- und Lagergestelle für Dekorationen
34 Personenversenkung

Abb. 1.6/2: Semperoper Dresden – Längsschnitt, Querschnitt und Grundriß
Bildnachweis: BTR 4/1979

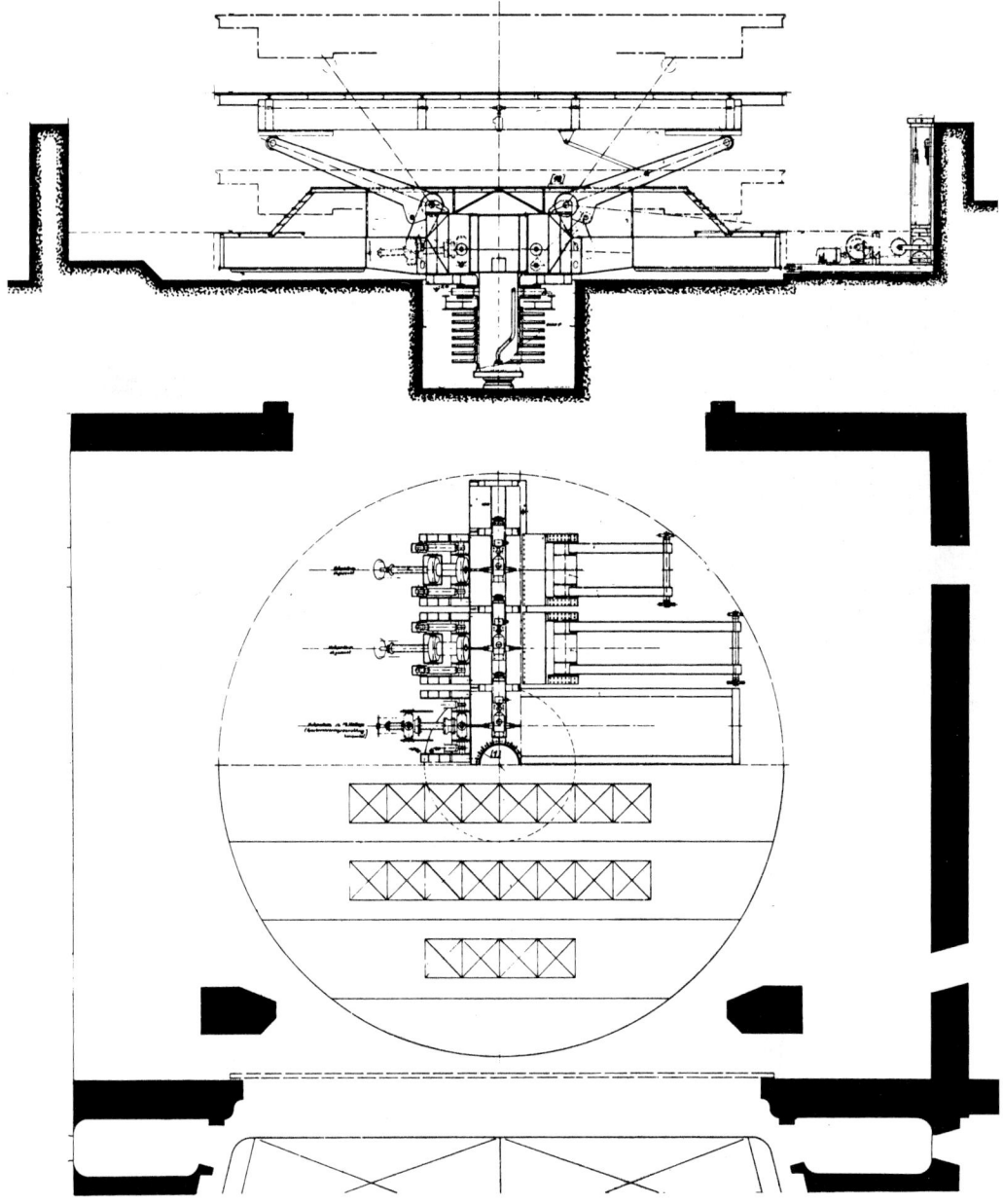

Abb. 1.6/3: Smetanatheater, Prag – Zylinderdrehbühne (die Podien umfassen die gesamte Kreisfläche)
Bildnachweis: Waagner-Biró

Speziell ausgebildete Hubpodien können aber auch als Lager für Prospektrollen dienen, wie dies bereits in Kap. 1.5 mit Hinweis auf Abb. 1.5/1 erläutert wurde. Abb. 1.6/6 zeigt ein derartiges **Prospekthubpodium** mit hydraulischem Zylinderantrieb und Synchronisationswelle. (Diese Antriebsvariante wird im nächsten Abschnitt näher erklärt.)

Zur Gruppe der Hubpodien zählen auch Tafelelemente im Bühnenboden der Hauptbühne, die vor allem zum Verschwinden- oder Erscheinenlassen von Personen oder Gegenständen dienen und **Tischversenkungen** genannt werden.

1.6 Technische Einrichtungen der Unterbühne

Abb. 1.6/4: Drehbühne mit Schachbrettpodien – Historische Aufnahme
Foto: Waagner-Biró

Abb. 1.6/5: Bühne des Aalto-Theaters Essen
(Podienflächen am Bühnenboden deutlich sichtbar, Laststangen der Prospektzüge)
Foto: Krupp

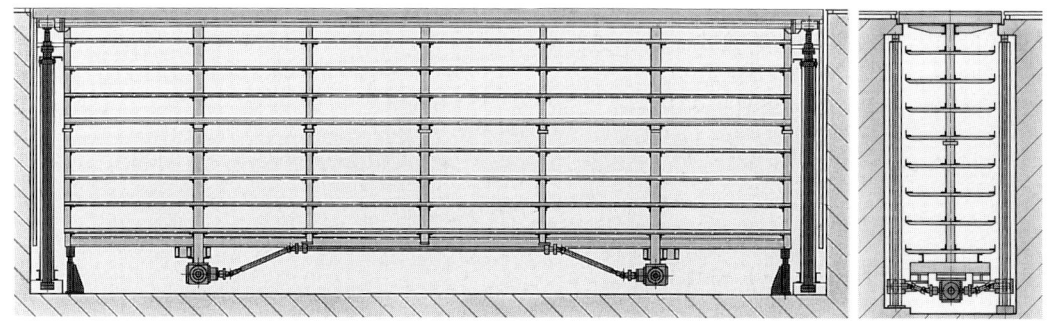

Abb. 1.6/6: Prospekthubpodium
Bildnachweis: Mannesmann Rexroth GmbH (D-Lohr)

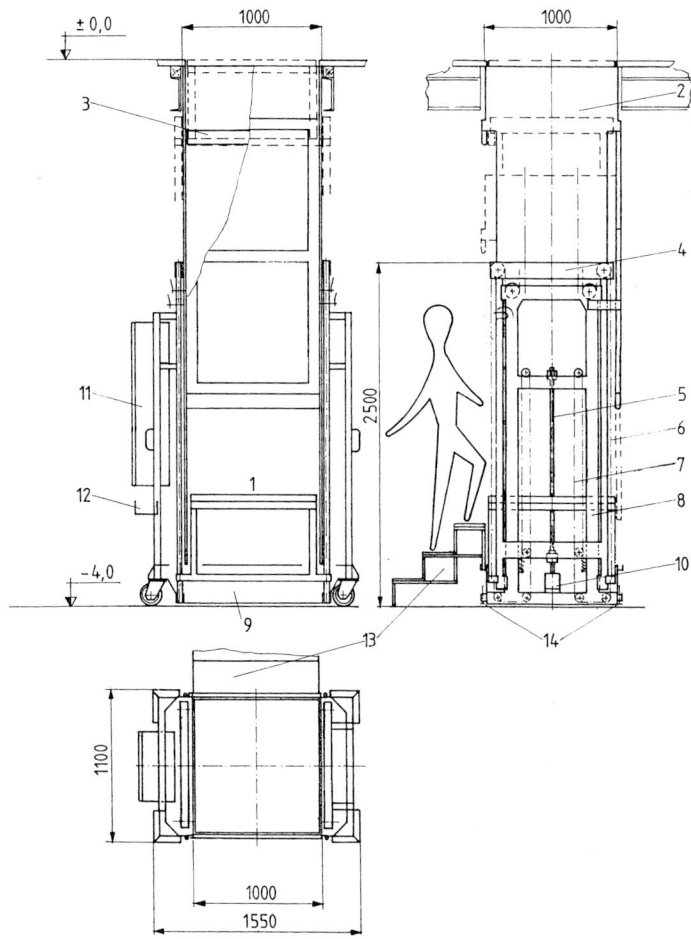

Abb. 1.6/7: Verfahrbare Personenversenkungen

1 geführte Plattform	6 Plattformtragseil	10 Antrieb
2 Schacht	7 Gegenspannsystem mit	11 Bedienungs- und Steuerschrank
3 Sicherheitsleiste	Schlaffseilabschaltung	12 Kabeldepot
4 Hub- und Führungsrahmen	8 Führungsgestell	13 einhängbare Treppe
5 Hubspindel	9 Fahrrahmen	14 Abstützspindel

Bildnachweis: Waagner-Biró

1.6 Technische Einrichtungen der Unterbühne

Kleine Versenkungen, mit denen vor allem Darsteller transportiert werden, bezeichnet man auch als **Personenversenkungen.** In Abb. 1.6/7 und 1.6/8 sind ortsvariabel einsetzbare Personenversenkungen dargestellt. Sie können auf einem begehbaren Bühnenniveau unterhalb der Bühnenfläche in verschiedene Einsatzpositionen verfahren werden.

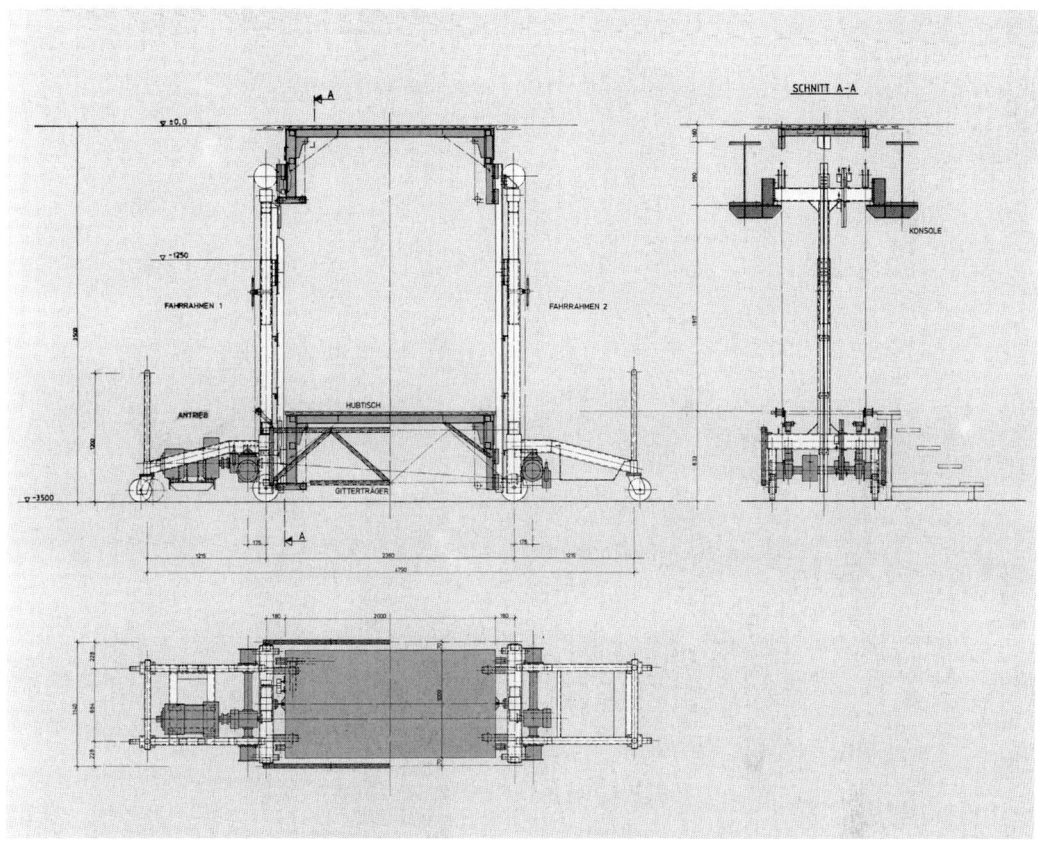

Abb. 1.6/8: Verfahrbare Tischversenkung
Bildnachweis: MAN

Die im Bühnenboden durch eine herabgefahrene Versenkung entstehende Öffnung kann durch **Versenkschieber** geschlossen werden. Damit ist ein Bühnenbodenelement gemeint, das mit Hilfe eines Hebelsystems abgesenkt und in unterhalb des Bühnenbodens befestigten horizontalen Führungsschienen seitlich verfahren werden kann. Ist die Öffnung so lang, daß der Versenkschieber in der Längsrichtung keinen ausreichenden Platz findet, so kann es erforderlich sein, Schieberelemente übereinander anzuordnen. Abb. 1.6/9 zeigt im Podium eingebaute Versenkschieber, bei denen das zu öffnende Bodenelement unterhalb des Bühnenbodens magaziniert wird.

Bauweisen von Hubpodien

Ausgleichspodien, Orchesterpodien und Tischversenkungen haben eine begehbare Fläche. Hubpodien im Hauptbühnenbereich werden aber vielfach auch als sogenannte **Doppelstockpodien** ausgeführt, d. h. sie bieten zwei begehbare Niveaus.

Bei Vorhandensein einer tiefen Unterbühnengrube, wie dies bei großen Podienbühnen der Fall ist, wäre bei auf Bühnenniveau hochgefahrenem einfachem Podium unterhalb der Podiumsfläche ein

Leerraum großer Höhenerstreckung gegeben, so daß Auftritte von unten durch Öffnungen auf der Podienspielfläche nicht möglich wären. Ein Doppelstockpodium mit einer unterhalb der Normalspielfläche angeordneten zweiten Ebene bietet in idealer Weise eine Auftrittsmöglichkeit von unten. Üblicherweise haben die beiden begehbaren Niveaus einen Abstand von etwa 2,5–4,0 m. Auf diesem unteren Podiumsniveau können dann z. B. auch verfahrbare Personenversenkungen flexibel eingesetzt werden. Abb. 1.6/10 zeigt ein Doppelstockpodium in jener Höhenstellung, bei der die untere Podiumsebene mit der Bühnenebene übereinstimmt.

Sollen doppelstöckige Podien im Sinne eines Versenkbühnensystems nach Abb. 1.4/1a eingesetzt werden, muß der Abstand zwischen den beiden Podienflächen natürlich sehr groß sein. In Abb. 1.6/29 ist eines der Hubpodien der Hamburgischen Staatsoper mit einem Niveauunterschied der beiden Stockwerke von 10 m zu sehen. Da für ein auf der unteren Spielfläche aufgebautes Bühnenbild Hubzüge der Oberbühne nicht eingesetzt werden können, sind unterhalb der oberen Podienspielfläche Prospektzüge montiert.

Ist die Grube im Fahrbereich eines Podiums nicht ausreichend tief, so daß ein Doppelstockpodium nicht weit genug abgesenkt werden könnte, so kann das Podium eventuell mit einem **Schleppboden** gebaut werden. Ein Schleppboden bietet bei hochgefahrenem Podium ebenfalls eine zweite begehbare Fläche. Wird das Podium jedoch gänzlich abgesenkt, so setzt sich der Schleppboden am Fundament ab. Die obere Spielfläche kann dadurch – allerdings bei Verringerung des Abstandes der beiden Podienflächen – weiter nach unten gefahren werden. In diesem Fall müssen spezielle Sicher-

Abb. 1.6/9: Versenkschieber
Foto: Sächsischer Bühnenbau

1.6 Technische Einrichtungen der Unterbühne 47

Abb. 1.6/10: Doppelstockpodium
der Oper Graz
Foto: Waagner-Biró

heitsvorkehrungen getroffen werden, damit sich bei diesem Betriebsfall niemand auf dem Schleppboden befindet und durch die Reduktion der freien Höhe gefährdet wird. Die Orchesterpodien I und II in Abb. 1.5/1 sind z. B. mit Schleppböden ausgeführt.

Weitere Bauvarianten ergeben sich dadurch, daß auf einem großen Hubpodium nebeneinander mehrere relativ zu diesem Hubpodium vertikal verfahrbare kleine Podien aufgebaut sind, d. h. auf einem **Primärpodium** sind mehrere **Sekundärpodien** aufgesetzt (Abb. 1.6/11).

Abb. 1.6/11: Primär- und Sekundärpodien – Oper Genua
(Unterflaschen der verschiebbaren Punktzüge, Gerüst eines Beleuchtungszuges)
Foto: Waagner-Biró

Die obere Spielfläche von Bühnenpodien kann auch neigbar ausgeführt werden, indem die Podienspielfläche um eine parallel zum Proszenium orientierte horizontale Achse gekippt werden kann. Durch Neigen aller Podien um den gleichen Winkel und Verfahren der Hubpodien in entsprechende Höhenpositionen ist damit statt einer horizontalen Bühnenebene ein **Bühnenfall** nach Abb. 1.6/12 herstellbar. Früher wurde oft mit derart schrägem Bühnenboden mit ca. 1,5–5 cm Anstieg pro Meter Bühnentiefe, d. h. mit einer Neigung der Bühnenebene von ca. 1° bis 3°, gespielt. Dadurch ergeben sich für die Zuschauer im Parkett bessere Sichtbedingungen, es kann dadurch aber auch die perspektivische Wirkung im Bühnenbild verstärkt werden (s. Kap. 1.1). Ein Podium mit **neigbarem Gedeck** ist auch in Abb. 1.6/13 dargestellt. Abb. 1.6/14 zeigt eine Spezialkonstruktion für ein neigbares Gedeck. Durch die besondere Gelenkkinematik wird erreicht, daß die Podienkanten bei der Kippbewegung innerhalb der Grundrißabmessungen (bei horizontaler Lage) bleiben.

Abb. 1.6/12: Bühnenfall, hergestellt durch Podien mit neigbarem Gedeck – Oper Zürich
Foto: MAN

Abb. 1.6/13: Neigbares Podium im Wiener Raimundtheater
Foto: Waagner-Biró

Neigbare Podien mit Rechtecksfläche sind meist um Achslagen in Podienlängsrichtung kippbar. Bei Podien von etwa quadratischer Form, insbesondere bei Schachbrettbühnen, wird oft auch die Möglichkeit geboten, die Spielfläche nach beliebigen Richtungen zu neigen. Dann kann die aus mehreren Podien gebildete Bühnenfläche in beliebiger Raumlage geneigt werden.

Bauarten von Podienantrieben

Für die technische Realisierung der Verfahrbarkeit von Podien bieten sich zahlreiche Möglichkeiten. Die Auswahl der antriebstechnischen Varianten hat sich an den baulichen Randbedingungen, dem Verwendungszweck der Podien und natürlich an den finanziellen Rahmenbedingungen zu orientieren.

Der Beschreibung einzelner Antriebsvarianten seien folgende grundsätzliche Überlegungen vorangestellt:

- Sieht man von kleinen Hubpodien ab, müssen sehr große Eigenmassen und Nutzlasten bewegt werden. Daher ist es in vielen Fällen zweckmäßig, zur Verringerung der Antriebsleistung die Hublasten teilweise durch **Gegengewichte** auszugleichen.
- Es gibt Lösungen, bei denen der Antrieb ortsfest installiert ist, und Lösungen, bei denen der Antrieb mit dem Podium mitfährt (**Kletterantrieb**). Sollen Bühnenpodien szenisch eingesetzt

1.6 Technische Einrichtungen der Unterbühne

werden, darf von der Antriebseinheit keine störende Schallemission ausgehen. Bei solchen Antrieben ist es daher i. a. günstiger, deren Anordnung im Keller der Unterbühne vorzusehen, da ein mitfahrender Antrieb bei hochgefahrenem Podium der Spielfläche sehr nahe kommt. Aufwendige Maßnahmen zur Schalldämmung sind dann oft unvermeidbar, wobei damit zwar Luftschalldämmung möglich ist, störende Körperschallweiterleitungen aber meist nur sehr schwer unterbunden werden können.

– Im allgemeinen werden Podien in Ruhestellung zur exakten Lagefixierung und auch aus sicherheitstechnischen Erwägungen mechanisch verriegelt. Als Alternative zu formschlüssig wirkenden Riegeln, bei denen nur bestimmte Betriebsstellungen angefahren werden können, werden eventuell auch über Reibschluß wirkende Klemmelemente (Hydrozylinder mit Klemmkopf, Abb. 2.3/6 d) eingesetzt. Hängen Podien in sehr elastischen Tragmitteln, wie z. B. Seilen, sind **Verriegelungen** auf jeden Fall erforderlich, da sich die Höhenlage bei Änderung der Lastverhältnisse ebenfalls ändern würde und das Podium unter dynamischen Lasten auch sehr leicht zu Schwingungen angeregt werden könnte. Im manchen Ländern ist durch Vorschriften geregelt, bei welchen Bauweisen Verriegelungen vorzusehen sind bzw. entfallen dürfen.

– Meistens werden im Falle rotierender Antriebe Elektromotoren verwendet. Selbstverständlich ist aber auch der Einsatz von Hydromotoren möglich.

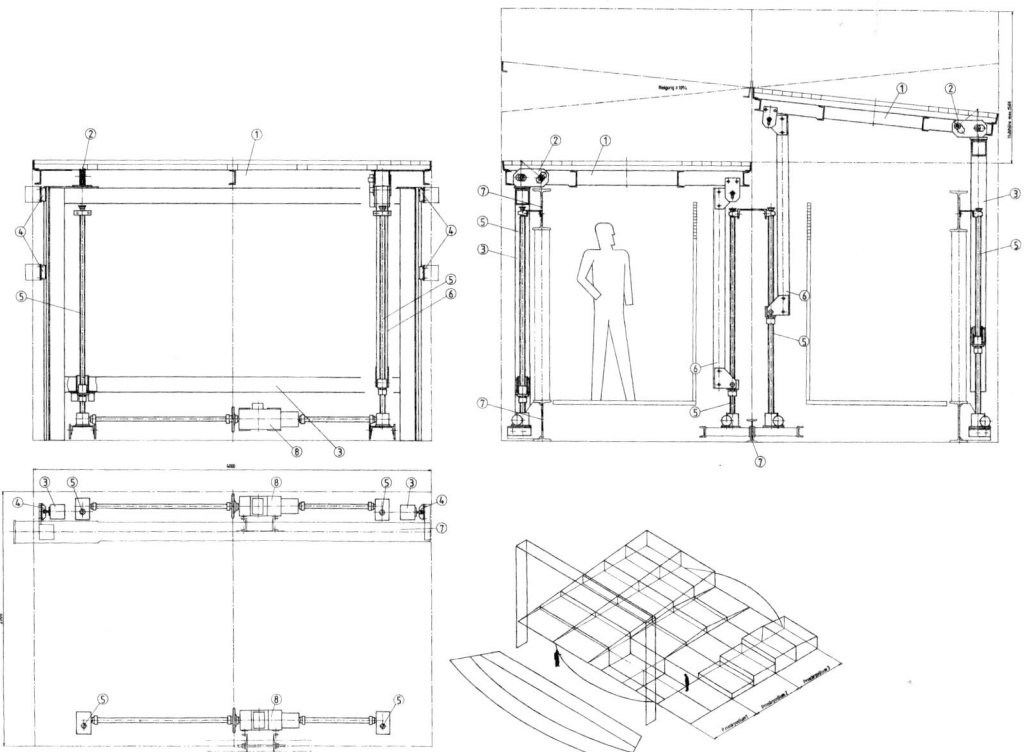

Abb. 1.6/14: Neigbares Gedeck – Patent Waagner-Biró

1 Plattform des Sekundärpodiums
2 Neigmechanismus
3 geführter Hubrahmen
4 Führungen des Hubrahmens
5 Spindelhubelement mit drehender Spindel
6 Stütze
7 Stahlkonstruktion des Primärpodiums
8 Antriebsmotor

Bildnachweis: Waagner-Biró

Antrieb mit Seilwindwerk (s. auch Kap. 4.1)

Bei einem Podium mit Seiltrieb hängt das Podium an Seilen, je nach Größe der Podien bzw. der Eigengewichts- und Nutzlastmasse eventuell auch mehrsträngig in Flaschenzügen. Im Keller der Unterbühne steht eine **Seilwinde** zum Heben bzw. Senken des Podiums. Durch mechanisches Kuppeln der Antriebe mehrerer Podien kann deren synchrones Verfahren erzielt werden.

Bezüglich der Art der Seilführung gibt es eine Vielzahl von Möglichkeiten. Hier werden nur zwei Varianten beschrieben.

Eine Bauform ist in Abb. 1.6/15a dargestellt. Um die schweren Massen mit ausreichend großer Geschwindigkeit, aber trotzdem mit kleinen Antriebsleistungen bewegen zu können, wird die Hublast, wie bereits erläutert und in der Bühnentechnik in vielen Anwendungsbereichen üblich, teilweise durch Gegengewichte ausgeglichen. Wählt man die Gegengewichtsmassen in der Größe der Eigenmasse plus der halben Nutzlastmasse, so wird, je nach Größe der Nutzlast, die Podien- oder Gegengewichtslast überwiegen und die resultierende Hublast höchstens der halben Nutzlast entsprechen. Die Seiltrommeln haben nach oben ziehende Hub- und nach unten ziehende Gegenseile aufzunehmen, wobei beim Aufwickeln des einen Seils das entsprechende Gegenseil abgewickelt wird. Überwiegt immer die Podienmasse, kann das Gegenseil entfallen, wie dies in Abb. 1.6/15b gezeigt wird. Außerdem ist in diesem Beispiel der Verfahrweg des Gegengewichts durch die Flaschenzugübersetzung halbiert. Bei kleinen Podien kann natürlich auf Gegengewichte verzichtet werden.

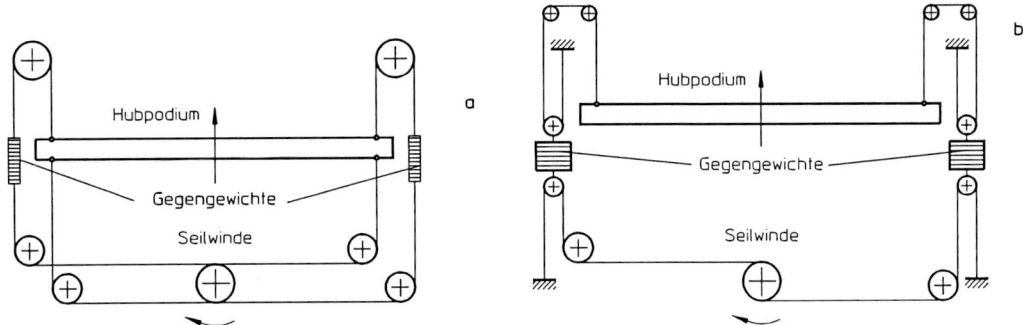

Abb. 1.6/15: Podienantrieb mit Seilwindwerk
a) mit Seil und Gegenseil, b) ohne Gegenseil (Gegengewicht gleicht Eigengewicht des Podiums nur teilweise aus)

Durch die hohe Elastizität der Seile ergibt sich das Problem, daß bei Veränderung der Beladung des Podiums Änderungen in der Höhenlage des Podiums eintreten würden. Außerdem stellen Seil und Podienmasse ein Feder-Masse-System dar, das zu Schwingungen angeregt werden kann (s. Kap. 3.9). Aus diesem Grund werden Seilpodien in ihrer Verwendungslage immer mechanisch verriegelt. Die Hubwerkssteuerung der Winden ist so konzipiert, daß diese **Verriegelungsbolzen** jeweils mit ausreichendem Spiel in eine Lochleiste eingefahren werden können und erst anschließend das Absetzen des Podiums auf die Verriegelungsbolzen erfolgt. Ebenso muß zum Entriegeln das Podium leicht angehoben werden.

Die Seiltrommeln zum Auf- bzw. Abwickeln der Seile werden meist von Elektromotoren angetrieben. Natürlich ist auch der Einsatz von Hydromotoren möglich, wie dies bei den in der Zylinderdrehbühne des Residenztheaters München eingebauten Podien der Fall ist (Abb. 1.6/16). Diese Anlage hat aber noch eine Besonderheit: Da sich die Druckzentrale mit den Pumpen wegen des zu hohen Lärmpegels und aus Platzgründen außerhalb des Bühnenbereichs befindet, muß die Versorgung der Podien auf der Drehbühne mit Druckflüssigkeit über eine hydraulische Drehdurchführung erfolgen. Allerdings wird ein Großteil des momentanen Flüssigkeitsbedarfs bei Arbeitsbewe-

1.6 Technische Einrichtungen der Unterbühne

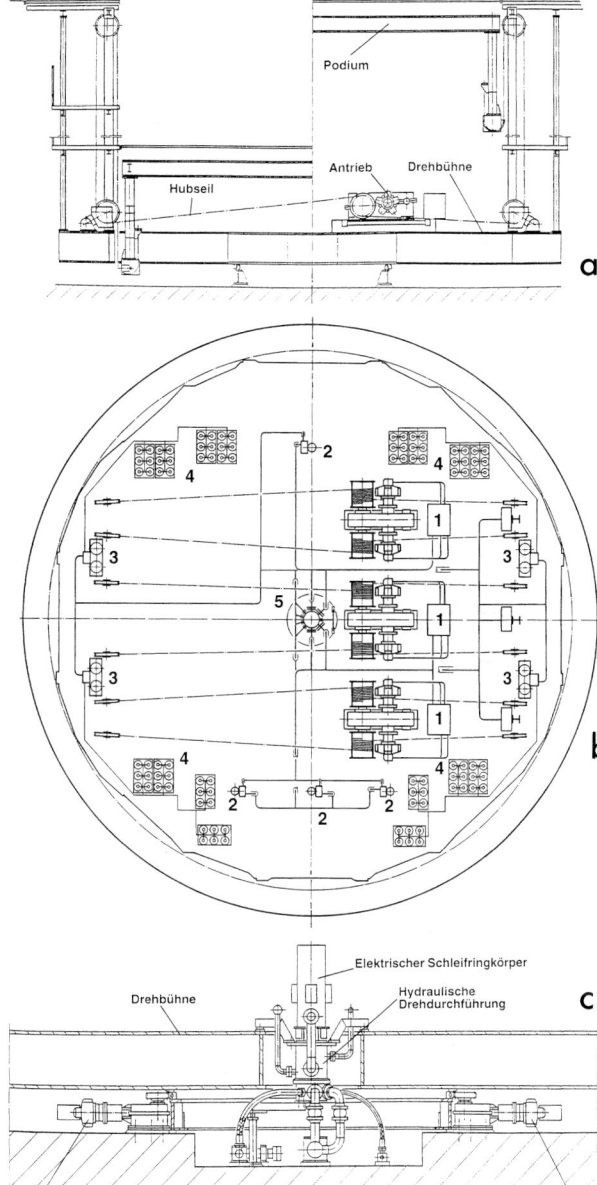

Abb. 1.6/16: Podienantriebe mit Seilwindwerken in der Drehbühne des Residenztheaters München
a) Schema der Drehbühne, Seiltrieb der Podien, hydrostatischer Windenantrieb
b) Grundriß der Drehbühne
   1 Antriebe der Podien
   2 Antriebe der Tischversenkungen
   3 Kolbenspeicher
   4 Stickstoffspeicher
   5 hydraulische Drehdurchführung
c) Elektrische und hydraulische Anspeisung der Drehbühne mit elektrischem Schleifringkörper und hydraulischer Drehdurchführung – Antrieb der Drehbühne, Zentrallagerung mit einer Kugeldrehverbindung

Bildnachweis: Mannesmann Rexroth

gungen aus Kolbenspeichern entnommen, die sich gemeinsam mit den Stickstoffflaschen auf der Drehbühne befinden, so daß eine hydraulische Drehdurchführung mit geringer Nennweite ausreicht. Abb. 1.6/17 zeigt eine Fotografie der Seilwindwerke.

Antrieb über Kettenräder und Hubketten (s. auch Kap. 4.2)

In diesem Fall hängen die Podien nicht in Seilen, sondern in Ketten, je nach Lastgröße in **Einfach-** oder **Mehrfachketten**. Diese Ketten werden über Kettenräder angetrieben.

Abb. 1.6/17: Podienantriebe mit Seilwindwerken in der Drehbühne des Residenztheaters München
Foto: Bayrischer BühnenBau, Mannesmann Rexroth

Auch bei dieser Lösung wird man bestrebt sein, die Eigen- bzw. Nutzlastmassen durch Gegengewichtsmassen möglichst auszugleichen. In Abb. 1.6/18 sieht man den elektrischen Kettenantrieb und die an einem Kettenende hängenden Gegengewichte. In Abb. 1.6/19 ist das Antriebskonzept für die in der Drehbühne des Wiener Raimundtheaters eingebauten Hubpodien dargestellt. Die Antriebskettenräder sind knapp unterhalb des Bühnenniveaus seitlich der Podien angeordnet. An einem Kettenende hängt das Podium, am anderen Kettenende das Gegengewicht. Die vier Antriebskettenräder eines Podiums werden über Gelenkwellenstränge mit Verteilergetrieben mechanisch synchronisiert von einer im Keller der Unterbühne montierten Einheit angetrieben. Solche Podien können, wie dieses Beispiel zeigt, auch vorteilhaft in Drehbühnen eingebaut werden. Die Gelenkwellen sollten einerseits mit nicht zu hoher Drehzahl laufen, um Geräusche und störende Schwingungserregungen auszuschließen (s. Kap. 3.9 und 4.5), andererseits sollten die zu übertragenden Drehmomente nicht zu groß sein, um teure und schwere Gelenkwellen zu vermeiden. Es ist daher günstig, einen Teil der Übersetzung zwischen Motor und Kettenrad im Getriebe beim Antriebsmotor unterzubringen, den Rest bei den Verteilergetrieben zu den Kettenrädern.

In Abb. 1.6/20 sind die Hubpodien der Oper Genua zu sehen und die schweren Rollenketten deutlich zu erkennen.

Bei Verwendung eines Kettentriebes sollte auch beachtet werden, daß infolge des sogenannten **Polygoneffekts** (s. Kap. 4.2) bei Antrieb der Kettenräder mit konstanter Winkelgeschwindigkeit Schwankungen in der Translationsbewegung der Podien entstehen und die Kette auch zu Querschwingungen angeregt wird. Diese Ungleichförmigkeit wirkt sich um so stärker aus, je geringer die Zähnezahl der Kettenräder ist. Bei großen Hublasten ist aber die Verwendung schwerer Ketten mit relativ großer Teilung erforderlich, so daß sich aus Platzgründen sehr wohl die Notwendigkeit

1.6 Technische Einrichtungen der Unterbühne

Abb. 1.6/18: Podienantrieb mit Ketten im Tiroler Landestheater, Innsbruck
Foto: Waagner-Biró

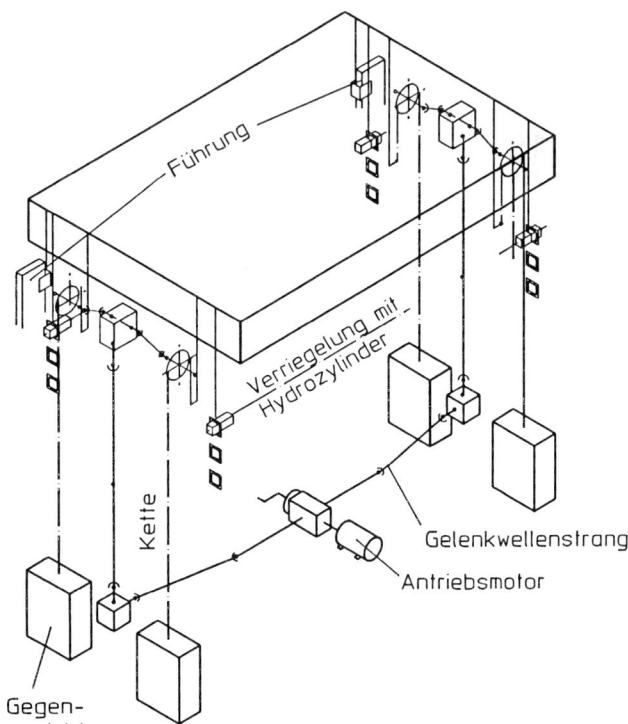

Abb. 1.6/19: Podienantrieb mit Ketten
im Wiener Raimundtheater – Schemazeichnung
Bildnachweis: Waagner-Biró

ergeben kann, relativ kleine Zähnezahlen zu wählen. Allerdings wirkt sich bei im Bühnenbetrieb üblichen Arbeitsgeschwindigkeiten dieser Polygoneffekt kaum störend aus. In Sonderfällen, wenn z. B. geometrisch bedingt zusätzlich zu den Antriebsritzeln auch Umlenkritzel vorgesehen werden müssen, können sich deren Polygoneffekte aufgrund ungünstiger Lagezuordnung der beiden Kettenräder durch Überlagerung verstärkt auswirken.

Abb. 1.6/20: Podienantrieb mit Ketten in der Oper Genua – Primärpodien in verschiedenen Höhenstellungen, Sekundärpodien alle in tiefster Stellung
Foto: Waagner-Biró

Zahnstangenantrieb (s. auch Kap. 4.4)

Bei Verwendung von Zahnstangen sind prinzipiell zwei Möglichkeiten gegeben:

– Antrieb mit **hubbewegter Zahnstange:** Am Boden, unterhalb des Podienverfahrweges, ist eine Antriebseinheit installiert. Über Verteilergetriebe und Gelenkwellenstränge werden ortsfeste Zahnräder angetrieben, die in vertikal verfahrbaren am Podium befestigten Zahnstangen eingreifen. Somit ergibt sich das Erfordernis, die Zahnstangen in der Länge des Gesamthubes in Brunnen unterhalb des Kellerniveaus einfahren zu lassen. Abb. 1.6/21 zeigt die Podienantriebe der Oper Zürich. Als Alternative zur Zahnstange ist die Verwendung von Triebstöcken (Abb. 1.6/22), wie z. B. im Theater der Stadt Essen, möglich.

An dieser Stelle sei auch eine im Theater Ludwigsburg ausgeführte Sonderlösung eines Antriebs mit hubbewegtem Triebstock erwähnt (Abb. 1.6/23). Zur Verringerung der Antriebsleistung werden die Podien von Luftfedern gestützt. In der tiefsten Stellung ist die Luft auf ca. 10 bar komprimiert.

– **Kletterantrieb:** Bei der zweiten Variante (Abb. 1.6/24) sind die Zahnstangen in der Bühne ortsfest eingebaut und angetriebene Kletterritzel samt Antriebseinheit fahren mit dem Podium mit.

1.6 Technische Einrichtungen der Unterbühne

Abb. 1.6/21: Podienantrieb mit hubbewegten Zahnstangen
a) Podienanlage Oper Zürich, b) Detail Evolventenverzahnung, Graf Zeppelinhaus Friedrichshafen
Fotos: MAN

Abb. 1.6/22: Podienantrieb mit hubbewegtem Triebstock im Theater der Stadt Essen
Foto: Krupp

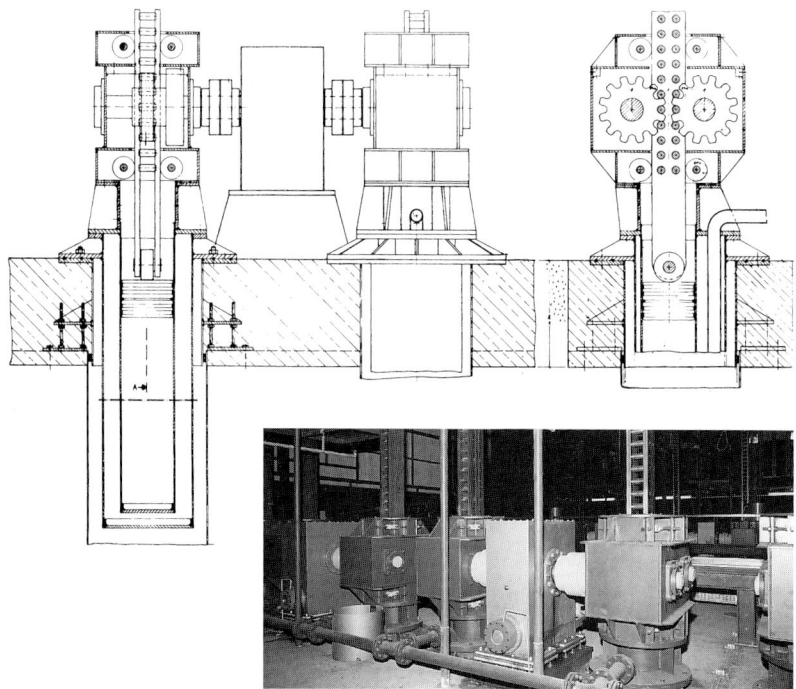

Abb. 1.6/23: Podienantrieb mit hubbewegten Zahnstangen – Sonderlösung mit pneumatischer Hublastreduktion
Bildnachweis: Bayrischer BühnenBau

Abb. 1.6/24: Kletterantrieb über Zahnstangen – Mozarteum Salzburg
Foto: Waagner-Biró

1.6 Technische Einrichtungen der Unterbühne

Es wurde bereits darauf aufmerksam gemacht, daß eine derartige Bauweise in schalltechnischer Hinsicht sehr ungünstig sein kann. Wenn dies von den Einsatzbedingungen her keine Rolle spielt, kann dies aber eine sehr wirtschaftliche Lösung sein.

Spindelantrieb (s. auch Kap. 4.3)

Wie beim Zahnstangenantrieb für Podien ergeben sich auch beim Spindelantrieb die Ausführungsvarianten mit hubbewegter oder ortsfester Spindel. Darüber hinaus bietet sich aber noch die Alternative, die Spindel oder die Mutter anzutreiben. Für einen Podienantrieb resultieren daraus die in Abb. 1.6/25 schematisch dargestellten Möglichkeiten. Eine konkrete Ausführung ist in Abb. 1.6/26 zu sehen.

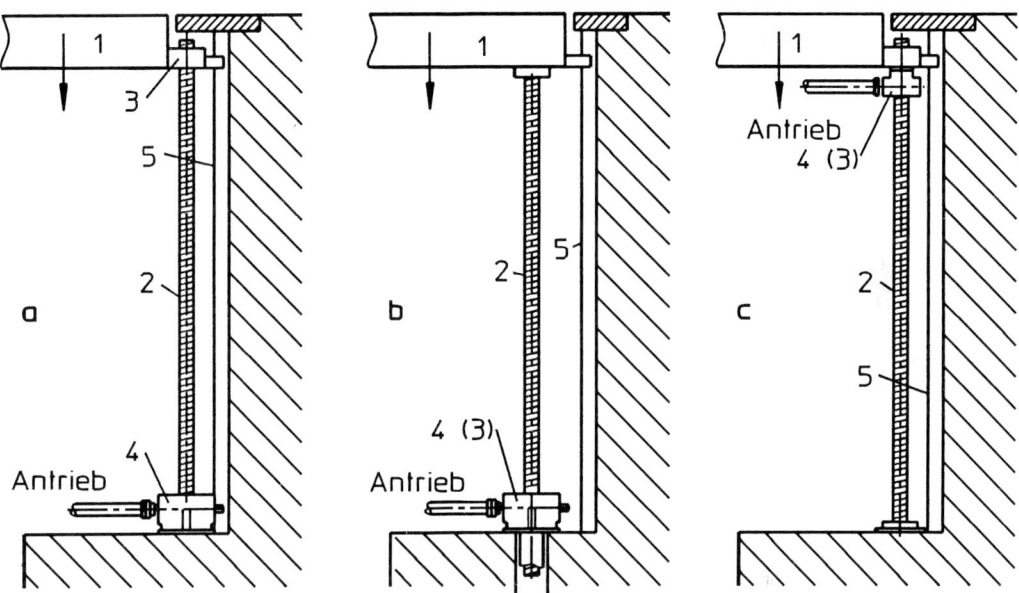

Abb. 1.6/25: Podienantrieb mit Hubspindeln – Schemazeichnung
a) Antrieb ortsfest, drehende Spindel, hubbewegte Mutter, b) Antrieb ortsfest, drehende Mutter, hubbewegte Spindel,
c) Antrieb mitfahrend, drehende Mutter, feststehende Spindel
 1 Podium 3 Mutter 5 Führungsschiene
 2 Spindel 4 Spindelhubelement

- Bei der in Abb. 1.6/25 b dargestellten Variante ist am Boden des Verfahrraumes das Antriebssystem **ortsfest** installiert; über Verteilergetriebe und Gelenkwellen werden die **Muttern** der Spindeln **angetrieben.** In diesem Fall müssen **Brunnen** vorhanden sein, in welche die an den Podien befestigten Spindeln beim Absenken des Podiums einfahren können. Es rotieren also die Muttern, die Spindel führt nur eine Translationsbewegung aus.

- Alternativ hiezu können aber auch die Spindeln ähnlich den Zahnstangen ortsfest und nicht drehbar montiert sein. Die gesamte Antriebseinheit für die Drehbewegung der Muttern hat sich dann auf dem Hubpodium zu befinden. In diesem Fall ist also ein **Kletterantrieb** nach Abb. 1.6/25 c gegeben.

- Als dritte Variante ergibt sich bei Spindelantrieben auch die Möglichkeit, zwar wie bei der ersten Variante am Boden ortsfest ein Antriebssystem zu installieren, aber nicht die Spindelmuttern, sondern die **Spindeln in Drehung** zu versetzen. Die Muttern sind dann gegen Verdrehen gesichert in die Podienkonstruktion eingebunden und werden mit dem Podium durch die Spindelrotation auf- oder abbewegt (s. Abb. 1.6/25 a).

Abb. 1.6/26: Podienantrieb mit Hubspindeln – Musikhochschule Hamburg
Foto: MAN

Spindelantriebe stellen sehr einfache wirtschaftliche Lösungen dar. Normale Gleitspindelantriebe können bei Anwendung eines entsprechend niedrigen Steigungswinkels selbsthemmend ausgeführt werden. Das heißt, daß noch so große Lasten auf der Podienfläche keine Senkbewegung des Podiums zur Folge haben können, auch wenn keine Bremse am Antrieb zur Wirkung kommt (s. Kap. 4.3). Selbsthemmung bedeutet aber auch Inkaufnahme hoher Verlustleistungen, und je größer die Verluste sind, um so mehr Energie wird in Wärme umgewandelt. Hohe Fahrgeschwindigkeiten sind daher aus thermischen Gründen nicht möglich; außerdem werden Spindelantriebe bei hohen Drehzahlen relativ laut. Daher beschränkt sich deren Verwendung meist auf für szenischen Einsatz nicht vorgesehene Podien, also vor allem auf Orchester- oder Ausgleichspodien. Hohe Verlustleistungen können durch Einsatz mehrgängiger Spindeln mit großer Steigung vermieden werden, allerdings fällt dann der eben beschriebene Effekt der Selbsthemmung weg.

Als Alternative zu den eben beschriebenen Gleitspindelantrieben, bei denen die Axialkräfte zwischen Spindel und Mutter über Gleitflächen übertragen werden, können auch **Kugel-** oder **Planetenspindeln** eingesetzt werden (Abb. 1.6/27 a). Bei Kugelspindeln dienen Kugeln – ähnlich den Kugeln in einem Wälzlager – als Übertragungselemente zwischen Spindel und Mutter, bei Planetenspindeln stützt sich die Zentralspindel auf planetenartig rotierenden, in der Mutter eingebauten Spindeln ab (s. Abb. 4.3/3). Mit diesen Bauelementen können hohe Hubgeschwindigkeiten bei geringer thermischer Belastung realisiert werden, der Effekt der Selbsthemmung ist allerdings wegen des hohen Wirkungsgrades auszuschließen.

Die Ansichten, unter welchen Gegebenheiten bei Spindelantrieben Verriegelungen vorzusehen sind, sind – je nach Gültigkeit diverser Vorschriften – offensichtlich unterschiedlich. Aus verformungs- und schwingungstechnischen Erwägungen werden sie nicht benötigt. Unstrittig ist auch, daß bei im Stillstand selbsthemmenden Spindeln (s. Kap. 4.3) keine Verriegelungen erforderlich sind.

1.6 Technische Einrichtungen der Unterbühne

Abb. 1.6/27: Podienantrieb mit Planetenspindeln
a) Vertikalspindeln für Sekundärpodien, Theater Tampere – Finnland, b) Spindelantrieb eines Scherenhubtisches, Theater Lahti – Finnland
Fotos: SKF Multitec GmbH (D-Dreieichen-Sprendlingen), Kone (Finnland)

Mit Hydraulikzylindern angetriebene Podien (vgl. Kap. 2.3)

Hydrozylinder können große Kraftwirkungen ausüben. Auf den Einbau von Gegengewichten kann daher i. a. verzichtet werden. Hydraulikzylinder zur Betätigung von Podien werden schon sehr lange eingesetzt. Ursprünglich diente als Hydraulikmedium Wasser bzw. eine Wasser-Öl-Emulsion, in modernen Anlagen werden normalerweise Hydraulikflüssigkeiten auf Mineralölbasis oder schwer entflammbare Hydraulikflüssigkeiten verwendet.

Das Einfahren der Kolbenstangen ist normalerweise durch das Eigengewicht der Podien sichergestellt; somit werden nur einfach wirkende Hydraulikzylinder, sogenannte **Plungerzylinder,** benötigt.

Wird ein Podium mit zwei oder mehreren Hydraulikzylindern angetrieben, so ist rein hydraulisch i. a. kein ausreichend genauer Synchronlauf der Zylinder erzielbar. Daher muß mit einem mechanischen **Synchronisationssystem** Gleichlauf erzwungen werden und die Zylinder können dann in einfacher Parallelschaltung beaufschlagt werden. Auch elektronische Regelsysteme mit exakter

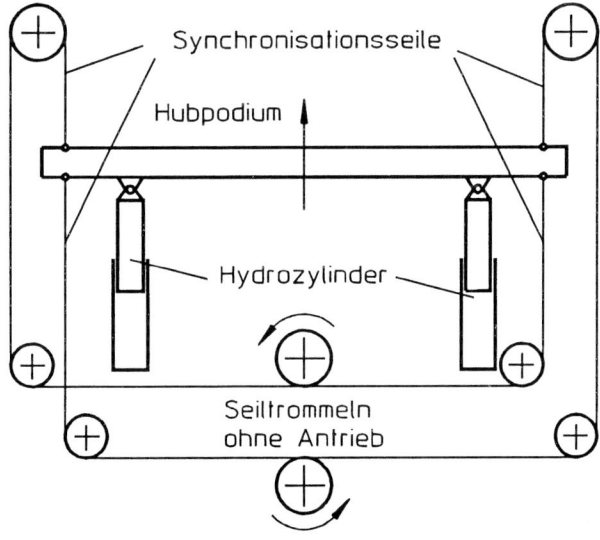

Abb. 1.6/28: Seilsynchronisation – Schemazeichnung

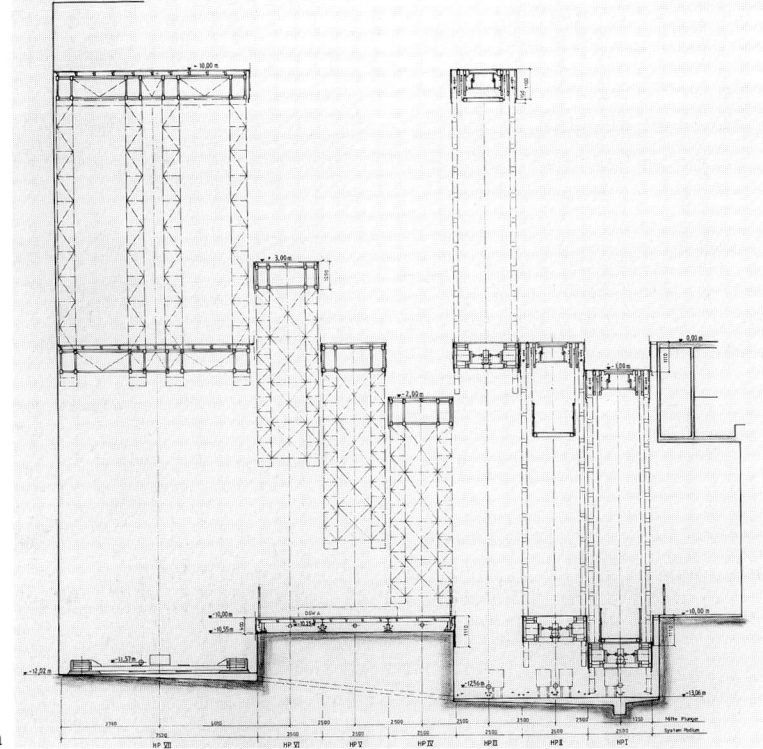

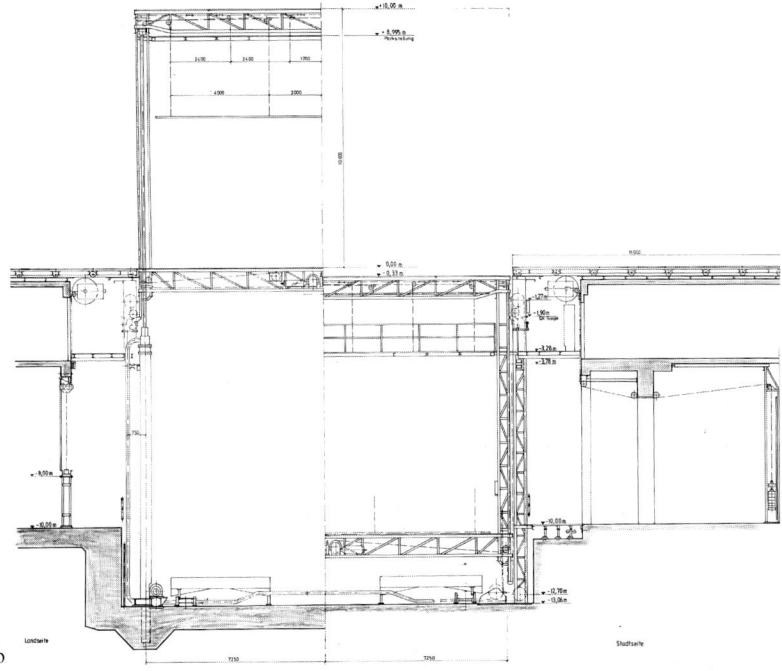

Abb. 1.6/29: Podienantrieb mit Hydrozylindern – Hamburgische Staatsoper
a) Übersicht der Podienanlage im Längsschnitt, b) Querschnitt eines Podiums mit Antrieb
Bildnachweis: Sächsischer Bühnenbau

1.6 Technische Einrichtungen der Unterbühne   61

Wegerfassung und kombiniertem Einsatz von Hydraulik und Elektronik ermöglichen selbstverständlich ebenfalls synchrone Bewegungen mehrerer Hydraulikzylinder ohne mechanische Zusatzsysteme. Auf diese Art wird oft der Gleichlauf mehrerer Podien bewerkstelligt.

Abb. 1.6/28 erklärt die Funktion einer **Seilsynchronisation.** In Abb. 1.6/29 sind Podien mit Hydrozylinderantrieb der Hamburgischen Staatsoper mit Seilsynchronisation dargestellt.

Wegen der Elastizität der Seile ist einer Synchronisation über Wellen, sogenannten **Synchronisationswellen**, nach Abb. 1.6/30 der Vorzug zu geben. Im Bereich der vier Eckpunkte der Podienrechtecksfläche sind parallel zu den Führungen Zahnstangen angebracht, in denen am Podium montierte und über Gelenkwellen und Verteilergetriebe drehzahlgekoppelte Ritzel eingreifen. Dies bewirkt auch bei asymmetrischen Lastverhältnissen und unabhängig vom Spiel in den Podienführungen ein exakt synchrones Verfahren. Diese Ritzel und Zahnstangen dienen also nicht als Hubantrieb, sondern nur als mechanische Synchronisationseinrichtung.

Abb. 1.6/30: Podienantrieb mit Hydrozylinder der Wiener Staatsoper (Kulissenwagenaufzug),
Synchronisation mit Wellen
Foto: Waagner-Biró

Aus der geometrischen Anlagensituation ergibt sich bei Zylinderantrieben oft die Notwendigkeit, diese in Brunnen einzusetzen. Mit **Teleskopzylindern** (s. Abb. 2.3/6b) kann die erforderliche Brunnentiefe reduziert werden oder Brunnen können gänzlich vermieden werden. Teleskopzylinder sind aber sehr teuer und werden nur sehr selten eingesetzt. Abb. 1.6/31 zeigt Podien mit Teleskopzylindern.

Wegen der Kompressibilität der Hydraulikflüssigkeit ist es auch bei von Hydrozylindern getragenen Podien notwendig, mechanische Verriegelungen wie bei Seilpodien vorzusehen. Eine mechanische Fixierung in jeder Hublage ist durch Ausrüstung der Zylinder mit Klemmköpfen zur Fixierung der Kolbenlage durch Reibung möglich (s. Kap. 2.3.1 und Abb. 2.3/6d).

Abb. 1.6/31: Podienantrieb mit Teleskopzylindern
Foto: Mannesmann Rexroth

Scherenpodien

Allen bisher beschriebenen Podien ist gemeinsam, daß sie, unabhängig von der Antriebsart, für die Vertikalbewegung in Schienen geführt werden müssen. Hinzu kommt je nach gewählter Antriebsart das Erfordernis des Einbaus von Brunnen, der Einbau von relativ platzaufwendigen Winden oder die Anordnung von Gelenkwellensträngen zu mehreren synchron zu betreibenden Antriebselementen.

Scherenpodien gemäß Abb. 1.6/32 kommen mit sehr geringer Bauhöhe in komplett abgesenktem Zustand aus, benötigen keinerlei Vertikalführungen, ermöglichen allerdings geometriebedingt nicht allzu große Hubhöhen, es sei denn, es werden übereinander angeordnete, gekoppelte Doppelscheren gebildet. Der Antrieb erfolgt in den meisten Fällen hydraulisch mit einem in die Schere eingebauten Hydraulikzylinder oder einem Gleit- oder Wälzspindeltrieb (s. Kap. 4.3.2).

1.6 Technische Einrichtungen der Unterbühne

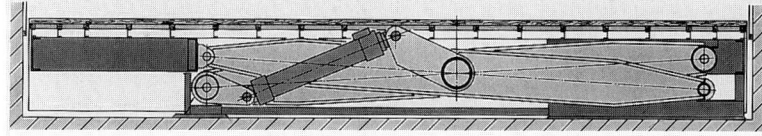

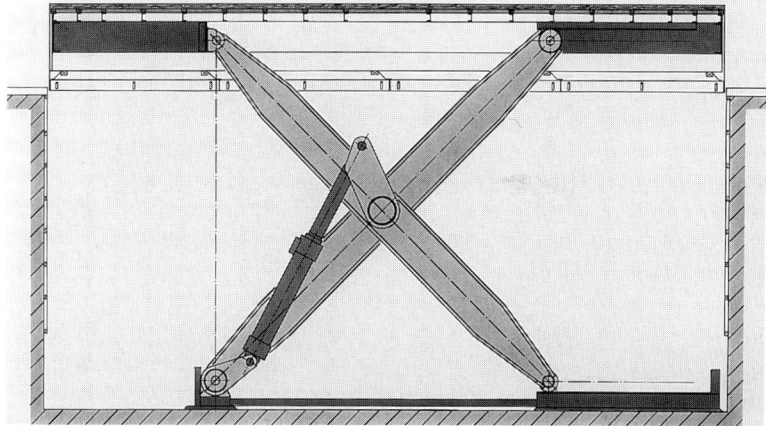

Abb. 1.6/32: Scherenpodium – Schemazeichnung einer Einfachschere
Bildnachweis: Mannesmann Rexroth

In der Schaubühne Berlin (Abb. 1.2/9, 1.2/13) sind im gesamten Bodenbereich Scherenhubtische montiert. In Abb. 1.6/33 ist eine Doppelschere mit Hydrozylinderantrieb und Bolzenverriegelung zu sehen. Abb. 1.6/27 b zeigt ein Scherenhubpodium mit Wälzgewindetrieb.

Besonders häufig werden Scherenhubtische als Ausgleichs- und Orchesterpodien verwendet. Manchmal werden sie auch als Sekundärpodien auf Primärpodien der Hauptbühne gesetzt, verhindern dann aber eine Durchstiegsmöglichkeit durch Öffnungen in der Podien-Spielfläche oder den Einsatz von verfahrbaren Personenversenkungen.

a Abb. 1.6/33: Scherenpodium – a) Zweifachschere, b) Detail der Verriegelung b
Fotos: Bayrischer BühnenBau

Scherenhubtische werden in der Fördertechnik sehr häufig verwendet und daher auch standardmäßig angeboten. Für Scherenhubtische im bühnentechnischen Einsatz sind aber spezielle Erfordernisse zu beachten: So sind in der allgemeinen Fördertechnik vielfach weit größere Toleranzen bezüglich der Bewegungsgenauigkeit der Podien zulässig als im Bühneneinsatz, sowohl was die exakte Parallelführung der Podienfläche als auch deren exakte vertikale Bewegung betrifft. Ferner müssen für den Bühnenbetrieb geeignete Scherenpodien in vertikaler und horizontaler Richtung ausreichend steif dimensioniert sein, um im Spielbetrieb nicht zu Schwingungen angeregt zu werden.

Faltspindeltrieb

Ein relativ neues Maschinenelement stellt der sogenannte **Spirallift** dar. Dabei handelt es sich um eine **Faltspindel,** bei der die Spindel als Rohr aus einem horizontalen und vertikalen Stahlband gebildet wird. Beide Bänder sind im zusammengeschobenen Zustand in Paketen magaziniert und werden beim Hubvorgang miteinander formschlüssig verbunden und schraubenförmig zu einer Säule aufgebaut. Aufgrund des relativ großen Durchmessers kann die so gebildete Spindel Druckkräfte aufnehmen. Es muß allerdings sichergestellt sein, daß eine ausreichende Druckkraft in jeder Betriebssituation erhalten bleibt, um den Zusammenhalt des aus Blechstreifen gebildeten Hubelements sicherzustellen; der Formschluß der in Nuten der Horizontalbänder einrastenden Vertikalbänder ginge sonst verloren. Das Prinzip einer Faltspindel ist in Abb. 1.6/34 dargestellt, Abb. 1.6/35 zeigt eine tatsächliche Einbausituation.

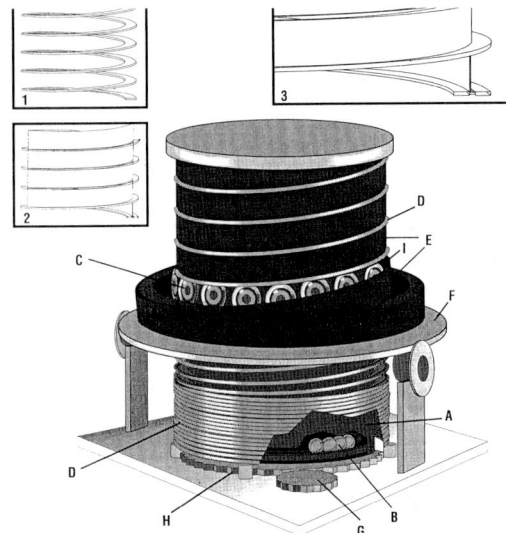

Abb. 1.6/34: Funktionsweise einer Faltspindel

1 Band *D*
2 Band *D* kombiniert mit Band *E*
3 Detail der Fügenut zur Lagefixierung von *E* in *D*
A rotierender Speicherzylinder für Stahlband *D*, angetrieben über *G–H*
B Wälzlager
C Führungstragrollen
D horizontales Führungsstahlband zum Aufbau der Faltspindel
E vertikales Stahlband zur Spindelbildung
F drehbarer Tragring zur Speicherung des Stahlbandes *E*
G Antriebsritzel
H Antriebsrad
I Fügebereich von Band *D* und *E*

Bildnachweis: Waagner-Biró, Paco Corporation – Kanada

Abb. 1.6/35: Podienantrieb mit Faltspindel – Slowenisches Nationaltheater Marburg
Foto: Waagner-Biró

1.6.2 Bühnenwagen

Grundsätzliche Bauweisen

Wie bereits in Kap. 1.4 „Bühnensysteme" beschrieben, werden beim Schiebebühnensystem Bühnenwagen eingesetzt. Das sind auf Rädern horizontal verfahrbare Plattformen. Je nach Ausrichtung der Räder unterscheidet man – bezogen auf die Rechtecksform des Bühnenwagens – zwischen **Längs- und Querfahrern** (Abb. 1.6/36) für eine Fahrbewegung zwischen Haupt- und Seitenbühne bzw. Haupt- und Hinterbühne. Es gibt auch Bauweisen, bei denen durch Schwenken der Radachsen oder durch alternatives Einsetzen von Längs- oder Querfahrrädern (Anheben bzw. Absenken der entsprechenden Radsätze) das Fahren in beiden Richtungen ermöglicht wird, oder die Wagen sind mit Schwenkrollen ausgerüstet, die ein Verfahren in beliebiger Richtung ermöglichen.

Je nach Tragsystem des Bühnenwagens bzw. je nach Anordnung der Laufräder kann ferner zwischen **vielrolligen Bühnenwagen** (Abb. 1.6/36) und sogenannten **Brückenwagen** (Abb. 1.6/37) unterschieden werden:

Seitenbühnenwagen (Längsfahrer) üblicher Bauart nach Abb. 1.6/36a tragen ihre Eigen- und Nutzlast über eine Vielzahl von Laufrollen auf den darunter befindlichen Bühnenholzboden ab. Die Laufrollen fahren daher im Bereich der Hauptbühne auf der Bühnenpodienfläche und auf der Seitenbühne meist auf Ausgleichspodien. Einige Laufrollen haben einen Spurkranz zur formschlüssigen Schienenführung.

Hinterbühnenwagen (Querfahrer) können prinzipiell nach dem gleichen Konzept gebaut sein (Abb. 1.6/36b), die funktionellen Bedingungen der Hauptbühne erfordern aber oft eine andere Bauweise. Soll nämlich bei in die Unterbühne abgesenkten Hauptpodien die so entstehende Bühnengrube wieder zu einer Spielfläche geschlossen werden, können sich die Bühnenwagen nicht mit einem Vielrollensystem auf darunterliegenden Podien abstützen. In diesem Fall muß ein sogenannter **Brückenwagen** ähnlich einer Kranbrücke die gesamte Bühnenbreite freitragend überspannen. Die Laufräder rollen in Schienen links und rechts von der Bühnengrube. Solche Brückenwagen sind auch als Ausgleichswagen erforderlich, wie sie z. B. in der Zylinderdrehbühne des Wiener Burgtheaters in den Abb. 1.4/4 und Abb. 1.6/37 gezeigt sind.

Bühnenwagen mit vielrolliger Lastabtragung können mit sehr niedriger Höhe gebaut werden. Die Laufrollen müssen so gering belastet sein, daß für den Holzboden zulässige Pressungen nicht überschritten werden. Etwas größere Pressungen sind zulässig, wenn die Laufrollen auf in den Bühnenboden eingelassenen Hartholzschienen oder Metallbahnen laufen. Schwere Brückenwagen erfordern größere Bauhöhen und auf Stahlschienen, z. B. Kranschienen, rollende Stahllaufräder.

Für den szenischen Einsatz ist zu bedenken, daß auf Stahlschienen fahrende Brückenwagen erschütterungsfreier bewegt werden können als Bühnenwagen, deren Laufräder auf dem Bühnenboden abrollen, der nie die gleiche Ebenheit wie eine gut ausgerichtete Schienenfahrbahn bieten kann.

Während Brückenwagen immer schienengeführt sind, sind andere Bühnenwagen entweder durch einige Spurrollen in Schienen oder durch Einsteckschwerter in Schlitzen geführt oder sie sind in Schwenkrollenausführung frei verfahrbar.

Oft ist ein Seitenbühnenwagen oder der Hinterbühnenwagen mit einer Drehscheibe ausgestattet, wie dies bereits in Kap. 1.4 (Abb. 1.4/2b) erläutert wurde. Bei dessen Einsatz in der Hauptbühne steht somit eine Drehscheibe zur Verfügung. Als szenischer Effekt kann ein **Drehscheibenkassettenwagen** auch auf offener Bühne bei drehender Scheibe verfahren werden.

Bühnenwagen mit Drehscheiben großen Durchmessers können zu Platzproblemen führen. Daher gibt es auch technische Lösungen, bei denen die Drehscheibe in Teilen in mehreren Bühnenwagen oder teilweise in Hubpodien untergebracht ist. Der Dreheinsatz ist dann nur durch Koppelung der die Scheibe bildenden Teilsegmente möglich. Solche Lösungen sind in Abb. 1.2/3 und 1.2/4 ersichtlich.

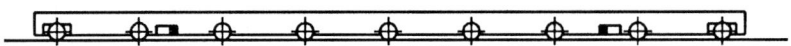
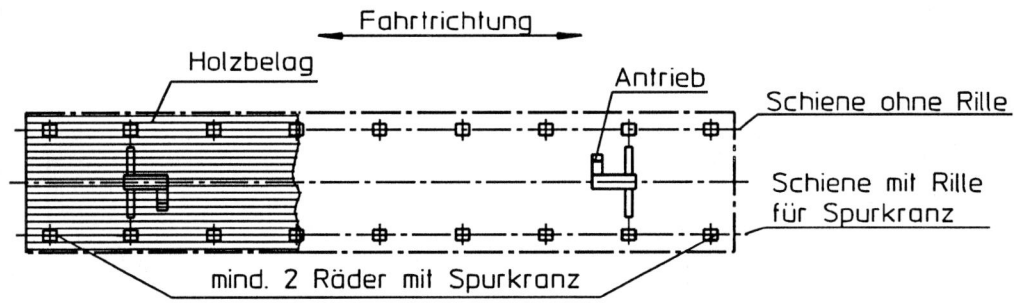

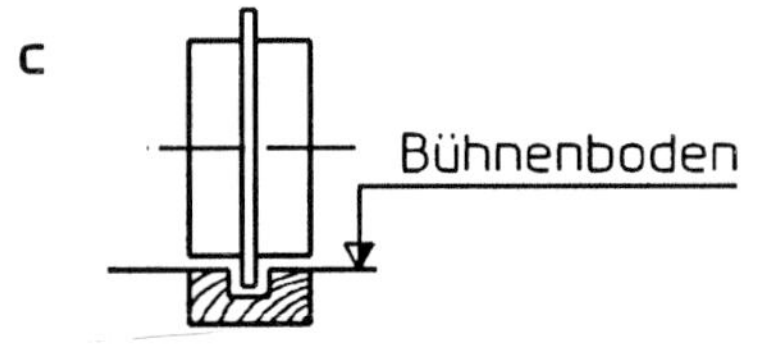

Abb. 1.6/36: Bühnenwagen
a) Schemazeichnung Längsfahrer, b) Schemazeichnung Querfahrer
(zwei Wagen in mechanisch gekuppeltem Zustand),
c) Spurkranzführung

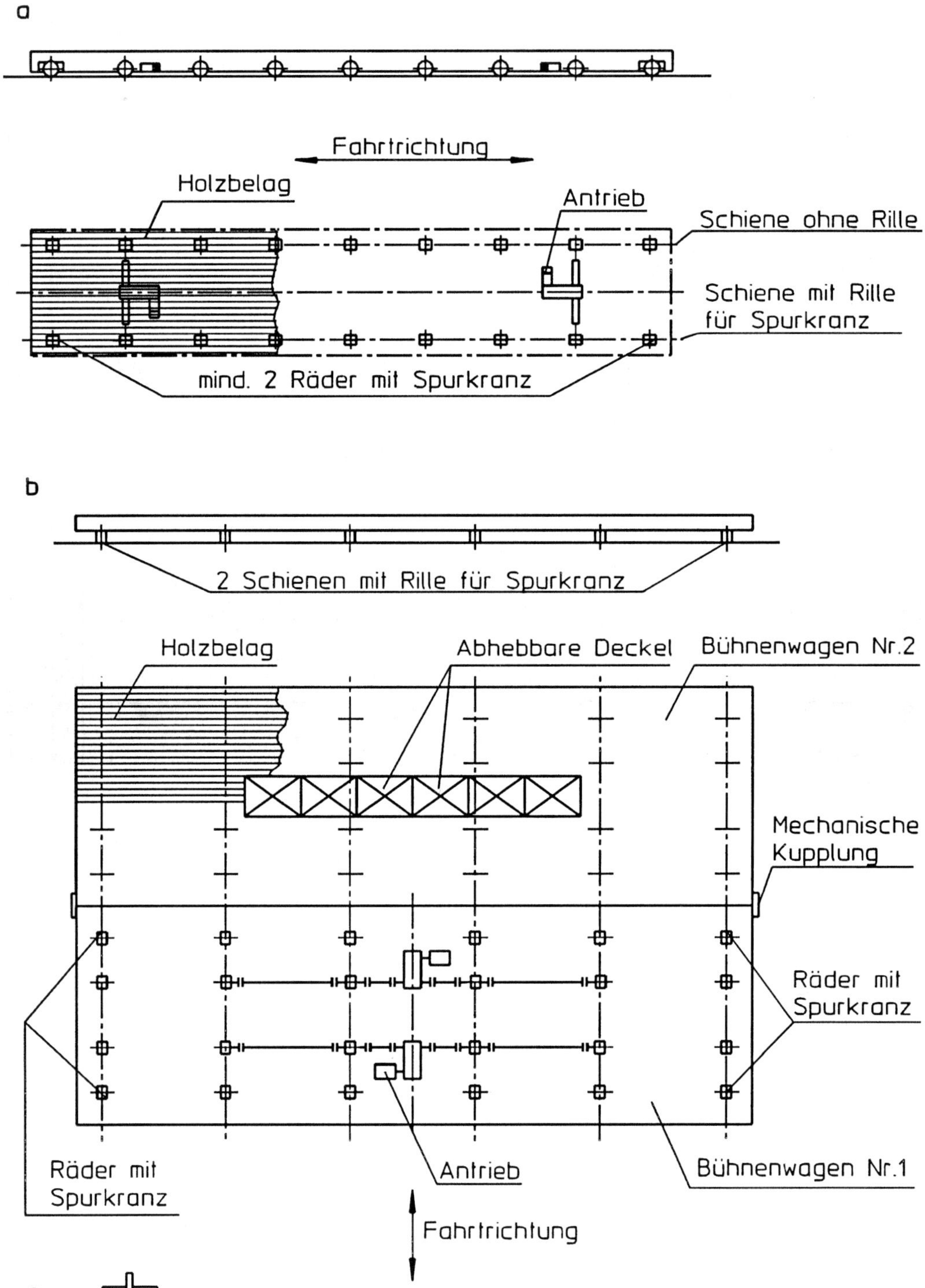

1.6 Technische Einrichtungen der Unterbühne 67

Abb. 1.6/37: Hubpodien und Ausgleichswagen (Brückenwagen) in der Drehbühne des Wiener Burgtheaters
Foto: Waagner-Biró

Auch Bühnenwagen können ähnlich wie Hubpodien mit neigbaren Gedecken ausgestattet sein.

Die moderne **Luftkissentechnik** (vgl. Kap. 4.6.2) eröffnet die Möglichkeit, Bühnenwagen de facto reibungsfrei auf einem dünnen Luftfilm schwebend zu verfahren. Mit einem derartigen Bühnenwagensystem wurde z. B. das Muziektheater Amsterdam ausgestattet. Jeder Wagen von etwa 40 m^2 Größe ist mit je 8 Luftkissen von ca. 1 m Durchmesser versehen. Durch Tausende kleiner Löcher wird Luft ausgeblasen, und es wird sowohl das Überfahren von Spalten bis zu 2 cm Breite als auch von Höhenunterschieden bis zu 1 cm ermöglicht. Der Antrieb erfolgt über Schubwagen. Diese Technik wurde auch im Konferenzzentrum Kuwait (s. Abb. 1.2/6) eingesetzt.

Antriebsarten von Bühnenwagen

Kleinere Bühnenwagen können manuell durch Ziehen oder Schieben bewegt werden. Größere Bühnenwagen müssen motorisch verfahren werden. Dies kann auf zweierlei Art erfolgen:

– Der Bühnenwagen besitzt selbst keinen Antrieb, wird jedoch durch externe Antriebselemente durch Ziehen des Bühnenwagens mit einem **Seil** oder einer **Kette** bewegt. Seil oder Kette können auch nach Art eines Unterflur-Schleppförderers die Zugkraft über **kuppelbare Mitnehmer** übertragen (Abb. 1.6/38a).

– Sogenannte **Selbstfahrer** sind mit einem eigenen Fahrantrieb ausgestattet und müssen daher mit einer Energieanspeisung versehen sein (Abb. 1.6/38b). Hiefür kommen Kabeleinspeisungen über Kabeltrommeln für elektrische Energie oder Schlauchanspeisungen über Schlauchtrommeln bei hydrostatisch angetriebenen Bühnenwagen in Frage, falls das Aggregat nicht im Bühnenwagen untergebracht ist. Ein Problem besteht meist darin, daß frei verlegte Kabel oder Schläuche behindern, oder mit gewissem Aufwand derart verlegt werden müssen, daß sie beim Verfahren von Ausgleichspodien nicht beschädigt werden.

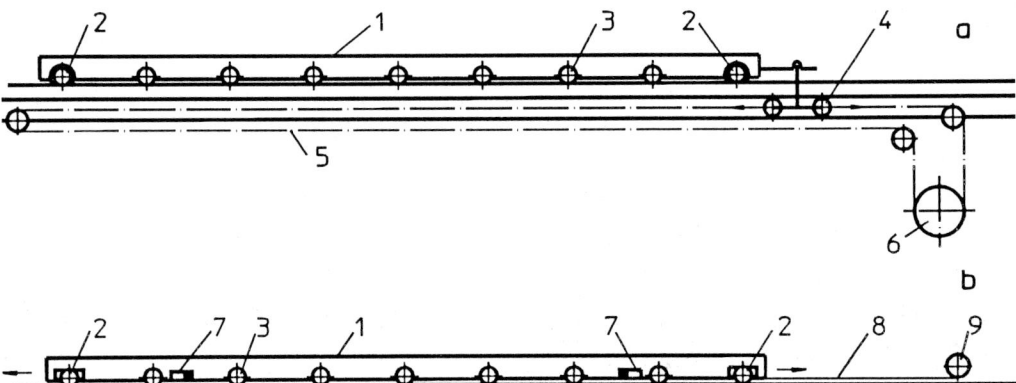

Abb. 1.6/38: Antrieb von Bühnenwagen
a) mechanisch mit Zugseil, b) Selbstfahrer mit Stromanspeisung

1 Bühnenwagen
2 Führungsrolle
3 Laufrollen
4 Mitnehmereinrichtung, kuppelbar
5 Zugseil oder Kette
6 ortsfester Antrieb
7 Fahrantrieb mitfahrend
8 Stromzuführung über Schleppkabel
9 Kabeltrommel

Abb. 1.6/39: Bühnenwagen mit Batterien – Oper Seoul
Foto: Waagner-Biró

1.6 Technische Einrichtungen der Unterbühne

Dieses Problem der Anspeisung kann vermieden werden, wenn in den Bühnenwagen **Batterien** als Energiequelle installiert sind (Abb. 1.6/39). Die Akkumulatoren werden dann über Stromschienen im Seiten- oder Hinterbühnenbereich oder über elektrische Steckverbindungen nachgeladen.

Die Übertragung der Antriebskraft erfolgt entweder durch **Adhäsion** über die **lasttragenden Laufräder** (s. Kap. 3.4.2), oder es werden **Zahnräder** angetrieben, die formschlüssig in am Bühnenboden eingelassene Zahnstangen oder in als Triebstock dienende Bolzenketten eingreifen (s. Kap. 4.4.1). Bei vielrolligen Bühnenwagen ist diesem formschlüssigen Antriebssystem gegenüber einem reibschlüssigen System der Vorzug zu geben. Durch die statisch unbestimmte Lastaufteilung auf eine Vielzahl von Rollen kann nämlich kaum sichergestellt werden, daß die Radlasten der Antriebsräder ausreichen, um die erforderlichen Triebkräfte tatsächlich durch Adhäsion zu übertragen.

In Abb. 1.6/40 ist ein **Reibradantrieb** in Modulbauweise für ein Bühnenwagen-Baukastensystem mit Vulkollan-Laufrädern dargestellt.

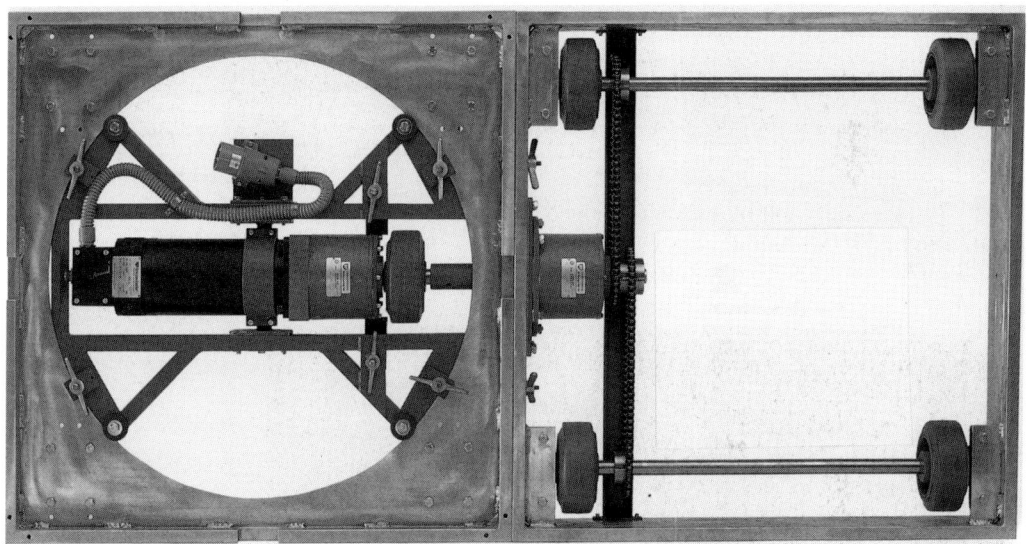

Abb. 1.6/40: Reibradantrieb – Bühnenmodul „Zarga System"
Bildnachweis: Max Eberhard AG – Bühnenbau (CH-Weesen), in der Folge kurz „Eberhard" genannt

1.6.3 Drehscheiben und Drehbühnen

Grundsätzliche Bauweisen

Eine **Drehscheibe** bietet eine sehr einfache Möglichkeit zur Verwandlung des Bühnenbildes. Auf ihr können zwei bis drei Bühnenbilder Platz finden und je nach Drehstellung dem Publikum zugewandt werden. Viele Bühnen sind mit ortsfesten Drehscheiben in der Hauptbühne ausgestattet. Als Alternative bietet sich die Möglichkeit, eine Drehscheibe in einen Bühnenwagen einzubauen und bei Bedarf auf die Hauptbühne zu verfahren. So ein **Drehscheiben(kassetten)wagen** wurde bereits in Kap. 1.4 und Kap. 1.6.2 erwähnt. Oder man bedient sich andersartiger mobiler Drehscheiben: So kann z. B. eine **zusammenklappbare Drehscheibe** nach Abb. 1.6/41 in Ober- oder Unterbühne deponiert sein. Es gibt aber auch **zusammensetzbare Drehscheiben,** die in kleine Teile zerlegt und wie Dekorationsmaterial gelagert werden können. Abb. 1.6/42 zeigt eine aus Leichtmetallelementen zusammensetzbare Drehscheibe aus einem Programm standardisierter Bühnenmodule.

Abb. 1.6/41: Aufleg- bzw. aufklappbare Drehscheibe der Wiener Staatsoper
Foto: Waagner-Biró

Bei auflegbaren oder in Bühnenwagen eingebauten Drehscheiben verwendet man vielrollige Ausführungen, indem tangential ausgerichtete Laufrollen auf konzentrischen Kreisschienen abrollen. Der Antrieb für die Drehbewegung erfolgt z. B. über mit ausreichender Federkraft angepreßte,

Abb. 1.6/42: Drehscheibe, aus Bauelementen zusammensetzbar
Foto: Eberhard

1.6 Technische Einrichtungen der Unterbühne

a
Abb. 1.6/43: Drehscheiben-Kassettenwagen für das Konferenzzentrum Kuwait
a) Werkszusammenbau, b) Reibradantrieb der Drehscheibe
Fotos: Waagner-Biró
b

horizontal laufende Reibräder (s. Abb. 1.6/43 bzw. Abb. 1.6/52b) oder formschlüssig über ein horizontal liegendes Kettenritzel, das in einen Zahnkranz oder einen aus einer Kette gebildeten Triebstockring eingreift (Abb. 1.6/52e).

Bei fix installierten Drehscheiben bietet sich eine Vielzahl von Lagerungs- und Antriebsmöglichkeiten an, die im nächsten Abschnitt systematisch behandelt werden.

Wie bei der Aufzählung von Bühnensystemen bereits erwähnt, sind große Theater oft mit sogenannten **Zylinderdrehbühnen** ausgestattet. Die Drehbühne besteht dann nicht nur aus einer den Bühnenboden bildenden Drehscheibe (Abb. 1.6/47b), sondern analog einem Doppelstockpodium aus einem Drehzylinder mit zwei begehbaren Niveaus. Man kann diese Bauweise daher auch als **Doppelstock-Drehscheibe** bezeichnen (Abb. 1.6/47c).

Meist sind in Zylinderdrehbühnen auch Hubpodien (Versenkeinrichtungen) eingebaut. Im Zusammenspiel von Rotation der Drehbühne und Vertikalfahrt der Podien ergeben sich viele Möglichkeiten für Bildverwandlungen und für szenische Effekte. Vor allem bietet eine Zylinderdrehbühne mit eingebauten Hubpodien, kombiniert mit einem Schiebebühnensystem mit Bühnenwagen, sehr viele Möglichkeiten zum raschen Wechsel mehrerer vorbereiteter Bühnenbilder.

Bauweisen der Lagerung von Drehbühnen

Bei den Konstruktionen zur Lagerung von Drehscheiben und Drehbühnen lassen sich die gleichen Entwicklungen nachvollziehen wie im Kranbau bei der Lagerung von Drehkranen.

Die älteste Bauweise war die **Lagerung auf einer Kreisschiene;** sie ist in verschiedenen Varianten in Abb. 1.6/44 dargestellt. Die Zentrierung der Scheibe erfolgt je nach Bauweise durch die Spurkränze der vertikalen Laufräder (Abb. 1.6/46) oder durch Horizontalrollen an der Kreisschiene (Abb. 1.6/44a), durch einen Zentrierzapfen im Drehmittel (Abb. 1.6/44b) oder durch einen Zentrierzapfen, der auch Vertikalkräfte aufzunehmen vermag (Abb. 1.6/44c).

An der in Abb. 1.6/45 gezeigten Drehscheibe des Wiener „Theaters in der Josefstadt" sind sowohl die in Ausgleichsschwingen (Balanciers) gelagerten vertikalen Laufrollen zur Aufnahme der Vertikallasten als auch Horizontalrollen zur Zentrierung der Scheibe deutlich zu sehen. Außerdem sind auch, wie in Kap. 1.6.1 beschrieben, Versenkungsschieber im Bühnenboden und eine transportable Personenversenkung abgebildet.

Abb. 1.6/46 zeigt die Lagerung einer schweren Zylinderdrehbühne (Oper Sydney) auf einer horizontal verlegten Kreisschiene. Schwere, in Balanciers gelagerte Kranlaufräder nehmen die aus den hohen Eigenmassen der Bühne und aus den Nutzlasten resultierenden Lasten auf. Die Zentrierung übernehmen die Spurkränze der Laufräder. Während also bei dieser großen Zylinderdrehbühne Stahllaufräder eingesetzt werden müssen, können bei der viel leichteren Drehscheibe nach Abb. 1.6/45 sehr leise laufende Räder mit Kunststoffbandagen Verwendung finden.

Bei den bisher erwähnten Lösungen mit Kreisschiene befanden sich die Laufrollen am Drehteil und die Schiene am Fundament. Es ist aber auch möglich, in Umkehrung des Prinzips die Rollen im festen Fundament zu lagern und die Drehscheibe mit einer Schiene oder auch mehreren konzentrischen Schienen auf kreisförmig angeordneten und tangential ausgerichteten Rollen zu lagern.

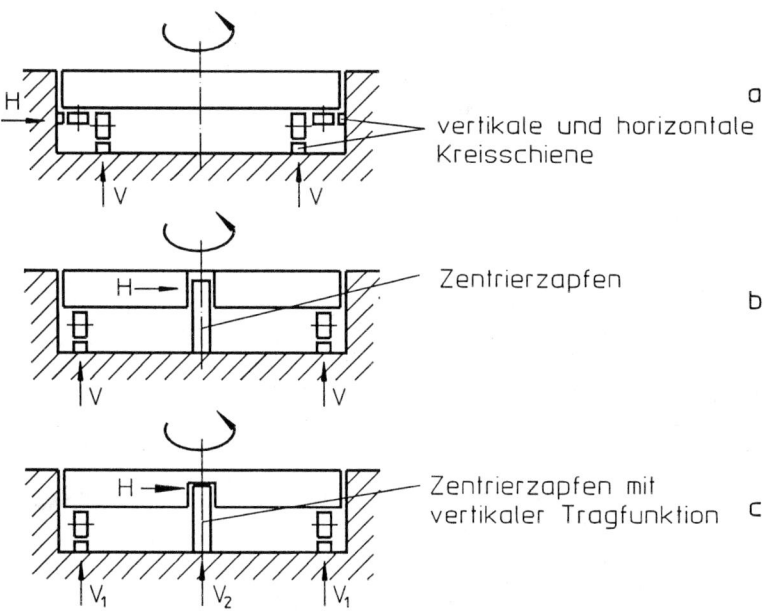

Abb. 1.6/44: Lagerung von Drehscheiben auf einer Kreisschiene – Schemata verschiedener Varianten, Zentrierung a) an der Kreisschiene, b) an einem Zentrierzapfen, c) an einem Zentrierzapfen mit vertikaler Tragfunktion

Abb. 1.6/45: Drehscheibe im „Theater in der Josefstadt" (Wien) – Lagerung auf einer Kreisschiene
Foto: Waagner-Biró

1.6 Technische Einrichtungen der Unterbühne

Abb. 1.6/46: Zylinderdrehbühne der Oper Sydney – Werksfoto bei der Montage
Foto: Waagner-Biró

Drehkrane für große Lastmomente wurden mit sogenannter **Säulenlagerung** gebaut. Bei dieser Bauweise werden die Vertikalkräfte zentrisch durch ein Wälzlager an der Spitze der Säule aufgenommen. Kippmomente aus der Exzentrizität der Vertikallasten und aus Horizontallasten werden einerseits durch ein Wälzlager an der Säulenspitze und andererseits durch Horizontaldruckrollen aufgenommen, die sich an einer in horizontaler Ebene liegenden Kreisschiene abstützen. In der Bühnentechnik gibt es für diese Bauform allerdings nur wenige Beispiele. Abb. 1.6/47a zeigt eine schematische Darstellung; Abb. 1.6/48, 1.6/49 zeigen Zeichnung und Foto der **Drehsäule** des Stadttheaters St. Pölten.

Eine weitere Lagerungsmöglichkeit, die sich im Kranbau weitgehend durchgesetzt hat, wird in der Bühnentechnik auch immer öfter verwendet, und zwar die Lagerung mit einer **Kugeldrehverbindung.** Hiebei handelt es sich um eine spezielle Bauform eines Großwälzlagers nach Abb. 1.6/50, welches imstande ist, große Axialkräfte in beiden Richtungen, also nach oben und unten wirkend, aufzunehmen. Diese Lagerung ist somit geeignet, sowohl Axialkräfte aus der Summe der Vertikallasten als auch Kippmomente aus deren exzentrischer Lage aufzunehmen. Selbstverständlich können auch Radialkräfte, die bei Drehbühnen aber kaum von Bedeutung sind, aufgenommen werden. Diese Lager werden auch ausgestattet mit einem Außen- oder Innenzahnkranz gebaut, wie dies in Abb. 1.6/51b deutlich zu sehen ist, so daß sich auch für den Drehantrieb einfache Konzepte ergeben. Derartige Lager zeichnen sich durch besondere Laufruhe aus, da die Drehbewegung durch Abwälzen von Kugeln in einem exakt bearbeiteten Laufring erfolgt. Selbstverständlich sind die Drehwiderstände aus der Reibung bei dieser Wälzlagerung um vieles kleiner als der Drehwiderstand an Laufrollen bei den anderen Lagerungssystemen. Daher sind auch sehr geringe Antriebsleistungen ausreichend.

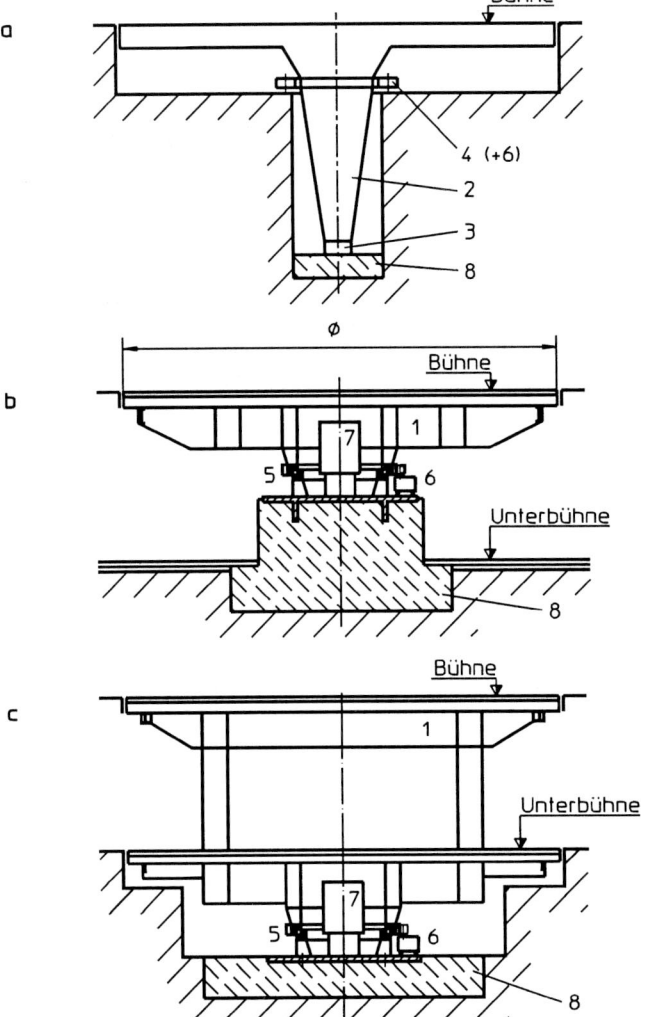

Abb. 1.6/47: Zentrallagerung von Drehbühnen – Schemazeichnung
a) Säulenlagerung einer Drehscheibe,
b) Drehscheibe auf Kugeldrehverbindung,
c) Zylinderdrehbühne auf Kugeldrehverbindung

1 Drehbühne
2 Drehsäule mit Kreisschiene für Horizontaldruckrollen
3 Axial-/Radiallager
4 Horizontaldruckrollen
5 Zentrallager (Kugeldrehverbindung)
6 Antrieb
7 Schleifringkörper
8 Fundament

Solche **Zentrallagerkonstruktionen** müssen allerdings auch im Baukonzept berücksichtigt werden, muß doch die gesamte Last, auf eine kleine Fläche konzentriert, von diesem Zentrallager und dessen Fundament aufgenommen werden. Bei der Lagerung auf einer Kreisschiene werden diese Lasten auf eine viel größere Fundamentfläche verteilt.

Abb. 1.6/47b zeigt die Zentrallagerung einer einfachen Drehscheibe und Abb. 1.6/47c jene einer Zylinderdrehbühne in schematischer Darstellung. In Abb. 1.6/51 ist die zentral gelagerte Drehbühne des Linzer Landestheaters und deren Antrieb zu sehen.

1.6 Technische Einrichtungen der Unterbühne

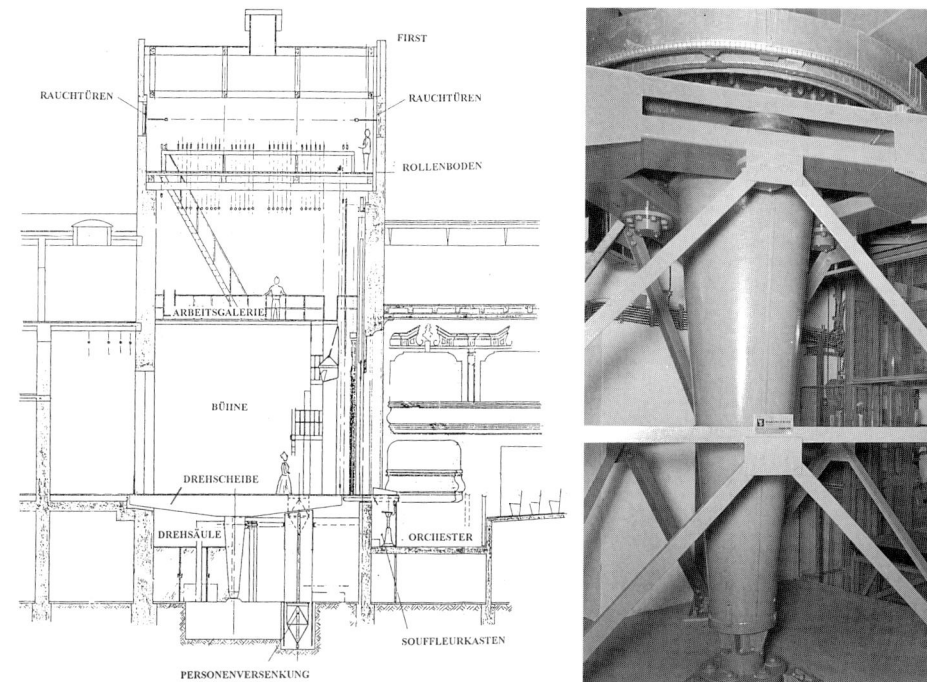

Abb. 1.6/48: Säulenlagerung einer Drehscheibe im Stadttheater St. Pölten – Längsschnitt der Bühne
Bildnachweis: Waagner-Biró

Abb. 1.6/49: Säulenlagerung einer Drehscheibe im Stadttheater St. Pölten
Foto: Waagner-Biró

Eine weitere, allerdings sehr selten ausgeführte Variante der Lagerung von Drehbühnen ergibt sich in Anwendung eines **hydrostatischen Lagerungskonzepts.** Die in Abb. 1.2/11 in der Haupt- und Vorbühne eingebauten Drehscheiben sind auf diese Art gelagert. Unterhalb einer kreisförmigen Gleitbahn befinden sich Teller mit einem Durchmesser von etwa 500 mm, durch die Öl gedrückt wird, so daß die Scheibe auf einem etwa 0,3 bis 0,4 mm dicken Ölfilm schwimmt.

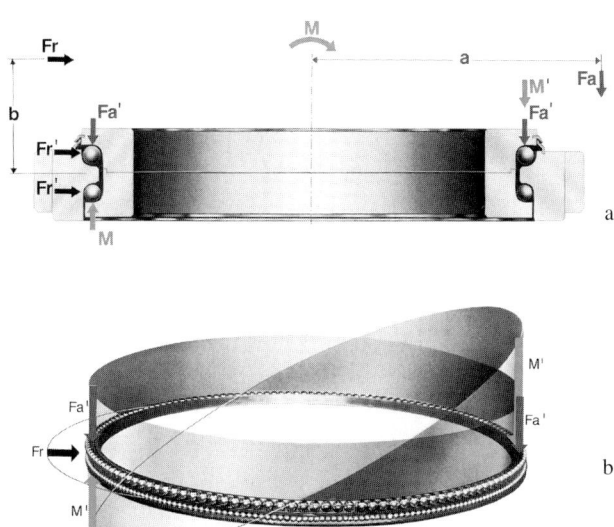

Abb. 1.6/50: Kugeldrehverbindung – Schnittzeichnung und Erläuterung des Tragverhaltens
a) Darstellung der auf die Kugel-Drehverbindung einwirkenden Axialkräfte *(Fa)*, Radialkräfte *(Fr)* und Momente *(M)*. $M = Fa \cdot a + Fr \cdot b$
b) Darstellung der Zylinderfläche, in welcher die Axialkräfte *(Fa)* und Momente *(M)* wirken, sowie der Ebene, in der die Radialkraft *(Fr)* wirkt.
Bildnachweis: Hoesch/Rothe Erde – Schmiedag AG (D-Dortmund)

Abb. 1.6/51: Zylinderdrehbühne des Linzer Landestheaters
a) Gesamtansicht bei der Werksmontage, b) Antriebsdetail
Fotos: Waagner-Biró

Bauweisen für den Antrieb von Drehscheiben und Drehbühnen

Als Antrieb bieten sich viele Möglichkeiten, die im folgenden beschrieben werden und zusammenfassend in Abb. 1.6/52 dargestellt sind. Grundsätzlich kommen wieder elektrische oder hydrostatische Antriebe in Frage.

Antrieb über Reibschluß (s. auch Kap. 3.4.2)

Ist ausreichend Reibschluß an bestimmten Laufrädern gegeben, kann der Antrieb über diese Laufräder erfolgen. Diese Antriebsart kommt daher z. B. bei Lagerung einer Drehbühne auf vertikal stehenden Laufrädern, die auf einer horizontal verlegten Kreisschiene abrollen, in Frage (Abb. 1.6/46). Ist aus Eigen- und Nutzlasten kein ausreichender Reibschluß gegeben, kann der **Antrieb**

1.6 Technische Einrichtungen der Unterbühne

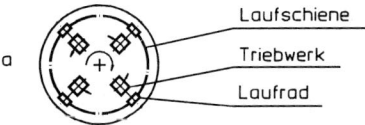
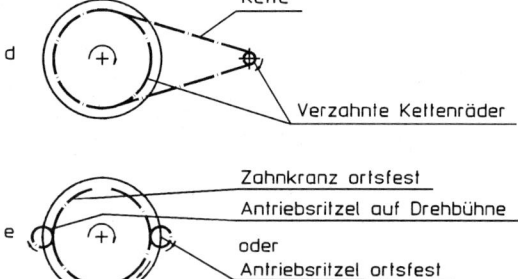
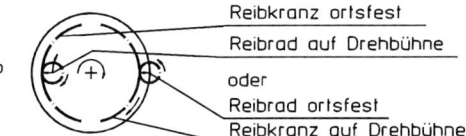
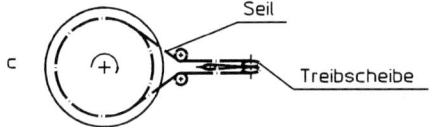

Abb. 1.6/52: Antrieb von Drehbühnen – Schematische Darstellung verschiedener Varianten
a) Adhäsionsantrieb über Laufrad, b) Adhäsionsantrieb über Reibrad, c) Seilantrieb über Treibscheibe, d) Antrieb über Kettenräder, e) Zahnradantrieb, Zahnrad stillstehend oder mitfahrend

Abb. 1.6/53: Seilantrieb der Drehbühne des Tiroler Landestheaters
Foto: Waagner-Biró

über **federbelastete Reibräder** erfolgen. Die Reibräder können auch in horizontaler Lage eingebaut sein und wälzen sich auf einem vertikal stehenden Reibkranz ab (s. Abb. 1.6/43).

Vorwiegend in älteren Anlagen wurde der **Antrieb als Treibscheibentrieb** ausgeführt, indem ein Seil mit ausreichender Vorspannung um die drehbare Scheibe und eine meist zweirillige Antriebsscheibe geschlungen wurde. Abb. 1.6/53 zeigt den Drehbühnenantrieb im Tiroler Landestheater.

Antrieb über Formschluß (s. auch Kap. 4.2 und 4.4)

Bei einem **Zahnradantrieb** greifen ein oder mehrere Antriebsritzel in einen großen, zur Drehbühne konzentrischen Zahnkranz ein. Bei großen Zylinderdrehbühnen mit Kreisschienenlagerung dient als Zahnkranz meist ein Triebstockring (Abb. 1.6/54). Bei einem Triebstock werden die Zähne aus Bolzen mit Kreisquerschnitt gebildet, die im Teilungsabstand der Verzahnung nebeneinander angeordnet sind (s. Abb. 4.4/1). Die Form des Triebstockritzels ist gemäß den geometrischen Bedingungen der Verzahnungstheorie diesen Bolzen anzupassen. Erfolgt die Lagerung mit einer

Abb. 1.6/54: Antrieb über Triebstock der Zylinderdrehbühne des Wiener Burgtheaters
Foto: Waagner-Biró

Kugeldrehverbindung, so sind diese Großwälzlager bereits standardmäßig mit einem Zahnkranz in Evolventenverzahnung ausgestattet. Als Antriebsritzel kommen dann Zahnräder mit genormter Evolventenflanke zum Einsatz.

Als Sonderform eines Zahnradantriebes sei noch die Möglichkeit erwähnt, den Triebstockring durch eine um die Drehscheibe geschlungene Bolzenkette zu realisieren. Diese Lösung ist manchmal bei auflegbaren Drehscheiben in Anwendung. Als Antriebsritzel dienen dann meist genormte Kettenräder, die in einer Schwinge gelagert und federbelastet im Kettenzahneingriff gehalten werden.

Als Alternative zum nun beschriebenen Zahnradantrieb sei noch der **Kettenradantrieb** erwähnt. In diesem Fall erfolgt der Antrieb über ein Kettengetriebe, bestehend aus einem ortsfest installierten Antriebskettenrad kleinen Durchmessers und einem an der Drehscheibe montierten konzentrischen Kettenrad großen Durchmessers sowie einer beide Räder umschlingenden Kette.

1.6.4 Mobile Podien und Tribünen

Die Gestaltung des Bühnenbildes kann, wenn dazu keine Hubpodien herangezogen werden können, oder in Ergänzung zu Hubpodien, mit sogenannten **Praktikablen** vorgenommen werden. Diese schon sehr lange gebräuchliche Bezeichnung wurde für begehbare Bühnengerüste zur Unterscheidung von nur imitierten Gerüsten verwendet. In Abb. 1.6/55 sind einfache unverrückbar stapelbare „Holzkisten" dargestellt. Ferner gibt es vielerlei Steck- und Schraubsysteme für Podeste und Gerüstaufbauten. Abb. 1.6/56 zeigt nach einem Baukastenprinzip entwickelte, in Höhe und Neigung **verstellbare Podeste** aus Leichtmetall.

In DIN 15920 ist ein Baukastensystem des Bühnenbaus genormt. Darin sind **Bühnenpodeste** (Praktikable) verschiedener Form und Größe (Quader, Dreiecksprismen), **Stufen, Treppen,** frei verfahrbare **kleine Bühnenwagen** und **Bühnengeländer** erfaßt. Durch diese Normung soll die Durchführung von Koproduktionen und Gastspielen erleichtert werden.

In Konzertsälen besteht manchmal der Bedarf, das Orchesterpodium unterschiedlich zu gestalten. Hiezu können **schubladenartig verfahrbare,** aber auch teilweise hebbare **Podien** dienen. In Abb. 1.6/57 sind als Beispiel die Podien im Mozartsaal des Wiener Konzerthauses zu sehen.

1.6 Technische Einrichtungen der Unterbühne

Abb. 1.6/55: Podeste, als „Holzkisten" ausgeführt
Bildnachweis: Eberhard

Abb. 1.6/56: Verstellbare Bühnenpodeste in Aluminiumkonstruktion – System „Scenomat"
Bildnachweis: Eberhard

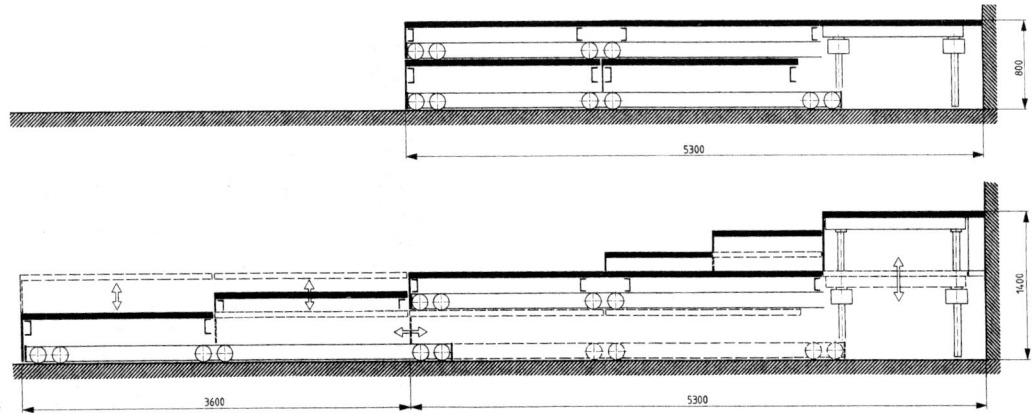

Abb. 1.6/57: Ausfahrbare Podien in Schubladenbauweise kombiniert mit einem Hubpodium im Mozartsaal des Wiener Konzerthauses – a) Schemazeichnung, b) Foto
Bildnachweis: Waagner-Biró

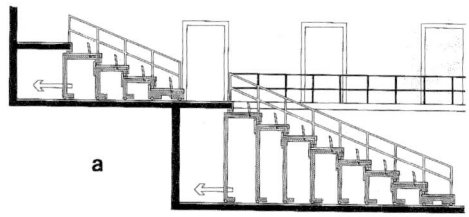
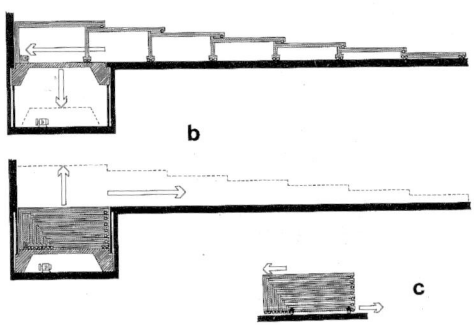

Abb. 1.6/58: Teleskoptribünen
a) Abstellen in Wandnischen, feste Sitze mit Klapplehnen,
b) mit Hubplattform unter die Saalebene versenkbar,
c) auf ausfahrbaren Rollen wegfahrbar
Bildnachweis: Bayrischer BühnenBau

1.6 Technische Einrichtungen der Unterbühne

Abb. 1.6/59: Teleskoptribüne
Foto: Bayrischer BühnenBau

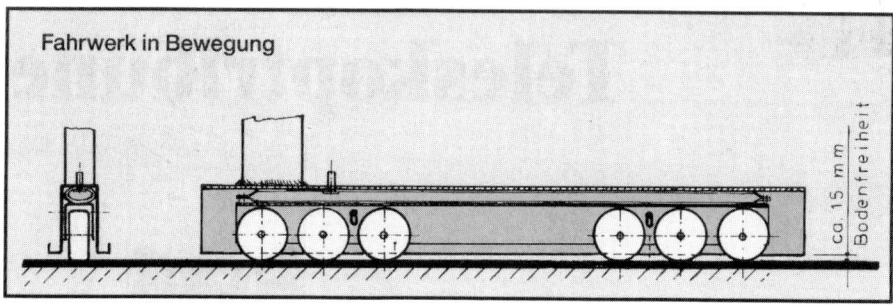

Abb. 1.6/60: Fahrbare Podien mit pneumatischer Einrichtung zum Anheben der Abstellkufen und Absetzen der Last auf die Laufräder
Bildnachweis: Bayrischer BühnenBau

Besonders zu erwähnen sind aber auch **Teleskoptribünen** zur variablen Gestaltung des Zuschauerbereichs. Diese Tribünen können
- wie in Abb. 1.6/58a und 1.6/59 durch Zusammenschieben in einer Wandnische deponiert werden,
- wie in Abb. 1.6/58b auf Hubplattformen unter die Saalebene versenkt oder
- in gestapelter Form gemäß Abb. 1.6/58c mit ausfahrbaren Rollen oder als Variante mittels Hubwagen verfahren werden.

Ein Problem bei fahrbaren Tribünen besteht oft darin, daß die Laufräder bei langem Stillstand infolge der relativ hohen Pressung an den Radaufstandsflächen Druckmarken am Boden verursachen bzw. die Kunststoff-Laufflächen der Räder durch Abplattung unrund werden. Daher gibt es Systeme, bei denen sich das stillstehende Podium an Kufen großflächig abstützt und die Laufräder die Lastabtragung nur für den Transport übernehmen. Bei der Lösung nach Abb. 1.6/60 geschieht dies durch Füllen eines Pneumatikschlauchs.

Als besonders elegante Lösung bieten sich Tribünenstützen auf Luftkissen an. Im Stillstand steht eine ausreichend große Ringfläche für die Lastabtragung zur Verfügung, zum Verfahren werden die

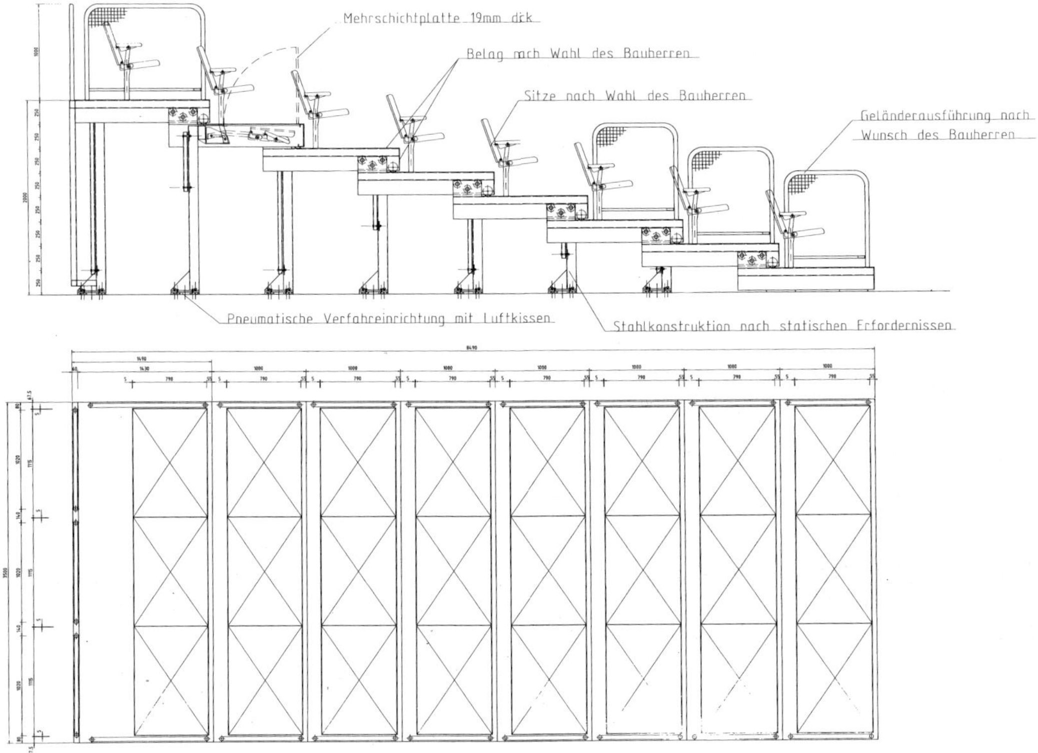

Abb. 1.6/61: Teleskoptribüne mit Luftkissen als Verfahreinrichtung
Bildnachweis: Bayrischer BühnenBau

Abb. 1.6/62: Teleskoptribüne mit Luftkissen als Verfahreinrichtung in ausgefahrener und gestapelter Position
Fotos: Bayrischer BühnenBau

1.7 Technische Einrichtungen der Oberbühne

tellerförmigen Luftkissenelemente mit Luft versorgt und lassen die Tribünen auf einem dünnen Luftfilm schweben, so daß deren Verschieben mit sehr geringem Kraftaufwand erfolgen kann. Weitere Hinweise zur Luftkissentechnik werden in Kap. 4.6.2 gegeben. Eine Tribünenkonstruktion mit Luftkissen ist in Abb. 1.6/61 und 1.6/62 zu sehen.

Besteht der Bedarf, einen Saal mit ebenem Boden wahlweise mit oder ohne Sitzreihen auszustatten, so kann dies z. B. mit einem in Abb. 1.6/63 dargestellten Bestuhlungssystem erfolgen: Das Gestühl ist auf Sitzreihenträgern montiert, die mit Laufrollen ausgestattet sind, welche auf in Bodenschlitzen verlegten Schienen verfahren werden können. Die Sitzreihen sind durch Federstahl-Mitnehmerbänder gekuppelt. Wie aus der Abbildung ersichtlich ist, bildet das Stahlband im ausgefahrenen Zustand die Abdeckung der Bodenspalte für die Schienen. Sind die Stuhlreihen in Parkposition an einer Hallenseite zu einem Paket zusammengeschoben, müssen diese Spalte manuell mit Schienen abgedeckt werden. Das Verfahren des letzten Sitzreihenträgers erfolgt über einen Seilwindentrieb und Mitnehmer. Je nachdem, in welche Richtung die Seiltrommel gedreht wird, wird das eine oder andere Ende einer im Boden verlegten Seilschlaufe aufgewickelt und der Sitzreihenträger an der rechten und linken Hallenseite in Stapel- oder Sitzposition gezogen.

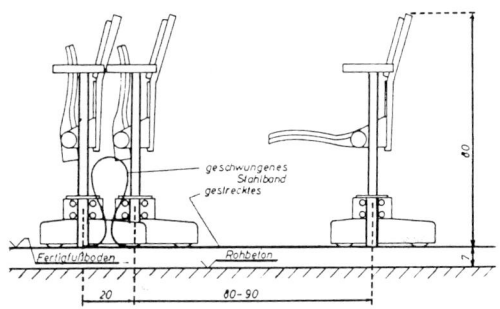

Abb. 1.6/63: Bestuhlungssystem mit auf Schienen verfahrbaren Sitzreihen, Antrieb mit Seilwinde – System „Elochair"
Bildnachweis: Vogel

1.7 Technische Einrichtungen der Oberbühne

In diesem Kapitel werden jene technischen Anlagen behandelt, die dem Bühnenraum oberhalb der Spielfläche zuzuordnen sind.

Feste Einbauten im Decken- und Wandbereich

– Bei Großbühnen ist der Bühnenraum im Hauptbühnenbereich mehr als doppelt so hoch wie die Portalöffnung des Prosseniums, um die Dekorationen nach oben aus dem Blickfeld der Zuschauer verfahren zu können. An der Decke befindet sich der **Schnürboden** als begehbare Trägerrostkonstruktion. Bei Kleinbühnen fehlt oft ein derartiger Freiraum oberhalb der Bühne.

– Die Seitenwände und die Rückwand des Bühnenhauses sind mit **Arbeitsgalerien** versehen, von denen aus die verschiedensten Manipulationen im Bühnenbetrieb vorgenommen werden können.

Portalkonstruktion – Proszenium

– Zu den Einrichtungen der Oberbühne wird auch die **Portalkonstruktion** der Proszeniumsöffnung gerechnet. Auch hier können mechanische Systeme zur Variation der Größe der Portalöffnung integriert sein; in Sonderfällen kann das gesamte Proszenium in Richtung der Bühnenlängsachse verschoben werden, um die Tiefe des Bühnenraumes zu verändern. Bei Mehrzwecknutzung einer Spielstätte kann auch vorgesehen sein, die gesamte Portalkonstruktion zu entfernen und z. B. in den Bühnenturm zu heben (s. auch Abb. 1.7/7d).
– Im Proszenium befinden sich auch Vorhänge zum Öffnen bzw. Schließen der Proszeniumsöffnung. Es sind dies **Vorhanghub-** oder **Vorhangzugsysteme** und der **Eiserne Vorhang** als Brandschutzeinrichtung. **Torkonstruktionen** mit Brand- und Schallschutzfunktion gibt es fallweise auch zwischen Haupt- und Seitenbühne bzw. Hinterbühne.

Mechanische Ausrüstungen am Schnürboden

Vom Schnürboden hängen in großer Zahl die Seile der Hubeinrichtungen herab. Früher waren es geschnürte Hanfseile, daher auch der Name **Schnürboden**; heute sind es Drahtseile.

Zu diesen Einrichtungen gehören vor allem (Abb. 1.7/1):

– **Prospektzüge,** deren Laststangen normal zur Bühnenlängsachse orientiert sind und die gesamte Bühnenbreite überspannen,
– **Punktzüge** mit einem – wie schon der Name ausdrückt – einzelnen Lastaufhängepunkt,
– mechanische Einrichtungen zur Abgrenzung der Spielfläche in den Wandbereichen, wie **Panorama-** und **Rundstangenzüge**, auch **Cykloramazüge** genannt, und **Rundhorizonte**,
– mechanische Einrichtungen für die Beleuchtungstechnik, wie **Beleuchterbrücken** und **Oberlichtzüge**,
– Sondereinrichtungen, z. B. **Flugapparate**.

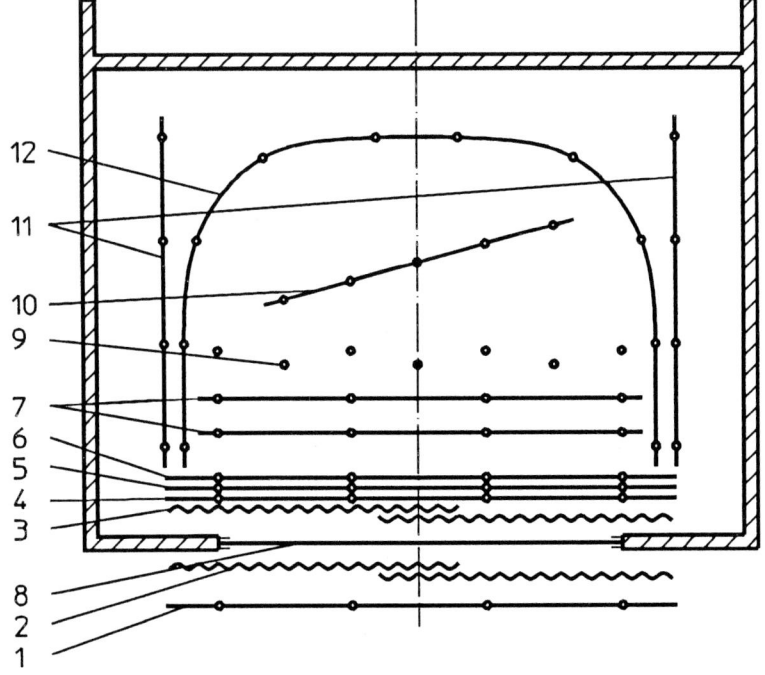

Abb. 1.7/1: Anordnung von Zugeinrichtungen (in Anlehnung an DIN 56 920, Blatt 3)

 1 Vorbühnenzug
 2 Schmuckvorhangzug
 3 Spielvorhangzug
 4 Schleierzug
 5 Deckwolkenzug
 6 Schallvorhangzug
 7 Prospektzüge
 8 Kurtine
 9 Punktzüge
10 Freizug
11 Panoramazüge
12 Rundstangenzug

1.7 Technische Einrichtungen der Oberbühne

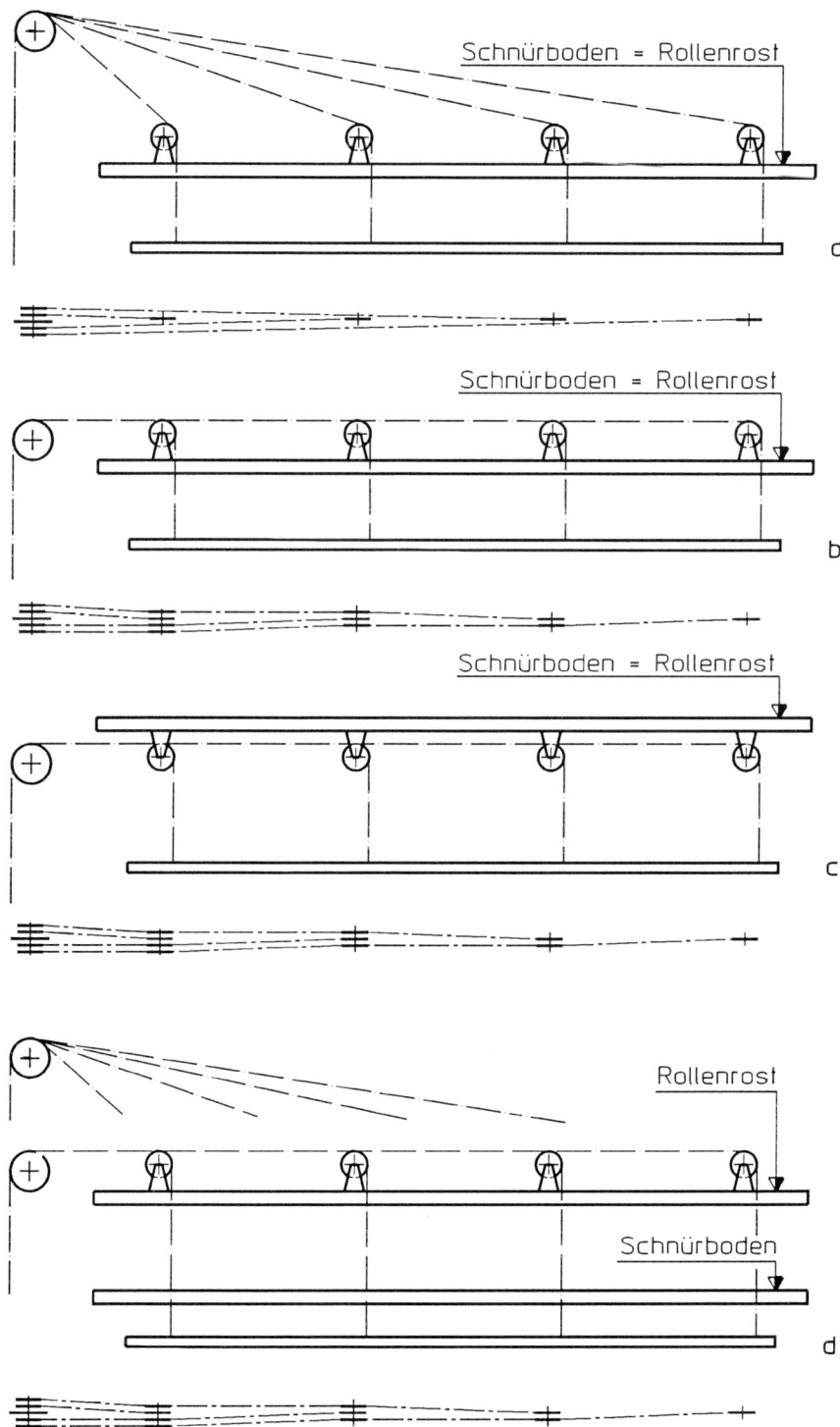

Abb. 1.7/2: Schnürboden
a) Rollen auf dem Schnürboden montiert, schräge Seilführung zur Wand, b) wie a), jedoch horizontale Seilführung, c) Rollen unterhalb des Schnürbodens, d) Rollenrost oberhalb des Schnürbodens

1.7.1 Feste Einbauten in der Oberbühne

Schnürboden

Im einfachsten Fall besteht der **Schnürboden** aus einer begehbaren Zwischendecke im obersten Bereich des Bühnenturmes. Die rostartige Ausbildung der Deckenkonstruktion gestattet das Durchführen von Seilen zur Aufhängung von Dekorationselementen. Die Seile von Hubzügen müssen meist in Richtung einer Bühnenseitenwand zu den Gegengewichtsschlitten von Handkonterzügen oder den Winden von Maschinenzügen umgelenkt werden. In den Abb. 1.7/2 a–d sind verschiedene Anordnungen für Laststangenzüge dargestellt.

In Abb. 1.7/2a erfolgt die Seilführung über einrillige Seilrollen vom Schnürboden zu einer mehrrilligen Kopfrolle an der Seitenwand; in Abb. 1.7/2b werden die Seile gestützt in teils mehrrilligen Rollen horizontal zur Seitenwand geführt.

Zur besseren Begehbarkeit des Schnürbodens kann man die Drahtseile der Züge auch unterhalb des Schnürbodens führen, indem man die Seilrollen auf der Unterseite des Bodenrostes einbaut (Abb. 1.7/2c). Der Nachteil dieser Anordnung besteht allerdings in der ungünstigen Wartungsmöglichkeit.

Sofern genügend Platz vorhanden ist, ist die geeignetste Schnürbodenkonzeption wohl jene, bei der zwei Ebenen geschaffen werden, und zwar der **begehbare Rost,** durch den die Seile vertikal durchgeführt werden, und ein ca. 2 bis 3 Meter darüber angeordneter **Rollenrost,** in dem die Umlenkrollen zur Horizontalführung der Seile situiert sind (Abb. 1.7/2d).

Abb. 1.7/3: Schnürboden mit Lattenrost im Großen Festspielhaus in Salzburg, oberhalb ein Rollenrost
Foto: Waagner-Biró

1.7 Technische Einrichtungen der Oberbühne

Die begehbare Schnürbodenebene kann mit einem **Latten-** oder einem **Lichtgitterrost** versehen werden. Der Lattenrost aus U-förmig gebogenen Blechen bietet lange Durchführungsschlitze für die Seile, so daß eine Querverschiebung der Seile möglich ist. Ein Gitterrost läßt nur Ablaufpunkte zu, durch die das Seil bei Lageveränderung jeweils neu gefädelt werden muß; allerdings kann der Gitterrost natürlich so gestaltet werden, daß an bestimmten Stellen rechteckige Seilschlitze vorgesehen werden. Ein Schnürboden in Lattenrostausführung und darüberliegender Rollenrostebene ist in Abb. 1.7/3, eine Ausführung mit Gitterrost in Abb. 1.7/4 zu sehen. Eine Seilführung unterhalb des Rostes gemäß Abb. 1.7/2c ist z. B. im Stadttheater Stockholm (Abb. 1.7/5) gegeben.

Abb. 1.7/4: Schnürboden mit Gitterrost im Stadttheater Duisburg, oberhalb ein eigener Rollenrost
Foto: Krupp

Eine interessante Lösung ist in der Oper Frankfurt verwirklicht und in Abb. 1.7/6 ersichtlich. Über dem begehbaren Schnürboden ist eine massive Decke als Fundament für die Elektrowinden eingezogen. Die Hubseile verlassen die Seiltrommeln vertikal nach oben und werden über Seilrollen in

Abb. 1.7/5: Schnürboden mit Seilführung unterhalb des begehbaren Rostes im Stadttheater Stockholm
Fotos: Sächsischer Bühnenbau

1.7 Technische Einrichtungen der Oberbühne

einem Rollenrost an der Decke zu den erforderlichen Ablaufstellen verzogen und durch kleine Öffnungen vertikal durch die Decke geführt. Insgesamt sind somit drei Ebenen vorhanden, zu unterst ein begehbarer Schnürbodenrost, darüber eine Massivdecke von brandschutz- und schallschutztechnischer Wirkung und darüber der Rollenrost.

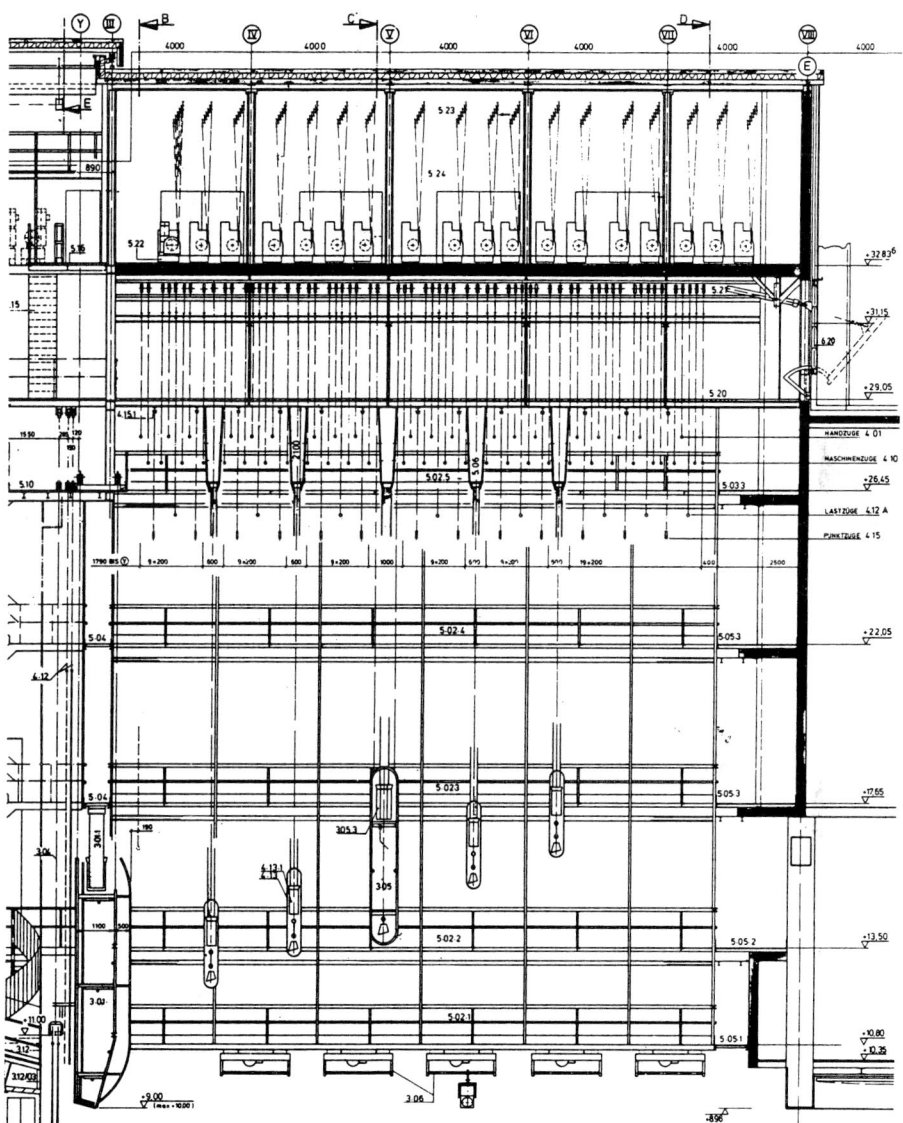

Abb. 1.7/6: Schnürbodensystem in der Oper Frankfurt am Main – Maschinenraum oberhalb des Rollenrostes
Bildnachweis: BTR 2/1992

Arbeitsgalerien

Die Begrenzungswände der Bühne, die Seitenwände und die hintere Bühnenwand sind mit **Arbeitsgalerien** versehen. Dies sind mehrere übereinander angeordnete und durch Treppen – normalerweise auch durch eine Aufzugsanlage – verbundene begehbare Flächen, von denen aus verschiedenste Manipulationen bei guten Sichtverhältnissen auf die Bühne vorgenommen werden können.

90   1 Bühnentechnische Einrichtungen, Bauarten und Einsatzkriterien

Von besonderer Bedeutung sind: die Arbeitsgalerie für die Betätigung der Handkonterzüge, die Arbeitsgalerie zum Be- und Entladen der Gegengewichtsschlitten sowie jene Arbeitsgalerien, auf denen Schaltpulte zur Steuerung von mechanischen Antrieben der Unter- und Oberbühne situiert sind.

Die Geländer der Arbeitsgalerien sind massiver als bei sonstigen Laufstegen ausgeführt, da der Handlauf auch zur Befestigung von Scheinwerfern und zum Verhängen einfacher **Handleinenzüge** dienen soll (s. Kap. 1.7.3).

1.7.2 Einrichtungen des Proszeniums

Gestaltung des Bühnenportals

Unter **Proszenium** versteht man die architektonisch gestaltete Umrahmung der Bühnenöffnung. Die Bühnenseite der Proszeniumswand ist bei größeren Bühnen mit Podesten und Laufstegen versehen, um vor allem Beleuchtungsgeräte installieren zu können. Die seitlichen Begrenzungen bezeichnet man als **Portaltürme**, die obere Begrenzung als **Portalbrücke.** Soll die Größe der Portalöffnung veränderbar sein, kann die seitliche Begrenzung durch **verfahrbare Portaltürme** oder bei festen Portaltürmen mit verschiebbaren Blenden verstellbar gemacht werden. Die obere Begrenzung kann

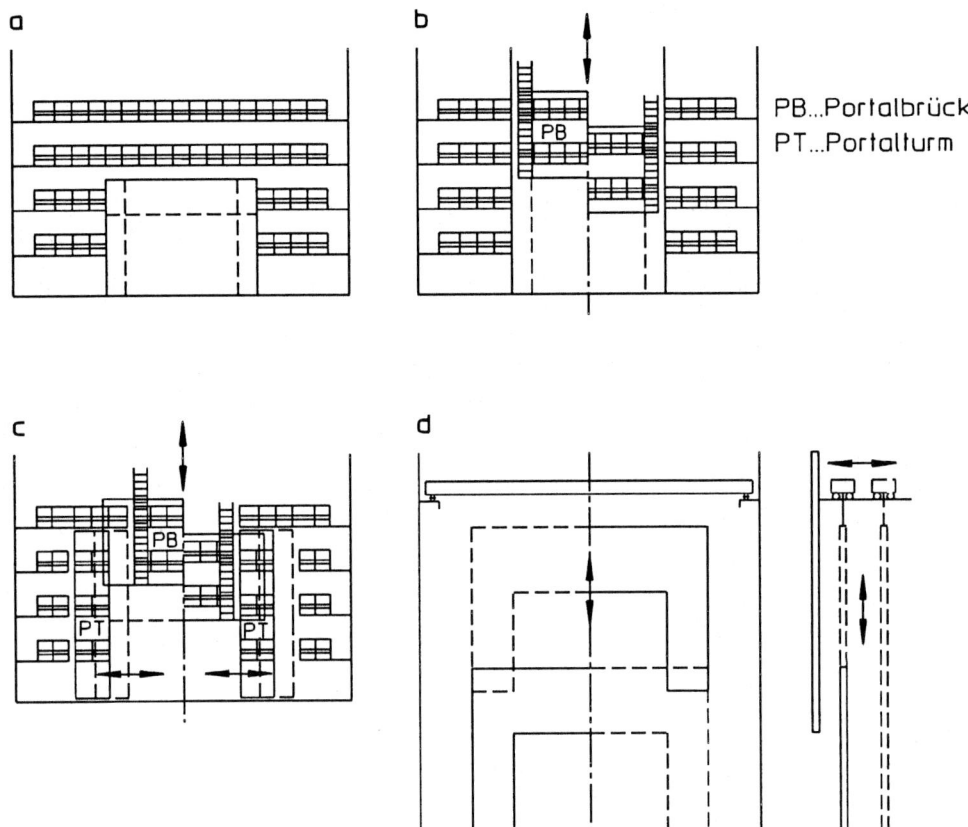

Abb. 1.7/7: Ausbildung der Portalzone, Varianten hinsichtlich der Portaltürme und der Portalbrücke
a) feste Portalausbildung, Veränderung der Portalöffnung durch bewegliche Blenden möglich, b) bewegliche Portalbrücke, feststehende Portaltürme, c) bewegliche Portalbrücke und Portaltürme, d) in Bühnenlängsrichtung verfahrbare und hebbare Portalkonstruktion

1.7 Technische Einrichtungen der Oberbühne

bei Vorhandensein einer festen Portalbrücke durch vertikales Verschieben einer Blende, bei beweglichen Portalbrücken durch Veränderung der Hubstellung der Portalbrücke variiert werden.

Das Verschieben der Portaltürme kann entweder von Hand oder motorbetrieben erfolgen. Durch entsprechende Seilführung eines Windentriebs kann auch ein zwangsgeführtes symmetrisches Verfahren beider Türme bewerkstelligt werden.

Zum vertikalen Verfahren der Portalbrücke kommt ein Handantrieb wegen der meist sehr großen bewegten Massen trotz teilweisen Gegengewichtsausgleichs kaum in Frage. Einige Hinweise für elektrische oder hydrostatische Antriebe werden in Kap. 1.7.3 gegeben.

Eine bewegliche Portalbrücke kann in ihrer Funktion als **Beleuchterbrücke** i. a. bis auf Bühnenniveau abgesenkt werden, um deren Bestückung mit Scheinwerfern in einfacher Weise vornehmen zu können. Oberhalb der höchsten Portalöffnung sind feste Führungen für die Portalbrücke vorhanden. Die unterhalb eingebauten verschiebbaren Portaltürme müssen zum Absenken der Portalbrücke auf Bühnenniveau meist in die Stellung kleinster Portalöffnung verfahren werden, um der Portalbrücke Führung zu bieten. Kann die Portalbrücke ausreichend hoch gebaut werden, kann auf die Führung in den verfahrbaren Portaltürmen verzichtet werden, so daß Portaltürme und -brücke völlig unabhängig voneinander verstellt werden können.

Große Portalbrücken sind mehrstöckig gebaut. Die Begehung der Laufstege auf der Portalbrücke von den Arbeitsgalerien aus wird gegebenenfalls über bewegliche Anbindungselemente zur Überbrückung von Niveauunterschieden ermöglicht.

In Abb. 1.7/7 sind schematisch verschiedene Möglichkeiten der Ausbildung der Portalzone zusammengefaßt. Abb. 1.7/8 zeigt die verfahrbaren Portaltürme und die in der Höhenlage verstellbare Portalbrücke im Festspielhaus Bregenz und Abb. 1.7/9 jene der Oper Genua.

Abb. 1.7/8: Verfahrbare Portaltürme und verfahrbare Portalbrücke im Festspielhaus Bregenz
Foto: Waagner-Biró

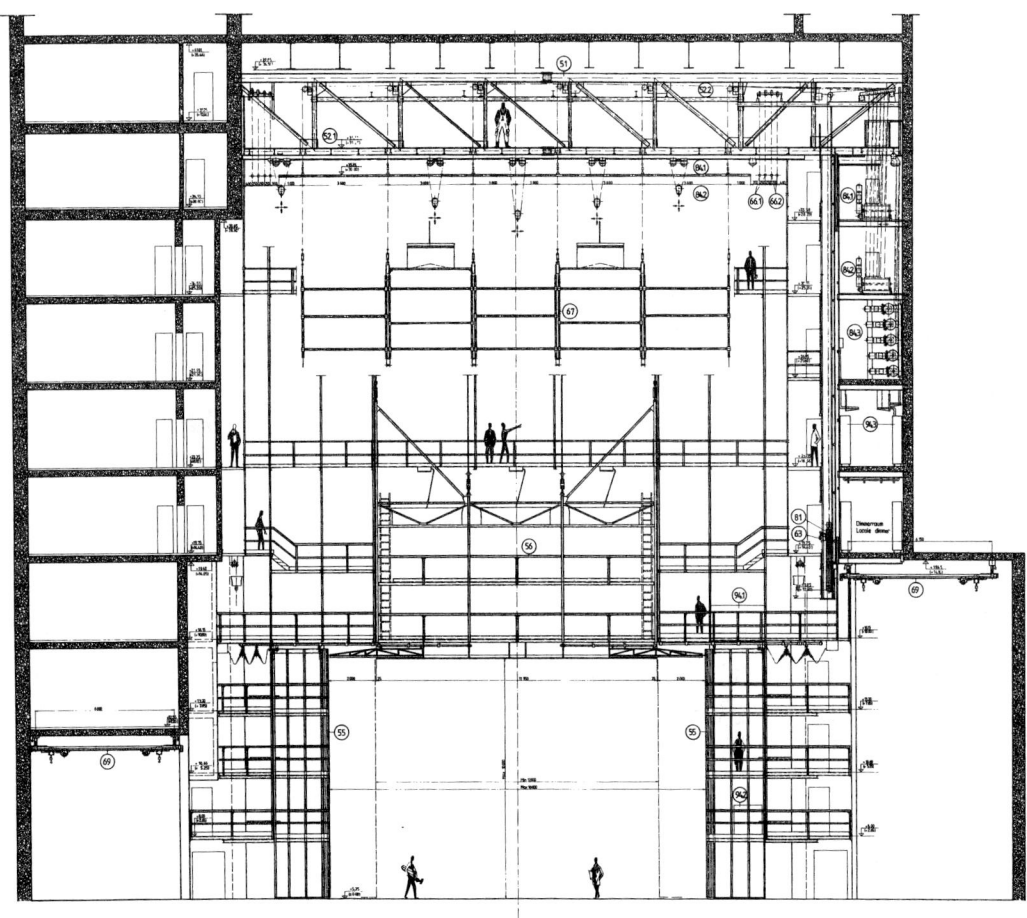

Abb. 1.7/9: Verfahrbare Portaltürme und verfahrbare Portalbrücke in der Oper Genua
Bildnachweis: Waagner-Biró

Vorhangkonstruktionen

Im Bereich des Prosceniums sind bei größeren Bühnen meist mehrere Vorhänge eingebaut, deren Funktionen und Bauweisen im folgenden kurz beschrieben werden.

Zum Öffnen und Schließen der Prosceniumsöffnung dient der **Spielvorhang**. Dabei bieten sich folgende drei Möglichkeiten des Bewegungsablaufes an:

– **Heben** des Vorhanges,
– **Teilen** des Vorhanges durch Verziehen der Vorhanghälften nach links und rechts,
– diagonales Heben der Vorhanghälften in Richtung der seitlichen oberen Ecken, bezeichnet als **Raffen.**

Beim **Hubvorhang** nach Abb. 1.7/10a – auch **Deutscher Vorhang** genannt – wird eine Laststange mit darauf montiertem Vorhang ähnlich einem Prospektzug vertikal verfahren. Der Antrieb kann manuell oder motorisch erfolgen.

Beim **Teilvorhang** nach Abb. 1.7/10b – auch **Griechischer Vorhang** genannt – werden zwei Vorhanghälften auf einer Vorhangschiene seitlich verfahren. Der Antrieb erfolgt über Seilzug manuell oder elektrisch. Wird hiezu jede Vorhanghälfte am der Mitte zugewandten Ende in Schließ- oder Öffnungsrichtung gezogen, so ergibt sich am Vorhang während der Bewegung eine ungleichmäßige

Faltenteilung. Abb. 1.7/11a zeigt die Aufhängung des Vorhanges auf Gleitern (**Gleitzugeinrichtung**), Abb. 1.7/11b die Aufhängung auf Rollen (**Rollenzugeinrichtung**). Beim sogenannten **Scherenvorhang** nach Abb. 1.7/11c oder Abb. 1.7/12 wird die Distanz der Aufhängepunkte des Vorhanges gleichmäßig vergrößert oder verkleinert, wodurch bei jeder Vorhangstellung ein gleichmäßiger Faltenwurf bestehen bleibt.

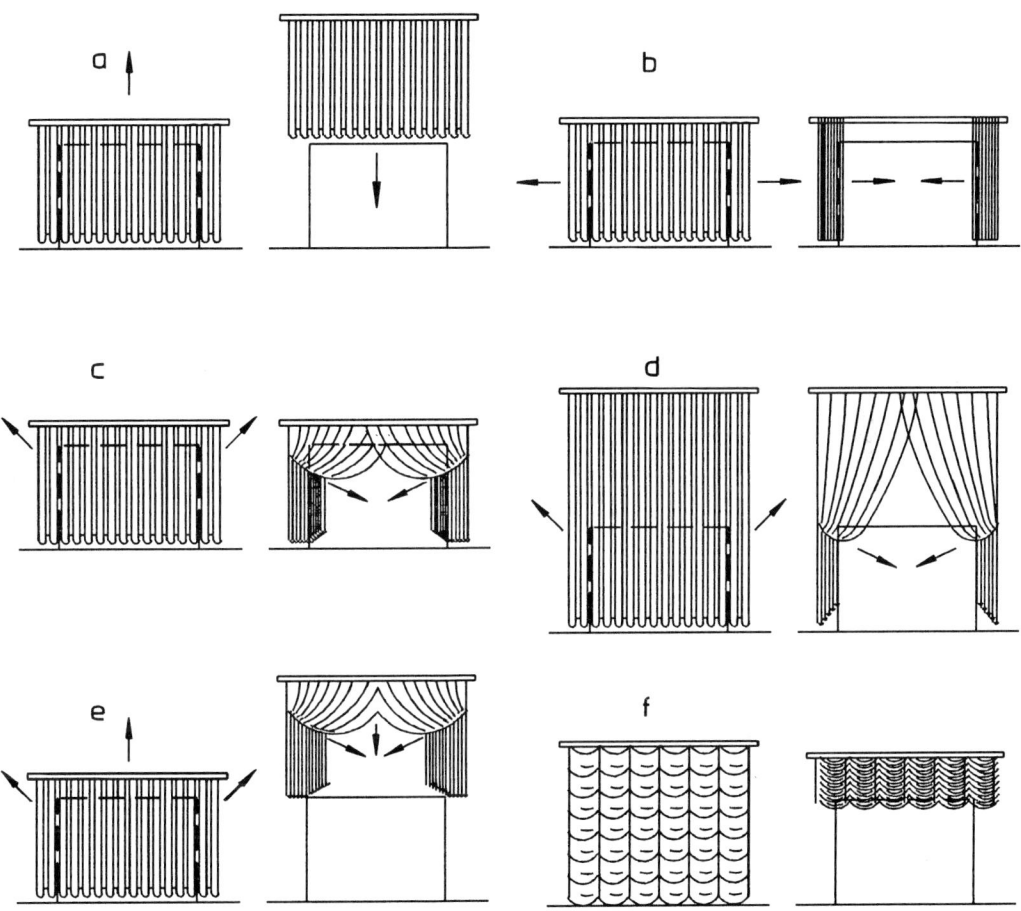

Abb. 1.7/10: Spielvorhang, Bau- und Funktionsweisen nach DIN 56 920, Blatt 3
a) Hubvorhang (Deutscher Zug), b) Teilvorhang (Griechischer Zug), c) Raffvorhang (Italienischer Zug), d) Raffvorhang (Wagner-Vorhang), e) hebbarer Raffvorhang (Französischer Zug), f) Wolkenvorhang

Kennzeichnend für den **Raffvorhang** ist, daß zwei Vorhanghälften diagonal zu den oberen Eckpunkten der Prozeniumsöffnung gezogen werden. Je nach Höhe der Portalöffnung, Ansatzpunkt und Lage des Diagonalzuges spricht man auch vom **Italienischen Vorhang** (Abb. 1.7/10c) bzw. vom **Wagner-Vorhang** (Abb. 1.7/10d). Bei Kombination der Raff- mit einer Hubbewegung nach Abb. 1.7/10e ist die Bezeichnung **Französischer Zug** üblich. Der Zug an den Seilen für die Raffbewegung muß beim Öffnen mit einer immer geringer werdenden Geschwindigkeit erfolgen. Früher erreichte man dies durch Verwendung einer mit konstanter Drehzahl angetriebenen konischen Seiltrommel (Abb. 1.7/13); heute steuert man die Drehzahl einer normalen zylindrischen Seiltrommel. Für den Schließvorgang kuppelt man die Seiltrommel gerne vom Antrieb ab und läßt den Vorhang zufallen.

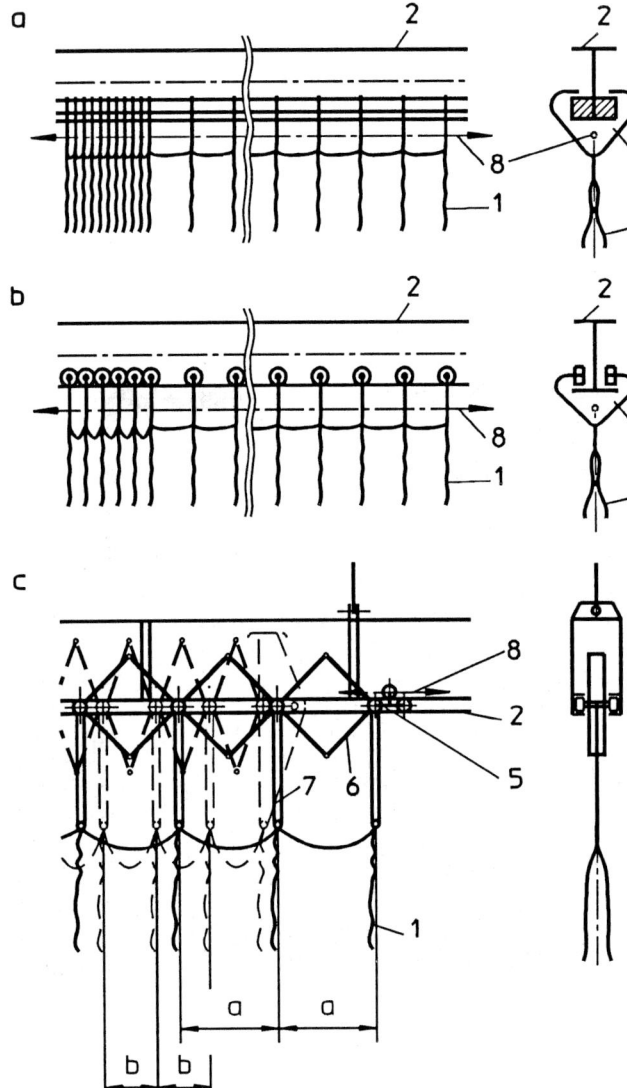

Abb. 1.7/11: Teilvorhang – Schemaskizzen
a) Gleitzugeinrichtung, b) Rollenzugeinrichtung, c) Scherenzugeinrichtung

1 Vorhang
2 Vorhangschiene bzw. -träger
3 Vorhanggleiter
4 Vorhangrolle
5 Laufrolle
6 Schiene
7 Hänger
8 Zugseil

Im Proszenium können in der „Vorhanggasse" hintereinander Vorhänge verschiedener Funktionsweise eingebaut sein. Es ist aber auch möglich, kombinierte Vorhangsysteme zu bauen, bei denen ein und derselbe Vorhangstoff in zwei (oder drei) verschiedenen Arten bewegt werden kann. In diesem Sinne gibt es kombinierte Teil-/Raff-, Hub-/Teil- und Hub-/Raffvorhänge oder bei Kombination aller drei Bewegungsmöglichkeiten einen Teil-/Raff-/Hubvorhang.

Neben diesen drei am meisten gebräuchlichen Vorhangsystemen werden manchmal auch noch andere Varianten verwendet. Als Beispiele seien angeführt:

– der **Wickelvorhang,** bei dem ein Textil auf einer horizontalen Trommel aufgewickelt wird,
– der **Wolkenvorhang,** bei dem der Stoff durch mehrere in Ringen geführte Hubseile nach oben zusammengeschoben wird (Abb. 1.7/10f).

Neben dem soeben beschriebenen Spielvorhang in seiner Variantenvielfalt werden eventuell noch weitere Vorhänge im Proszeniumsbereich eingesetzt:

1.7 Technische Einrichtungen der Oberbühne

Abb. 1.7/12: Scherenzugeinrichtung
a) Foto: Jovo-Scherenzug,
Schneider Bühnentechnik (D-Kiel),
b) Foto: Eberhard

Vor dem Eisernen Vorhang kann ein **Schmuckvorhang** eingebaut sein, falls das Vorhangblatt auf der dem Zuschauer zugewandten Seite nicht dekorativ gestaltet ist. Die mit der Kurtine brandhemmend geschlossene Proszeniumsöffnung wird ja aus Sicherheitsgründen in vielen Fällen (und je nach Vorschrift) erst wenige Minuten vor Vorstellungsbeginn, dann also in Anwesenheit des Publikums, geöffnet und nach Vorstellungsende sofort wieder geschlossen.

Als **Schallvorhang** bezeichnet man einen Vorhang, der hinter dem Spielvorhang angeordnet ist und nach dem Schließen des Spielvorhanges herabgelassen werden kann, um zwischen Bühne und Zuschauerraum schalldämmend zu wirken. Dadurch sollen Geräusche bei Bühnenumbauten im Zuschauerraum nicht zu laut wahrzunehmen sein.

Obwohl bisher nur von Textilvorhängen die Rede war, soll in dieser Aufzählung auch der **Eiserne Vorhang** als Brandschutzvorhang erwähnt werden. Er wird allerdings im Kap. 1.8.1 näher beschrieben.

Unter **Schleiervorhang** versteht man einen Vorhang aus leichtem durchscheinenden Textil. Er kann als Hubvorhang mit besonders hoher Geschwindigkeit verfahren werden und dient zur Erzielung szenischer Effekte. Der Kapitelüberschrift folgend ist mit diesem Schleiervorhang der sogenannte

Portalschleier gemeint. Ebenso können aber auch im Bühnenbereich hinter dem Proszenium installierte Laststangenzüge (s. Kap. 1.7.3) für Vorhangfunktionen und insbesondere auch für Schleiervorhänge eingesetzt werden.

In der sogenannten **Vorhanggasse** im Proszenium sollte ausreichend Platz vorhanden sein, um ein oder zwei Laststangenzüge für variablen Einsatz zur Verfügung zu haben.

Abb. 1.7/13: Winde eines Raffvorhanges
Foto: Waagner-Biró

1.7.3 Hubzüge

Begriffe und grundsätzliche Bauweisen

Hängende Dekorationselemente werden von Hubzügen getragen und können im Bühnenhaus in den Sichtbereich der Zuschauer abgesenkt oder aus dem Sichtbereich der Zuschauer hochgezogen werden. Hiezu befindet sich im Dachbereich des Bühnenhauses der in Kap. 1.7.1 beschriebene **Schnürboden**.

Unabhängig von der Antriebsart unterscheidet man je nach Verwendungszweck und Art der Lastaufnahme zwischen **Laststangenzügen** und **Punktzügen**.

Bei Laststangenzügen – manchmal wegen der früher verwendeten Holzlatten auch **Lattenzüge** genannt – können Lasten auf einer vertikal verfahrbaren Laststange montiert werden, insbesondere also Linienlasten, selbstverständlich aber auch Einzellasten. Die Tragfähigkeit eines Laststangenzuges ist durch drei Kriterien bestimmt:

1.7 Technische Einrichtungen der Oberbühne

– durch die maximale Gesamtsumme aller an der Laststange angehängten Lasten,
– durch die maximal zulässige Belastung jedes Hubseiles, an dem die Laststange hängt und
– durch die maximal zulässige Biegebeanspruchung der Laststange.

Daher sind meist als charakteristische Werte der Tragfähigkeit angegeben:
– die maximale Nutzmasse in kg oder die maximale Last in N oder kN bzw. diese Last als Gleichlast über die Lattenlänge verteilt in N/m oder kN/m,
– die maximale Einzellast unter einem Hubseil,
– die maximale Einzellast in Stangenmitte zwischen zwei Hubseilen.

Als Laststange werden Rohre (z. B. Außendurchmesser 63,5 mm, Wandstärke 4 mm, Metermasse 5,9 kg/m, Flächenträgheitsmoment $I = 33{,}2$ cm^4, Widerstandsmoment $W = 10{,}5$ cm^3) oder Rechteckshohlprofile (z. B. Außenmaße 100 mm×50 mm, Metermasse 6,6 kg/m, $I_y = 106$ cm^4, $W_y = 21{,}3$ cm^3) verwendet.

Abb. 1.7/14 zeigt Möglichkeiten der Ausführung nachstellbarer Seilbefestigungen. Da eine Laststange je nach Länge an etwa 4 bis 6 Seilen hängt, müssen die Seile in ihrer Länge justiert werden können. In den Ausführungen nach Abb. 1.7/14a, c dienen dazu Spannschlösser, in der Ausführung nach Abb. 1.7/14b eine verschiebbare Justierlasche. Mittig angeschweißte Befestigungslaschen nach Abb. 1.7/14c bieten die Möglichkeit, daß Laufwagen, deren Rollen links und rechts oben auf dem Rohr in einem Winkel von etwa 45° laufen, vorbeifahren können. Solche Laststangen eignen sich dann auch für den Einsatz als Flugwerkschiene (s. Kap. 1.7.6). In Abb. 1.7/15 sind Spezialprofile aus Leichtmetall dargestellt, die universelle Einsatzmöglichkeiten bieten.

Laststangenzüge sind in großer Zahl normal zur Bühnenachse orientiert angebracht und werden in dieser Anwendung auch als **Prospektzüge** bezeichnet. Die Länge der Laststangen entspricht etwa der Breite der Bühne, der Abstand der Laststangen beträgt ca. 180 bis 300 mm. Bei sehr engem Abstand besteht die Gefahr des Hängenbleibens an bereits mit Lasten bestückten Nachbarstangen.

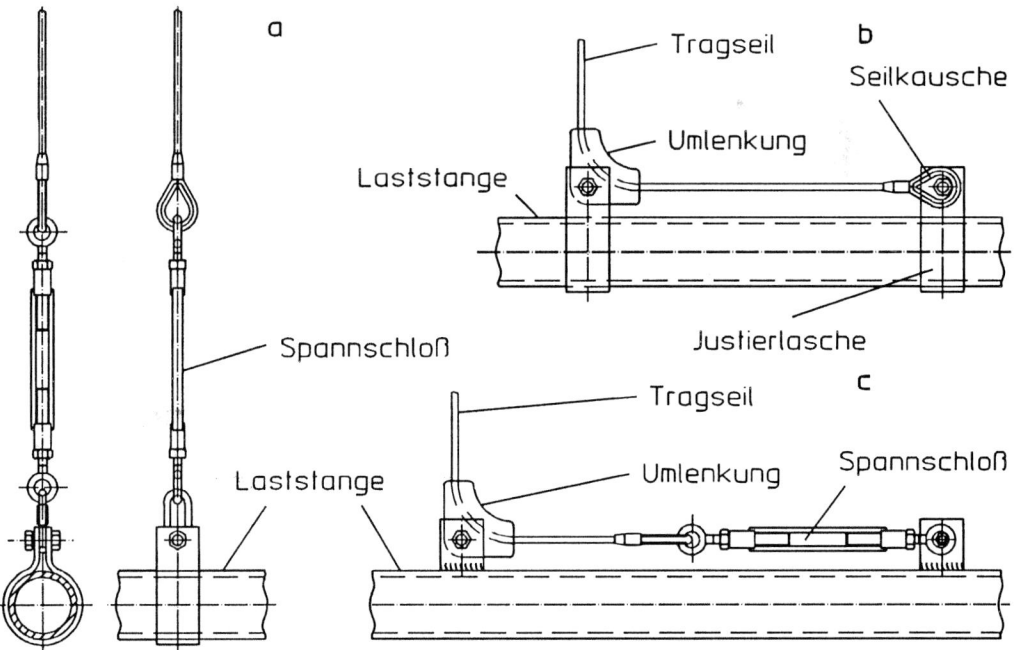

Abb. 1.7/14: Laststange – Justierung der Seilaufhängung mit
a) Spannschloß, vertikal, b) verschiebbarer Justierlasche, c) Spannschloß, horizontal, Laststange als Schiene nutzbar
(vgl. Abb. 1.7/42b)

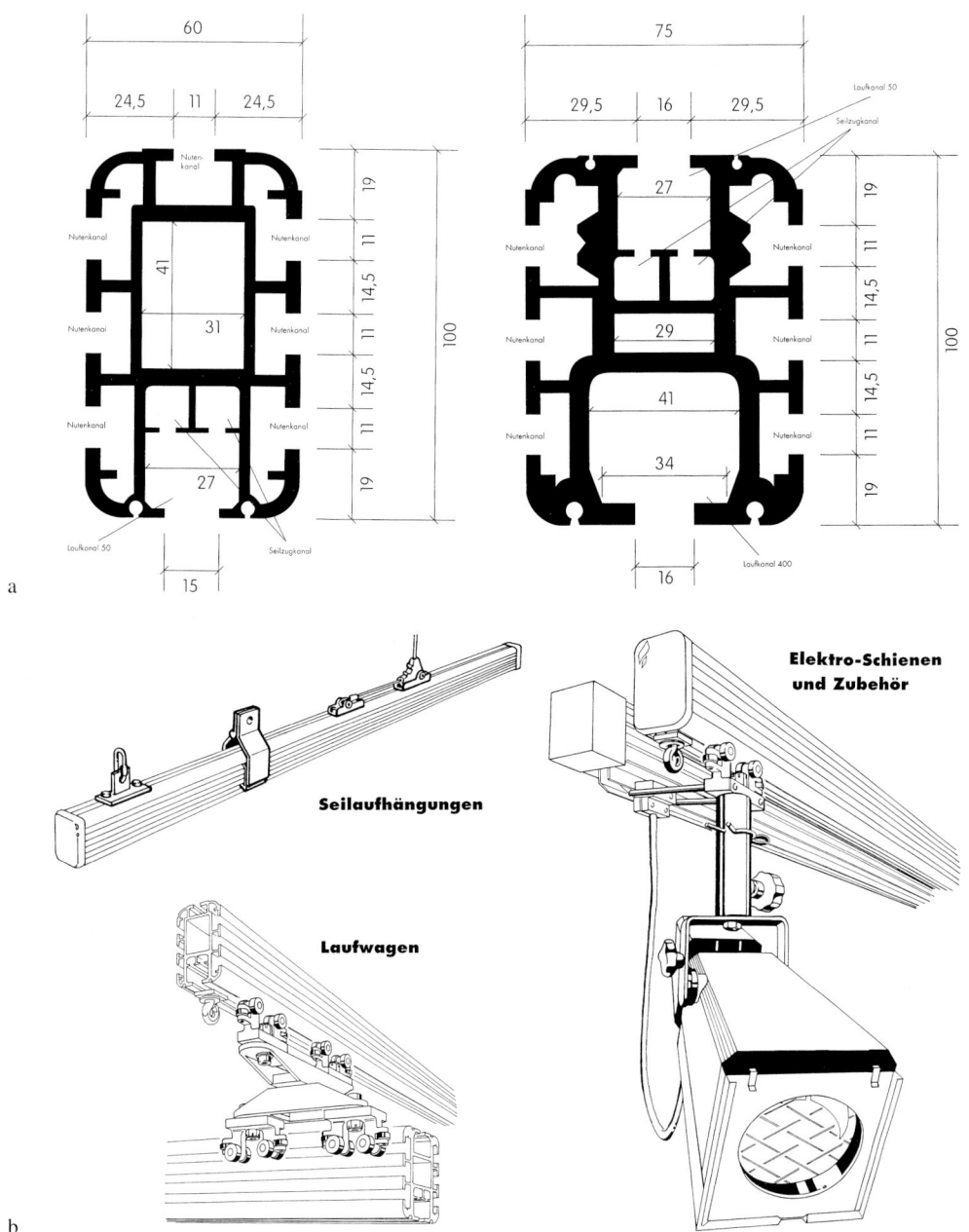

Abb. 1.7/15: Spezialprofile aus Leichtmetall für universellen Einsatz
a) Auswahl verschiedener Profiltypen, b) Seilaufhängung, Laufwagen, Elektroschienen und Zubehör
Bildnachweis: Bühnenbau Schnakenberg GmbH & Co. KG (D-Wuppertal)

Sind Hubzüge im Vor- bzw. Hinterbühnenbereich situiert, nennt man sie der Raumzuordnung entsprechend auch **Vor-** bzw. **Hinterbühnenzüge.**

Werden Laststangenzüge entlang der Bühnenseitenwände in Bühnenlängsachse orientiert, um mit deren Hängern diese Wände dekorationsmäßig abzudecken, bezeichnet man sie als **Panoramazüge.** Neben den Laststangenzügen mit gerader Stange gibt es auch sogenannte **Rundstangenzüge** oder

1.7 Technische Einrichtungen der Oberbühne

Cykloramazüge mit bogenförmiger Laststange. Diese Züge werden zur Begrenzung des Bühnenraumes oft in Kombination mit Panoramazügen eingesetzt. Ortsveränderliche Prospektzüge kleiner Tragfähigkeit mit versetzbaren Rollen und beliebiger Raumlage werden auch als **Freizüge** bezeichnet.

In modernen Bühnen legt man meist auch auf den Einbau vieler **Punktzüge** Wert. Punktzüge sind – wie schon der Name sagt – nicht für Linien-, sondern für Punktlasten gedacht und bieten mit einem Hubseilstrang oder bei einfacher Flaschenzugeinscherung mit zwei Seilsträngen und Unterflasche die Möglichkeit des Anhängens einer Einzellast. Meist arbeiten mehrere Punktzüge in einer Synchrongruppe zusammen. Daher ist ihr Einsatz i. a. nur in schaltungstechnisch vernetzbaren Anlagen sinnvoll.

Die bisher aufgezählten sehr bühnenspezifischen Hubeinrichtungen haben meist eher geringe Tragkraft. Laststangenzüge sind für eine Tragfähigkeit von ca. 300 bis 500 kg (eventuell auch 1000 kg) bzw. eine Tragkraft von 3 bis 5 kN (10 kN) ausgelegt, Punktzüge für 100 bis 300 kg bzw. 1 bis 3 kN. Zusätzlich werden in der Oberbühne öfters auch einzelne **Schwerlastzüge** installiert, um im Bedarfsfall auch höhere Lasten manipulieren zu können. Diese Züge sind dann aber oft nicht für szenischen Einsatz gedacht und arbeiten nur als Montagewinden mit geringer Hubgeschwindigkeit.

Antrieb von Laststangenzügen

Theater wurden früher fast ausschließlich mit manuell betätigten Hubzügen ausgerüstet. Motorkraftbetriebene Züge wurden relativ selten eingesetzt. Mit Hydrozylindern über einfache Handsteuerventile betätigte Prospektzüge hatten sich in alten Theatern zwar durchaus bewährt, elektrische Antriebe aber konnten mit geeigneter Steuercharakteristik in früheren Jahren kaum, später zunächst nicht mit wirtschaftlich vertretbarem Aufwand realisiert werden.

Manueller Antrieb

Handzüge werden im allgemeinen für eine Tragfähigkeit bis zu 300 kg (3 kN Nutzlast) gebaut. Mit Flaschenzügen könnten solche Lasten im szenischen Einsatz nicht rasch genug bewegt werden. Daher arbeitet man in der Bühnentechnik mit sogenannten **Handkonterzügen**, bei denen die Hublast durch Gegengewichte ausgeglichen wird. Die Bauweise ist in Abb. 1.7/16a ersichtlich:

Die Laststange hängt an mehreren Drahtseilen, die vertikal zum Schnürboden (Rollenboden) und über Umlenkrollen zur Gegengewichtswand geführt werden. An der Gegengewichtswand werden sie in einen **Gegengewichtsschlitten** eingebunden, der zum Ausgleich der an der Latte hängenden Last mit manuell auflegbaren Gewichtselementen beladen wird. Das Be- und Entladen dieser Gegengewichtsschlitten erfolgt von einer hiefür vorgesehenen Arbeitsgalerie aus; die Einzelgewichte sollten nicht mehr als 15 kg wiegen. Zum Heben oder Senken der Laststange bzw. des Gegengewichtsschlittens wird von einer hiezu bestimmten Arbeitsgalerie aus an einem **Kommandoseil** gezogen. Dies ist ein Hanfseil, welches in einer vertikalen Seilschleife in den Gegengewichtsschlitten eingebunden ist. Bei dieser Anordnung legt der Gegengewichtsschlitten die gleiche Hubstrecke zurück wie die Laststange, also einen maximalen Hubweg, der etwa der Niveaudifferenz zwischen Schnürboden und Bühnenboden entspricht. Daher muß die Gegengewichtswand ebenfalls vom Schnürboden bis zum Bühnenboden oder noch tiefer hinunterreichen. In Abb. 1.7/17 ist eine Gegengewichtswand für Handkonterzüge zu sehen.

Schließt an die Hauptbühne eine Seitenbühne an und kann die Gegengewichtswand daher nicht bis auf Bühnenniveau geführt werden, müssen **doublierte Handkonterzüge** anstelle der oben beschriebenen **Einfach-Handkonterzüge** eingesetzt werden, wie sie in Abb. 1.7/16b dargestellt sind. Im Falle der Doublierung ist zwischen Laststange und Gegengewicht ein Flaschenzug im Verhältnis 1:2 eingebunden. Daher muß eine doppelt so große Gegengewichtsmasse die Last ausgleichen, die dann allerdings nur den halben Hubweg der Laststange zurücklegt (vgl. Kap. 4.1.1). Das Kommandoseil kann ebenfalls doubliert oder direkt eingebunden sein.

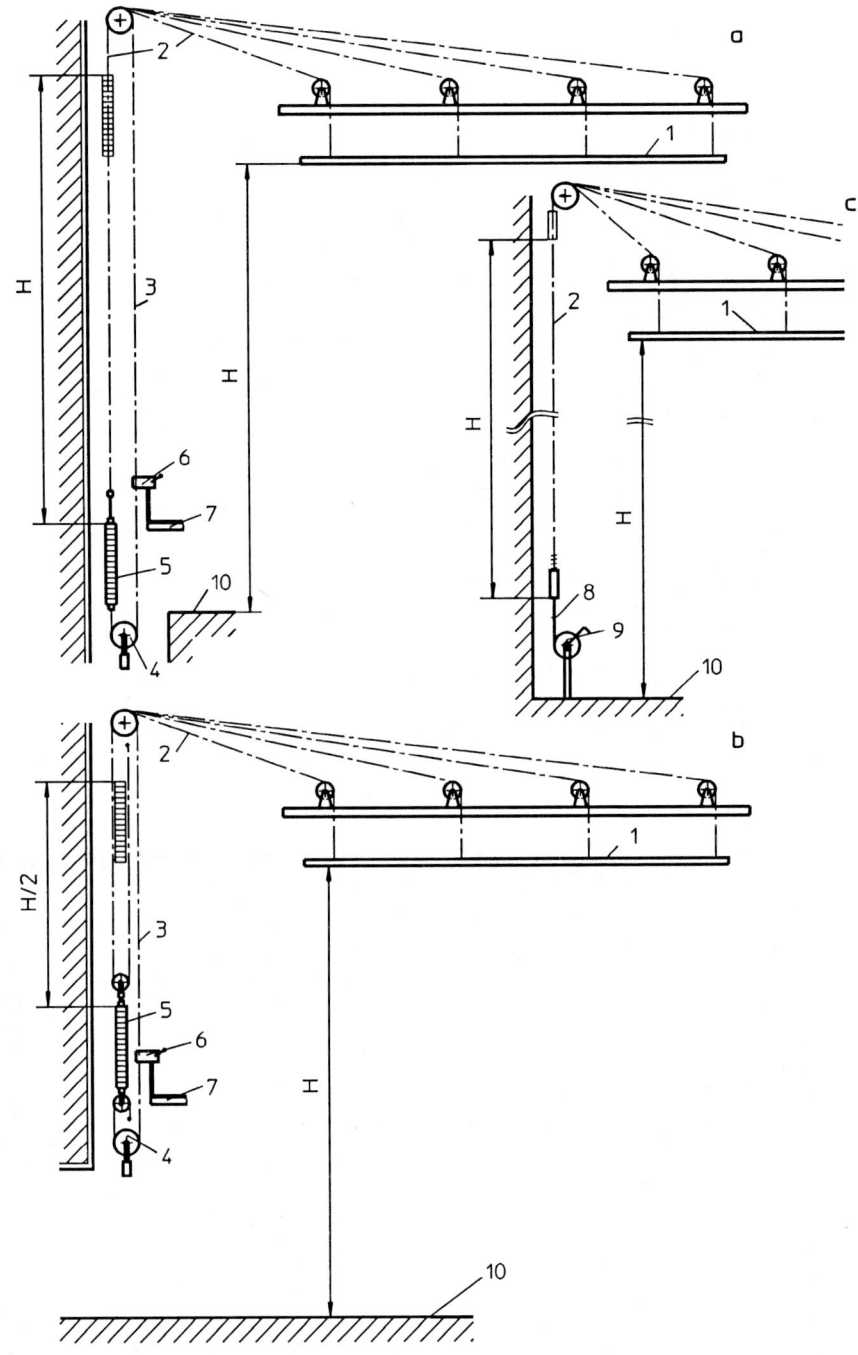

Abb. 1.7/16: Manuell betriebener Prospektzug
a) einfacher Handkonterzug, b) doublierter Handkonterzug, c) Handwindenzug

1 Prospektlatte	6 Seilstopper
2 Laststangenseile (Drahtseile)	7 Arbeitsgalerie
3 Kommandoseil (Hanfseil)	8 Windenseil
4 Spannrolle	9 Handwinde
5 Gegengewichtsschlitten mit Gewichten	10 Bühnenboden

1.7 Technische Einrichtungen der Oberbühne

Abb. 1.7/17: Gegengewichtswand für einfache Handkonterzüge im Festspielhaus Bregenz
Foto: Waagner-Biró

Abb. 1.7/18: Seilfeststelleinrichtungen für Handkonterzüge mit
a) Seilstopper, b) Seilklemmbügel
Fotos: Waagner-Biró

Zum Fixieren einer Laststange in einer bestimmten Höhenlage wird das Betätigungshanfseil (Kommandoseil) mit einem **Seilstopper** geklemmt. Es gibt eine Vielzahl von Seilstopperausführungen unterschiedlichster Qualität; vor allem sollte das Hanfseil an der Klemmstelle keinem zu großen Verschleiß unterliegen. In Abb. 1.7/18a ist ein Seilstopper für ein Kommandoseil zu sehen. Manchmal werden aber auch nur einfache **Seilklemmbügel** nach Abb. 1.7/18b verwendet.

Im Hinter-, Unter- und Seitenbühnenbereich ist kein szenischer Einsatz der Züge erforderlich, daher können auch einfache **Handwindenzüge** nach Abb. 1.7/16c verwendet werden. Die Tragseile der Laststange werden zu einem Seil zusammengefaßt, das auf die Trommel einer Handwinde aufgewickelt wird. Dadurch kann die Manipulation mit Gegengewichten vermieden werden; es sind allerdings nur geringe Geschwindigkeiten erzielbar. Abb. 1.7/19 zeigt Handwinden- und Handkonterzüge.

Abb. 1.7/19: Handwinden- und Handkonterzüge
Bildnachweis: Eberhard

Hydraulische Linearzüge

Bei **hydraulischen Linearzügen** werden die Aufhängeseile der Laststange über den Rollenboden zur Bühnenseitenwand geführt und mit Hilfe eines Hydraulikkolbens bewegt. Zur Reduktion des Zylinderhubes arbeitet man mit einer Flaschenzugübersetzung, so daß der Hydraulikkolben zwar die i-fache Kraft aufbringen, aber nur den i-ten Teil des Weges zurücklegen muß (s. Kap. 4.1.1 und Abb. 1.7/20a).

Da sich in einem Hydraulikzylinder zur Betätigung eines Laststangenzuges relativ große Ölmengen befinden, haben Temperaturänderungen der Hydraulikflüssigkeit Verschiebungen der Kolbenstellung zur Folge, die dann die Höhenstellung der Laststange um den i-fachen Betrag verändern

1.7 Technische Einrichtungen der Oberbühne

(s. Kap. 4.1.1). Dies kann dazu führen, daß bei warmem Öl einjustierte Prospektstangen nach Abkühlung des Öles nicht mehr in den richtigen Positionen stehen. Daher wird bei modernen hydraulischen Oberbühnenanlagen i. a. der hydrostatische Windenzug mit Hydromotoren bevorzugt, da in diesem Fall kleinere Volumina an Hydraulikflüssigkeit wirksam sind.

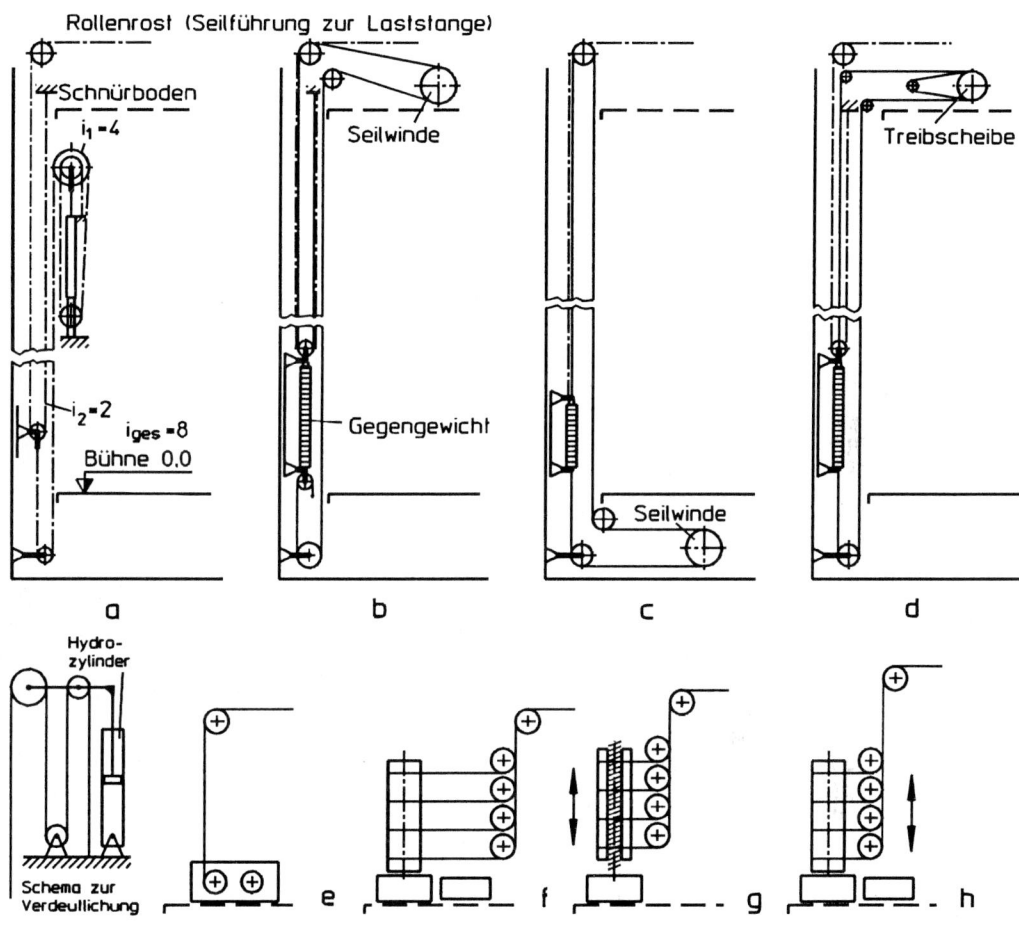

Abb. 1.7/20: Motorgetriebene Züge
a) hydraulischer Linearzug, b) Windenzug mit Gegengewicht doubliert (1:2) aufgehängt, Winde am Schnürboden über Flaschenzug 1:2 arbeitend, c) Windenzug mit Gegengewicht doubliert (1:2) aufgehängt, Winde in der Unterbühne, keine Flaschenzugübersetzung, d) Treibscheibenantrieb, Treibscheibe am Schnürboden, e) Windenzug – Seiltrommel horizontal, f) Windenzug – Seiltrommel vertikal, Abstand der Rollenbatterie ausreichend groß, g) Windenzug – Seiltrommel vertikal, Hubbewegung der Trommel bei deren Rotation, h) Windenzug – Seiltrommel vertikal, Hubbewegung der Rollenbatterie bei Rotation der Trommel

Motorisch betriebene Windenzüge

Bei einem Windenzug werden die Laststangenseile auf einer Trommel auf- bzw. abgewickelt. Egal, ob es sich um elektrisch oder hydraulisch angetriebene Windenzüge handelt, ist deren Konstruktion prinzipiell mit und ohne Gegengewicht möglich. Im Regelfall werden motorkraftbetriebene Windenzüge wie bei normalen Hebezeugen ohne Gegengewichte gebaut, da die Hubleistungen aufgrund der relativ kleinen Nutzlasten sowieso nicht groß sind.

Je nach Raumsituation und Platzverhältnissen kann die Seiltrommel mit horizontaler (Abb. 1.7/20 b, e) oder vertikaler (Abb. 1.7/20 f, g) Achse eingebaut sein. In Abb. 1.7/20 e, f sind die Umlenkrollen in ausreichendem Abstand zur Trommelachse situiert, so daß keine unzulässigen Ablenkwinkel an der Trommelrille bzw. Umlenkrolle entstehen (s. Kap. 4.1.2). Muß der Abstand, wie in Abb. 1.7/20 g, h dargestellt, sehr klein gehalten sein, so können unzulässige Ablenkwinkel dadurch vermieden werden, daß die Seiltrommel bei Drehung auch axial bewegt wird. (Vgl. Antrieb der Vorhang-Speichertrommeln eines Rundhorizontes nach Abb. 1.7/35.) Der gleiche Effekt wird erzielt, wenn mit zwangsbewegten Umlenkrollenbatterien gearbeitet wird (Abb. 1.7/20 h, 1.7/21).

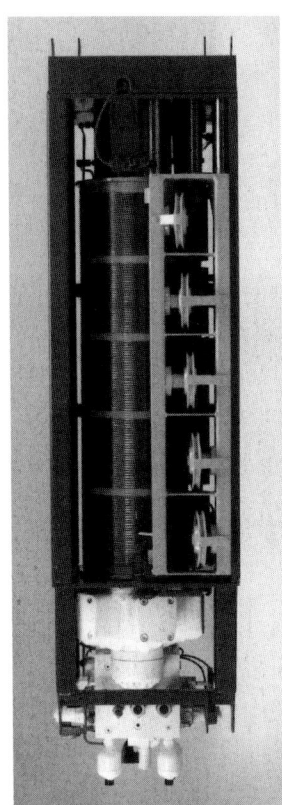

Abb. 1.7/21: Hydraulisch angetriebener Windenzug mit Seiltrommel in vertikaler Einbaulage, mit verfahrbarer Umlenkrollenbatterie (System nach Abb. 1.7/20 h)
Foto: Mannesmann Rexroth

Elektromechanische Windentriebe sind in Abb. 1.7/22, 1.7/23, 1.7/24 zu sehen. Die Seiltrommel nimmt in nebeneinanderliegenden Lagen die Aufhängeseile der Laststangen auf und wird unter Zwischenschaltung eines Getriebes von einem Elektromotor angetrieben. Mit moderner Leistungselektronik können Elektromotoren in ihrer Drehzahl gut gesteuert oder geregelt werden. Dabei werden vor allem Gleichstrommotoren, eventuell auch Drehstrommotoren, verwendet. Besonders günstiges Regelverhalten bieten moderne Servomotoren. Mit ihnen kann ein besonders hohes Regelverhältnis zwischen maximaler und minimaler Arbeitsgeschwindigkeit realisiert werden, ja, die Last kann sogar im Stillstand motorisch gehalten werden (s. Kap. 2.2.2).

Bei **hydraulischen Windenzügen** wird die Trommel von einem Hydromotor angetrieben. Als Hydromotor verwendet man meist Langsamläufer, so daß die Zwischenschaltung eines Getriebes gänzlich entfallen kann oder nur mehr eine kleine Übersetzungsstufe erforderlich ist. Eventuell

1.7 Technische Einrichtungen der Oberbühne

Abb. 1.7/22: Elektrisch angetriebener Windenzug (System nach Abb. 1.7/20e)
Foto: Waagner-Biró

Abb. 1.7/23: Elektrisch angetriebene Windenzüge (System nach Abb. 1.7/20e)
Foto: Bayrischer BühnenBau

störende Schallemissionen rasch laufender Elektromotoren und Zahnräder in Übersetzungsgetrieben können dadurch vermieden werden. Durch Kombination von Hydraulik und Elektronik können mit Hilfe der Regelventiltechnik sehr feinfühlig und exakt arbeitende Steuerungen bzw. Regelungen realisiert werden. (Die Technik hydraulischer Antriebe wird in Kapitel 2.3 ausführlicher behandelt.)

Vor allem in jenen Fällen, in denen Handzüge zu motorisch angetriebenen Windenzügen umgebaut werden, sind aber auch Lösungen mit Gegengewicht nach Abb. 1.7/20b, c üblich. Das Gegengewicht gleicht in diesem Fall etwa die halbe Masse der maximalen Hublast aus. Das Hanfseil zur Handzugbetätigung wird durch ein Drahtseil ersetzt, dessen Enden auf der Seiltrommel auf- bzw. abgewickelt werden. Solcherart eingesetzte Prospektzugwinden aus dem Opernhaus Düsseldorf sind in Abb. 1.7/25 zu sehen.

Abb. 1.7/24: Elektrisch angetriebene Winden für Prospektzüge
(System nach Abb. 1.7/20e)
Theater Neue Flora, Hamburg
Foto: Krupp

1.7 Technische Einrichtungen der Oberbühne

Abb. 1.7/25: Elektrisch angetriebene Winden für Prospektzüge mit Gegengewichtsausgleich bei halber Nutzlast, Auf- bzw. Abwickeln nur eines Seiles zur Bewegung des Gegengewichtsschlittens (System nach Abb. 1.7/20c) – Oper Düsseldorf
Foto: Krupp

Motorisch betriebene Treibscheibenzüge

Bei einem Windentrieb wird die Zugkraft über Formschluß übertragen. Als Alternative kann die Kraftübertragung auf das Seil auch durch Reibschluß erfolgen (s. Kap. 4.1.3). Dies ist bei mit **Treibscheiben** angetriebenen Laststangenzügen mit Gegengewicht (Abb. 1.7/20d) der Fall. Da es aber problematisch sein kann, im Bühnenbetrieb bei allen möglichen Lastsituationen ausreichenden Reibschluß (s. Kap. 4.1.3) sicherzustellen, werden Treibscheibenzüge eher selten verwendet.

Rohrwellen- und Transmissionswellenzüge

Bei kleineren Theatern und für untergeordnete Zwecke finden auch sogenannte **Rohrwellenzüge** Anwendung (Abb. 1.7/26).

108   1 Bühnentechnische Einrichtungen, Bauarten und Einsatzkriterien

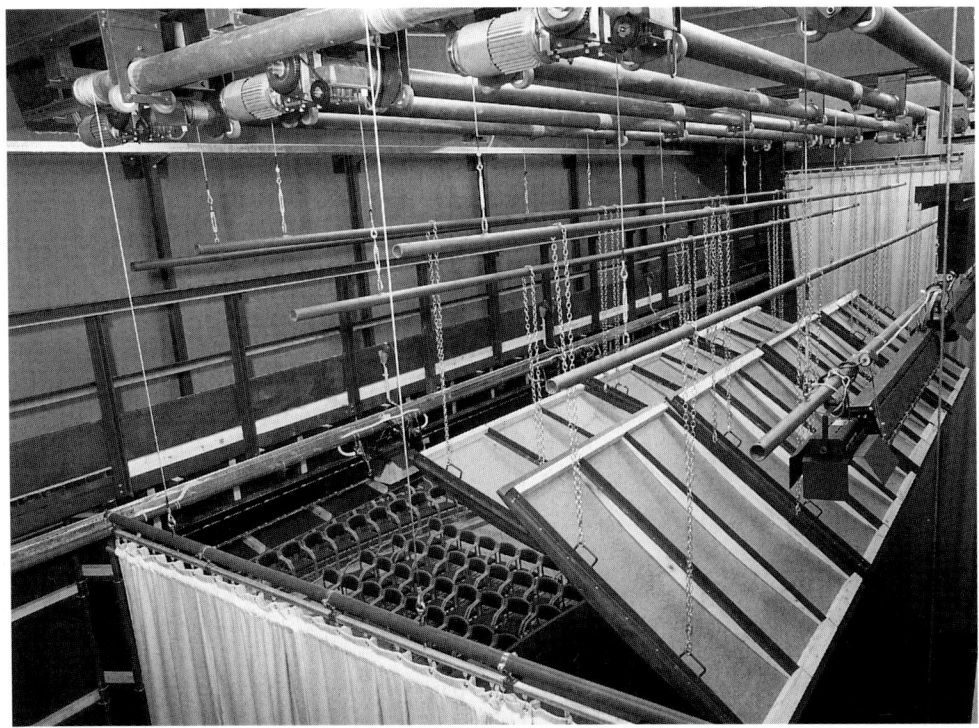

Abb. 1.7/26: Rohrwellenzug im Theater Hartberg
Fotos: Waagner-Biró

1.7 Technische Einrichtungen der Oberbühne

In diesem Fall werden die Hubseile der Laststange nicht über Umlenkrollen zur Bühnenseitenwand geführt, um dort gemeinsam an einer mehrteiligen Trommel aufgewickelt zu werden, sondern über die gesamte Bühnenbreite ist eine Rohrwelle verlegt, die als lange Seiltrommel angesehen werden kann, auf der die Hubseile der Laststange direkt auf- bzw. abgewickelt werden. Die Rohrwelle ist, wie im Bild zu sehen ist, in Stützrollen gelagert und wird i. a. elektrisch, eventuell auch hydraulisch angetrieben. Werden statt einer durchgehenden Rohrwelle Einzeltrommeln gekuppelt, ist die Bezeichnung **Transmissionswellenzug** gebräuchlich.

Können Einzeltrommeln mit Schaltkupplungen an Transmissionswellen gekuppelt werden, so wird die Anlage zu einem mechanisch synchronisierbaren Punktzugsystem (s. nächsten Abschnitt).

Bauweisen von Punktzügen

Manueller Antrieb

Selbstverständlich können Punktlasten mit einfachen Handwinden gehoben werden. Im Hauptbühnenbereich kommt der Einsatz solcher **Handwindenzüge** kaum in Frage, wohl aber auf Nebenbühnen.

Entfällt bei sehr kleinen Lasten die Winde und wird direkt an einem Hanfseil gezogen, nennt man dies **Handleinenzug**.

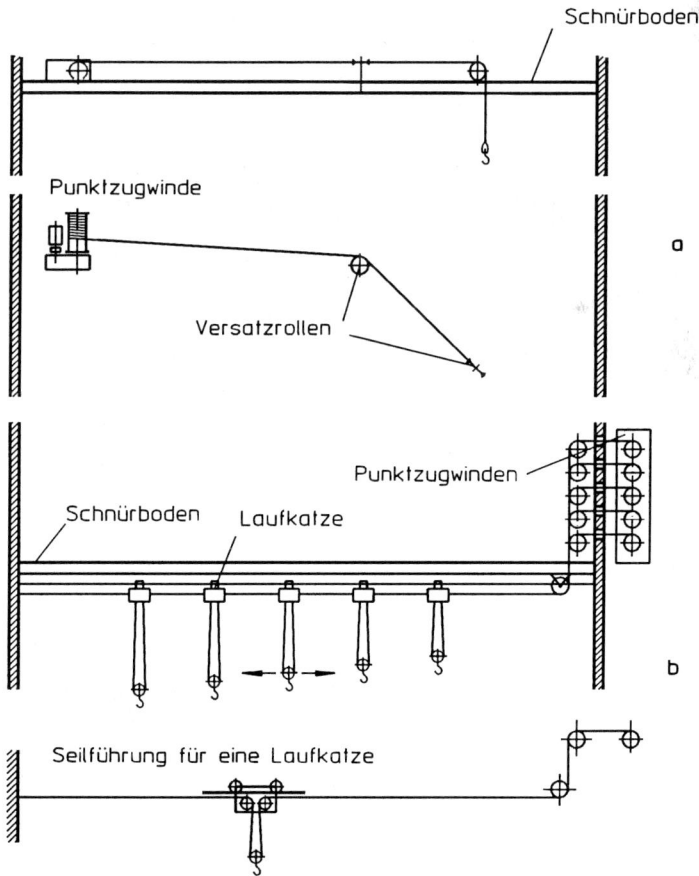

Abb. 1.7/27: Punktzüge – Festlegung des Ablaufpunktes mit
a) Versatzrollen (dargestellt im Grund- und Aufriß), b) verschiebbaren Laufkatzen

Motorisch angetriebene Einzelwindenzüge

In Ergänzung zur Ausstattung des Schnürbodens mit Laststangenzügen werden zum Anheben von Einzellasten häufig Punktzugwinden installiert. Durch Verziehen des Hubseiles über **Versatzrollen** am Schnür- oder Rollenboden kann trotz fixen Einbaustandortes der Winde die Einsatzlage am Schnürboden variiert werden. Abb. 1.7/27a veranschaulicht die Art der Aufstellung. Wie die Winden für Laststangenzüge können auch diese Winden **elektrisch** oder **hydraulisch** angetrieben werden. Abb. 1.7/28 zeigt eine hydrostatisch angetriebene Punktzugwinde.

Abb. 1.7/28: Punktzugwinde mit hydrostatischem Antrieb
Foto: Mannesmann Rexroth

Tragbare Punktzugwinden

Oft werden auch tragbare Punktzugwinden mit einer Tragfähigkeit von etwa 100 bis 150 kg und mehr verwendet. Dabei handelt es sich um Windenzüge mit möglichst geringem Eigengewicht, deren Standort am Schnürboden beliebig variiert werden kann, eine möglichst freie Begehbarkeit vorausgesetzt. Derartige Einheiten sind in Abb. 1.7/29 dargestellt. Da das Hubseil auf der Trommel beim Auf- und Abwickeln den Auf- bzw. Ablaufpunkt verändert, muß das Hubseil über eine **Versatzrolle** geführt werden, die so weit von der Trommel entfernt sein muß, daß an Trommel und Rolle keine zu großen Seilablenkwinkel auftreten (s. Kap. 4.1.2). Oder es handelt sich um spezielle Punktzugwinden, bei denen bereits durch die besondere Bauart der Winde eine fixe Lage des Seilablaufpunktes erreicht wird.

Auch tragbare Winden können elektrisch oder hydraulisch angetrieben werden. Allerdings ist zu bedenken, daß bei hydraulischen Antrieben mit Schlauchleitungen und Schnellschlußkupplungen zu arbeiten ist, da die Winde ja an beliebigen Orten des Schnürbodens eingesetzt werden soll. Aus diesem Grunde ist der Einsatz der Hydraulik in diesem Falle eher nicht sehr zweckentsprechend.

1.7 Technische Einrichtungen der Oberbühne

Abb. 1.7/29: Tragbare Punktzugwinden für das Tsim Sha Tsui – Theater in Hongkong
Foto: Waagner-Biró

An der Bühnenseitenwand verfahrbare Punktzugwinden

Es gibt auch schienengebundene Punktzugwinden, die entlang der Bühnenseitenwand in günstige Positionen verfahren werden können, um die Versatzrolle ohne seitliche Umlenkungen zu erreichen.

Parallel zum Proszenium verfahrbare Punktzüge

Eine häufig realisierte Bauweise von Punktzügen ist das System der Seilzugkatze, wie es in Abb. 1.7/27b und Abb. 1.7/30 gezeigt wird. Anstelle eines Prospektzuges ist quer über die Bühnenbreite am Schnürboden eine Schiene verlegt, auf der kleine **Laufkatzen** fahren können. Das Hubseil wird von einer Bühnenseite zu diesem kleinen Laufwagen, dann nach unten zu einer Art Hakenflasche, von dort über eine Rolle wieder nach oben zum Laufwagen und dann zur gegenüberliegenden Bühnenwand und weiter zur Seiltrommel geführt. Mit deren Hilfe kann ein Heben und Senken der Last vorgenommen werden. Die Stellung der Katze auf der Schiene bestimmt die Lage des Lastpunktes in Bühnenquerrichtung. Durch Verfahren der Katze auf der Schiene kann die Lage des Lastpunktes verändert werden, ohne dadurch die Höhenlage der Last zu beeinflussen. Das Verschieben der Katze kann z. B. über ein Seilzugsystem von Hand oder motorisch erfolgen. Bei einer sehr häufig ausgeführten Bauvariante wird die Veränderung der Katzstellung vom Bühnenboden aus durch Ziehen an einem der beiden zur Hakenflasche führenden Seile vorgenommen. Meist werden auf einer Schiene 5 bis 6 Punktzüge mit einem eigenen Windenantrieb für jeden Punkt angeordnet.

Abb. 1.7/30: Punktzug-Laufkatzen in der Oper Genua
Foto: Waagner-Biró

Eine Variante zum eben beschriebenen System besteht darin, daß alle 5 oder 6 Lastseile von einer einzigen Seilwinde betrieben werden. Bei dieser Lösung muß man nicht benötigte Aufhängepunkte nach außen ziehen und läßt sie außer Sicht ohne Funktion mitlaufen.

Diese verschiebbaren Punktzüge bieten größere Variabilität im Einsatz, aber auch bei Bedarf die Möglichkeit, eine Laststange einzuhängen. Als Nachteil gegenüber Versatzrollen wäre anzuführen, daß nicht die gleiche Freizügigkeit in der Wahl des Ablaufpunktes gegeben ist, falls nur einige Punktzugbahnen vorhanden sind, da die Laufkatzen nur in Bühnenquerrichtung verschoben werden können. Außerdem ist zu bedenken, daß Punktzüge mit verfahrbaren Laufkatzen dieser Bauweise einer zweisträngigen Aufhängung mit Unterflasche bedürfen.

Als Hubantrieb für die Punktzüge kommen, wie unter den Laststangenzügen beschrieben, wieder elektrische und hydrostatische Antriebe in Frage.

Schwerlastzüge

An in statischer Hinsicht geeigneter Stelle des Schnürbodens werden oft auch Hebezeuge mit viel höherer Tragfähigkeit eingebaut, die auch als Punktzugwinden bezeichnet werden könnten. Sind diese nicht für den szenischen Einsatz bestimmt, begnügt man sich oft mit einfachen Kran-Windenzügen bzw. Elektrozügen, die allerdings meist adaptiert werden müssen, um besonderen Sicherheitsbestimmungen für den Bühneneinsatz gerecht zu werden. Insbesondere wird in vielen Ländern der Einbau einer zweiten Bremse verlangt (s. Kap. 5). In Abb. 1.7/31 ist eine Elektroseilwinde in Spezialausführung für Bühneneinsatz dargestellt. Selbstverständlich können auch durch Hydromotoren angetriebene Hydraulikwinden verwendet werden.

In diesem Zusammenhang sind auch **Greifzüge** zu erwähnen, die in ihrer Antriebstechnik den in Kap. 4.1.4 beschriebenen Klemmtrieben zuzuordnen sind. In Abb. 1.7/32 sind beispielsweise „Tirak-Seilzugeinrichtungen" dargestellt.

1.7 Technische Einrichtungen der Oberbühne

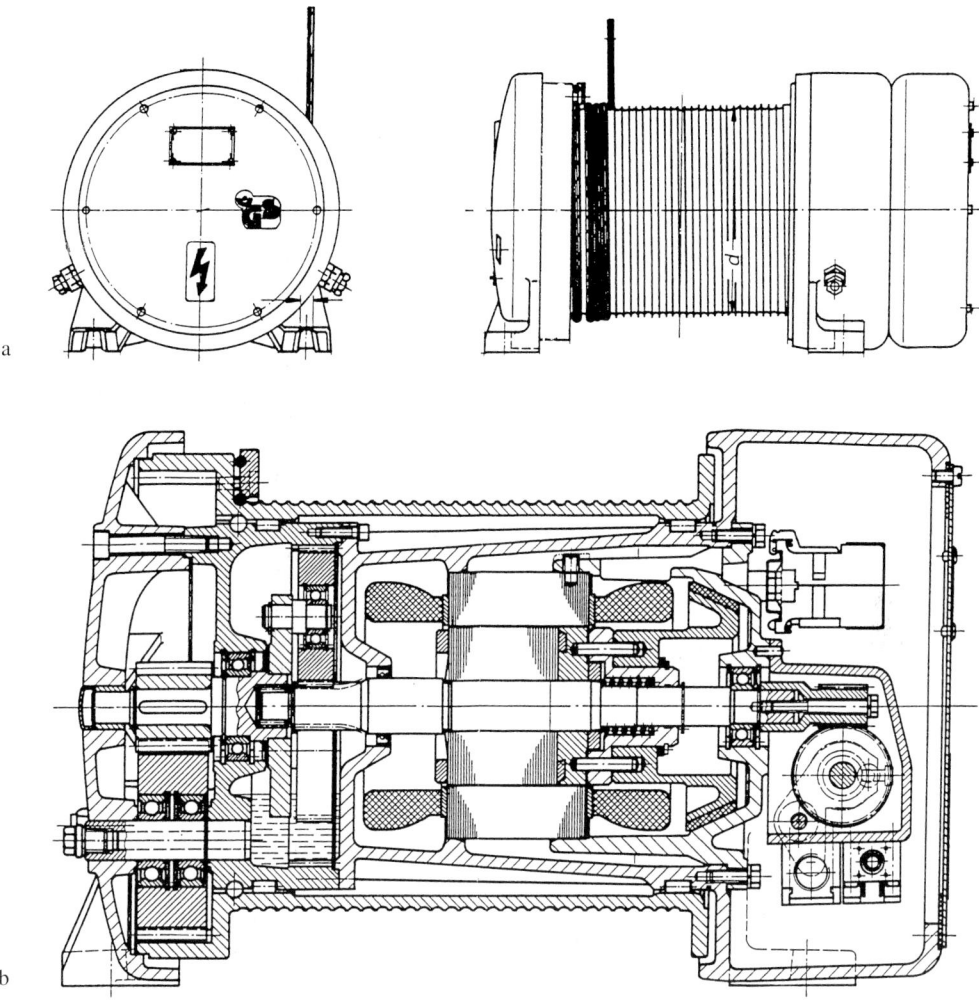

Abb. 1.7/31: Schwerlastzug „Adlerwinde"
a) Winde mit Zusatzbremse, b) Schnittbild der Winde ohne Zusatzbremse
Bildnachweis: Friedrich Köster GmbH & Co. KG (D-Heide)

Verkettete Punktzugsysteme

Mechanische Verkettung

Punktzüge sind nur dann universell einsetzbar, wenn mehrere Punktzüge zu Gruppen zusammengeschaltet und gemeinsam synchron verfahren werden können. Eine Synchronisation ist auf mechanischem Wege durch Synchronisationswellen in Kombination mit geeigneten Kupplungsmechanismen möglich. Abb. 1.7/33a zeigt ein mechanisches Punktzugsystem, bei dem die Punktzugtrommeln mechanisch an einen Zentralmotor gekuppelt werden können und so zu einer synchron arbeitenden Gruppe zusammengefaßt werden. Damit wird ein exakter Gleichlauf ohne elektronische Gleichlaufregelung erreicht. Als Alternative zeigt Abb. 1.7/33b eine Lösung mit zwei Zentralmotoren, wobei die Punktzugeinheiten dann an den einen oder anderen Motor gekuppelt werden können, so daß sich zwei in ihrer Bewegung voneinander unabhängige Punktzuggruppen bilden lassen.

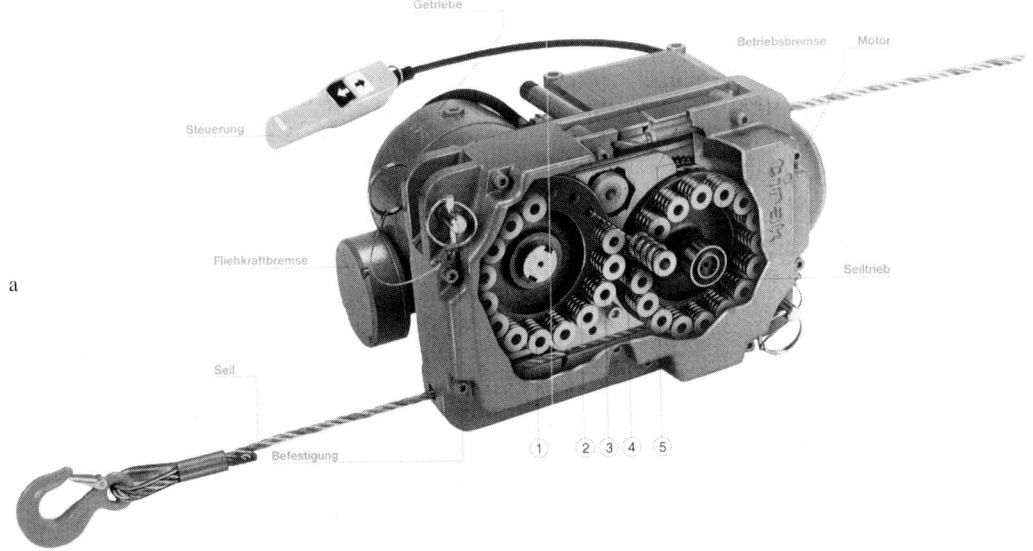

Abb. 1.7/32: Klemmzug („Tirakzug") in zwei Ausführungsformen
a) Seilklemmung durch in Richtung der Seilscheibenachse wirkende Klemmelemente, b) Seilklemmung durch radial auf die Treibscheibe wirkende Druckrollen, Seilspeicher

1 Seilscheibe
2 Klemmring
3 Druckfeder
4 Spreizrolle
5 Seilführung

Bildnachweis: Greifzug Hebezeugbau GmbH (D-Bergisch Gladbach)

Mechanisch kuppelbare Punktzugsysteme werden aber nur mehr selten installiert, z. B. im Vor- oder Hinterbühnenbereich. Heute werden elektronisch verkettete Punktzugsysteme bevorzugt.

Elektrische Verkettung

Mechanische Wellen können durch „elektrische Wellen" ersetzt werden. Die klassische Drehstromtechnik bietet z. B. unter Verwendung sogenannter Wellenleitmaschinen die Möglichkeit der Synchronisation von Motoren. Allerdings hat sich diese Art der Drehzahlkoppelung in der Bühnentechnik nicht durchgesetzt.

1.7 Technische Einrichtungen der Oberbühne 115

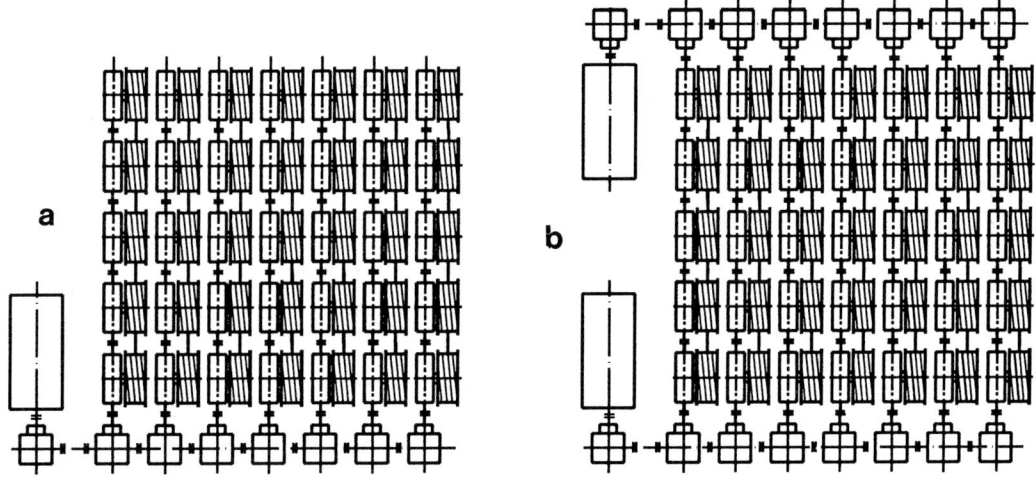

Abb. 1.7/33: Punktzugsystem mit mechanischer Verkettung
a) mit einem Antriebsmotor, b) mit zwei Antriebsmotoren

Elektronische Verkettung

Durch Einsatz von Wegmeßsystemen und elektronischer Regelung der Arbeitsgeschwindigkeit nach vorgegebenen Sollwerten lassen sich heute Punktzugwinden zu komplexen Punktzugsystemen variabel vernetzen. Dabei können prinzipiell Punkt- und Laststangenzüge, egal, ob elektrisch oder hydrostatisch angetrieben, kombiniert werden.

1.7.4 Spezielle Einrichtungen zur Spielraumbegrenzung

Zur Gestaltung des Bühnenbildes ist es i. a. notwendig, die Spielfläche durch Hängedekorationen gegenüber den mit technischen Einrichtungen versehenen Bühnenwänden oder zur Seiten- und Hinterbühne hin abzugrenzen.

Panoramazüge

Panoramazüge sind Laststangenzüge, die jedoch nicht wie die üblichen Prospektzüge quer zur Bühnenachse, sondern parallel zur Bühnenlängsachse entlang der Bühnenseitenwände situiert sind (s. Abb. 1.7/1). Panoramazüge in Kombination mit einem Prospektzug können die Spielfläche gänzlich umschließen. Auch die Bezeichnung **Seiten-** und **Rückpanoramazug** ist manchmal üblich.

Rundstangenzug

Will man die Abgrenzung im hinteren linken und rechten Bühneneckbereich durch einen in einem Bogen geführten Behang vornehmen, so muß der Prospektzug eine Stange mit Rundungsbögen erhalten. Für einen **Rundstangenzug** ist auch die Bezeichnung **Cykloramazug** gebräuchlich. Abb. 1.7/34 zeigt die Anordnung auf der Bühne im Grundriß und eine Winde mit Gegengewichtsausgleich. Manchmal ist auch doubliertes Hochziehen vorgesehen.

Rundhorizont

In den bisher beschriebenen Fällen wird der Textilbehang zur Spielraumbegrenzung durch Hubzüge in den Bühnenturm hochgefahren bzw. von dort abgesenkt. Eine andere Möglichkeit besteht darin, einen Vorhang in einer horizontal um die Spielfläche geführten Schiene zu verfahren. Im einfachsten Fall bedient man sich einer rundgeführten Vorhangschiene als Wurfkarniese (Schleuderschiene).

In Großbühnen ist manchmal ein als **Rundhorizont** bezeichnetes System (Abb. 1.7/35), bestehend aus Vorhang-Speichertrommeln und Schiene, eingebaut. Als Speichertrommel ist auf einer der beiden Proszeniumsseiten im Bereich des Portalturmes ein Wickelkonus montiert, der bei Rotation in Drehrichtung zum Aufwickeln gleichzeitig abgesenkt und bei Rotation zum Abwickeln gleichzeitig angehoben wird. Durch die konische Form der Trommel wird ein freies Hängen des Stoffes im bewickelten Zustand gewährleistet. Meist wird auf der einen Proszeniumsseite eine Speichertrommel mit weißem Stoff und auf der anderen Proszeniumsseite eine mit schwarzem Stoff (Nachthimmel) untergebracht. In Abb. 1.7/35b ist die besondere Ausbildung der Schiene zu sehen. In einer Hohlkehle mit einem nach unten offenen Schlitz läuft das Seil, das in die obere Lasche der Stoffbahn eingenäht ist. So dient das Seil einerseits als Tragelement zur Aufnahme von nach unten wirkenden Gewichtskräften, andererseits auch als Zugseil zum Verfahren des Horizonts. Abb. 1.7/36 zeigt Wickelkonus und Schiene im Foto.

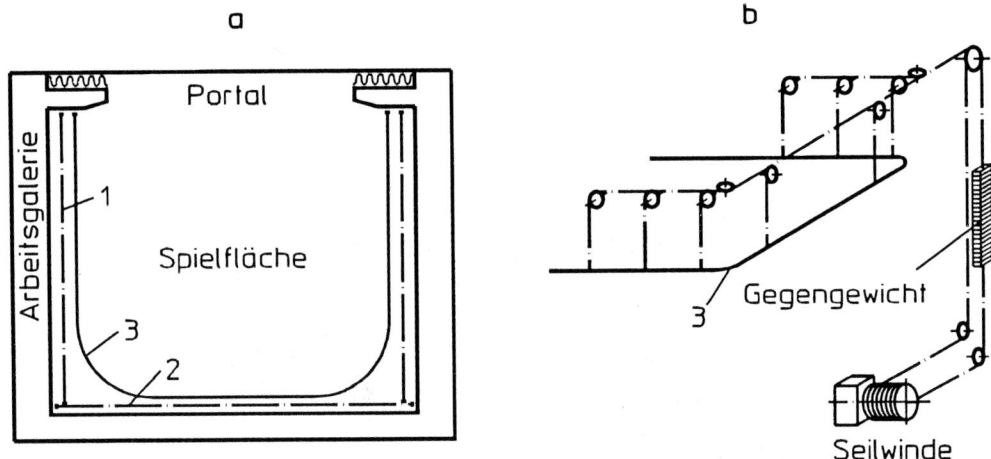

Abb. 1.7/34: Panorama- und Rundstangenzug
a) Anordnung auf der Bühne, b) Antrieb eines Rundstangenzuges mit Winde und Gegengewicht
1 Panoramazug (Seitenpanoramazug)   *2* Prospektzug (Rückpanoramazug)   *3* Rundstangenzug

Spielraumbegrenzung durch Dekorationselemente parallel zum Proszenium

Seitliche Panoramazüge und Rundstangenzüge, vor allem aber Rundhorizonte haben den großen Nachteil, daß keine Gassen für den Auf- und Abtritt der Darsteller verbleiben. Auch die Seitenbeleuchtung wird behindert bzw. muß entfallen.

Soll der Blick auf die Seitenwände durch parallel zur Portalebene orientierte Kulissenelemente oder Hänger verdeckt werden, ist deren Abdeckungseffekt durch eine Sichtlinienkonstruktion nach Abb. 1.7/37 zu überprüfen. Nach dem gleichen Prinzip kann mit Soffitten die Sicht zum Schnürboden abgedeckt werden, ohne ein plafondähnliches Element einzuziehen.

1.7.5 Mechanische Einrichtungen für die Beleuchtungstechnik

Der Einsatz von Beleuchtungsanlagen im Bühnenbereich erfordert ebenfalls Einrichtungen maschineller Bühnentechnik.

1.7 Technische Einrichtungen der Oberbühne

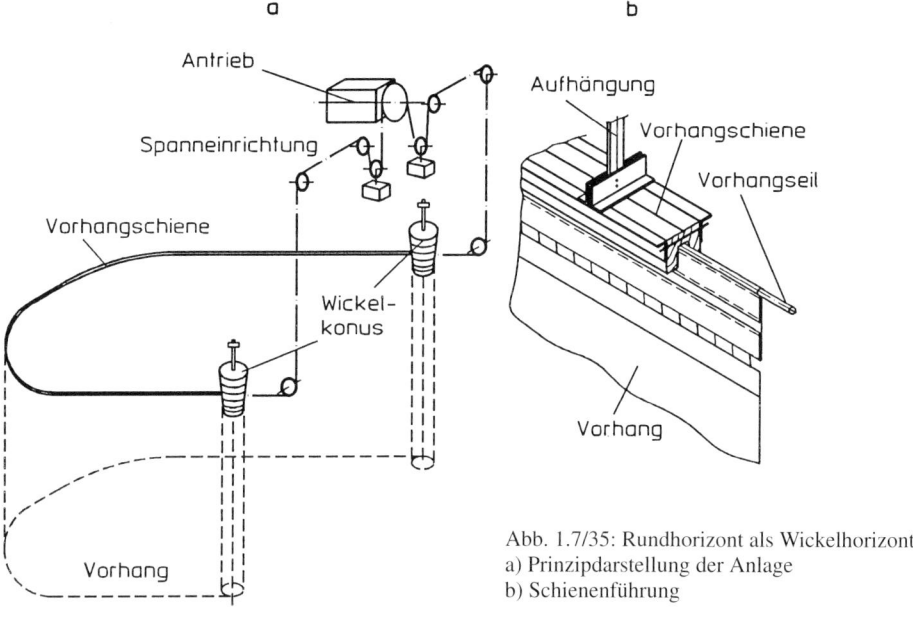

Abb. 1.7/35: Rundhorizont als Wickelhorizont
a) Prinzipdarstellung der Anlage
b) Schienenführung

Abb. 1.7/36: Rundhorizont als Wickelhorizont im Großen Festspielhaus Salzburg
Foto: Waagner-Biró

118 1 Bühnentechnische Einrichtungen, Bauarten und Einsatzkriterien

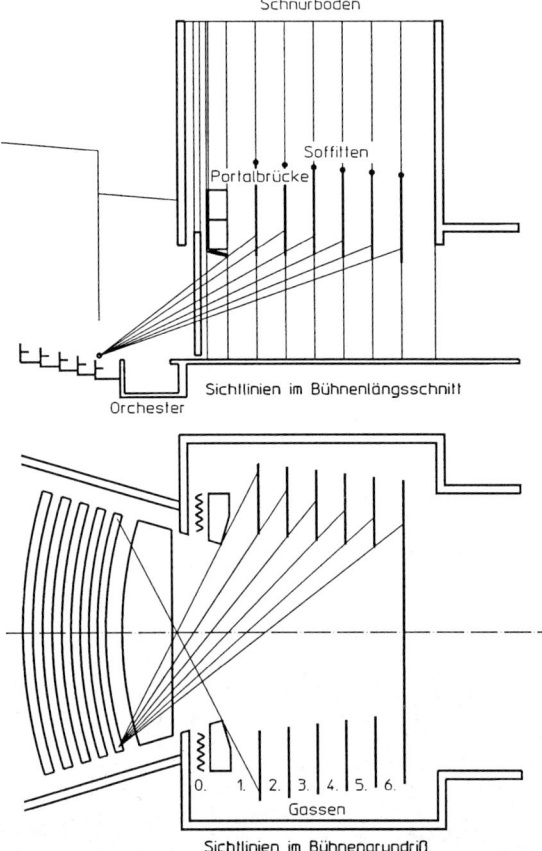

Abb. 1.7/37: Sichtlinienkonstruktion im Grund- und Aufriß

Abb. 1.7/38: Beleuchterbrücke im Festspielhaus Bregenz
Foto: Waagner-Biró

1.7 Technische Einrichtungen der Oberbühne

Quer über die Bühnenbreite können ortsfeste oder verfahrbare **Beleuchterbrücken** vorgesehen sein, um darauf Scheinwerfer, Projektoren etc. zu montieren. Eine Beleuchterbrücke an der Proszeniumswand wird als **Portalbeleuchterbrücke** oder kurz als **Portalbrücke** bezeichnet (Abb. 1.7/8).

Die **Portalbrücke** ist also ein Element des Proszeniums und bildet mit der Blende auf der Zuschauerseite die obere Begrenzung der Proszeniumsöffnung. Wie in Kap. 1.7.2 beschrieben, ist die Portalbrücke meist in ihrer Höhenlage verfahrbar und kann, in Schienen geführt, bis auf Bühnenbodenniveau abgesenkt werden, um die Montage von Beleuchtungskörpern leichter vornehmen zu können.

Bei der konstruktiven Ausbildung höhenverstellbarer Portalbrücken sollte hinsichtlich der Führung und Aufhängung an der Hubeinrichtung darauf geachtet werden, daß die Portalbrücke möglichst stabil und spielfrei gelagert ist. Selbst kleine durch Führungsspiel bedingte Bewegungen der Portalbrücke bewegen auch die darauf montierten Scheinwerfer und deren Lichtkegel und die von der Portalbrücke ausgestrahlten Projektionsbilder. So kann z. B. durch in Querrichtung exzentrische Aufhängung der Portalbrücke eine eindeutig spielfreie Anlage der Führungsrollen an die Führungsschienen erzielt werden. Der Hubantrieb für die Bühne kann mit Seilwindwerken oder mit Hydrozylindern erfolgen. Abb. 1.7/38 und 1.7/39 zeigen Portalbrücke und Portaltürme zweier Bühnen.

Abb. 1.7/39: Portalbrücke in der Semperoper Dresden
Foto: Sächsischer Bühnenbau

Abb. 1.7/40: Oberlichtzüge im Großen Festspielhaus Salzburg
Foto: Waagner-Biró

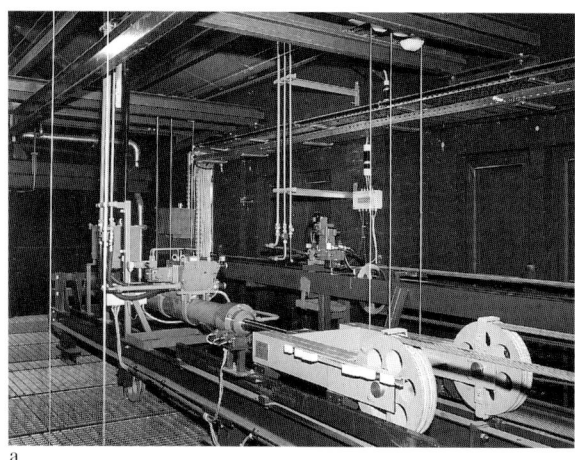

Abb. 1.7/41: Hydraulische Linearantriebe für verfahrbare Beleuchtungsgerüste
a) Antrieb einer Portalbrücke, b) Antrieb eines Beleuchtungszuges (Oberlichtzuges)
Fotos: Mannesmann Rexroth

1.7 Technische Einrichtungen der Oberbühne

Verteilt über die Bühnentiefe, oft etwa in den Drittelpunkten, sind sogenannte **Beleuchtungszüge** oder **Oberlichtzüge** installiert. Dies sind meist Windenzüge höherer Tragfähigkeit ähnlich den Laststangenzügen, aber mit heb- und senkbaren Lastträgern oder Gerüsten zur Aufnahme von Scheinwerfern. Abb. 1.7/40 zeigt Oberlichtzüge mit Faltenbändern zur elektrischen Anspeisung.

Da für diese Einrichtungen langsame Hubgeschwindigkeiten ausreichen, erfolgt der Antrieb meist mit elektrisch betriebenen Seilwindwerken. Müssen große Massen wie im Fall einer Portalbrücke bewegt werden, ist ein Gegengewichtsausgleich sinnvoll. Aber auch hydrostatische Linearantriebe kommen in Frage (Abb. 1.7/41).

1.7.6 Flugwerke

Flugwerke sind Spezialeinrichtungen in der Oberbühne, mit denen Personen oder Dekorationsteile im szenischen Einsatz gehoben oder abgesenkt und verfahren werden können. Bezüglich der Bauweise ergeben sich verschiedene Möglichkeiten. Hier werden exemplarisch zwei Systeme beschrieben:

– Variante A: Die Laufschiene ist in ihrer Höhenlage fix verhängt. Auf ihr kann ein Laufwagen über Seilzug verfahren werden. Ein an einem Laufschienenende befestigtes Hubseil wird zum Laufwagen, von dort zu einer Umlenkrolle am Hubkorsett, dann wieder hinauf zum Laufwagen und weiter zur Hubeinrichtung geführt. Wird diese Hubeinrichtung betätigt, so wird also das Hubkorsett gehoben oder gesenkt. Wird mit dem Fahrseilantrieb der Laufwagen und mit ihm das Hubkorsett verfahren, so wird die Hublage des Hubkorsetts dadurch nicht verändert.
– Variante B: Die Laufschiene und mit ihr der darauf verfahrbare Laufwagen sind in ihrer Höhenlage verstellbar. Heben und Senken des Hubkorsetts erfolgt somit durch Heben oder Senken der Laufschiene. Eine Fahrbewegung wird durch Verfahren des Laufwagens über Seilzug bewerkstelligt. Im dargestellten System muß die Seilführung so konzipiert sein, daß die Fahrseilschleife unabhängig von der Höhenstellung der Laufschiene gleich lang und somit immer gespannt bleibt.

Unabhängig von der soeben beschriebenen Systemwahl kann als Hubantrieb ein Handkonterzug oder ein Maschinenzug – ein elektrisch oder hydrostatisch betriebener Windenzug oder ein hydrostatischer Linearzug – eingesetzt werden.

Zur Fahrbewegung kann ebenfalls eine Seilschleife manuell betätigt werden oder der Seilzug kann motorisch erfolgen, indem das rechte und linke Fahrseil formschlüssig auf einer Seiltrommel auf- bzw. abgewickelt oder reibschlüssig, mit einer Treibscheibe unter ausreichender Vorspannung oder mit einem Klemmtrieb, angetrieben werden.

Abb. 1.7/42a zeigt ein Flugwerk nach Variante A mit einem Handkonterzug als Hubwerk und einer einfachen handbetätigten Fahrseilschleife. In Abb. 1.7/42b ist ein Flugwerk nach Variante B dargestellt, mit einem Handkonterzug als Hubeinrichtung für die Laufschiene und mit einem Treibscheibenantrieb für die Fahrbewegung. Man beachte dabei insbesondere die Seilführung des Fahrseiles. Die nötige Vorspannung des Fahrseiles wird durch eine Spanneinheit aufgebracht.

Die beiden Abbildungen zeigen aber auch noch ein weiteres Detail mit zwei Ausführungsvarianten. In Abb. 1.7/42a wird eine eigene Schiene zur Aufnahme des Flugwerk-Laufwagens an die Laststange angeklemmt. In Abb. 1.7/42b ist die Laststange so ausgebildet, daß sie direkt als Schiene für den Laufwagen dienen kann.

Es sei daher nochmals auf die Ausbildung der Laststangen von Prospektzügen nach Abb. 1.7/14c verwiesen (Kap. 1.7.3), durch die der Einbau eines Flugwerkes an jedem Laststangenzug ermöglicht wird.

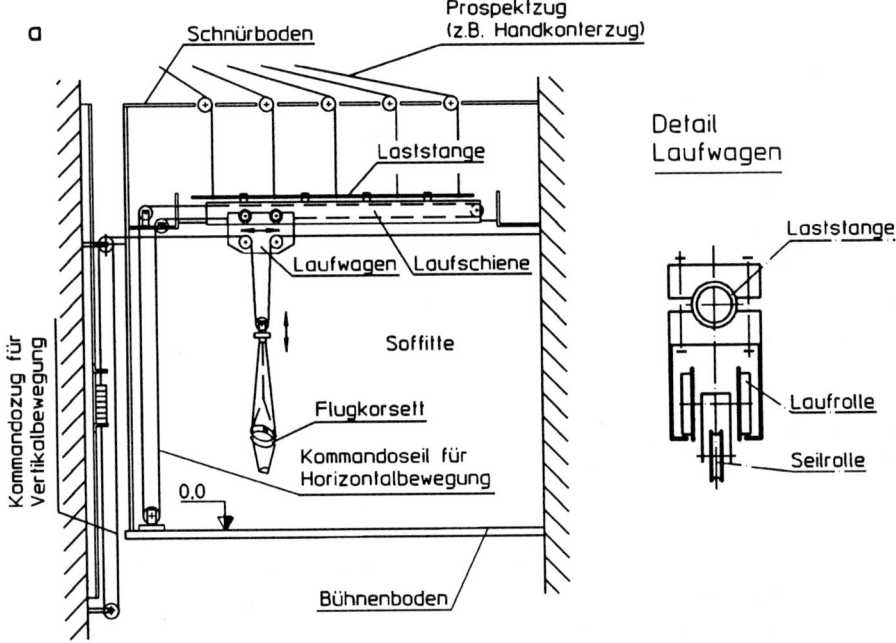
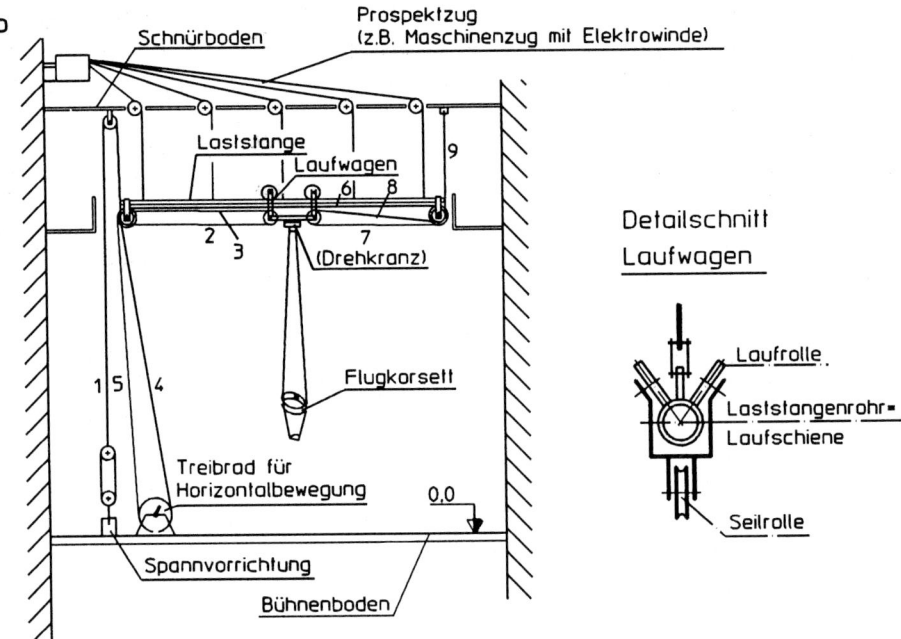

Abb. 1.7/42: Flugwerke in schematischer Darstellung für zwei Varianten a) und b)
(*1–9* Seilführung für horizontale Fahrbewegung)

1.8 Sicherheitstechnische Einrichtungen des Brandschutzes

Vor der Erfindung elektrischer Beleuchtungsanlagen wurde mit Kienspan, Öllampen und Kerzen, dann mit Gaslicht gearbeitet. Daher war eine besondere Brandgefährdung gegeben. Aus der Geschichte sind verheerende Theaterbrände mit vielen Menschenopfern bekannt. In Europa war es insbesondere der Brand des Wiener Ringtheaters im Jahre 1881. Diese Brandkatastrophe hatte zur Folge, daß strenge Bauvorschriften erlassen wurden, um möglichst hohen Brandschutz zu gewährleisten bzw. bei Ausbruch eines Feuers die Evakuierung der Menschen möglichst rasch und problemlos durchführen zu können; diese waren beispielgebend für viele andere Länder.

Wenn auch durch die moderne Beleuchtungstechnik das Gefahrenpotential im Spielbetrieb reduziert wurde, so existieren trotzdem in den meisten Ländern strenge brandschutztechnische Vorschriften.

Hier soll nur auf Sicherheitseinrichtungen der maschinellen Bühnentechnik eingegangen werden. Es sind dies in erster Linie **mobile Trennwände** zwischen verschiedenen Brandabschnitten im Bühnenbereich, insbesondere der **Eiserne Vorhang** zwischen Bühne und Zuschauerraum sowie die **Rauchabzüge,** durch deren Öffnen ein Abführen der Rauchgase, aber auch von Wärme bewirkt werden soll. Im Zusammenwirken beider Einrichtungen soll einerseits ein Übergreifen der Flammen von der Bühne auf den Zuschauerraum unterbunden und andererseits auch verhindert werden, daß tödliche Rauchgase in den Zuschauerraum dringen.

Durch das Öffnen der Rauchabzüge wird verhindert, daß sich auf der Brandseite im Bühnenraum durch die Erwärmung der Luft ein großer Überdruck bildet, der eine große Verformung des Schutzvorhanges und das Einströmen der Rauchgase in den Zuschauerraum zur Folge haben könnte. Durch die Schornsteinwirkung wird das Feuer auf der Bühne besonders angefacht, so daß das Entstehen von qualmendem Rauch verhindert und eine Luftströmung erzeugt wird, die Gase kaum in den Zuschauerraum dringen läßt. Die Zerstörung der Bühne wird durch diese Maßnahme zwar gefördert, der Zuschauerraum und die Besucher werden dadurch aber geschützt.

1.8.1 Schutzvorhänge (Kurtinen)

Bei klassischer Theaterbauweise ist je nach örtlichen Bauvorschriften ab einer gewissen Theatergröße eine Trennung von Zuschauer- und Bühnenraum in unterschiedliche Brandabschnitte vorgeschrieben. Daher muß das Bühnenhaus vom Gebäudeteil für die Zuschauer bautechnisch durch eine Feuermauer getrennt sein. Die „unvermeidbare" Proszeniumsöffnung muß durch ein entsprechendes Wandelement mit ausreichend brandhemmender Wirkung verschlossen werden können. In den meisten Fällen ist dies ein sogenannter **Eiserner Vorhang** in Form einer **Hubkurtine** (Abb. 1.8/1). In vielen Ländern wird gemäß Vorschrift erst wenige Minuten vor Spielbeginn der Eiserne Vorhang hochgefahren, und man gibt damit die Proszeniumsöffnung frei; sofort nach Ende der Vorstellung und im Brandfall wird er abgesenkt, um einen möglichst rauchdichten Abschluß zwischen Zuschauer- und Bühnenraum herzustellen.

Bei großen Bühnenanlagen mit Seiten- und/oder Hinterbühnen wird eventuell auch der Bühnenbereich in mehrere Brandabschnitte unterteilt, indem **Seiten-** bzw. **Hinterbühnen-Schutzvorhänge** eingebaut werden. Diese haben dann meist auch noch schallschutztechnische Aufgaben zu übernehmen. Sie sollen in geschlossenem Zustand während des Proben- und Spielbetriebes in der Seiten- bzw. Hinterbühne Dekorationsarbeiten ermöglichen (Abb. 1.8/2). Meist sind es ebenfalls Hubtore, manchmal auch andere Verschlußelemente wie z. B. **Rolltore** (s. Abb. 1.2/5 – Hinterbühne, Längsschnitt).

Neben der Standardausführung als nach oben wegzuhebende Kurtine mit einem Torblatt gibt es auch baulich bedingte Sonderlösungen. Ist oberhalb der Proszeniumsöffnung zu wenig Platz, kann

124 1 Bühnentechnische Einrichtungen, Bauarten und Einsatzkriterien

Abb. 1.8/1: Großes Festspielhaus Salzburg – Eiserner Vorhang, Orchesterpodien
Foto: Waagner-Biró

Abb. 1.8/2: Seiten- und Hinterbühnen-Hubtor im Festspielhaus Bregenz
Foto: Waagner-Biró

1.8 Sicherheitstechnische Einrichtungen des Brandschutzes

das Torblatt aus zwei Teilen bestehen, oder das Kurtinenblatt wird bei Spielbetrieb nicht angehoben, sondern in die Unterbühne abgesenkt. Ferner gibt es **Schiebekurtinen**, bei denen Torblätter seitlich verfahren werden. Eine Schiebekurtine ist z. B. im Schönbrunner Schloßtheater in Wien eingebaut; in Abb. 1.8/3c wird deren Funktionsweise erläutert.

Das Torblatt (Kurtinenblatt)

Bezüglich der Dimensionierung des Torblattes ist zu beachten, daß im Brandfall hohe thermische Belastungen und relativ große Druckbelastungen infolge einer Luftdruckdifferenz zwischen Zuschauer- und Bühnenraum auftreten können. Daher ist das Torblatt meist als Stahlrostkonstruktion mit feuerhemmender Plattenbeschichtung ausgeführt. In vielen Ländern ist auf jeden Fall bühnenseitig eine feuerhemmende Beschichtung vorzusehen. Früher diente hiezu Asbest; seitdem man über die Gesundheitsschädlichkeit von Asbestfasern Bescheid weiß, werden andere Mineralstoffe eingesetzt. Oder es ist durch Installation einer **Sprühflutanlage** für eine ausreichende Kühlung des Torblattes mit Wasser gesorgt.

Die Belastung des Torblattes mit Kräften aus einer Luftdruckdifferenz in der Größenordnung von ca. 400 N/m^2 (Wert je nach Vorschrift) bewirkt große Biegebeanspruchungen. Ist das Kurtinenblatt als nur in den Seitenführungen gelagertes Biegeelement zu betrachten, also als ein an zwei Rändern gelenkig gelagerter Rost, so ergeben sich bei breiten Bühnenöffnungen sehr hohe Biegebeanspruchungen, die große Dickenabmessungen und ein überaus hohes Blattgewicht zur Folge haben. Abb. 1.8/1 zeigt die Kurtine des Großen Festspielhauses in Salzburg mit einer maximal 30 m breiten Portalöffnung. Dieses Kurtinenblatt ist im Mittenbereich etwa 1 m dick.

Eine erhebliche Gewichtsreduktion ist dadurch möglich, daß man das Torblatt nicht nur als in den Führungen zweiseitig gelagertes Flächenelement, sondern als ein vierseitig, also auch oben und unten abgestütztes Element ansieht. Dazu wird das Torblatt an der Unterseite mit konischen Ansätzen versehen, die in geschlossenem Zustand in entsprechende Bohrungen im Bühnenboden einrasten. Dabei geht man allerdings davon aus, daß beim Schließvorgang noch nicht so große Verformungen des Torblattes auftreten, daß diese Zapfen nicht mehr in die Bohrungen einfahren können.

Der Antrieb

Das Torblatt muß im **Normalbetrieb** mit Nenngeschwindigkeit im Sinne des Öffnens oder Schließens bewegt werden können. Im Fall des Notschlusses hat der Schließvorgang jedoch mit weit größerer Geschwindigkeit zu erfolgen. In Vorschriften wird z. B. eine maximale Schließzeit von 30 Sekunden verlangt. Die Auslösung des **Notschluß**-Vorganges hat durch eine befugte Person zu erfolgen. Der Notschluß muß auch bei Ausfall der elektrischen Energieversorgung möglich sein. Die Antriebskraft zur Bewegung des Kurtinenblattes resultiert daher üblicherweise aus der Schwerkraftwirkung von im Sinne der Schließbewegung wirkenden Eigen- oder Gegengewichtsmassen. Der Schließvorgang muß aber auch durch automatisch wirkende Bremseinrichtungen kontrolliert ablaufen, damit das Torblatt die Schließposition nicht mit zu hoher Geschwindigkeit erreicht.

Für eine Hubkurtine mit im Spielbetrieb hochgefahrenem Torblatt ergeben sich hieraus z. B. folgende Bauweisen: Die Eigenmasse des Kurtinenblattes wird bis auf eine Restmasse von etwa 1–2 t durch Gegengewichte ausgeglichen. Somit reicht ein Hubantrieb für eine Hubkraft von ca. 10 bis 20 kN aus, um den betriebsmäßigen Öffnungs- bzw. Schließvorgang vorzunehmen. Im Falle einer Notschließung hat die Auslösung zu bewirken, daß infolge des Übergewichts des Kurtinenblattes ein selbsttätiger Fallvorgang des Kurtinenblattes einsetzt. Diese Senkbewegung muß jedoch automatisch abgebremst werden, damit sich die Senkgeschwindigkeit nicht nach den Gesetzen des freien Falles stetig erhöht und das Kurtinenblatt mit seiner hohen Eigenmasse auf dem Bühnenboden aufprallt. Die Abbremsung kann z. B. durch automatisch wirkende **Fliehkraftbremsen,** also über mechanische Reibung erfolgen, oder **hydrostatisch,** indem durch die Fallbewegung eine **Hydraulikpumpe** angetrieben wird, die gegen eine **Drossel** arbeitet. Da mechanische Fliehkraftbremsen in ihrer Bremswirkung nicht exakt dosiert werden können, ist bei dieser Bauweise die Installation von Puffern zum Auffangen des Kurtinenblattes im Bodenbereich unumgänglich. Beim Einsatz von hydrostatischen Bremsen kann durch wegabhängige Veränderung der Drosselwirkung ein im Bewegungsablauf sehr gut kontrollierter Notschlußvorgang erzielt werden. Abb. 1.8/3a zeigt ein durch eine Winde verfahrbares Torblatt. Der Antrieb der Winde erfolgt mit einem Elektromotor, die Bremssteuerung des Notschlußvorganges hydrostatisch (Abb. 1.8/4).

Neben dem soeben beschriebenen **Windenantrieb** für die Hubbewegung des Kurtinenblattes ist als Alternative auch ein **hydrostatischer Linearantrieb** möglich, in dem der Hub- bzw. Senk-

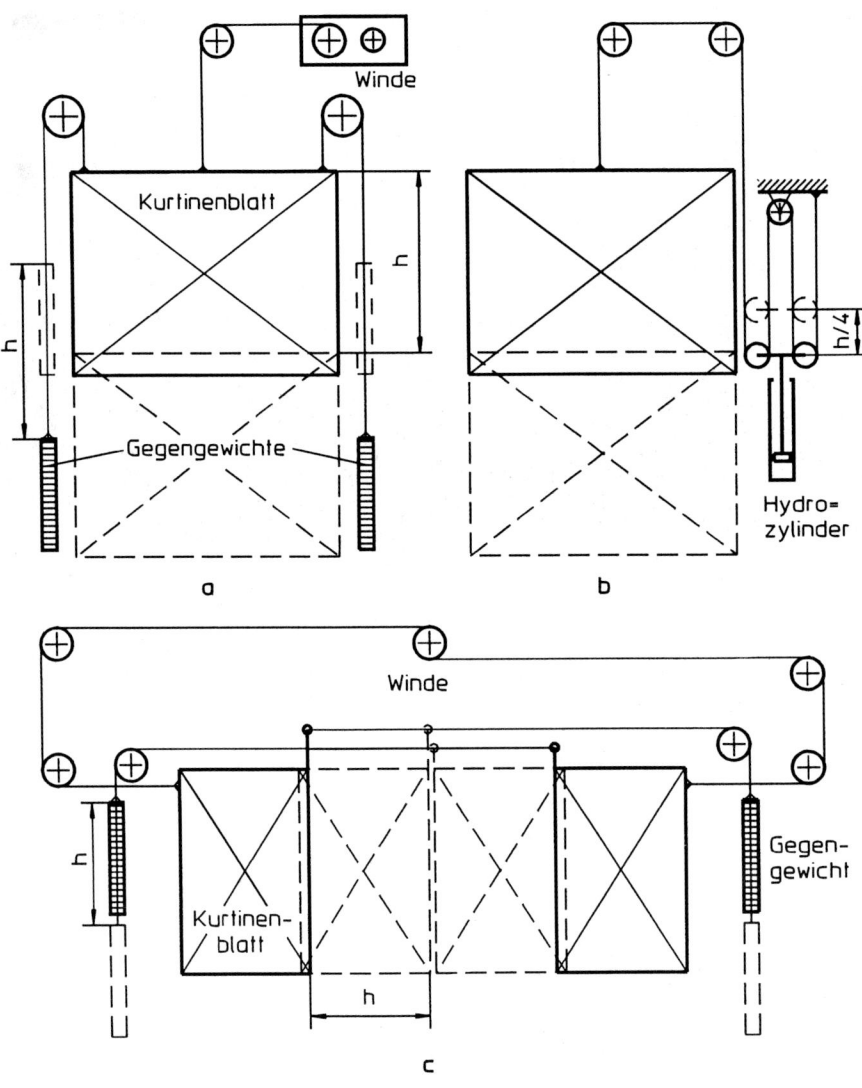

Abb. 1.8/3: Antrieb von Schutzvorhängen
a) Windentrieb für ein Hubtor (Hubkurtine), b) Zylindertrieb für ein Hubtor, c) Windenantrieb für Schiebetore (Schiebekurtine)

1.8 Sicherheitstechnische Einrichtungen des Brandschutzes

vorgang des Kurtinenblattes mit einem Hydraulikzylinder vorgenommen wird. Durch Einsatz eines „verkehrt wirkenden" Flaschenzuges kann trotz eines großen Verfahrweges des Torblattes entsprechend der Höhe der Proszeniumsöffnung mit einem kurzhubigen Zylinder gearbeitet werden (s. Abb. 1.8/3b). Auch in diesem Fall ist durch wegabhängig von der Stellung des Blattes gesteuerte Drosseln ein sehr exakt steuerbarer Notschlußvorgang möglich. Beim Einsatz von Hydraulikzylindern kann eventuell auf Gegengewichte verzichtet werden.

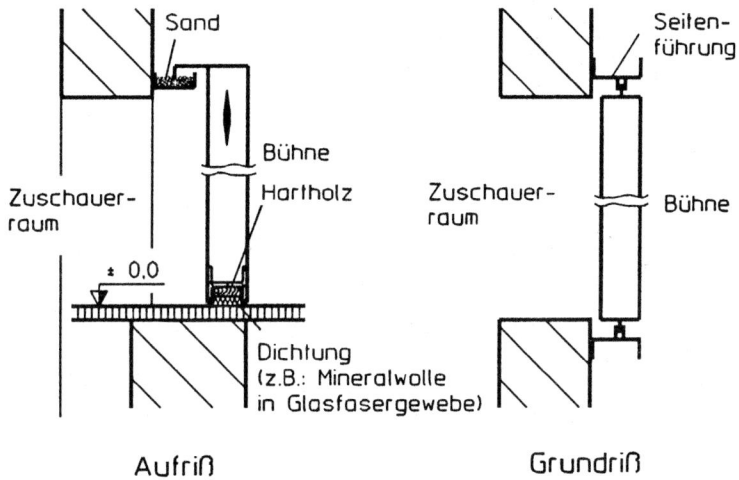

Abb. 1.8/4: Elektrowinde für die Hubkurtine des Theaters Marburg mit hydrostatischer Notschlußsteuerung
Foto: Waagner-Biró

Abb. 1.8/5: Führung des Kurtinenblattes und Abdichtung

Abb. 1.8/6: Rauchklappenanlage des Großen Festspielhauses in Salzburg,
betätigt über Seilzug (Rauchklappen geöffnet)
Fotos: Waagner-Biró

1.8 Sicherheitstechnische Einrichtungen des Brandschutzes

Bei Sonderlösungen, wie etwa der bereits erwähnten Variante, bei der das Kurtinenblatt in das Kellergeschoß abgesenkt wird, müssen die Gegengewichte gegenüber der Kurtine Übergewicht haben, so daß auch in diesem Fall der Schließvorgang ohne Energiezufuhr erfolgen kann. Auch bei Schiebekurtinen haben Gewichte über Seilzug die Vortriebskräfte zum horizontalen Verfahren der Torelemente herbeizuführen (s. Abb. 1.8/3c).

Eine Rauchgasdichtheit des Schutzvorhanges ist nur bedingt erreichbar. An der Auflagefläche des Torblattes am Bühnenholzboden hilft man sich mit elastischem Material oder auch mit Dichtelementen, die bei hoher Temperatur quellen; am oberen Kurtinenblattrand werden häufig Sandrinnen nach Abb. 1.8/5 montiert.

1.8.2 Rauchgasabzuganlagen

Im Bereich der Bühne sowie des Zuschauerraumes sind in ausreichender Größe **Rauchabzüge** vorzusehen. Deren minimaler Öffnungsquerschnitt ist in Vorschriften genau festgelegt und hängt von der Grundfläche des Bühnenraumes bzw. der Grundfläche des Zuschauerraumes ab. Ähnlich wie beim Schutzvorhang muß deren Öffnungsvorgang im Brandfall nach Auslösung selbsttätig ohne Energiezufuhr vor sich gehen. In manchen Ländern besteht auch die Vorschrift, daß die Rauchgasabzuganlagen bei einem bestimmten Überdruck selbsttätig öffnen müssen. Da die Rauchabzugsöffnungen aber auch für Lüftungszwecke eingesetzt werden, ist auch eine normale Betriebssteuerung vorzusehen.

Eine sehr übliche Bauweise sind sogenannte **Rauchklappen**. Das sind im Dachbereich untergebrachte, etwa vertikale Wandelemente, die über eine horizontale Achse aufgeklappt werden können, wobei Gewichte das selbsttätige Öffnen sicherstellen. Zum betriebsmäßigen Öffnen und Schließen können wieder Windentriebe oder Hydraulikzylinder Verwendung finden. Abb. 1.8/6 zeigt über Seilzug betätigte Rauchklappen, und zwar hintereinandergeschaltete vertikale Außen- und horizontale Innenklappen, und Abb. 1.8/7 zeigt hydraulisch betätigte einfache Rauchklappen. In Gegenden, wo klimabedingt eine Vereisung der Rauchklappen erfolgen kann, ist besonders zu beachten, daß zum Aufstoßen der Klappen ausreichend große Kräfte zur Wirkung kommen. Dies ist z. B. hydrostatisch unter Verwendung von Speichern möglich. Auch Windkräfte sind zu berücksichtigen.

Abb. 1.8/7: Rauchklappen im Wiener Raimundtheater mit hydraulischer Betätigung
(Rauchklappen geschlossen)
Foto: Waagner-Biró

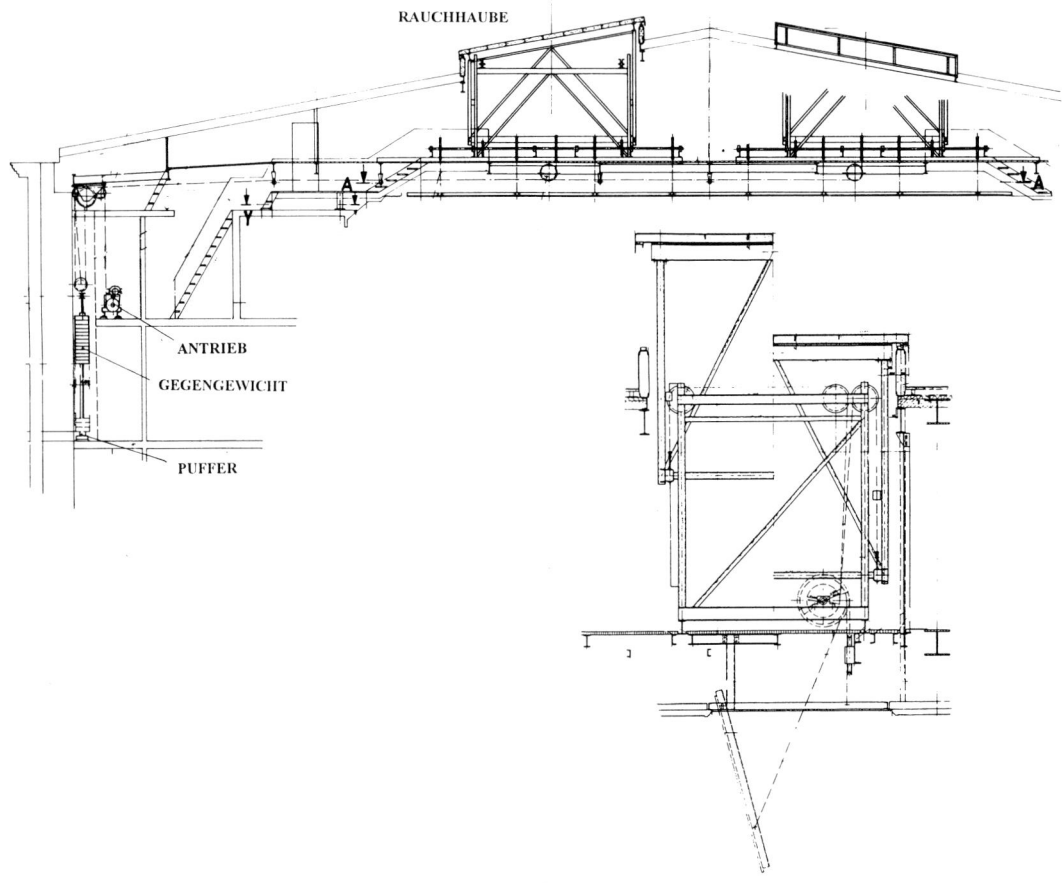

Abb. 1.8/8: Rauchhauben und Rauchklappen der Semperoper Dresden –
Seilwindenantrieb, Notschluß durch Gegengewicht
Bildnachweis: Sächsischer Bühnenbau

Neben den soeben beschriebenen Rauchklappen gibt es auch Bauvarianten, bei denen Dachelemente – sogenannte **Rauchhauben** – hochgefahren werden, so daß die vorgeschriebenen Rauchgasabzugsflächen freigegeben werden (Abb. 1.8/8). Vor allem wenn Schneelasten in Rechnung zu stellen sind, können sich relativ große Hublasten ergeben, die ebenfalls wieder im Brandfall durch gespeicherte Energie bewegt werden müssen. Hiezu können Gegengewichte oder druckbeaufschlagte Hydrospeichersysteme herangezogen werden.

1.8.3 Wasser-, Lösch- und Kühlanlagen

Für die Brandbekämpfung durch die Feuerwehr sind in jeder größeren Spielstätte **Löschwasseranschlüsse** vorhanden. Teilweise ist es aber auch üblich, **Sprühwasser-Löschanlagen** zu installieren, um sofort gegen eine schnelle Brandausbreitung ankämpfen zu können. Es handelt sich dabei um ein Rohrnetz mit Löschdüsen, angeschlossen an eine leistungsfähige Wasserleitung. Reicht die Wassermenge aus der allgemeinen Wasserversorgung nicht aus, kann Wasser auch in Wasserbehältern, insbesondere in Druckluft-Wasserbehältern zur Sicherstellung eines ausreichenden Druckniveaus, gespeichert werden. Die Auslösung der Löschanlage erfolgt in Spielstätten nicht automatisch über Brandsensoren, sondern durch eine dazu befugte Person.

Bei einer Sprühwasser-Löschanlage sind, wie eben beschrieben, alle Löschdüsen offen und versprühen Löschwasser, sobald sie im Ringleitungsnetz mit Druckwasser versorgt werden. Selbstverständlich können auch mehrere getrennt beaufschlagbare Ringleitungssysteme vorgesehen werden. Im Gegensatz dazu sind **Sprinkler** automatisch auf Wärme reagierende Sprühdüsen, die immer unter Wasserdruck stehen und durch ein Glasfäßchen geschlossen gehalten werden. Dieses gibt beim Erreichen einer Sprengtemperatur den Verschluß der Düse frei. In einem Sprinklersystem sind also alle Düsen mit Druckwasser beaufschlagt, es versprühen aber nur jene Löschwasser, deren Verschluß aufgesprengt wird.

Hinweise für ergänzende Literatur zu Teil 1

- Bühnentechnische Rundschau
  Erhard Friedrich Verlag GmbH & Co. KG
  vormals Orell Füssli + Friedrich Verlag AG
  ISSN 0007-3091

  Insbesondere sind die im Buch angeführten Bühnen in folgenden Heften näher beschrieben:

  Jg. 50 (1956) Nr. 1   *Wiener Staatsoper*
  Jg. 71 (1977) Nr. 3   *National Theatre London*
  Jg. 73 (1979) Nr. 4   *Semperoper Dresden*
  Jg. 76 (1982) Nr. 2   *Schaubühne Berlin*
  Jg. 78 (1984) Nr. 5   *Friedrichstadtpalast Berlin*
  Jg. 79 (1985) Nr. 3   *Opernhaus Zürich*
  Jg. 79 (1985) Nr. 4   *Festspielhaus Salzburg*
  Jg. 79 (1985) Nr. 6   *Friedrichstadtpalast Berlin*
  Jg. 80 (1986) Nr. 3   *Dekorationsmagazin München*
  Jg. 80 (1986) Nr. 3   *Graf-Zeppelin-Haus Friedrichshafen*
  Jg. 81 (1987) Nr. 3   *Muziektheater Amsterdam*
  Jg. 82 (1988) Nr. 3   *Hamburgische Staatsoper*
  Jg. 82 (1988) Nr. 5   *Alvar Aalto Theater Essen*
  Jg. 83 (1989) Nr. 2   *Konferenzzentrum Kuwait*
  Jg. 83 (1989) Nr. 3   *Staatstheater Stuttgart*
  Jg. 83 (1989) Nr. 4   *Nationaltheater München*
  Jg. 83 (1989) Nr. 4   *Prospektlager, Nationaltheater München*
  Jg. 83 (1989) Nr. 5   *Opera de la Bastille Paris*
  Jg. 84 (1990) Nr. 4   *Staatsoper München*
  Jg. 85 (1991) Nr. 1   *Theater Neue Flora*
  Jg. 85 (1991) Nr. 4   *Teatro Felice – Oper Genua*
  Jg. 86 (1992) Nr. 1   *Residenztheater München*
  Jg. 86 (1992) Nr. 2   *Deutsche Oper Berlin*
  Jg. 86 (1992) Nr. 2   *Oper Frankfurt am Main*
  Jg. 87 (1993) Nr. 4   *Megaro Musikis Athinon*
  Jg. 87 (1993) Nr. 6   *Nationaltheater Maribor*

  In den **Abbildungslegenden** erfolgt der Bildnachweis z. B. für 87 (1993) Nr. 6 in der Form BTR 6/1993.

- Merkblätter über sachgemäße Stahlverwendung
  Heft 289 – *Stahlkonstruktionen im Theaterbau*
  Beratungsstelle für Stahlverwertung Düsseldorf
  DK 725.82; 624.94/.95

  In den **Abbildungslegenden** erfolgt der Bildnachweis mit der Angabe „Merkblatt 289".

- Kranich, Friedrich: *Bühnentechnik der Gegenwart*, 2 Bde., München–Berlin: Oldenbourg, 1929 (Nachdruck 1992).

- Unruh, Walter: *Theatertechnik – Fachkunde- und Vorschriftensammlung*, Berlin–Bielefeld: Klasing, 1969.

2 Antriebe bühnentechnischer Anlagen

Motorische Antriebe bedienen sich – von Sonderfällen abgesehen – letztlich immer elektrischer Energie, die dem allgemeinen Stromnetz entnommen wird. Nur bei Einsatz eines Notstromaggregates wird elektrische Energie in einem von einer Verbrennungskraftmaschine angetriebenen Generator direkt erzeugt. Diese elektrische Energie wird in bühnentechnischen Anlagen dann auf zweierlei Art in Bewegungsenergie umgesetzt:

- Die Umsetzung erfolgt mittels elektrischer Antriebe, indem die Arbeitsbewegungen mit Hilfe von Elektromotoren erzeugt werden. Die rotierende Bewegung des Motors wird über ein Getriebe in rotierende Bewegung anderer Geschwindigkeit, in Linearbewegung oder in kinematisch komplexe Bewegungsabläufe umgewandelt. Elektrische Linearmotoren werden noch selten eingesetzt, es werden aber z. B. bereits Drehscheiben und Vorhangzüge mit Linearmotoren betrieben.
- Arbeitsbewegungen werden hydrostatisch erzeugt, indem durch Beaufschlagung von Hydrozylindern mit Druckflüssigkeit Linearbewegungen oder durch Beaufschlagung von Hydromotoren drehende Bewegungen hervorgerufen werden. Die Druckflüssigkeit wird von mit Elektromotoren angetriebenen Hydraulikpumpen bereitgestellt bzw. Speichern entnommen, die jedoch ebenfalls durch elektrisch angetriebene Hydraulikpumpen gefüllt werden müssen.

In den folgenden Abschnitten werden beide Antriebsvarianten näher erläutert. Dem werden einige Anmerkungen zu manuellen Antrieben vorangestellt.

2.1 Manuelle Antriebe

Bis zur Erfindung motorischer Antriebe war man auf **Muskelkraft** angewiesen. Allerdings kann z. B. durch Ausnutzung der **Schwerkraft** Muskelkraft ersetzt oder zumindest der vom Menschen aufzubringende Kraftbedarf stark reduziert werden. Eine Möglichkeit bietet der Einsatz von Gegengewichten zum teilweisen oder vollständigen Gewichtsausgleich der Nutzlast. Bei sehr alten Hydraulikanlagen wurde eventuell auch der **Schweredruck** im Dachniveau des Gebäudes gespeicherten Wassers genützt, um mit einfachen Plungerzylindern Hubarbeit zu verrichten. Später wurde zur Erzielung höherer Drücke der **hydrostatische Druck** durch **Druckluft,** die in einen geschlossenen Wasserbehälter eingepumpt wurde, erhöht.

Zur Aufbringung größerer Kräfte können auch Flaschenzüge, Hebel- oder Getriebeübersetzungen herangezogen werden.

Technische Einrichtungen der Unterbühne werden heute, abgesehen von kleineren Bühnenwagen und Personenversenkungen, kaum mehr manuell bewegt. Nur in sehr alten Theatern kann man eventuell noch durch Muskelkraft betriebene Drehbühnen und größere Versenkeinrichtungen finden.

In der Oberbühne, bei Prospektzügen und Vorhangantrieben, werden aber auch heute noch oft Handantriebe verwendet. Erstens ist eine Bestückung der Oberbühne mit Handzügen um vieles billiger, zweitens meinen manche Betreiber noch immer, daß dem Spiel angepaßte feinfühlige Bewegungen nur mit einem Handzug realisiert werden können. Diese Ansicht stammt vor allem aus jener Zeit, in der tatsächlich nur schlecht steuer- oder regelbare Maschinenzüge in Bühnen eingebaut wurden, sei es, weil die Technik noch zu wenig ausgereift war, sei es, daß aus Kostengründen technisch minderwertige Lösungen gewählt wurden. Ein elektrisch oder hydraulisch betriebener Prospektzug unter Anwendung moderner Technik ist dem Handzug in vielem überlegen, in der Beschaffung aber natürlich auch viel teurer. Handkonterzüge werden in Zukunft auch aus betriebsorganisatorischen Gründen immer seltener eingesetzt werden. Das Manipulieren der Gegengewichte ist eine die Wirbelsäule stark belastende Schwerarbeit, und der Einsatz der Züge erfordert hohen Zeit- und Personalaufwand.

Handantriebe werden in der Bühnentechnik auch als **Notantriebe** eingesetzt, um bei technischen Störungen wenigstens einen Notbetrieb mit Einschränkungen aufrecht erhalten zu können. In solchen Notsituationen können dann auch langsamere Bewegungsabläufe in Kauf genommen werden.

Bei der Konstruktion sollten ergonomische Gesichtspunkte hinsichtlich der räumlichen Anordnung von Handrädern und Kurbeln berücksichtigt werden. Ferner ist zu beachten, daß keine zu großen Handkräfte zugemutet werden. Am Umfang eines Handrades mit glatter Grifffläche kann die Handkraft etwa 200 N betragen, an einer Handkurbel sind kurzzeitig auch etwas höhere Kräfte möglich. Ein Zug an einem Seil oder einer Kette sollte möglichst in senkrechter Richtung erfolgen und die Zugkraft nicht größer als 300 bis 400 N sein.

Unter Beachtung der Daten für einen Handkurbelantrieb kann am Antrieb ein Drehmoment von etwa 100 Nm erzeugt werden und bei Annahme einer Drehgeschwindigkeit von ca. 30 U/min kurzzeitig eine Leistung von etwa 300 W erbracht werden. Über einen längeren Zeitraum ist die Leistung viel geringer.

Das Drehmoment und entsprechende Kraftwirkungen können durch Übersetzungen zwar vergrößert werden, in gleichem Maße wird dadurch aber die Geschwindigkeit der Bewegung reduziert. Die bei manuellen Antrieben nur sehr kleine Leistung, die ja nach Glg. 3.1/6 und Glg. 3.1/7 dem Produkt aus Kraftwirkung und Bewegungsgeschwindigkeit proportional ist, kann natürlich nicht erhöht werden, es sei denn, mehrere Personen werden gleichzeitig eingesetzt. Die Begrenzung der Leistung bedeutet also, daß entweder große Kräfte bzw. Momente mit nur kleiner Geschwindigkeit überwunden werden können oder große Geschwindigkeiten oder Drehzahlen bei nur kleinen Kraftwirkungen realisierbar sind.

Ist die Arbeitsgeschwindigkeit eines manuellen Notantriebes zu gering, kann ein Notantrieb auch so konzipiert werden, daß eine Handbohrmaschine oder eine ähnliche Einrichtung provisorisch an eine hiefür vorgesehene Welle angekuppelt wird, um höhere Antriebsleistungen zu erzielen.

2.2 Elektrische Antriebe

2.2.1 Gleich- und Drehstromantriebe klassischer Bauart

Aus dem **Drehstromnetz** können **Drehstrommotoren** direkt angespeist werden, es sei denn, man will die Anspeisefrequenz des Antriebsmotors verändern. Der zum Betrieb von **Gleichstrommotoren** erforderliche Gleichstrom muß erst über Gleichrichter erzeugt werden. Nur Motoren kleiner Leistung können aus **Batterien** bzw. Akkumulatoren betrieben werden. Allerdings wird das Batterieladegerät wieder mit Netzstrom versorgt.

Welcher Motortyp und welche Schaltungen zu wählen sind, hängt von den Einsatzbedingungen und Erfordernissen ab. Wesentliche Kriterien sind:
– ob der Motor vom Netz oder von einer Batterie angespeist wird,
– ob der Motor nur mit seiner Nenndrehzahl betrieben werden muß,
– ob eine zusätzliche Langsamfahrgeschwindigkeit erwünscht ist,
– ob mehrere Drehzahlen oder eine stufenlose Verstellung der Drehzahl gefordert ist,
– wie groß das Verhältnis zwischen größter und kleinster Drehzahl sein soll,
– des weiteren ist zu bedenken, ob diese Drehzahlverstellung als **Steuerung** unter Inkaufnahme einer gewissen Lastabhängigkeit ausreicht oder
– ob eine lastunabhängige **Drehzahlregelung** für einen Einzelantrieb oder eine **Regelung** für einen Synchronbetrieb mehrerer Antriebe erforderlich ist.

Bei einem geregelten Antrieb wird der meßtechnisch erfaßte Istwert einer Betriebsgröße, z. B. der Drehzahl bzw. Arbeitsgeschwindigkeit, mit dem vorgegebenen Sollwert verglichen und die Drehzahl entsprechend korrigiert.

Mit nur einer Nenndrehzahl findet man z. B. bei Pumpenantrieben in der Hydraulik-Druckzentrale das Auslangen oder bei vielen Antrieben, die szenisch nicht eingesetzt werden und keine hohen Arbeitsgeschwindigkeiten verlangen. Dies trifft i. a. bei Orchesterpodien, Ausgleichspodien, bei Antrieben zur Veränderung der Neigung der Gedecke von Podien, bei Schutzvorhängen und bei Schwerlastzügen zu.

In den meisten Fällen werden an szenisch einzusetzende Antriebe in der Unter- und Oberbühne aber sehr hohe Anforderungen gestellt, nämlich stufenlose Verstellung der Arbeitsgeschwindigkeit, keine Lastabhängigkeit, gute Regelfähigkeit im Sinne einer hohen Regeldynamik und im Sinne eines hohen Regelverhältnisses von Maximal- zu Minimalgeschwindigkeit.

Gleichstrommotor

Eine geringe Lastabhängigkeit der Drehzahl besitzen der **Gleichstromnebenschlußmotor** und der **fremderregte Gleichstrommotor** mit der Wicklungsschaltung in Ständer (Stator) und Anker (Rotor) nach Abb. 2.2/1b, c, da in der Erregerwicklung (Ständerwicklung) ein von der Belastung unabhängiger magnetischer Fluß Φ erzeugt wird. In Abb. 2.2/1a ist zum Vergleich auch die Schaltung des Reihenschlußmotors dargestellt, der in der Bühnentechnik wegen seiner extremen Lastabhängigkeit aber nicht verwendet wird.

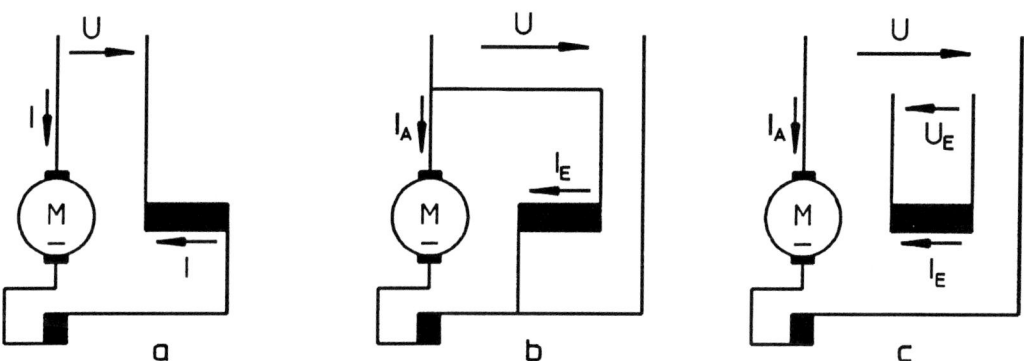

Abb. 2.2/1: Schaltbilder von Gleichstrommotoren
a) Reihenschlußmotor, b) Nebenschlußmotor, c) fremderregter Motor

Der fremderregte Gleichstrommotor bietet auch sehr gute Möglichkeiten stufenloser Drehzahlsteuerung und -regelung und wird daher in der Bühnentechnik sehr häufig eingesetzt. Für Drehzahl und Drehmoment gelten folgende Beziehungen (Proportionalitäten):

$$n \approx \frac{U - I_A (R_I + R_V)}{\Phi} \qquad (2.2/1)$$

$$M \approx I_A \cdot \Phi \qquad (2.2/2)$$

n ... Motordrehzahl
U ... Klemmenspannung
I_A ... Ankerstrom
R_I ... innerer Widerstand der Ankerwicklung
R_V ... etwaiger Vorschaltwiderstand
Φ ... magnetischer Fluß
M ... Motormoment

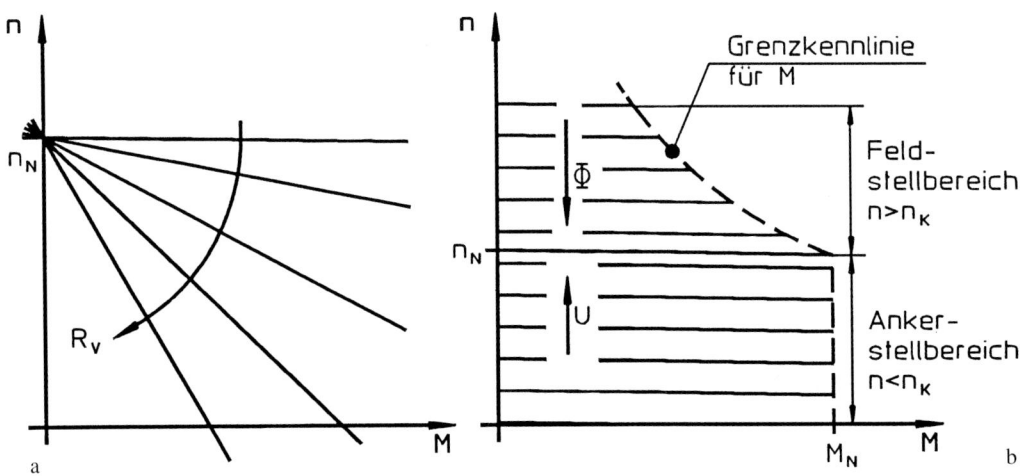

Abb. 2.2/2: Kennlinien eines fremderregten bzw. eines selbsterregten Nebenschluß-Gleichstrommotors
a) verlustbehaftete Drehzahlverstellung durch Vorschaltwiderstände R_V, b) verlustfreie Drehzahlverstellung durch verlustlose Änderung der Klemmenspannung bzw. des magnetischen Flusses Φ

Eine Drehzahlverstellung ist bei einem Gleichstrommotor daher auf folgende Arten möglich (Abb. 2.2/2):

- Ausgehend von der Nenndrehzahl kann eine Reduktion der Drehzahl durch **Vorschalten von Widerständen** R_V im Ankerkreis erfolgen. In diesen Widerständen wird elektrische Energie in Wärme umgewandelt, so daß dieser Betriebszustand nur für sehr kurze Zeitabschnitte sinnvoll und möglich ist; andererseits wird die Drehzahl dadurch auch stärker lastabhängig (siehe Abb. 2.2/2a). Diese Art der Drehzahlverstellung scheidet daher für die Praxis aus; sie wird nur für den Anlaufvorgang größerer Maschinen verwendet.

- Fast verlustfrei kann eine Verringerung der Drehzahl durch **Reduktion der Klemmenspannung** U am Anker herbeigeführt werden. Früher wurde diese Reduktion der Klemmenspannung unter Anwendung rotierender Umformer, dem sogenannten Ward-Leonard-Umformer, durch Feldschwächung eines Gleichstromgenerators vorgenommen (Abb. 2.2/3a), oder man verwendete einen Stelltransformator mit Gleichrichter. Heute bedient man sich statischer Umformer in Anwendung moderner Leistungselektronik und reduziert die Spannung durch Phasenanschnittsteuerung. Dabei wird durch Wegschalten der Anspeisespannung über kurze Zeitintervalle der Effektivwert der Spannung als energetisch wirksamer Spannungswert verändert (Abb. 2.2/3b). Die so entstehenden Kennlinien sind kaum lastabhängig und in Abb. 2.2/2b dargestellt. Abb. 2.2/4a zeigt die Prinzipschaltung eines Gleichstromstellers zum drehzahlvariablen Betrieb eines Gleichstrommotors. Fremderregte Gleichstrommotoren mit 4-Quadranten-Thyristor-Regelgeräten sind derzeit wohl die in der Bühnentechnik am häufigsten eingesetzten elektrischen Antriebe.

- Eine Verstellung in höhere Drehzahlbereiche kann durch **Feldschwächung**, d. h. durch Verringerung des magnetischen Flusses im Ständer (Stator) des Gleichstrommotors erreicht werden. Aus Glg. 2.2/2 ist ersichtlich, daß bei Feldschwächung aber auch das Motormoment reduziert wird, d. h. im Feldschwächbereich kann der Motor nur ein geringeres Drehmoment abgeben. Daher ist Feldschwächung nur bei Teillasten anwendbar und kommt bei bühnentechnischen Antrieben kaum in Frage.

2.2 Elektrische Antriebe

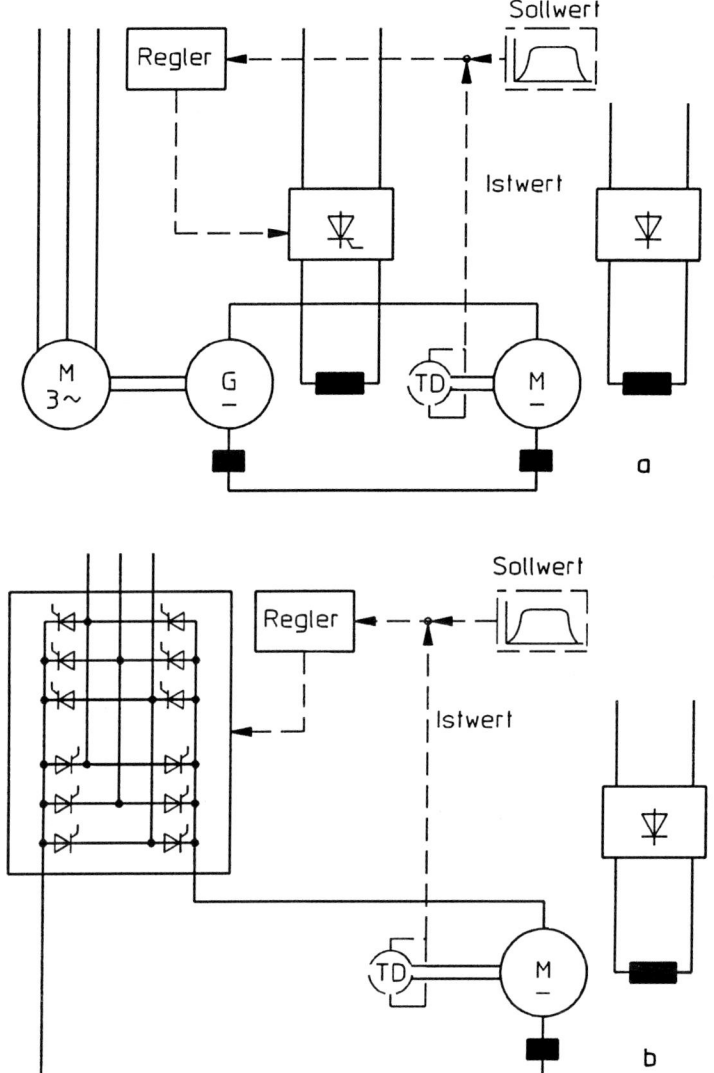

Abb. 2.2/3: Gleichstromantrieb gesteuert bzw. geregelt (strichlierte Linien)
a) mit Ward-Leonard-Umformer, b) mit Stromrichter in Drehstrom-Brückenschaltung

Drehstrommotor

Werden die Statorwicklungen eines Drehstrommotors an das Drehstromnetz angeschlossen, so rotiert das magnetische Feld (Drehfeld) mit einer Drehzahl n_s.

$$n_s = \frac{f}{p} \quad \text{bzw.} \quad n_s^* = 60 \cdot \frac{f}{p} \qquad (2.2/3)$$

n_s ... Synchrondrehzahl [U/s], n_s^* [U/min]
f ... Frequenz [1/s=Hz]
p ... Polpaarzahl [–]

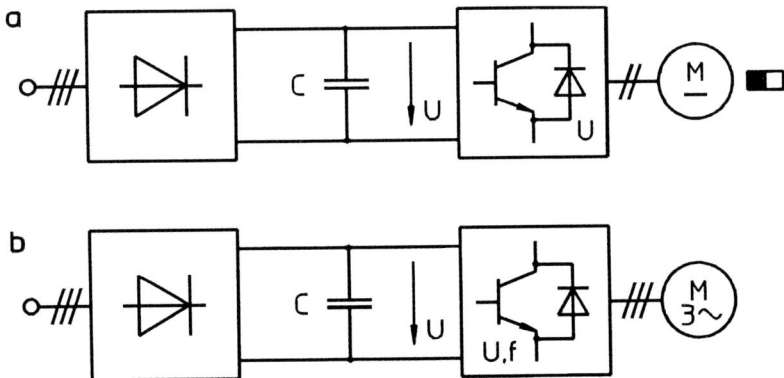

Abb. 2.2/4: Möglichkeiten der Drehzahlverstellung – Schemaskizzen
a) verlustlose Steuerung eines Gleichstrommotors mit einem Gleichstromsteller, b) verlustlose Steuerung eines Drehstrommotors mit einem Spannungszwischenkreis-Umrichter

In Hinblick auf das Rotorverhalten gibt es nun folgende prinzipiell unterschiedliche Funktionsweisen:

Beim **Synchronmotor** rotiert der Rotor (bei diesem Motor auch Polrad genannt) mit der Synchrondrehzahl n_s. Seine Wicklung baut angespeist mit Gleichstrom ein Magnetfeld auf, und der Rotor muß infolge der elektrodynamischen Kraftwirkungen folgen. Der Rotor kann auch als Permanentmagnet ausgebildet sein. Bei Belastung verschieben sich die Läufer- und Ständerpole gegeneinander um einen der Last proportionalen Winkel.

Bei Motorbetrieb bleibt der Läufer um diesen Belastungswinkel zurück, bei Generatorbetrieb eilt das Polrad dem Statorfeld voraus. Laststöße können das Polrad aber zum Pendeln bringen, und unter Umständen kann dadurch der Synchronismus gestört werden und das Polrad „aus dem Tritt fallen". Daher werden solche Synchronmotoren in der Bühnentechnik selten eingesetzt.

Beim **Asynchronmotor** muß das Magnetfeld des Rotors erst durch Induktion erzeugt werden. Man verwendet daher auch die Bezeichnung **Induktionsmotor**. Elektrodynamische Kraftwirkung kann dann nur durch Schneiden der Feldlinien in einer Relativbewegung zwischen Statordrehfeld und Rotor entstehen, d. h. die Drehzahl des Rotors muß bei Motorbetrieb um einen **Schlupf** σ kleiner sein als die Synchrondrehzahl n_s.

$$n = n_s \cdot (1 - \sigma) \quad \text{bzw.}$$

$$\sigma = \frac{n_s - n}{n_s} [-] = \frac{n_s - n}{n_s} \cdot 100 \, [\%] \qquad (2.2/4)$$

Die Frequenz des Rotorstromes beträgt

$$f_R = f_S \cdot \sigma \qquad (2.2/5)$$

n_s ... Synchrondrehzahl (Drehzahl des Drehfeldes) [U/s], [U/min]
n ... Drehzahl des Asynchronmotors [U/s], [U/min]
σ ... Schlupf [–]
f_R ... Frequenz in der Rotorwicklung [1/s]
f_S ... Frequenz in der Statorwicklung [1/s]

2.2 Elektrische Antriebe   139

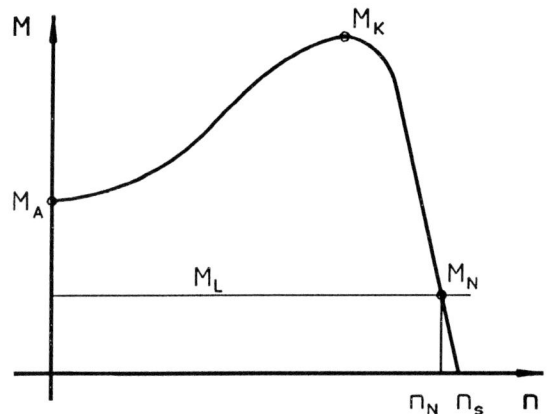

Abb. 2.2/5: Kennlinie eines Asynchronmotors im M/n-Diagramm
M_A Anfahrmoment M_N Nennmoment
M_K Kippmoment n_N Nenndrehzahl

Wird der Motor durch die Last angetrieben, also zum Generator, so wird sich eine übersynchrone Drehzahl mit negativem Schlupf einstellen.

Abb. 2.2/5 zeigt das Drehzahl-Drehmoment-Diagramm eines Drehstrommotors.

Für das von einem Drehstrommotor abgegebene Drehmoment gilt die Proportionalität

$$M \approx I_R \cdot \Phi \qquad (2.2/6)$$

Aus Glg. 2.2/3 können wieder die Möglichkeiten der Drehzahlverstellung abgelesen werden:

– Verstellung der Drehzahl n_s und damit auch der asynchronen Drehzahl n durch **Verändern der Polpaarzahl** p: Mit **polumschaltbaren Motoren** lassen sich dann verschiedene Nenngeschwindigkeiten erreichen. Gemäß Glg. 2.2/3 ergeben sich z. B. bei Umschaltung von 2 auf 4 Polpaare (4 auf 8 Pole) und Anspeisung vom 50-Hz-Drehstromnetz die Drehzahlen

$n_s = (60 \cdot 50)/2 = 1500$ U/min   und $(60 \cdot 50)/4 = 750$ U/min.

Im Aufzugsbau wird diese Methode sehr häufig angewandt, um beim Stehenbleiben im angewählten Stockwerk durch eine kurze Fahrt mit Schleichgeschwindigkeit eine ausreichende Haltegenauigkeit zu erzielen.

– Verstellung der Drehzahl durch **Verändern der Anspeisefrequenz** f: Früher wurden rotierende Frequenzumformer, sogenannte Frequenzwandler (Drehstrommotor mit Drehstromgenerator) verwendet. Eine Langsamfahrgeschwindigkeit konnte dadurch beinahe verlustlos erzielt werden, indem zusätzlich zum üblichen 50-Hz-Netz z. B. ein 6-Hz-Netz zur Verfügung gestellt wurde. Damit war der Betrieb mit einer „Schleichdrehzahl" von etwa $1/10$ der Nenndrehzahl erreichbar. Bei modernen **Frequenz-Umrichtersteuerungen** wird der dem Netz entnommene Drehstrom zunächst gleichgerichtet, in einem Zwischenkreis gespeichert und mit einem Wechselrichter wieder in einen Drehstrom umgewandelt. Die im Wechselrichter erzeugte Frequenz kann verstellt werden. Auf diese Art ist eine stufenlose und nahezu verlustlose Drehzahlverstellung des Asynchronmotors möglich. Solche Frequenz-Umrichtersteuerungen wurden erst in den letzten Jahren zur Serienreife entwickelt und werden durch ständige Verbesserung des Preis-Leistung-Verhältnisses immer häufiger eingesetzt. Die Kennlinien im Drehzahl-Drehmoment-Diagramm entsprechen im Nennbereich den Linien der Abb. 2.2/2b. Abb. 2.2/4b zeigt das Prinzipschaltbild eines **Spannungszwischenkreis-Umrichters.** Dabei ist zu beachten, daß bei Veränderung der

Anspeisefrequenz des Motors auch die Anspeisespannung verändert werden muß, damit der Motor bei niedrigerer Drehzahl das gleiche Drehmoment abgeben kann.
- Die Drehzahl eines Asynchronmotors kann auch durch Vergrößerung des Schlupfes reduziert werden. Eine **Schlupfsteuerung** ist durch Veränderung des Rotorstromes oder Änderung der Statorspannung möglich. Das Feld im Stator wird z. B. durch Anlegen einer kleineren Spannung durch Phasenanschnitt so geschwächt, daß der Motor das geforderte Moment erst bei einer reduzierten Drehzahl abgeben kann (Abb. 2.2/6). Die **Ständeranschnittsteuerung** hat sich auch in der Bühnentechnik bewährt, es kann aber nur ein relativ kleines Regelverhältnis von etwa 1:50 erreicht werden.

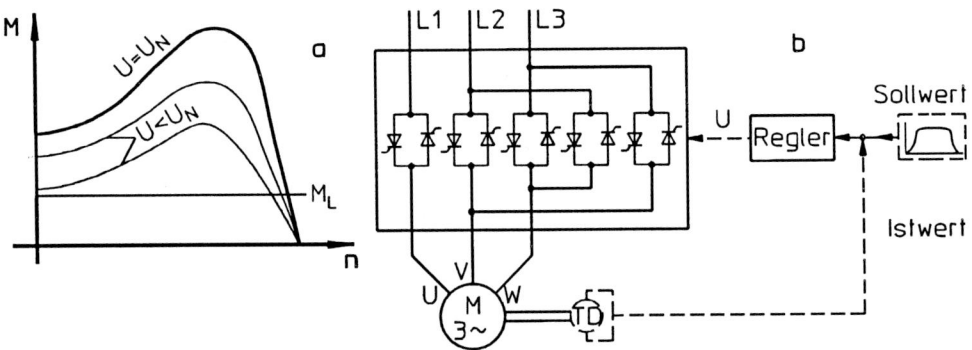

Abb. 2.2/6: Drehzahlverstellung über Schlupfänderung bei Verstellen der Ständerspannung durch Phasenanschnitt
a) Drehzahl-Drehmoment-Diagramm, b) Prinzipschaltbild mit Drehstromsteller

Ein ähnlicher Effekt kann durch Reduktion der Spannung im Rotor erzielt werden, ebenfalls durch Phasenanschnitt oder mit Vorschaltwiderständen. Die Einflußnahme auf den Stromfluß im Rotor ist aber nur möglich, wenn die Wicklungsenden des Rotors über Schleifringe nach außen geführt werden. Dies ist beim **Schleifringläufer** der Fall. Dieser Motortyp bietet daher diese sehr einfache Möglichkeit der Schlupfbeeinflussung. Vorschaltwiderstände bringen Verluste und Lastabhängigkeit, wie bereits für Anker-Vorschaltwiderstände beim Gleichstrommotor erwähnt wurde, und werden daher vor allem nur zum Anfahren (Anlassen) größerer Motoren eingesetzt.

Beim direkten Einschalten eines Drehstrommotors tritt nämlich ein Einschaltstrom auf, der das etwa 6- bis 8fache des Nennstromes beträgt. Dadurch kann eine Überforderung des Netzes gegeben sein. Bei Schleifringläufermotoren kann durch kurzzeitiges Vorschalten von Widerständen im Rotor die Motorcharakteristik so verändert werden, daß der Einschaltstrom viel niedriger gehalten wird. Außerdem kann dabei auch das Momentenverhalten des Motors den Erfordernissen angepaßt werden. Das Einschalten eines Motors mit Vorschaltwiderständen und stufenweisem Wegschalten dieser Widerstände nennt man **Anlassen** des Motors und ist in Abb. 2.2/7 dargestellt.

Beim **Kurzschlußläufermotor,** auch **Käfigläufermotor** genannt, sind die Wicklungsenden im Rotor kurzgeschlossen und nicht nach außen geführt. Diese Motorbauart ist besonders robust und im Prinzip wartungsfrei. Daher kommen beim Kurzschlußläufer nur alle jene Möglichkeiten der Drehzahlverstellung in Frage, bei denen nur auf den Stator Einfluß genommen wird (Frequenz, Spannung, Polpaarzahl). Beim Kurzschlußläufermotor besteht daher auch nicht die Möglichkeit des Anlassens mit Widerständen. Man kann sich allerdings damit helfen, daß die Ständerwicklung des Motors zunächst in **Sternschaltung** an das Netz gelegt wird und dann in **Dreieckschaltung** umgeschaltet wird. Durch diese verschiedene Verkettung der drei Drehstromwicklungen gemäß Abb. 2.2/8a, b und deren Anbinden an das dreiphasige Netz wird der Einschaltstrom auf ein Drittel

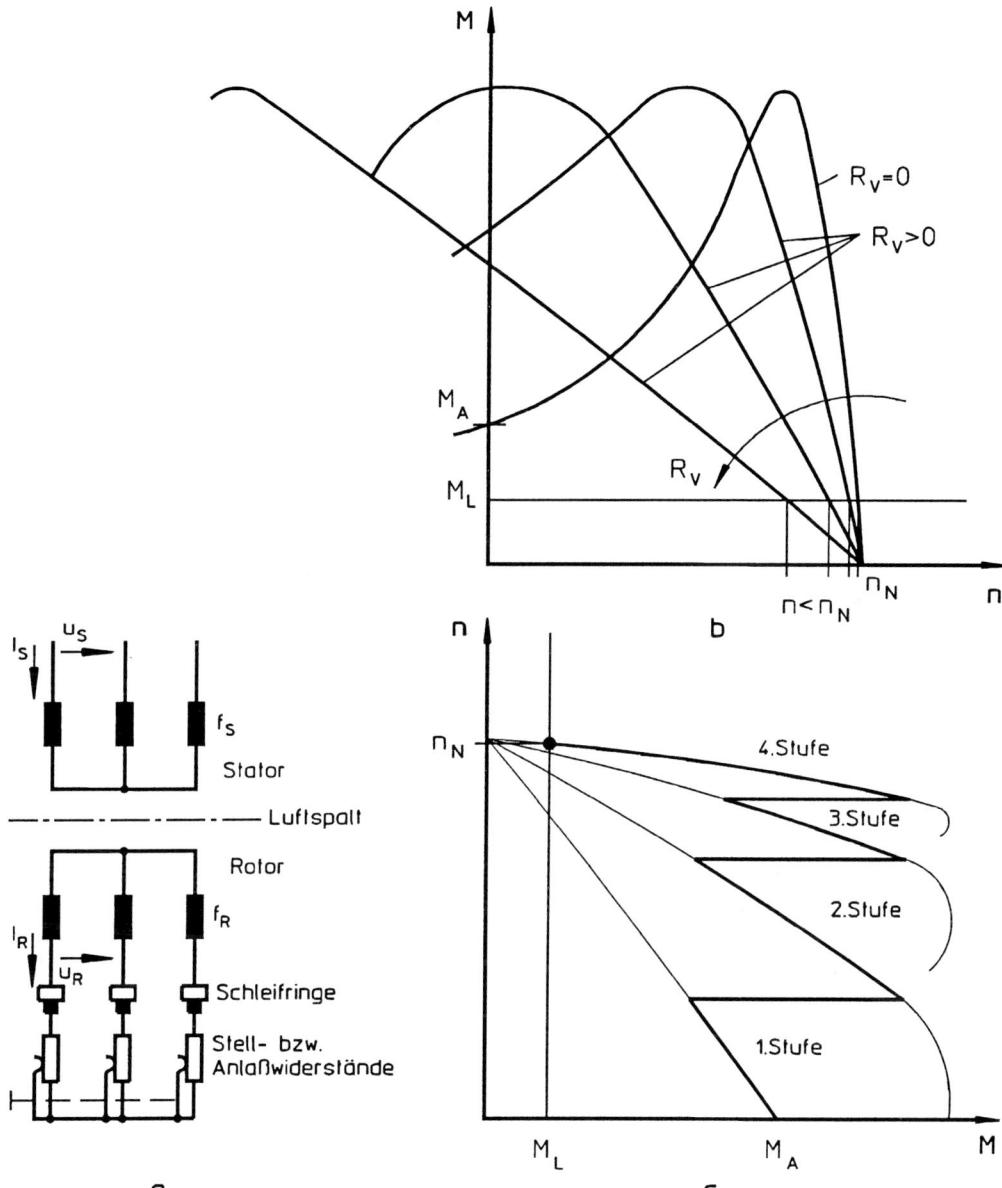

Abb. 2.2/7: Drehstrom-Schleifringläufermotor mit Widerständen R_V im Rotorkreis
a) Schaltung der Wicklungen, b) Drehzahlverhalten dargestellt im Drehzahl-Drehmoment-Diagramm M über n,
c) Hochfahren eines Drehstrommotors mit Anlaßwiderständen dargestellt im Drehzahl-Drehmoment-Diagramm n über M

reduziert. Allerdings gibt der Motor dann auch nur ein Drittel seines bei Dreieckschaltung möglichen Drehmomentes ab. Ein **Stern-Dreieck-Anlauf** kann daher nur bei Anlauf mit reduzierter Last bzw. im Leerlauf realisiert werden. Dies ist z. B. für das Anlaufen eines Elektromotors zum Betrieb einer Hydraulikpumpe möglich, wenn der Start bei drucklosem Umlauf des Hydraulikmediums erfolgen kann. Die Kennlinien eines Kurzschlußläufermotors mit Stern-Dreieck-Anlaufschaltung sind in Abb. 2.2/8c ersichtlich.

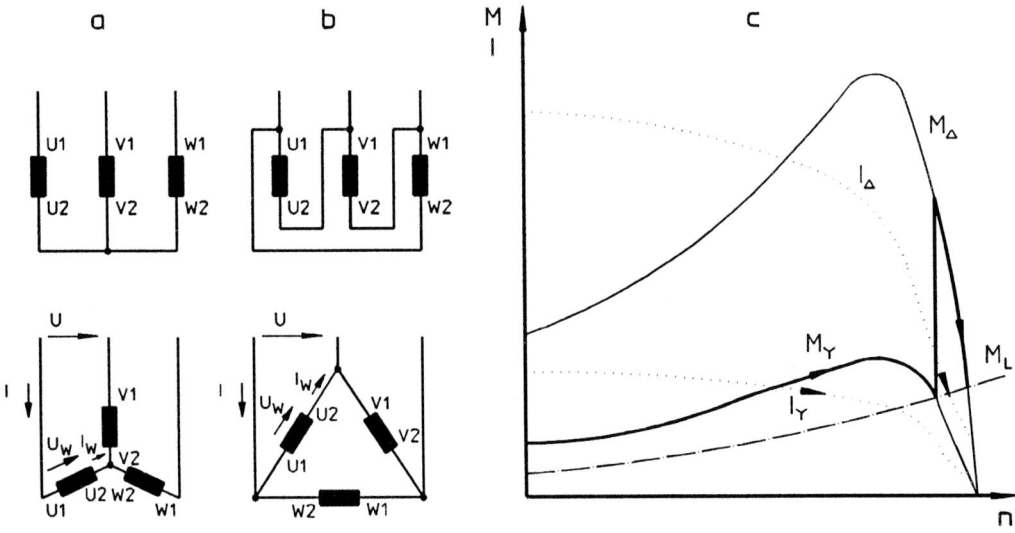

Abb. 2.2/8: Kurzschlußläufermotor – Stern- und Dreieckschaltung
a) Sternschaltung der Wicklungen, b) Dreieckschaltung der Wicklungen, c) Drehzahl-Drehmoment-Diagramm mit Anlaufkennlinie

Synchronlauf mehrerer elektromotorischer Antriebe

Oft ergibt sich bei Bühnenantrieben das Erfordernis eines möglichst exakten Gleichlaufes zweier oder mehrerer Antriebe. Es müssen z. B. mehrere Podien oder mehrere Prospekt- oder Punktzüge mit gleicher Geschwindigkeit verfahren werden:

- Drehstromsynchronmotoren rotieren exakt mit der Synchrondrehzahl. Daher ist bei Einsatz von Drehstromsynchronmotoren ein Gleichlauf mehrerer Antriebe ohne besonderen Steuerungsaufwand möglich. Allerdings kann ein Motor bei Überlastung „aus dem Tritt fallen" (siehe oben).
- Auch Asynchronmotoren können so miteinander verkettet werden, daß sie synchron laufen, indem die Rotation z. B. über eine sogenannte Wellenleitmaschine vorgegeben wird. Man spricht von der Schaltung einer **elektrischen Welle,** da in diesem Fall die mechanische Kupplung mehrerer Motoren statt über mechanische Wellen auf elektrischem Wege vorgenommen wird. In der allgemeinen Fördertechnik wurde diese Methode öfters angewandt, in der Bühnentechnik nur selten.
- Bei Gleichlaufregelungen nach dem **Nachlaufprinzip** (Master-Slave-Schaltung) wird die verstellbare **Istdrehzahl** eines **Gleich- oder Drehstromantriebes** einem oder mehreren anderen Antrieben **als Sollwert** regelungstechnisch **vorgegeben.** Dadurch kann unter Einbindung entsprechender Istdatenerfassung mit Weg- bzw. Geschwindigkeitsaufnehmern eine Gleichlaufregelung erfolgen.
- Es können aber auch **allen zu synchronisierenden Antrieben die gleichen Sollwerte vorgegeben** werden, so daß jeder Antrieb dieser Sollwertvorgabe folgen muß. Dies ist die heute am meisten verwendete Synchronschaltung mehrerer Bühnenantriebe.

2.2.2 Servomotortechnik

In den letzten Jahren wurden vor allem für Werkzeugmaschinen, Handhabungsgeräte und Industrieroboter neuartige elektrische Antriebe entwickelt, die sich auch in der allgemeinen Fördertechnik bewähren und deren Einsatz durch ein günstiger werdendes Preis-Leistung-Verhältnis immer häufiger erfolgt. Ihre Verwendung bietet sich insbesondere auch in der Bühnentechnik an. In der lateinischen Sprache heißt „servus" Diener. Mit der Bezeichnung Servomotor soll daher zum Ausdruck gebracht werden, daß es sich um einen besonders „gut dienenden" Motor handelt, der genau das macht, was von ihm verlangt wird.

Die moderne Servomotortechnik arbeitet mit verschiedenen Motortypen. Eine Klassifikation kann folgendermaßen vorgenommen werden:

- **Gleichstrommotor (mit Bürsten) mit permanent erregtem Ständerfeld**
  (Dieser wird in der Bühnentechnik kaum angewandt.)

- **Bürstenloser Gleichstrommotor**
  Das ist ein Synchronmotor mit **permanent erregtem Rotorfeld;** die Speisung des Ständers erfolgt aus einer Gleichstromquelle im **Blockbetrieb.** Mit der Bezeichnung Blockbetrieb soll zum Ausdruck gebracht werden, daß der Stromverlauf in den Wicklungssträngen des Stators in Form von Rechtecksblöcken gegeben ist. D. h. die Speisung erfolgt aus einer Gleichstromquelle, wobei die einzelnen Phasenströme in Abhängigkeit von der Rotorposition ein- und ausgeschaltet werden. Dazu ist eine exakte Lageerfassung des Rotors erforderlich.

- **Drehstrom-Sychron-Servomotor**
  Das ist ein Synchronmotor mit **permanent erregtem Rotorfeld;** die Speisung des Ständers erfolgt mit sinusförmiger Spannung im sogenannten **Sinusbetrieb.** Die Lageerfassung des Rotors ist etwas aufwendiger als bei Blockbetrieb.

- **Drehstrom-Asynchron-Servomotor mit feldorientierter Regelung, umrichtergespeist**
  Die Besonderheit dieses Prinzips besteht darin, daß der Stator feldorientiert erregt wird. Dabei werden der Magnetisierungsstrom und der drehmomentbildende Strom getrennt geregelt. Damit ergeben sich ähnliche Verhältnisse wie beim fremderregten Gleichstrommotor, bei dem der für die Drehmomentenbildung maßgebliche Ankerstrom und der Erregerstrom unabhängig voneinander verstellbar sind. Beim Asynchronservomotor wird in analoger Weise einerseits der Magnetisierungsstrom verändert und andererseits der zur Drehmomentenbildung notwendige Läuferstrom. Dieser Läuferstrom kann allerdings nur durch Induktion erzeugt werden, also durch eine Relativbewegung des Feldvektors gegenüber dem rotierenden Läufer. Auch in diesem Fall muß die Lage des Rotors exakt meßtechnisch erfaßt werden. Mit dem neuen Regelverfahren können zu jedem Zeitpunkt Blind- und Wirkstrom völlig unabhängig voneinander verstellt und begrenzt werden. Damit steht ein dem Gleichstrommotor äquivalentes System zur Verfügung, das sich aber durch Wartungsfreiheit und Robustheit auszeichnet und ein noch größeres Regelverhältnis als beim Gleichstrommotor zuläßt.

Diese **feldorientierte Regelung** – auch **Vektorregelung** genannt – ermöglicht den Betrieb des Motors mit vollem Moment bis herab zur Drehzahl Null (Stillstand) und ergibt so die gewünschten Servoeigenschaften. Die Regelung selbst ist sehr komplex und wird durch einen im Umrichter eingebauten Mikroprozessor realisiert. Neben der Drehzahl kann das Drehmoment geregelt werden und eine Lageregelung des Rotors vorgenommen werden. Das neuartige Regelverfahren zeichnet sich insbesondere auch durch eine hohe Regeldynamik mit Ausregelzeiten im Millisekundenbereich, eine stufenlose Regelung mit hoher Regelgüte und Steifigkeit und durch einen Regelbereich von 1:10000 und mehr aus. Ein derart extrem hohes Regelverhältnis ist in bühnentechnischen Anwendungen aber nicht erforderlich und wird daher auch nicht realisiert. Wohl sind aber manchmal doch etwas größere Regelverhältnisse erwünscht, als bei Gleichstrom- und Hydroantrieben erzielbar sind. Außerdem kann der Motor bei Drehzahl Null ein Drehmoment (Stillstandsmoment) über lange Zeitdauer abgeben.

Die Drehzahlverstellung eines Servomotors erfolgt dann folgendermaßen: Der netzseitig zur Verfügung gestellte Drehstrom wird über eine Stromrichterschaltung in Gleichstrom konstanter Spannung umgewandelt (Gleichspannungszwischenkreis). Aus dieser Gleichspannung erzeugt ein

Wechselrichter einen Drehstrom variabler Frequenz zur Anspeisung des Motors. Im Unterschied zur klassischen Frequenzumrichtersteuerung werden bei der feldorientierten Regelung aber nicht nur die Frequenz sowie Strom und Spannung, sondern auch deren Phasenverschiebung zueinander in Abhängigkeit von der Drehlage des Rotors geregelt.

2.2.3 Linearmotortechnik

Es ist anzunehmen, daß sich mit fortschreitender Entwicklung in der Linearmotortechnik auch Anwendungen im Bereich der Bühnentechnik eröffnen werden.
Prinzipiell kann zwischen folgenden beiden Lösungen unterschieden werden:

- Beim bürstenlosen, permanent erregten Linearmotor muß der gesamte Verfahrweg mit teuren Permanentmagneten bestückt werden. Bei bühnentechnischer Anwendung handelt es sich um begrenzte Fahrwege, so daß dieses Kriterium nicht den gleichen Stellenwert wie bei verkehrstechnischen Anwendungen hat.
- Bei asynchron arbeitenden Linearmotoren besteht der Sekundärteil nur aus Weicheisen oder Kurzschlußstäben aus Kupfer.

Mit elektrischen Linear-Direktantrieben kann ein spielfreier, trägheitsarmer und mechanisch steifer Antriebsstrang mit hoher Regeldynamik und hoher Laststeifigkeit gebildet werden. Damit erzielbare hohe Verfahrgeschwindigkeiten sind in der Bühnentechnik von geringer Relevanz.

2.3 Hydraulische Antriebe

Hydraulische Antriebe können nach folgenden zwei Prinzipien arbeiten:

- Bei **hydrodynamischen Antrieben** wird die kinetische Energie einer strömenden Flüssigkeit zur Leistung mechanischer Arbeit herangezogen. In Kreiselpumpen z. B. wird durch Antrieb der Pumpe mit einem Elektromotor elektrische Energie in Strömungsenergie der Hydraulikflüssigkeit umgewandelt und in Turbinen wieder in mechanische Arbeit umgesetzt. Eine aus Pumpe und Turbine bestehende Kompakteinheit ist die Turbokupplung. Ist noch ein Leitrad integriert, spricht man von einem hydraulischen Wandler. In der Bühnentechnik spielen derartige Antriebe keine Rolle.
- Bei **hydrostatischen Antrieben** wird der hydrostatische Druck einer Flüssigkeit zur Arbeitsleistung herangezogen, indem Hydraulikzylinder als Linearantriebe oder Hydromotoren als Rotationsantriebe mit Druckflüssigkeit beaufschlagt werden. Die Hydraulikflüssigkeit wird von mit Elektromotoren (oder Verbrennungsmotoren) angetriebenen Verdrängerpumpen auf Arbeitsdruck gebracht und direkt oder aus Hydrospeichern bereitgestellt. Den maximalen Betriebsdruck wählt man bei bühnentechnischen Anlagen kaum viel höher als 160 bar. In der allgemeinen Fördertechnik arbeitet man auch mit höheren Drücken von 300 bar und mehr.

2.3.1 Bauelemente und deren Schaltzeichen

Hydraulikaggregat

In einem Hydraulikaggregat wird elektrische Energie (oder Energie eines Verbrennungsmotors) in Druckenergie, also Arbeitsvermögen einer Flüssigkeit, umgewandelt.
Ein Hydraulikaggregat besteht aus **Antriebsmotor(en)** und **Pumpe(n)**, gegebenenfalls auch aus **Hydrospeichern,** sowie aus den zur Steuerung erforderlichen **Schaltelementen** (Ventilen) und aus einem **Tank** für die Hydraulikflüssigkeit. Abb. 2.3/1 zeigt ein Hydraulikaggregat in Kompaktbauweise.

2.3 Hydraulische Antriebe

Es gibt mehrere Bauarten von Pumpen, deren Arbeitsprinzip in den Abb. 2.3/2, 2.3/3 dargestellt ist. Je nach Funktionsweise handelt es sich dabei um Zahnrad-, Flügelzellen-, Schrauben-, Axialkolben- und Radialkolbenpumpen. Zellen-, Axial- und Radialkolbenpumpen können nicht nur als **Konstantpumpen** (konstante Fördermenge bei konstanter Antriebsdrehzahl), sondern auch als **Verstellpumpen** (variable Fördermenge trotz konstanter Antriebsdrehzahl) ausgeführt werden. Die Verstellung besteht in einer mechanischen Lageänderung von Bauelementen in der Pumpe (s. Kap. 2.3.2) und kann manuell (z. B. über ein Handrad), elektrisch oder – wie in den meisten Fällen – hydraulisch mittels Verstellzylinder vorgenommen werden. Der Verstellmechanismus kann auch in einen Regelkreis eines Leistungs-, Druck- oder Mengenreglers eingebunden werden.

Abb. 2.3/1: Hydraulikaggregat in Kompaktbauweise
Foto: Mannesmann Rexroth

Druckflüssigkeit kann auch aus **Speichern** verschiedenster Bauart (Abb. 2.3/4) entnommen werden. Die Druckbeaufschlagung der Hydraulikflüssigkeit könnte mit einem Gewicht oder einer mechanischen Feder erfolgen. Heute bedient man sich eines komprimierten Gases, das als Gasfeder wirkt (s. auch Kap. 3.7.3).

Typisch für den Bühnenbetrieb sind Betriebsabläufe, in denen während kurzer Zeitintervalle ein großer Mengenbedarf an Druckflüssigkeit gegeben ist, um z. B. gleichzeitig alle hydrostatisch angetriebenen Podien zu heben oder mehrere Hubzüge anzutreiben. Anschließend besteht dann während längerer Zeit kein oder nur wenig Bedarf an Druckflüssigkeit. Wollte man diesen kurzfristig großen Mengenbedarf aus direktem Pumpenbetrieb bereitstellen, wäre die Installation von Pumpen mit entsprechend großem Fördervolumen erforderlich. Viel wirtschaftlicher ist es daher, diesen Spitzenbedarf aus Hydrospeichern abzudecken und die Pumpen in ihrer Förderleistung so auszulegen, daß die Speicher wieder in betrieblich angemessener Zeit gefüllt werden können.

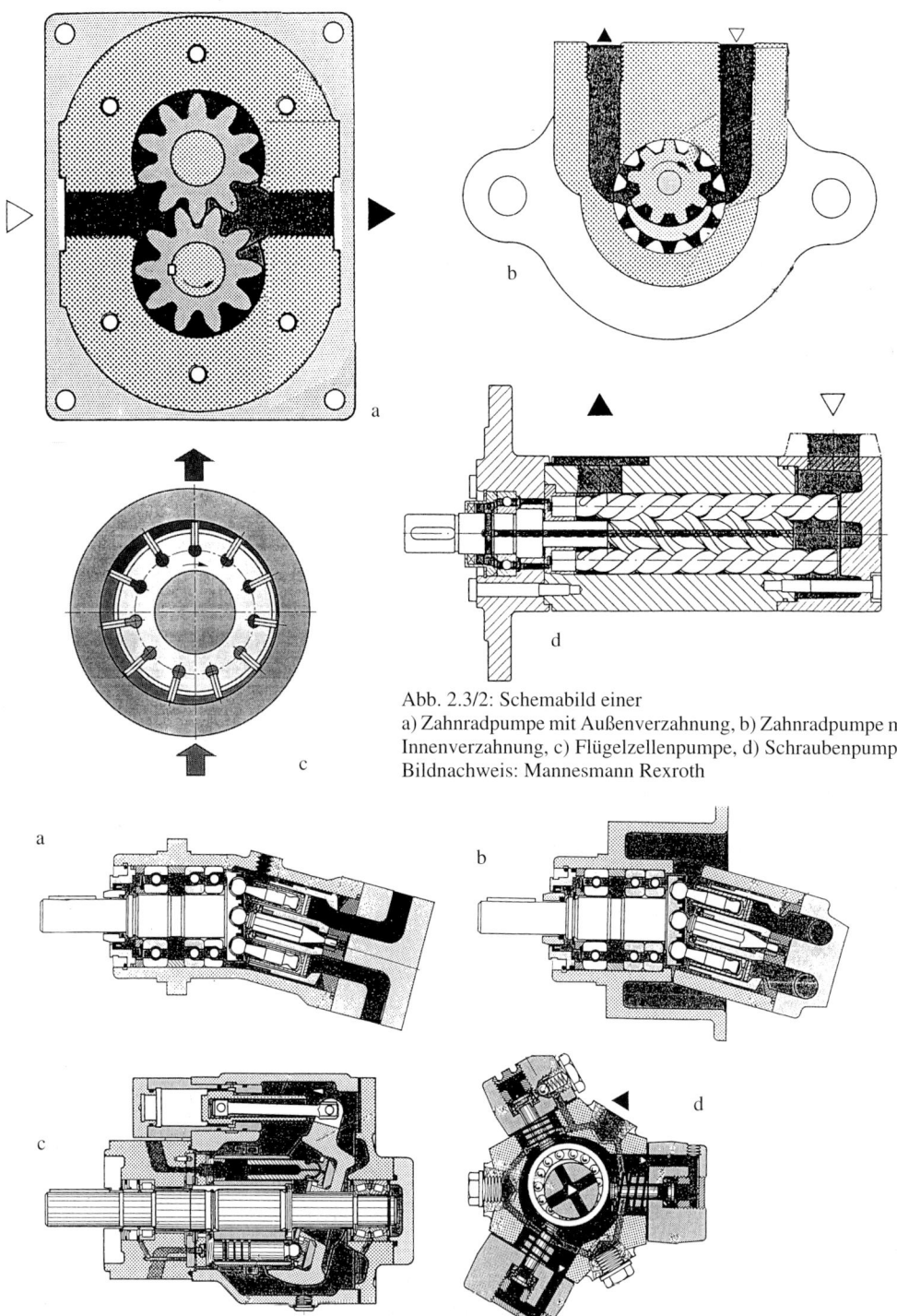

Abb. 2.3/2: Schemabild einer
a) Zahnradpumpe mit Außenverzahnung, b) Zahnradpumpe mit Innenverzahnung, c) Flügelzellenpumpe, d) Schraubenpumpe
Bildnachweis: Mannesmann Rexroth

Abb. 2.3/3: Schemabilder von Kolbenpumpen
a) Axialkolben-Konstantpumpe mit Schrägachse, b) Axialkolben-Verstellpumpe mit Schrägachse, c) Axialkolben-Verstellpumpe mit Schrägscheibe, d) Radialkolbenpumpe (Konstantpumpe)
Bildnachweis: Mannesmann Rexroth

2.3 Hydraulische Antriebe   147

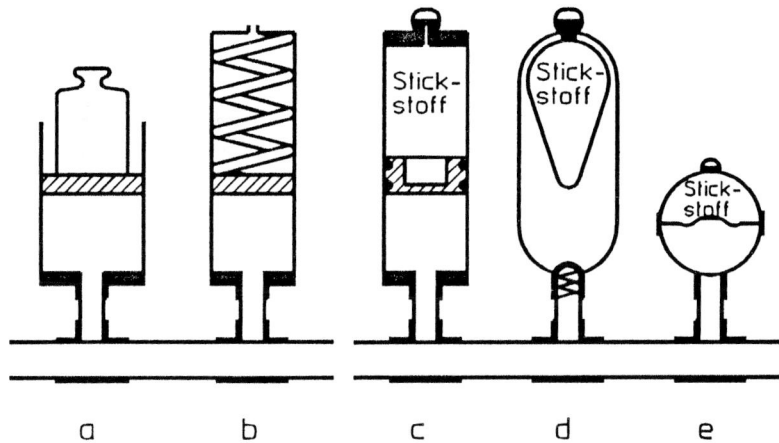

Abb. 2.3/4: Bauarten von Hydrospeichern und Schaltzeichen
a) Gewichtsspeicher, b) Federspeicher, c) Gasspeicher als Kolbenspeicher, d) Gasspeicher als Blasenspeicher,
e) Gasspeicher als Membranspeicher
Bildnachweis: Mannesmann Rexroth

Dieser **kombinierte Pump-Speicher-Betrieb** hat sich in der Bühnentechnik sehr bewährt. In Abb. 2.3/5 ist eine **Druckzentrale** mit Kolbenspeichern und Stickstoffflaschen dargestellt. Um den Druckabfall bei Flüssigkeitsentnahme aus den Speichern möglichst gering zu halten, werden einem Kolbenspeicher Stickstoffflaschen als Gasspeicher mit etwa 4- bis 5fachem Volumen zugeordnet (s. Kap. 3.7.3).

Arbeitsgeräte

Diese dienen der Umwandlung hydraulischer Energie in mechanische Arbeit.

Lineare Bewegung kann sehr einfach mit einem **Hydrozylinder** erzeugt werden. Daher ist auch die Bezeichnung **hydrostatischer Linearmotor** üblich. Verschiedene Bauarten von Hydrozylindern sind in Abb. 2.3/6 dargestellt. Abb. 2.3/6a zeigt einen **Plungerzylinder** mit Endlagendämpfung und gelenkig aufgesetzter Anschlußplatte, wie er z. B. für Hubpodien eingesetzt wird. Große Zylinder, die den gesamten Hubweg durchfahren, werden mit **Endlagendämpfung** ausgeführt, um ein hartes Aufschlagen des Kolbens am Zylinderende zu verhindern. Es gibt mehrere Bauarten, um am Hubende ein gedrosseltes Ausfließen der Hydraulikflüssigkeit zu erreichen. Bei der in Abb. 2.3/6c dargestellten Variante muß durch Einfahren einer Dämpfungsbuchse in die Bohrung des Zylinderbodens die Flüssigkeit aus dem Kolbenraum über einstellbare Drosselventile entweichen.

Abb. 2.3/6b zeigt einen dreistufigen Gleichgang-Teleskopzylinder mit hydraulischem Rückzug, bei dem unter Einsatz von Ventilen die wirksamen Kolbenkräfte so angeglichen werden, daß die einzelnen Teleskoprohre jeweils gleichzeitig ein- bzw. ausfahren, damit die Arbeitsgeschwindigkeit bei gegebenem Volumenstrom während des gesamten Hubweges konstant bleibt.

In Abb. 2/36d ist ein Zylinder mit **Klemmkopf**, wie er bei Hubpodien zur Fixierung der Podienlage verwendet werden kann, zu sehen (s. auch Kap. 1.6.1).

Drehende Bewegung kann mit einem **Hydromotor** erzeugt werden. So wie ein Elektromotor von Motor- auf Generatorbetrieb übergehen kann und Motor und Generator dem Prinzip nach gleichartige Maschinen sind, so sind auch Hydropumpe und Hydromotor analoge Einheiten; die Abb. 2.3/2, 2.3/3 stellen bezüglich ihres prinzipiellen Aufbaues sowohl Pumpen als auch Motoren dar (ausgenommen die Schraubenpumpe). Für Bühnenantriebe werden besonders häufig langsamlaufende Radialkolbenmotoren eingesetzt. Oft ist es wichtig, daß auch Minimaldreh-

Abb. 2.3/5: Pump-Speicher-Anlage (Druckzentrale) – Staatstheater Stuttgart
a) Pumpaggregate und Tank, b) Kolbenspeicher und Stickstoffflaschen
Bildnachweis: Mannesmann Rexroth

2.3 Hydraulische Antriebe

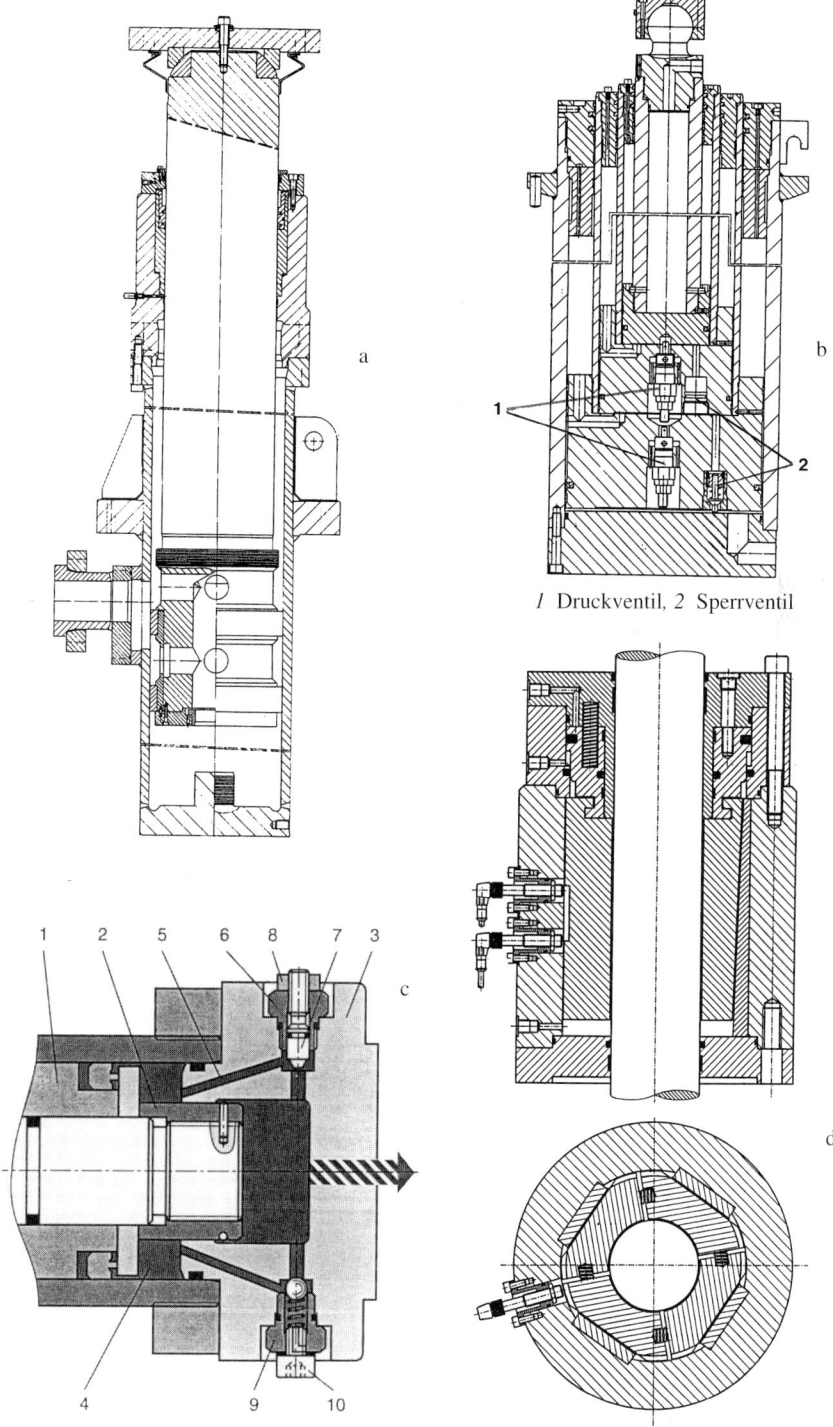

1 Druckventil, *2* Sperrventil

Abb. 2.3/6: Hydrozylinder
a) Plungerzylinder für ein Hubpodium, b) Teleskopzylinder,
c) Zylinder mit Endlagendämpfung am Zylinderboden, d) Zylinder mit Klemmkopf
Bildnachweis: Mannesmann Rexroth

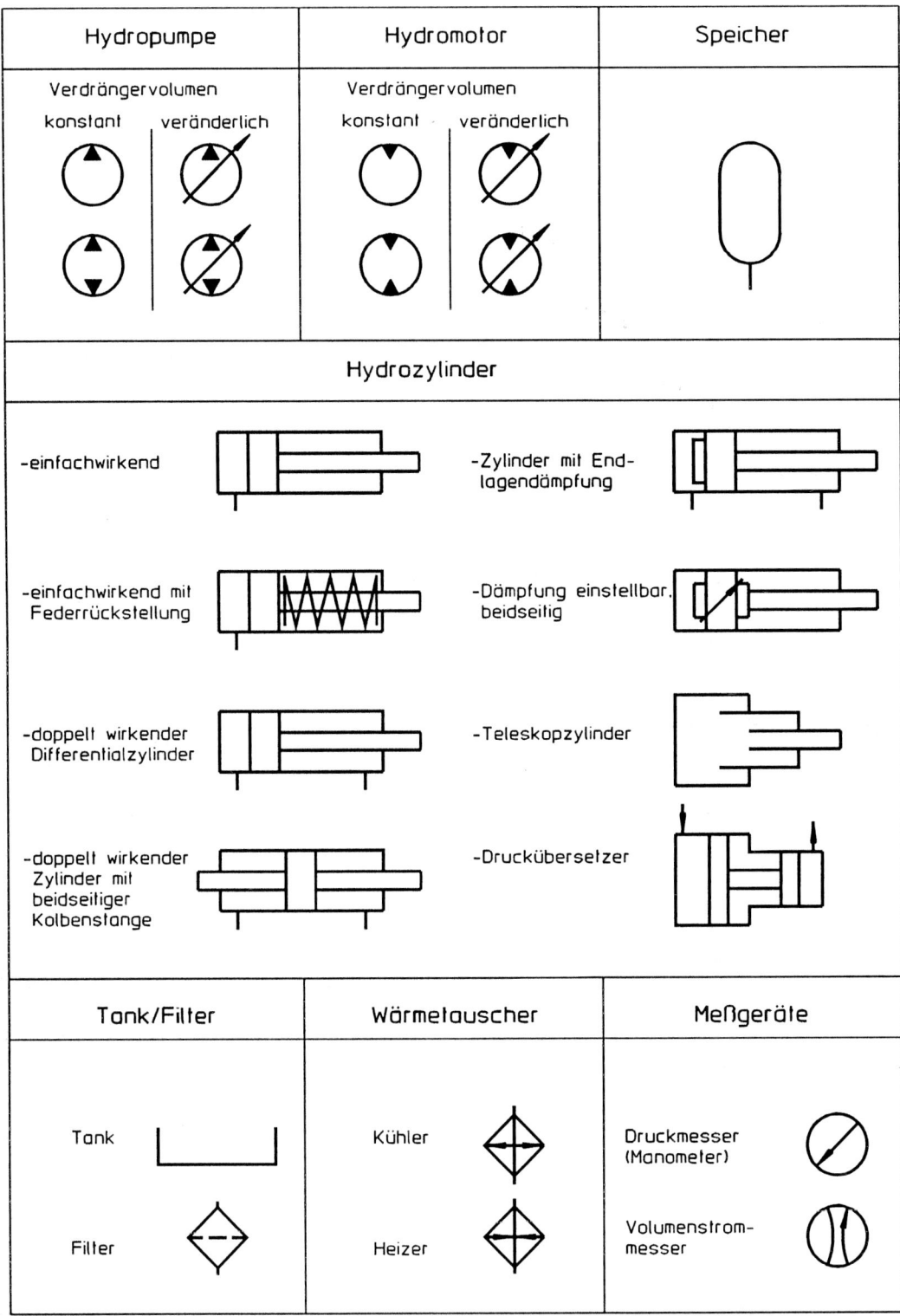

Abb. 2.3/7: Schaltzeichen nach DIN ISO 1219 für Hydropumpen, -motoren, -zylinder, Speicher

zahlen unter 1 U/min noch möglichst einwandfreien Rundlauf ohne Ruck- und Stotterbewegungen aufweisen.

Genormte Symbole für Hydropumpen und -motoren, Speicher und Hydrozylinder sind in Abb. 2.3/7 dargestellt.

Steuerelemente (Ventile)

Die Schaltzeichen der im folgenden beschriebenen Ventile sind in Abb. 2.3/8, 2.3/9 zusammenfassend dargestellt.

– Ventile können schaltend oder regelnd wirken, d. h. es sind definierte Schaltstellungen vorgegeben (**Schwarz-Weiß-Technik**) oder es sind stetige Veränderungen einer Steuergröße möglich (**Stetigventil-Technik** bzw. **Proportionalventil-Technik**).

– Ventile können ferner als **Sitzventile** oder als **Schieberventile** (= Kolbenventile) ausgeführt sein. Sitzventile schließen absolut dicht (leckölfrei) und haben infolge kleiner Stellwege kurze Ansprechzeiten. Schieberventile arbeiten ausgestattet mit Feinsteuerkanten mit höherer Regelgüte. In Abb. 2.3/10 ist ein Druckbegrenzungsventil in beiden Bauweisen schematisch dargestellt.

– Bei kleinen Nennweiten bzw. kleinen Durchflußmengen verwendet man **direkt gesteuerte Ventile**, bei großen Nennweiten für große Durchflußmengen **vorgesteuerte Ventile** mit Zwischenschaltung eines hydraulischen Verstärkers. Abb. 2.3/8 zeigt z. B. ein vorgesteuertes Wegeventil: Ein elektromagnetisch bewegtes Wegeventil kleiner Nennweite schaltet einen hydraulischen Steuerkreis, dessen Steueröl ein Wegeventil großer Nennweite hydraulisch betätigt.

Im folgenden werden, gegliedert nach deren Funktion, die wichtigsten Ventiltypen mit kurzen Erläuterungen aufgezählt:

Sperrventile (Rückschlagventile)

haben die Aufgabe, einen Volumenstrom in einer Richtung zu sperren und in der Gegenrichtung freien Durchfluß zu gestatten. Bei **hydraulisch entsperrbaren Rückschlagventilen** kann die Sperrstellung durch hydraulisches Aufsteuern des Sitzventilkegels aufgehoben und damit der Durchfluß in der ursprünglich gesperrten Richtung freigegeben werden.

Druckventile

Man unterscheidet zwischen schaltenden Druckventilen, die bei einem bestimmten Steuerdruck eine Auf- oder Zuschaltung auslösen, und regelnden Druckventilen, die den Systemdruck einer Anlage durch stufenlose Veränderung eines Drosselquerschnittes beeinflussen. Ein **Druckbegrenzungsventil** begrenzt den Druck in einer Anlage; ein **Druckminderventil** reduziert den Druck für bestimmte Verbraucher in einem Teil des Leitungssystems. In Abb. 2.3/11, 2.3/12 ist der Einsatz von Druckbegrenzungsventilen zur Begrenzung des Arbeitsdruckes in einfachen Schaltkreisen dargestellt.

Stromventile

reduzieren den Volumenstrom durch eine Querschnittsverengung (Drossel, Blende). Durch Veränderung des Drosselquerschnittes kann die Arbeitsgeschwindigkeit von Hydrozylindern oder Motoren verstellt werden.

Man unterscheidet zwischen Drosselventilen und Stromregelventilen. Der tatsächliche Volumenstrom durch **Drosselventile** hängt von der Druckdifferenz an der Drossel und der Viskosität ab (s. Kap. 3.7.1, Glg. 3.7/6). Bei **Stromregelventilen** wird durch einen ventilinternen Regel-

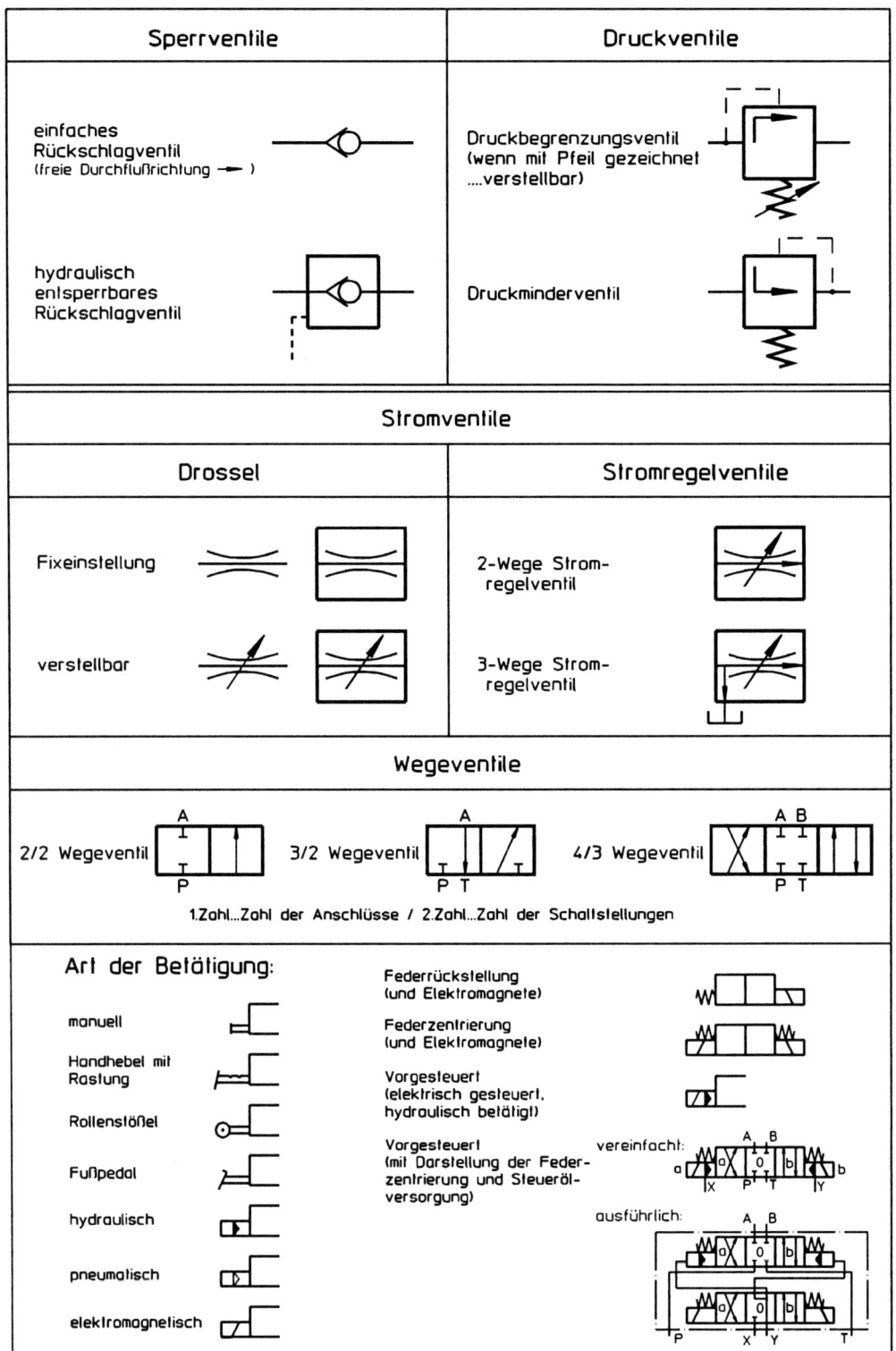

Abb. 2.3/8: Sperr-, Druck-, Strom- und Wegeventile, Schaltzeichen nach DIN ISO 1219

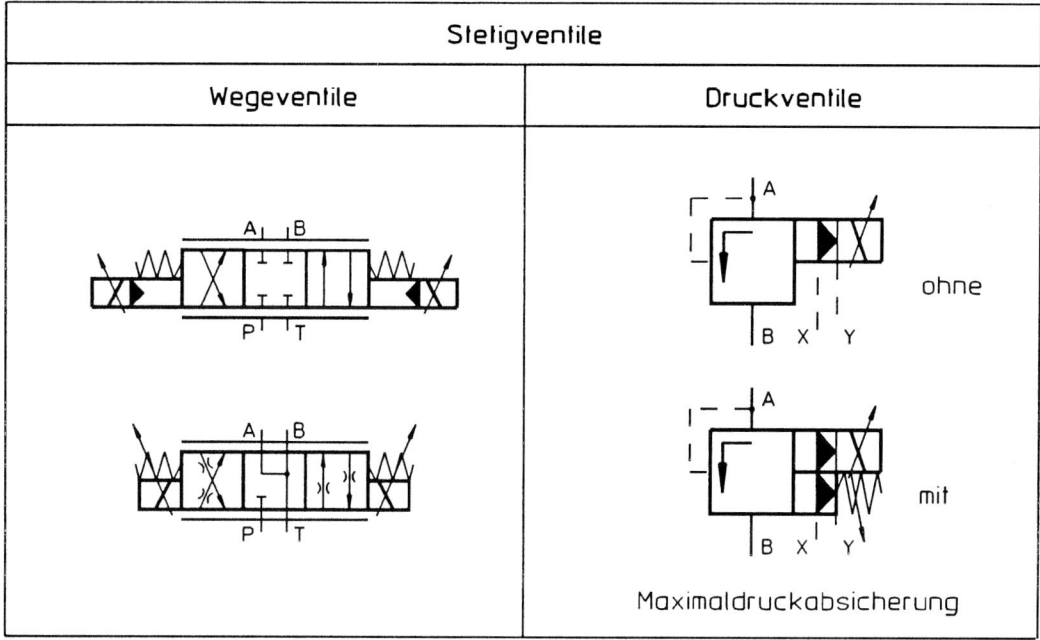

Abb. 2.3/9: Stetigventile

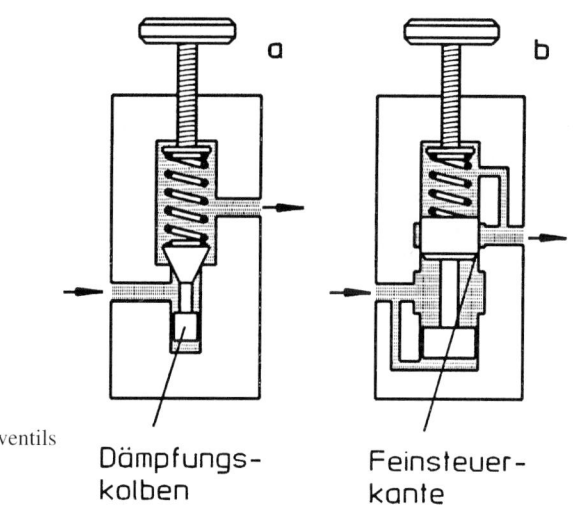

Abb. 2.3/10: Schemabild eines Druckbegrenzungsventils
ausgeführt als
a) Sitzventil, b) Schieberventil

mechanismus (Einbau einer Druckwaage) der Volumenstrom vom Lastdruck unabhängig gemacht, indem die Druckdifferenz an der die Durchflußmenge bestimmenden Drossel konstant gehalten wird.

Je nach Funktionsweise unterscheidet man zwischen 2-Wege- und 3-Wege-Stromregelventilen. Beim **2-Wege-Stromregelventil** muß die von der Konstantpumpe geförderte Überschußmenge über das Druckbegrenzungsventil in den Tank abgeführt werden und dies kann bei Teillastbetrieb zu hohen Verlustleistungen führen. Beim **3-Wege-Stromregelventil** wird die Überschußmenge bei einem nur geringfügig über dem tatsächlichen Arbeitsdruck liegenden Druck zum Tank geführt (s. auch Kap. 2.3.2).

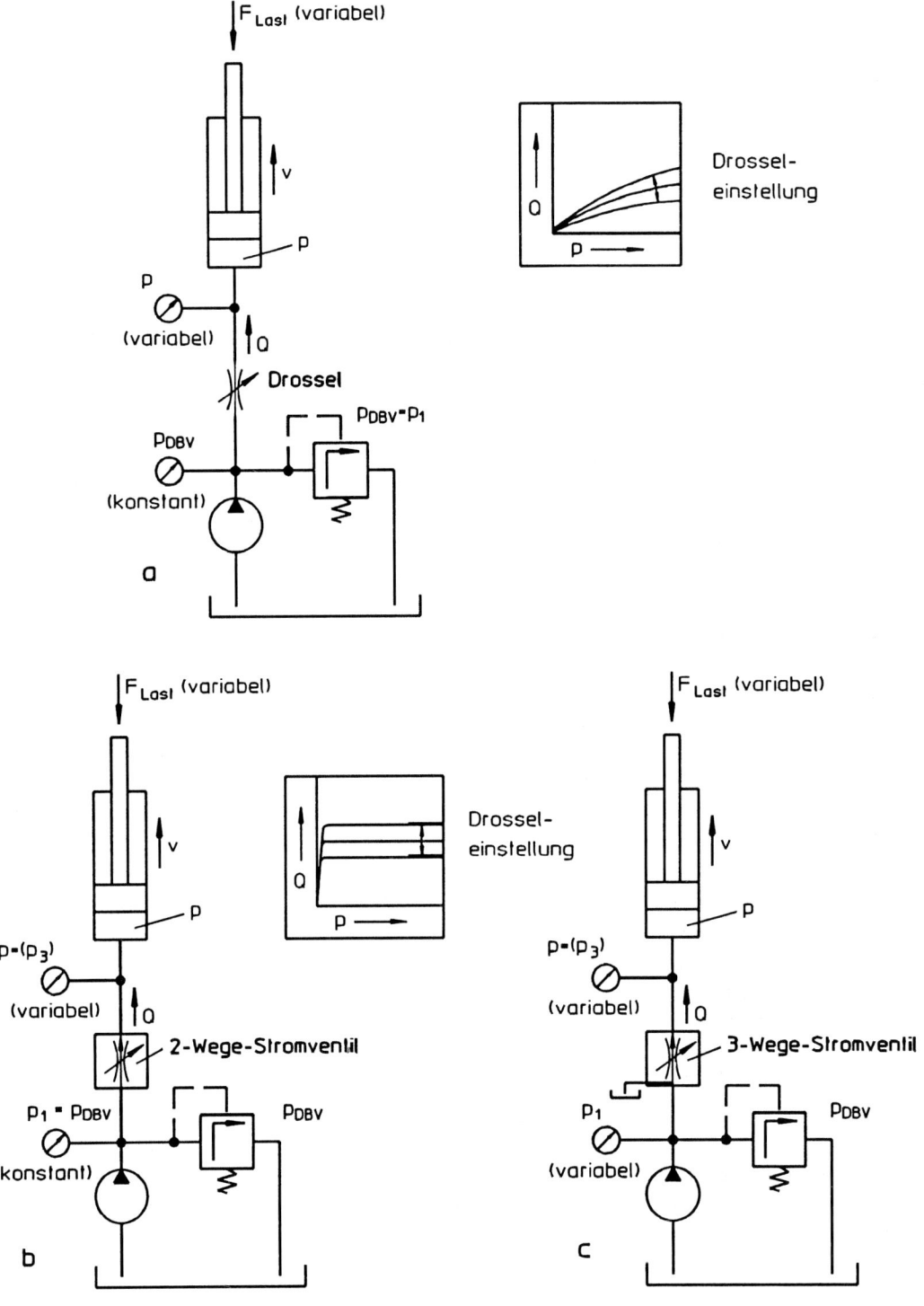

Abb. 2.3/11: Geschwindigkeitsverstellung an einem Hydrozylinder mittels
a) Drosselventil, b) 2-Wege-Stromregelventil, c) 3-Wege-Stromregelventil

2.3 Hydraulische Antriebe

Wegeventile

haben die Aufgabe, verschiedene hydraulische Leitungen gegeneinander zu sperren bzw. freizugeben. Abb. 2.3/12a stellt das Funktionsschema eines 4/3-Wegeventils als Schaltglied in einem einfachen Schaltkreis zur Betätigung eines doppeltwirkenden Hydrozylinders dar. Bei Wegeventilen kleiner Nennweite betätigt ein Elektromagnet direkt das Ventil, bei größeren Nennweiten werden vorgesteuerte Wegeventile eingesetzt, bei denen, wie bereits erläutert, der Magnet nur ein kleines Wegeventil in einem vorgeschalteten Steuerkreis betätigt und das eigentliche Ventil im Arbeitskreis hydraulisch geschaltet wird.

Proportional-, Regel- und Servoventile

Im Unterschied zu Ventilen, die in **Schwarz-Weiß-Technik** nur zwei oder drei Schaltstellungen einnehmen, handelt es sich bei Proportional-, Regel- und Servoventilen um **Stetigventile**, welche proportional zu einem elektrischen Eingangssignal eine hydraulische Kenngröße verändern. Stetigventile ermöglichen daher kontrollierte Schaltübergänge, vermeiden Druckspitzen und lassen deshalb schnelle Bewegungsabläufe zu.

Proportionalventile besitzen einen in Öl arbeitenden regelbaren Gleichstrommagneten (Magnete normaler Wegeventile arbeiten im Trockenen), und zwar entweder hubgeregelt mit analogem Weg-Stromverhalten und einem Hub von ca. 3–5 mm, oder kraftgeregelt mit definiertem Kraft-Stromverhalten und einem Hub von ca. 1,5 mm. Proportionalventile besitzen allerdings eine relativ niedrige Grenzfrequenz (10–70 Hz), große Schaltüberdeckung und große Hysterese (ca. 1 %). Sie werden daher vor allem in offenen Steuerketten verwendet.

Servoventile sind sehr aufwendig gebaute regelbare Umsetzer. Die Grenzfrequenz beträgt ca. 100–200 Hz, es ist Nullüberdeckung gegeben und die Hysterese beträgt ca. 0,1 %. Sie sind daher ideal in Regelkreisen einzusetzen.

Da Servoventile sehr sensibel und teuer sind, wurden aus den ursprünglichen Proportionalventilen verbesserte, auch oft als **Regelventile** bezeichnete Stetigventile entwickelt. Sie kommen den Eigenschaften von Servoventilen sehr nahe. Die Grenzfrequenz beträgt ca. 50–150 Hz, es ist Nullüberdeckung gegeben, die Hysterese beträgt ca. 0,1–0,2 %. Sie können daher ebenfalls in Regelkreisen eingesetzt werden.

Auch in der **Stetigventiltechnik** wird zwischen Wege-, Strom- und Druckventilen unterschieden. Als Beispiel ist das Schaltzeichen eines 4-Wege-Proportionalventils und eines vorgesteuerten Proportional-Druckbegrenzungsventils in Abb. 2.3/9 dargestellt.

Die hier verwendeten Begriffe für Stetigventile werden in der Literatur und von Herstellern nicht immer mit gleicher Sinngebung verwendet. Oft ist die Bezeichnung Proportionalventiltechnik auch als Synonym für Stetigventiltechnik gewählt, ohne damit einen bestimmten Ventiltyp zu meinen.

Sonstige Bauelemente einer hydraulischen Anlage

In Abb. 2.3/7 sind auch noch Symbole für einige weitere wichtige Komponenten einer hydraulischen Anlage dargestellt. So muß z. B. jede Hydraulikanlage durch **Filter** gegen Verschmutzung geschützt werden; die Hydraulikflüssigkeit muß in einen **Tank** zurückgeleitet werden können. Wird die Hydraulikflüssigkeit infolge von Verlusten zu stark aufgeheizt, müssen **Kühler** eingesetzt werden.

2.3.2 Möglichkeiten zur Veränderung der Arbeitsgeschwindigkeit

Die Hubgeschwindigkeit eines Hydraulikkolbens beträgt

$$v_K = Q / A_K \qquad \text{(s. Glg. 3.7/10)}$$

und die Drehgeschwindigkeit eines Hydromotors

$$n_M = Q / V_M \quad \text{(s. Glg. 3.7/13)}$$

Q ... Fördermenge; Volumenstrom, mit dem das Arbeitsgerät beaufschlagt wird [m³/s]
A_K ... Kolbenfläche des Hydrozylinders [m²]
V_M ... Schluckvolumen des Hydromotors, d.i. das vom Hydromotor bei einer Umdrehung aufgenommene Flüssigkeitsvolumen [m³/U]
v_K ... Bewegungsgeschwindigkeit des Kolbens [m/s]
n_M ... Drehzahl des Hydromotors [U/s]

Die Geschwindigkeit des Kolbens eines Hydrozylinders v_K kann dadurch variiert werden, daß der dem Zylinder zugeführte Volumenstrom Q verändert wird. Die Kolbenfläche A_K ist durch die Geometrie des Zylinders vorgegeben.

Die Größe der Drehzahl n_M eines Hydromotors kann ebenfalls durch Veränderung des dem Hydromotor zugeführten Volumenstromes Q verstellt werden, aber auch durch Veränderung des Schluckvolumens V_M des Hydromotors, falls ein Verstellmotor eingesetzt wird.

Änderung der Arbeitsgeschwindigkeit mittels Verstellpumpen und Verstellmotoren

Die Geschwindigkeitsänderung kann durch Verändern der dem Gerät (Zylinder, Hydromotor) zugeführten Fördermenge je Zeiteinheit erfolgen. Bei hydrostatischen Antrieben ist dies fast verlustfrei durch Verändern der Fördermenge der Pumpe möglich, indem deren Fördervolumen pro Umdrehung (dies entspricht dem Schluckvolumen beim Motor) verändert wird. Analog zur oben angeschriebenen Gleichung für den Motor gilt für die Pumpe

$$Q = V_P \cdot n_P \quad \text{(s. Glg. 3.7/12)}$$

V_P ... Fördervolumen der Pumpe je Umdrehung [m³/U]
n_P ... Drehzahl der Pumpe [U/s]

Eine Variation der Drehzahl n_P der Pumpe ist i. a. unwirtschaftlich, weil dann alle Aufwendungen für die Drehzahlverstellung eines Elektromotors erforderlich wären. Verstellpumpen bieten die Möglichkeit, die Fördermenge Q zu variieren, indem das Fördervolumen V_P verändert wird. Die mechanische Verstellung besteht z. B. im Schwenken der Schrägachse (Abb. 2.3/3b) oder der Taumelscheibe (Abb. 2.3/3c) einer Axialkolbenpumpe, wodurch der Kolbenhub der in der Pumpe eingebauten Hydrozylinder variiert wird.

Ist also $Q_{nenn} = Q_{max} = V_{P\,max} \cdot n_P$, so kann durch Verkleinern des Fördervolumens V_P an der Pumpe die Motordrehzahl n_M reduziert werden (**Primärverstellung**). Für $V_P = 0$ wird $n_M = 0$; bei Durchschwenken der Schrägachse oder Taumelscheibe wird der Förderstrom in seiner Richtung umgekehrt. Der Hydromotor dreht sich dann in die entgegengesetzte Richtung.

Ist am Verstellmotor $V_{M\,nenn} = V_{M\,max}$, so kann durch Verkleinern des Schluckvolumens V_M des Hydromotors die Motordrehzahl erhöht werden (**Sekundärverstellung**). Dabei ist allerdings zu beachten, daß dadurch das Motordrehmoment M_M, wie aus Glg. 3.7/14 zu ersehen ist, reduziert wird. Bei einer bereits mit maximalem Betriebsdruck arbeitenden Anlage kann im Bereich der Primärverstellung mit steigender Drehzahl auch die Leistung erhöht werden, während im Bereich der Sekundärverstellung die Leistung mit steigender Drehzahl nicht mehr erhöht werden kann und daher das Drehmoment reduziert wird.

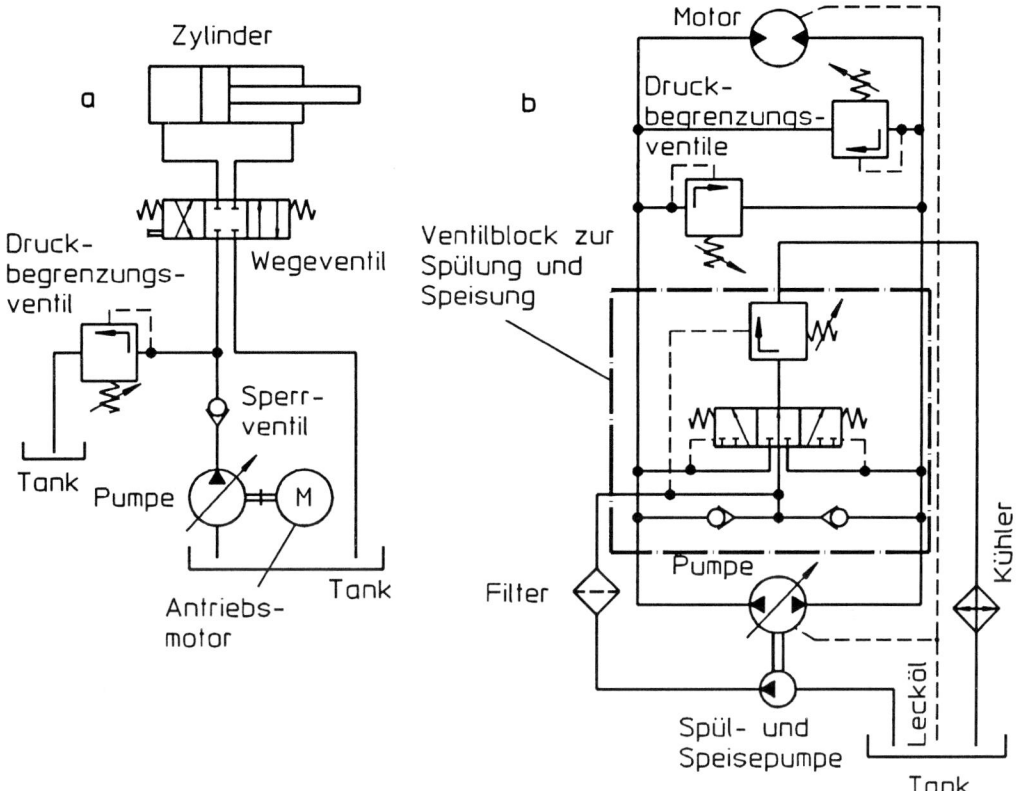

Abb. 2.3/12: Prinzip-Schaltplan für die Geschwindigkeitsverstellung
a) eines doppeltwirkenden Zylinders mit einer Verstellpumpe in einem offenen Kreislauf, b) eines Hydromotors mit einer Verstellpumpe in einem geschlossenen Kreislauf, Ventilblock zur Spülung und Speisung

Die von der Pumpe abzugebende Leistung beträgt nach Glg. 3.7/7 $P = p \cdot Q_P$ und ist somit dem tatsächlichen Bedarf angepaßt, denn der Druck p wird durch die erforderliche Kraftwirkung und die Fördermenge Q durch die gewünschte Arbeitsgeschwindigkeit bestimmt.

Abb. 2.3/12a zeigt als Beispiel das Schaltbild der Steuerung eines Hydrozylinders in offenem und Abb. 2.3/12b jenes der Steuerung eines Hydromotors in geschlossenem Kreislauf.

Analogie zwischen elektrischem und hydraulischem Antrieb

Zwischen der nun beschriebenen Möglichkeit einer beinahe verlustlosen Drehzahlverstellung eines Hydromotors und jener eines Gleichstrommotors besteht eine **Analogie,** wenn man sich z. B. die als „Ward-Leonard-Steuerung" bezeichnete Drehzahlverstellung eines Gleichstrommotors nach Kap. 2.2.1 (Abb. 2.2/3a) vor Augen hält:

Die Hydropumpe entspricht dem Gleichstromgenerator, der Hydromotor dem Gleichstrommotor. Eine Reduzierung des Fördervolumens der Hydropumpe ist der Feldschwächung am Gleichstromgenerator zur Verringerung der Anspeisespannung des Elektromotors gleichzusetzen. Einer Reduzierung des Schluckvolumens des Hydromotors entspricht die Feldschwächung am Gleichstrommotor. So wie ein Hydromotor bei Reduzierung seines Schluckvolumens kann auch ein Elektromotor im Feldschwächbereich nur ein reduziertes Drehmoment abgeben. Analogie besteht somit zwischen dem Druck p und dem Ankerstrom I, dem Förder- bzw. Schluckvolumen V und dem magnetischen Fluß Φ sowie zwischen dem Volumenstrom Q und der Ankerspannung U.

Änderung der Geschwindigkeit durch Drosselung der dem Verbraucher zugeführten Flüssigkeitsmenge

Die von einer Konstantpumpe gelieferte Fördermenge Q_P kann auch durch ein **Drosselventil** auf Q_D reduziert werden. Die Differenzmenge $Q_{DBV} = Q_P - Q_D$ wird in der hydraulischen Schaltung nach Abb. 2.3/11a über das **Druckbegrenzungsventil** in den Tank zurückgeleitet. Ist das Druckbegrenzungsventil auf p_{DBV} eingestellt, wird die Pumpe die gesamte Fördermenge Q_P auf den Druck p_{DBV} bringen und dabei die Leistung $P = Q_P \cdot p_{DBV}$ (s. Glg. 3.7/7) aufbringen müssen, obwohl nur ein Teil $P_N = Q_D \cdot p$ als mechanische Leistung verwertet wird und der Restanteil $P_V = (Q_P - Q_D) \cdot p_{DBV} + Q_D \cdot (p_{DBV} - p)$ als Verlustleistung verloren geht.

Q_P ... Fördermenge der Pumpe [m³/s]
Q_D ... Durchflußmenge durch die Drossel [m³/s]
P ... von der Pumpe zu erbringende Leistung [kW]
P_N ... Nutzleistung für den Verbraucher [kW]
P_V ... Verlustleistung durch Abführen einer Teilmenge an Hydraulikflüssigkeit in den Tank [kW]
p ... Arbeitsdruck am Verbraucher [N/m²]
p_{DBV} ... Einstelldruck am Druckbegrenzungsventil [N/m²]

Der Druck p hinter der Drossel wird vom tatsächlichen Kraft- bzw. Momentenbedarf bestimmt, wird also je nach Bedarf variieren, während p_{DBV} als konstanter Wert zur Absicherung der Anlage vor Überlastung vorgegeben ist. Die Durchflußmenge einer Drossel ist jedoch gemäß Glg. 3.7/6 von der Druckdifferenz abhängig. Daher bedingt ein lastabhängiger Arbeitsdruck p unterschiedliche Durchflußmengen und damit lastabhängige Arbeitsgeschwindigkeiten des Verbrauchers.

Diese Lastabhängigkeit kann durch Verwendung eines **Stromregelventils** vermieden werden, indem mit Hilfe einer Druckwaage die Druckdifferenz an der Drossel konstant gehalten wird. Bei Einsatz eines 2-Wege-Stromregelventils bleibt der Verlustleistungsanteil P_V erhalten, bei Einsatz eines 3-Wege-Stromregelventils kann er, wie bereits in Kap. 2.3.1 erwähnt, stark reduziert werden.

Änderung der Arbeitsgeschwindigkeit bei Pump-Speicher-Anlagen

In hydraulischen Großanlagen der Bühnentechnik werden, wie in Kap. 2.3.1 dargelegt, Pump-Speicher-Anlagen eingesetzt. Dabei werden Hydrospeicher durch automatisch gesteuertes Zu- und Abschalten von Konstantpumpen und/oder den Betrieb druckgeregelter Verstellpumpen immer wieder gefüllt und auf möglichst konstantem Druckniveau gehalten. Dem Verbraucher wird daher nicht ein durch die Pumpe bestimmter Förderstrom direkt zugeführt, sondern dem Speichersystem eine dem Bedarf entsprechende Flüssigkeitsmenge entzogen. Daher ist auch nicht die im vorigen Abschnitt beschriebene Situation gegeben, daß eine Teilmenge des Förderstromes über ein Druckbegrenzungsventil in den Tank zurückgeführt werden muß. Zur Betätigung eines Antriebes wird die diesem Verbraucher zugeführte Flüssigkeitsmenge mit Hilfe moderner Stetigventiltechnik genau dosiert. Je nachdem, ob gesteuert oder geregelt werden soll, sind hiefür geeignete Proportional-, Regel- oder Servoventile einzusetzen (s. Kap. 2.3.1).

Beim Absenken einer Last muß über Drosseln die ursprünglich als Hubarbeit aufgewendete Energie vermindert um Wirkungsgradanteile (vgl. Kap. 3.5) wieder als Bremsarbeit aufgebracht werden. Dies bedeutet, daß z. B. bei großen Podienanlagen durch die Drosselung relativ große Wärmemengen anfallen, die die Hydraulikflüssigkeit bei der Rückführung in den Tank aufheizen. In diesem Fall kann ein Kühler, z. B. als Wärmetauscher mit Wasserkühlung, erforderlich sein.

Abb. 2.3/13 zeigt das Prinzipschaltbild der Pump-Speicher-Anlage der Wiener Staatsoper und Abb. 2.3/14 Fotos dieser Druckzentrale.

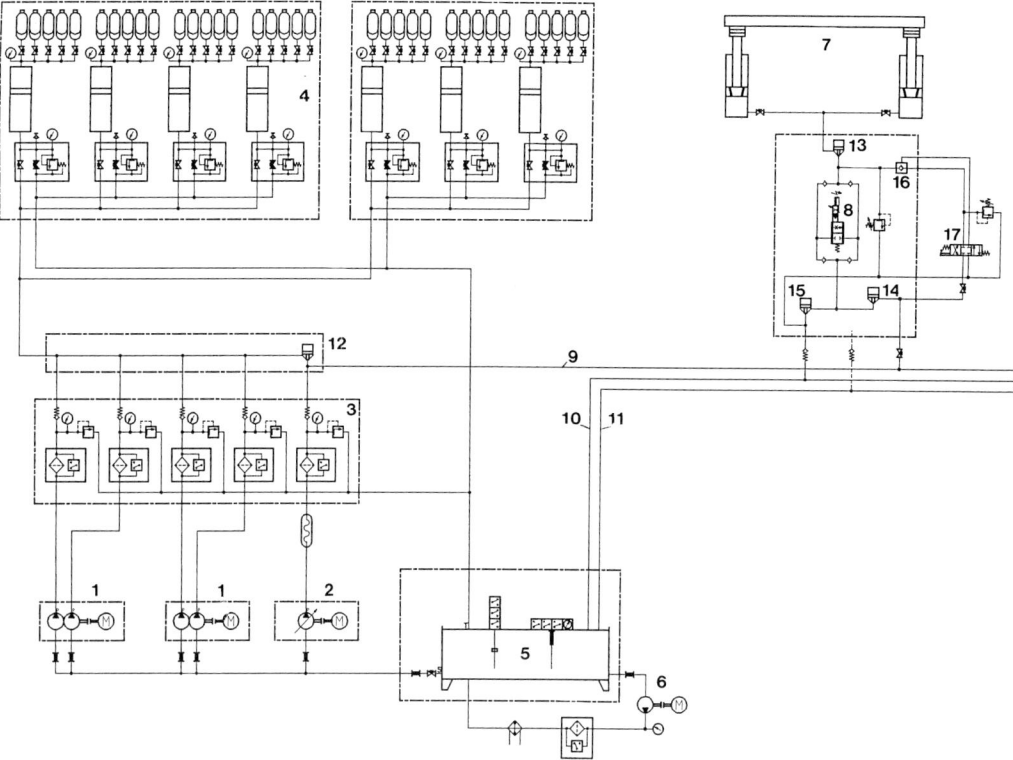

Abb. 2.3/13: Prinzipschaltplan der Pump-Speicher-Anlage in der Wiener Staatsoper

1 Konstantpumpen, gesteuert in Abhängigkeit vom Füllstand der Kolbenspeicher
2 druckgeregelte Verstellpumpe
3 Filter und Druckabsicherung des Pumpenkreislaufes (mit Schaltung für drucklosen Umlauf zum Anlauf der Elektromotoren)
4 Kolbenspeicher mit Stickstoffbehältern als Gasfeder, Druckabsicherung der Druckbehälter
5 Tank für Hydraulikflüssigkeit mit Schwimmerschalter zur Kontrolle des Flüssigkeitsstandes, Temperaturfühler zur Kontrolle der Temperatur und Thermostat zur Schaltung der Kühlanlage
6 Kühlkreislauf mit Wasserkühler
7 Hubpodium mit Plungerzylindern
8 Regelventil zur Geschwindigkeitsregelung beim Heben und Senken des Hubpodiums
9 Druckrohrleitung
10 Rücklaufleitung
11 Leckölleitung
12 elektrisch angesteuertes Schaltventil (2/2-Wege-Sitzventil) zur Druckbeaufschlagung der Druckrohrleitung 9
13 elektrisch angesteuertes Schaltventil zur Durchflußsperre von und zu den Hubzylindern
14 elektrisch angesteuertes Schaltventil zum Heben an den Hubzylindern
15 elektrisch angesteuertes Schaltventil zum Senken an den Hubzylindern
16 hydraulisch entsperrbares Rückschlagventil
17 4/3-Wegeventil als Notsteuerventil

Bildnachweis: Mannesmann Rexroth

2.4 Hydrostatische Antriebe im Vergleich zu elektrischen Antrieben

Nach Behandlung beider Antriebsvarianten drängt sich die Frage auf, welcher der beiden Antriebsvarianten der Vorzug gegeben werden soll. Generalisierend ist diese Frage nicht beantwortbar, da die Entwicklung der elektrischen und hydraulischen Antriebstechnik so rasch voranschreitet, daß viele Argumente für und wider eine bestimmte Lösung schon nach kurzer Zeit ihre Geltung verlieren können. Das Angebot technischer Produkte und deren Preise ändern sich ständig, so daß bei gleichen technischen Anforderungen manchmal die eine und manchmal die andere Lösung die wirtschaftlichere sein kann.

Abb. 2.3/14: Druckzentrale der Wiener Staatsoper – Pumpstation, Behälter für Hydraulikflüssigkeit, Kolbenspeicher; Hydraulikflüssigkeits-Behälter mit Kühlsystem (Pumpe, Wasserkühler); Pumpstation mit 2 Innenzahnradpumpen (Konstantpumpen) und einer druckgeregelten Axialkolbenpumpe (Verstellpumpe); Speicherstation bestehend aus 7 Kolbenspeichern à 1000 Liter und 35 Stickstoff-Gasbehältern à 900 Liter
Fotos: Waagner-Biró

Trotzdem ist es möglich, einige Kriterien und Argumente zur Entscheidungsfindung darzulegen:
– Während der Elektromotor elektrische Energie direkt in mechanische Arbeit umsetzt, wird bei hydrostatischen Antrieben ein Hydraulikkreislauf zwischengeschaltet. Der Elektromotor treibt eine Hydraulikpumpe an, überträgt die Energie auf eine Druckflüssigkeit und leistet mechanische Arbeit an Hydrozylindern oder Hydromotoren. Dieser „Umweg" über ein Hydrauliksystem bedeutet i. a. einen technischen Mehraufwand hinsichtlich des Geräteeinsatzes (inklusive dem Aufwand eines Hydraulikmediums), weiters hinsichtlich der damit verbundenen Wartung.
– Der Energiebedarf zum Heben einer Last ist prinzipiell durch die Größe der Last und durch den Hubweg gegeben (vgl. Glg. 3.1/3), der Leistungsbedarf durch die Größe der Last und die gewünschte Hubgeschwindigkeit (vgl. Glg. 3.1/6). Der tatsächliche Energie- bzw. Leistungsbedarf ist aufgrund unvermeidbarer Verluste in der Antriebskette stets größer als die letztendlich als Bewegungsenergie abgegebene Leistung und wird in der Berechnung mit Hilfe des Wirkungsgrades berücksichtigt (s. Kap. 3.5). Die Zwischenschaltung eines hydraulischen Systems bedeutet i. a. eine gewisse Verschlechterung des Wirkungsgrades, es sei denn, man vergleicht etwa einen Zylindertrieb mit einem Spindel- oder Schneckentrieb, in dem besonders hohe Reibungsverluste auftreten (s. Kap. 4.3.2, 4.4.1). Der eben beschriebene Sachverhalt bei einem Hubwerk ist in analoger Form natürlich auch bei einem Fahrwerk oder Drehwerk gegeben.
– Mit Hydrozylindern können sehr große Kräfte und mit langsam laufenden Hydromotoren mit großem Schluckvolumen sehr große Drehmomente erzeugt werden. Mit Elektromotoren können große Linearkräfte nur über mechanische Getriebeelemente (Spindel/Mutter, Ritzel/Zahnstange) erzeugt werden, und für große Drehmomente müssen Übersetzungsgetriebe zwischengeschaltet werden.
– Druckenergie kann in Hydrospeichern gespeichert werden. Damit kann der Bedarf an Spitzenleistung für Antriebe, die während nur kurzer Zeit gleichzeitig eingesetzt werden, von solchen Speichern entnommen werden. Der Spitzenbedarf elektrischer Antriebsleistung kann bei hydraulischen Speicheranlagen daher niedriger gehalten werden als bei elektrischen Antriebskonzepten. Ob dieses Argument von entscheidender Bedeutung ist, wird u. a. auch von der Gebühren-

struktur für die Verrechnung des elektrischen Energieverbrauches abhängen und davon, wie hoch im Vergleich dazu der Bedarf an elektrischer Leistung für die Beleuchtung ist.
- Elektrische Energie kann wirtschaftlich nur in sehr kleinen Mengen in Akkumulatoren gespeichert werden. Einsatzmöglichkeiten bei bühnentechnischen Antrieben ergeben sich nur in sehr beschränktem Maße, etwa beim Fahrantrieb von Bühnenwagen, um Leitungen zur elektrischen Anspeisung zu vermeiden (s. Kap. 1.6.2).
- Hydraulische Arbeitsgeräte wie Hydrozylinder und langsam laufende Hydromotoren arbeiten fast lautlos, während Elektromotoren i. a. mehr Schall emittieren. Wie weit dieses Kriterium von Relevanz ist, hängt von den örtlichen Gegebenheiten und der Raumanordnung der Antriebe ab.
- Von Elektromotoren mit hoher Drehzahl angetriebene Hydropumpen arbeiten mit relativ hoher Schallemission. Hydraulikaggregate bzw. die hydraulische Druckzentrale können aber meist problemlos in einem abgeschiedenen Raum untergebracht werden. Kleine Hydraulikaggregate können durch spezielle Gerätewahl und konstruktive Maßnahmen auch sehr lärmarm konzipiert werden.
- Entscheidendes Kriterium kann oft auch die technische Möglichkeit und der technische Aufwand zur Erzielung einer geforderten Regelfähigkeit sein. In dieser Hinsicht ändern sich die Möglichkeiten technisch-wirtschaftlich sinnvoller Lösungen bei elektrischen und hydraulischen Konzepten immer wieder mit dem jeweils gegebenen Stand der Technik.
- In bestimmten auch für die Bühnentechnik relevanten Einsatzfällen kann die Kompressibilität der Hydraulikflüssigkeit zu nachteiligen Effekten führen. Kompressibilität einer Flüssigkeitssäule bedeutet Elastizität und damit Schwingungsfähigkeit. Die Kompressibilität der Hydraulikflüssigkeit bedingt aber auch Positionsveränderungen von auf eine Flüssigkeitssäule abgestützten Bauteilen bei Änderung der Druckverhältnisse.
- Auch die Wärmedehnung der Hydraulikflüssigkeit kann zu nachteiligen Effekten führen. Besonders bei hydraulischen Linearantrieben von Hubzügen in der Oberbühne mit Flaschenzugübersetzung können Temperaturänderungen relativ große Positionsveränderungen abgehängter Dekorationselemente zur Folge haben.
- Die Verlegung elektrischer Leitungen und insbesondere flexibler Leitungen ist weit weniger aufwendig als die Verlegung von Rohrleitungen und flexiblen Schlauchleitungen. Auch die Übertragung von elektrischem Strom über Schleifringe auf rotierende Bauteile ist einfacher und unproblematischer als Rotationsanschlüsse für Hydraulikleitungen.

In dieser Aufzählung wurden sicher nicht alle Kriterien erfaßt; es werden aber auch an anderen Textstellen Hinweise gegeben.

2.5 Bedienung der Bühnenantriebe

2.5.1 Anforderungen an das Konzept der Bedienung

In einer mit moderner Technik ausgestatteten Bühne muß es auf Bedienebene die Möglichkeit geben, die vielen Antriebe in Ober- und Unterbühne u.a. unter Beachtung folgender Aspekte anzusteuern:
- Es muß möglich sein, einzelne Antriebe unabhängig voneinander, aber auch mehrere Antriebe, z. B. mehrere Podien, Prospekt- oder Punktzüge, gemeinsam in variabel wählbaren Gruppen zu betreiben. Bezüglich des **Gruppenbetriebes** gibt es verschiedene Betriebsarten, die etwas später näher erläutert werden sollen.
- Bei der Konzeption des **Steuerpultes** muß beachtet werden, daß eine Vielzahl von Antrieben gleichzeitig ansteuerbar sein muß, einem Bediener aber nur zwei Hände zur Verfügung stehen, und

zwei zu betätigende Steuerhebel auch in gleichzeitig erreichbarer Position angeordnet sein müssen. Sehr großflächige Steuerpulte sollten daher eher vermieden werden. Schalter und Taster sollen in topographisch richtiger bzw. gut überschaubarer und leicht zuordenbarer Lage positioniert sein.

- **Komplexe Bewegungsabläufe** müssen oft in sehr kurzen Zeitintervallen abgewickelt werden und stellen dadurch hohe Anforderungen an den Bediener. Die Zuordnung der Steuerhebel zu einzelnen Antrieben oder Antriebsgruppen und die Eingabe von Daten, wie Zielkoten etc., müssen daher möglichst einfach erfolgen können und eventuell aus einem Datenspeicher abrufbar sein.
- Antriebe bühnentechnischer Einrichtungen bewegen Podien und können gefährliche Niveaudifferenzen entstehen lassen. Sie verfahren Bühnenwagen und lassen Drehscheiben rotieren, sie heben oder senken Lasten in der Oberbühne über den Köpfen der Darsteller. Somit ist i. a. ein Sicherheitsrisiko gegeben. Daher muß der Bediener den Bewegungsablauf ausreichend überblicken können. Dies ist von einer zentralen Steuerstelle aus nicht immer möglich. Es müssen daher in den meisten Fällen auch **periphere** oder **ortsvariabel einsetzbare Steuerstellen** zur Verfügung stehen.
- Der Bediener muß einen einmal eingeleiteten Bewegungsablauf auch jederzeit wieder unterbrechen können. Ferner muß im Sinne einer Totmannsteuerung der Steuerhebel beim Loslassen sofort selbsttätig in die Nullstellung gehen. Ein Bewegungsablauf darf also nicht etwa durch einen Knopfdruck gestartet und der Haltbefehl durch einen weiteren Knopfdruck gegeben werden; die Bewegung muß vielmehr z. B. über einen Steuerhebel erfolgen, dessen Auslenkung aus der Nullage ein Bewegen zur Folge hat. (Auf etwaige Sonderbestimmungen für Schutzvorhänge wird hier nicht Bezug genommen.)
- Es muß sichergestellt werden, daß von Antrieben geometrisch oder funktionell bedingte Grenzlagen nicht überfahren werden. Daher muß in diesen Grenzpositionen eine automatische Abschaltung erfolgen, wenn nicht rechtzeitig über den Steuerhebel eine Absteuerung vorgenommen wurde.
- Wird die zulässige Toleranz beim Synchronbetrieb mehrerer Antriebe überschritten, muß ebenfalls eine automatische Abschaltung erfolgen, um Überlastung einzelner Antriebe, unbeabsichtigte Lageänderungen etc. zu verhindern.
- Für jeden motorischen Antrieb, sei er elektrisch oder hydraulisch, linear oder rotierend, sollte ein eventuell mehrstufiges Notbetriebssystem vorhanden sein. Seine Gestaltung hängt von der Bauweise und vom Einsatz des Antriebes ab. Bei computergesteuerten Anlagen muß als erste Maßnahme ein Betrieb unter Ausschaltung der Computerebene möglich sein, dann der Übergang von geregeltem Gruppenbetrieb zu direkt gesteuertem Einzelbetrieb. Je nach Situation wird auch ein Betrieb mit Hilfsmotoren oder ein manueller Notantrieb vorzusehen sein.

Für Steuerstellen mechanischer Bühneneinrichtungen liegen teilweise ähnliche Problemstellungen wie für Steueranlagen der Lichttechnik vor. Daher können in mancher Hinsicht auch ähnliche Konzepte Anwendung finden. In der Lichttechnik ist eine meist große Zahl von Beleuchtungsgeräten bezüglich Lichtintensität, Farbton, räumlicher Ausrichtung etc. einzeln und in variablen Gruppenzuordnungen und oft sehr komplexen Zeitabfolgen zu steuern. Dabei geht es aber sicherheitstechnisch gesehen nur um niemanden gefährdende Veränderungen von Scheinwerfereinstellungen. Daher sind sehr entscheidende Unterschiede im sicherheitstechnischen Anforderungsprofil beider Steuerungstechniken gegeben.

Handsteuerebene

Da von einer Person gleichzeitig nur zwei Fahrhebel bedient werden können, sind am Steuerpult i. a. nur zwei, eventuell für sequentielle Bedienung oder zur Betätigung durch zwei Personen auch vier Fahrhebel vorhanden.

2.5 Bedienung der Bühnenantriebe

Das Steuerpult besitzt am Pult strukturiert angeordnete Tasten oder andere Eingabemöglichkeiten, mit denen ein Antrieb einem der Fahrhebel zugeordnet werden kann. Für Gruppenfahrten können mehrere Antriebe einem einzigen Fahrhebel zugeordnet werden. Mit einem Fahrhebel kann also ein bestimmter Antrieb oder eine bestimmte Gruppe von Antrieben bedient werden.

Ein Auslenken des Steuerhebels bedeutet dann die Einleitung einer Bewegung (Heben bzw. Senken, Fahren oder Drehen in die eine oder andere Richtung). Je nach Auslenkung des Fahrhebels kann die Bewegungsgeschwindigkeit des Antriebes oder der in einer Gruppe erfaßten Antriebe stufenlos verändert werden, falls es sich um Antriebe mit stufenloser Drehzahlverstellung handelt. Bei maximaler Auslenkung erfolgt die Bewegung mit gewünschter Maximalgeschwindigkeit, deren Größe bei modernen Anlagen vorher meist als Variable eingegeben werden kann. Der Größtwert für die Geschwindigkeit bei maximaler Auslenkung ist allerdings von der Dimensionierung des Antriebes und aus sicherheitstechnischen Erwägungen bzw. Vorschriften begrenzt. Meist können auch Zielkoten des Verfahrweges zur automatischen Absteuerung eingegeben werden.

Der Bewegungsablauf sollte dann aus Sicherheitsgründen auf Sicht, eventuell über Videokamera auf einem Bildschirm verfolgt werden können. Außerdem kann die Bewegung meist auch auf einem **Monitor** graphisch in Analoganzeige beobachtet werden, indem symbolische Bildelemente bewegt werden. Ferner werden die Wegkoten auch digital (in Zahlenwerten) angezeigt.

Computersteuerebene

Sollen sehr komplexe Bewegungsabläufe mehrerer Antriebe erfolgen, unterschiedliche Bewegungen mehrerer Gruppen gleichzeitig oder in kurzen Abständen hintereinander vorgenommen werden, so ist dies von der Handsteuerebene aus nicht mehr zu bewältigen. Dann ist es sinnvoll, Fahrhebelzuordnungen, Gruppenbildungen, Geschwindigkeits- und Wegvorgaben etc. vorzuprogrammieren, als gespeicherte Daten abzulegen und dann in entsprechender Schrittfolge abzurufen.

So können komplette Vorstellungen in der Abfolge der Antriebssteuerung programmiert und auf Diskette aufbewahrt werden (**Szenotheken**). Bei Bedarf wird der Disketteninhalt wieder in den Rechner eingelesen. Für die Computersteuerung müssen daher ein Rechner geeigneter Kapazität mit Keyboard und Monitor, Diskettenlaufwerk und sinnvollerweise auch ein Drucker zur Verfügung stehen.

Das Programmieren, d. h. die Dateneingabe, erfolgt bei manchen Systemen menügesteuert über die normale Computertastatur oder über ein spezielles Tastenfeld im Steuerpult. Im „Teach-in-Betrieb" können aber auch mit dem Antrieb real angefahrene Positionen als Sollwerte übernommen werden.

Es ist wichtig zu betonen, daß „Computersteuerung" in dieser Anwendung nicht bedeutet, daß die Bewegungen der Bühnenmaschinerie automatisch in vorgegebenen Zeitintervallen und Geschwindigkeiten ablaufen. Dies wäre erstens viel zu gefährlich und zweitens spieltechnisch ungeeignet, weil nicht jede Vorstellung im gleichen Tempo abläuft.

Bei Computersteuerung werden – wie bereits erläutert – nur Daten für Bewegungsabläufe auf Abruf und damit rechtzeitig bereitgestellt. Die Bewegung selbst muß aber wie bei Handsteuerung über den bzw. die Fahrhebel gesteuert werden. Wie in der Handsteuerebene bedeutet auch nun wieder volle Auslenkung des Steuerhebels Bewegung mit der vorprogrammierten Maximalgeschwindigkeit. Wird der Hebel nicht voll ausgelenkt, werden die Geschwindigkeiten proportional der Hebelauslenkung reduziert. Wird der Steuerhebel in Nullstellung geführt, werden die Antriebe stillgesetzt. Vorgegebene einprogrammierte Zielpositionen werden, auch wenn der Fahrhebel in Auslenkstellung bleibt, automatisch angefahren und der Antrieb selbsttätig und rechtzeitig abgesteuert und stillgesetzt.

Es gibt aber auch derart komplexe Bewegungsabläufe, daß die Sollvorgaben für die einzelnen Antriebe erst in einem Rechenvorgang ermittelt werden müssen. Dies ist z. B. dann der Fall, wenn mehrere Antriebe im gleichen Zeitintervall unterschiedliche Wege zurücklegen müssen und die erforderlichen Sollgeschwindigkeiten bzw. die Verhältniswerte der erforderlichen Geschwindigkeitsabstufungen errechnet werden müssen.

Als Beispiel für einen derart komplexen Bewegungsablauf, der sicher nur über Computersteuerung durchführbar ist, sei ein Verwandlungsprozeß in der Unterbühne angeführt. Und zwar soll eine horizontale ebene Bühnenfläche in eine geneigte ebene Bühnenfläche umgewandelt werden, wobei die Ebenheit der Bühne während der Verwandlung gewahrt bleiben soll. Dies bedeutet, daß die Hubbewegung der Podien mit unterschiedlicher Geschwindigkeit vorgenommen werden muß, aber auch eine Veränderung der Neigung der Podiengedecke überlagert sein muß. Bei einer Bühne mit hintereinander angeordneten Rechteckspodien ist nur eine Neigung um die Bühnenquerachse möglich, bei einer Schachbrettbühne und bei Podien mit in beliebiger Richtung neigbaren Gedecken könnte aber auch eine ebene Fläche beliebiger Raumneigung erzeugt werden.

Als Beispiel für einen komplexen Bewegungsablauf in der Oberbühnenmaschinerie könnte das Neigen eines an Punktzügen hängenden Plafonds in eine beliebige Raumlage oder ein wellenförmiges Heben und Senken von Laststangenzügen erwähnt werden.

Manche Anlagen bieten auch die Möglichkeit, zeitlich begrenzte Bewegungsabläufe der Art vorzusehen, daß nicht nur gleichzeitig verschiedene Bewegungen durchgeführt werden, sondern Bewegungen auch gestaffelt nach entsprechenden Zeit- oder Wegvorgaben als Bewegungssequenzen ablaufen.

Im Hinblick auf die Antriebstechnik sei noch erwähnt, daß die beschriebenen Steuerungskonzepte auf der Bedienebene sowohl für elektromechanische als auch für hydraulische Antriebe angewendet werden können.

Zur Wegerfassung in einem Regelkreis werden fast nur mehr **Absolutwertgeber** eingesetzt, als Überwachungsgeräte auch relativ zu einer Ausgangslage messende **Relativwertgeber (Inkrementalgeber)**.

Beim Anfahren einer Zielkote wird eine hohe Wiederholgenauigkeit, bei Synchron-Gruppenfahrten auch eine hohe dynamische Gleichlaufgenauigkeit gefordert.

2.5.2 Betriebsarten bei Gruppenfahrten

Bei **Einzelfahrt** wird die Fahrt eines dem Steuerhebel zugeordneten Antriebes durchgeführt. Die Fahrt wird von Hand mit dem Steuerhebel eingeleitet und über den ganzen Weg von Hand gesteuert und beendet.

Wie bereits erläutert, muß es von der Steuerstelle aus aber auch möglich sein, nicht nur jeden Antrieb einzeln zu steuern, sondern auch mehrere Antriebe gemeinsam als Gruppe zu verfahren, z. B. Hubpodien oder mehrere Prospekt- oder Punktzüge.

Beim Verfahren in der Gruppe können mehrere Betriebsarten der **Gemeinsamfahrt (Gruppenfahrt)** unterschieden werden:

Asynchronfahrt

Das ist die gemeinsame Fahrt mehrerer Antriebe aus gleichen oder unterschiedlichen Positionen, gesteuert von einem Fahrhebel aus. Dabei werden alle Antriebe gleichzeitig in Bewegung gesetzt und mit dem Steuerhebel in ihrer Geschwindigkeit gemeinsam gesteuert. Es ist aber keine Regelung durch Vergleich von Soll- und Istzuständen und keine Abstimmung im Bewegungsablauf gegeben, so daß jeder Antrieb infolge unvermeidbarer Lastabhängigkeiten und sonstiger Einflüsse etwas unterschiedlich bewegt werden wird. Die Abschaltung der Antriebe erfolgt entweder gemeinsam mit dem Steuerhebel, oder jeder Antrieb steuert beim Erreichen einer vorgegebenen Zielkote automatisch und somit individuell ab.

Synchronfahrt – wegsynchron

Alle Antriebe, z. B. Züge oder Podien einer Gruppe, durchfahren eine vorgegebene Strecke gleichzeitig und in gleicher Zeitdauer unabhängig von der jeweiligen Startposition der einzelnen Antriebe, d. h. die Verfahrwege aller Antriebe sind gleich lang. Die Bedienung erfolgt wieder mit einem Fahrhebel. Treten infolge einer Störung unzulässige Abweichungen vom Synchronlauf auf, so wird die gesamte Gruppe automatisch abgeschaltet.

Synchronfahrt – zeitsynchron

Alle Antriebe starten gleichzeitig und durchfahren unterschiedliche Wegstrecken in der gleichen vorgegebenen Zeit. Da in diesem Fall für jeden Antrieb je nach Verfahrweg die erforderliche Fahrgeschwindigkeit errechnet werden muß, damit alle Antriebe ihre Zielposition zum gleichen Zeitpunkt erreichen, ist diese Betriebsart nur mit integrierter Rechnersteuerung möglich. Die vorhin erwähnten Beispiele komplexer Bewegungsabläufe in Unter- und Oberbühne (Neigungen des Bühnenbodens oder eines Plafonds) stellen derartige zeitsynchrone Steuerererfordernisse dar.

Summengruppenfahrt (Bildfahrt, Figurenfahrt)

Bei einer Summengruppenfahrt werden mehrere verkettete Gruppen für komplexere Bewegungsabläufe gemeinsam gesteuert, indem über den gemeinsamen Fahrhebel die Bewegung gemeinsam eingeleitet bzw. ausgeführt wird. Dabei kann es sich eventuell auch um in der Zeit gestaffelte Bewegungen von Einzelantrieben und/oder von mehreren zu Synchrongruppen gekoppelten Antrieben handeln.

2.5.3 Aufbau des Rechnersystems

Um komplexe regelungstechnische Vorgänge ausreichend rasch rechentechnisch verarbeiten zu können, sind moderne Konzepte so aufgebaut, daß zentrale und dezentrale Rechner miteinander verkettet werden.

Heute ist es i. a. üblich, jedem Antrieb einen **Achsrechner (Fahrrechner)** zuzuordnen. Dieser arbeitet eng mit der den Antrieb steuernden speicherprogrammierbaren Steuerung zusammen und dient der gesicherten Datenübertragung zwischen Antriebseinheit und **Zentralrechner.** Diese Datenübertragung erfolgt über einen **Vermittlungsrechner,** der die Organisation des Datenflusses übernimmt.

Die Schnittstelle zwischen der Bedienebene und dem Zentralrechner übernimmt ein **Bedienrechner.** Mit ihm erfolgt die menügeführte Programmierung der Bewegungsabläufe. Er steuert den oder die Monitore zur analogen und digitalen Anzeige der Systemzustände; an ihm sind das Diskettenlaufwerk zum Abspeichern bzw. Einlesen von Szenotheken und der Drucker angeschlossen.

Bei zweikanaliger Ausführung kommt noch ein **Überwachungsrechner** dazu, der die Meßdaten der Absolutwertgeber mit Meßdaten der Inkrementalgeber vergleicht.

2.5.4 Organisation von Steuerstellen

Normalerweise stehen bei modernen Bühnenanlagen zwei **Hauptsteuerpulte** zur Verfügung, eines für die Antriebe der Oberbühne und eines für jene der Unterbühne. Jenes für die Unterbühne ist manchmal z. B. in einem Portalturm situiert, jenes für die Oberbühne auf einer seitlichen Arbeitsgalerie.

I. a. soll die Steuerung von mehreren Standorten aus möglich sein, daher sind neben diesen Hauptsteuerpulten oft auch **Nebensteuerpulte** vorgesehen. Von solchen Nebensteuerpulten aus sind allerdings nicht immer alle Bedieneingriffe wie vom Hauptsteuerpult aus möglich.

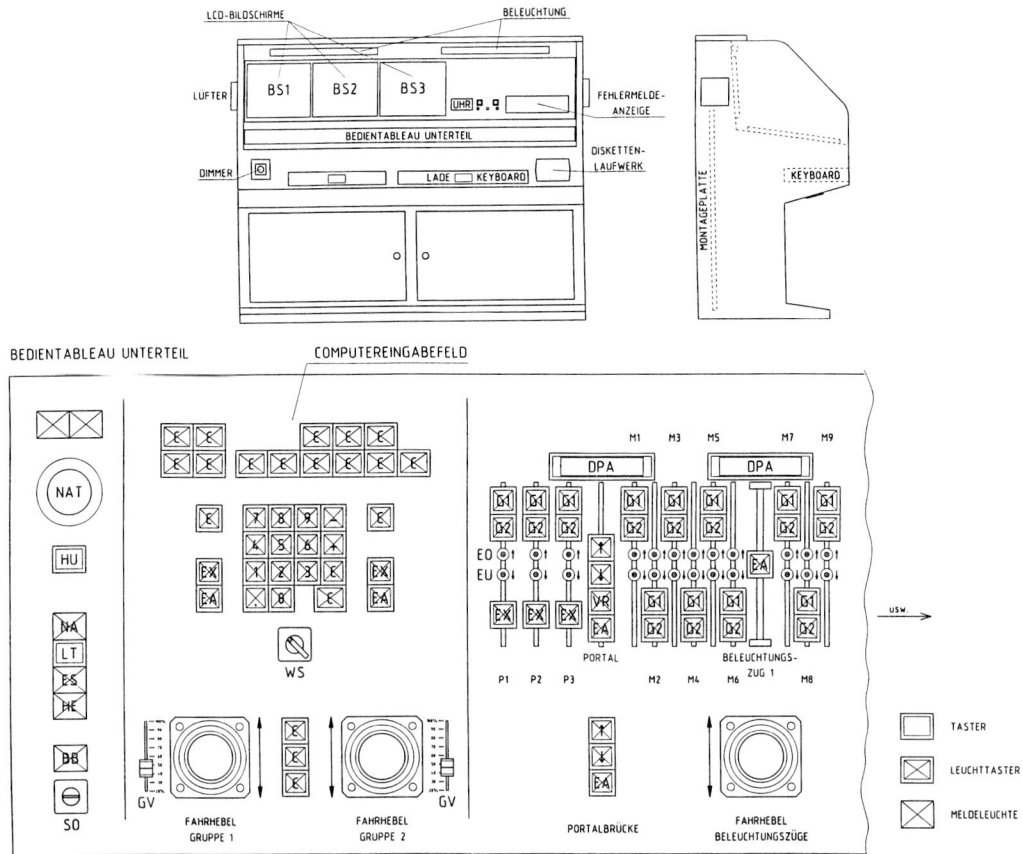

Abb. 2.5/1: Schemazeichnung eines Hauptsteuerpultes für Antriebe der Oberbühne

SO	Schlüsselschalter Oberbühne	*BS1*	LCD-Bildschirm zur Computerprogrammierung
HE	Hauptschalter Ein	*BS2, BS3*	LCD-Bildschirm zur Digital- und Analoganzeige
BB	Betriebsbereitschaft		von Positionen
LT	Lampentest	*C*	Taster im Computereingabefeld
ES	Erdschlußanzeige	*DPA*	digitale Positionsanzeige
NAT	Not-Aus-Taste	*GV*	analoge Geschwindigkeitsvorwahl
NA	Meldelampe Not-Aus	*EO*	Endschalter oben
HU	Hupe	*EU*	Endschalter unten
WS	Wahlschalter (Hand-, Einricht-, Vorstellungsbetrieb)	*G1, G2*	Anwahl Gruppe 1 bzw. Gruppe 2
EA	Ein/Aus	*Pi*	Portalzug i
EX	Übergabe an externe Steuerstelle	*Mi*	Laststangenzug i (Maschinenzug)

Bildnachweis: Ing. Batik GmbH (A-Gerasdorf/Wien)

Nebensteuerpulte können an anderen Stellen ortsfest installiert, aber auch ortsvariabel und z. B. auf Rädern verfahrbar sein. Sie können dann mit flexiblen Leitungen an fix verdrahtete Steckdosen angeschlossen werden. Manchmal werden auch als Hauptsteuerpult von Hand oder motorisch verschiebbare Pulte eingesetzt, die in sichtgünstige Positionen zur Überwachung von Gefahrenstellen gebracht werden können.

Auch **tragbare Zusatzpulte** mit allerdings sehr eingeschränkter Bedienfunktion sind üblich. Diese sind entweder ebenfalls an hiefür vorgesehene Steckdosen anzuschließen oder übertragen Steuerbefehle drahtlos.

2.5 Bedienung der Bühnenantriebe

Für außergewöhnliche Betriebssituationen, vor allem aber als Notbetrieb und zu Reparatur- und Wartungszwecken ist es sinnvoll, für jeden Antrieb in dessen unmittelbarer Nähe oder an Stellen besonders guter Sichtverhältnisse eine **„Vorort"-Einzelsteuermöglichkeit** vorzusehen.

An dieser Stelle sei nochmals darauf hingewiesen, daß ein gut durchdachtes Antriebskonzept möglichst viele Vorkehrungen zur Aufrechterhaltung eines Notbetriebes bieten sollte. So müssen Störungen in der Rechnersteuerung im Vorstellungs- und Probenbetrieb umgangen werden können, indem unter Inkaufnahme unvermeidbarer betrieblicher Einschränkungen auf eine vom Rechner

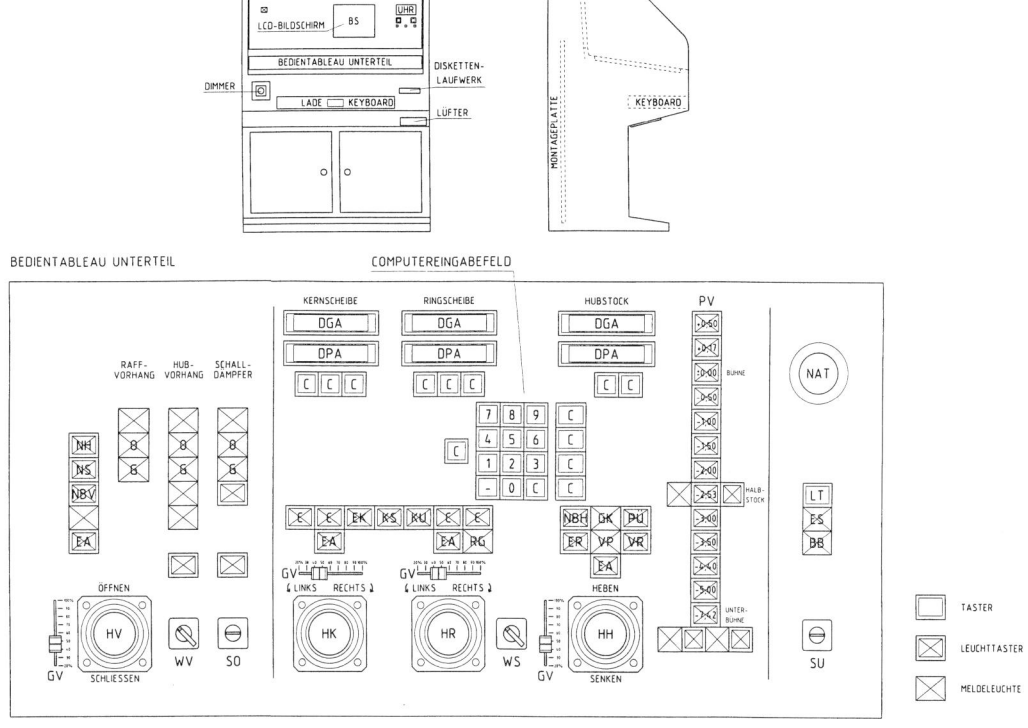

Abb. 2.5/2: Schemazeichnung des Hauptsteuerpultes für die Antriebe der Unterbühne der Wiener Volksoper

SO	Schlüsselschalter Oberbühne	NBH	Notbetrieb Hubstock
SU	Schlüsselschalter Unterbühne	KS	kuppelbare Stellung
BB	Betriebsbereitschaft	KU	Kuppeln
LT	Lampentest	EK	Entkuppeln
ES	Erdschlußanzeige	GK	gekuppelt
NAT	Not-Aus-Taste	RG	Ringscheibe gesperrt
WV	Wahlschalter Vorhang	VP	verriegelbare Position
HV	Fahrhebel Vorhang	VR	Verriegeln
NBV	Notbetrieb Vorhänge	ER	Entriegeln
NH, NS	Not-Heben, Not-Senken	PV	Positionsvorwahl für spezielle Hubstellungen
O, G	Anzeige Vorhang offen, geschlossen	PÜ	Positionsüberbrückung
EA	Ein/Aus	GV	analoge Geschwindigkeitsvorwahl
WS	Wahlschalter Unterbühne	DGA	digitale Geschwindigkeitsanzeige [% von v_{max}]
	(Hand-, Einricht-, Vorstellungsbetrieb)	DPA	digitale Positionsanzeige [grd, m]
HK	Fahrhebel Kernscheibe	BS	LCD-Bildschirm zur Angabe von Istwertpositionen
HR	Fahrhebel Ringscheibe		(analog und digital) und zur Programmierung
HH	Fahrhebel Hubstock	C	Taster im Computereingabefeld

Bildnachweis: Waagner-Biró – Batik

Abb. 2.5/3: Foto des in Abb. 2.5/2 dargestellten Steuerpultes
Foto: Batik

unabhängige Steuerebene übergegangen wird. Als weiterer Schritt sollte es möglich sein, unter Beachtung sicherheitstechnischer Erwägungen Regelkreise zu umgehen und auch geregelte Antriebe nur gesteuert zu verfahren.

Treten Betriebsstörungen auf, so sollte die Software moderner Steueranlagen möglichst detaillierte Hinweise zur Fehlerauffindung geben, die Fehlermeldungen aber auch für späteren Abruf speichern, um nach der Vorstellung gezielte Reparatureingriffe vornehmen zu können.

Neben den oben erwähnten Steuerpulten, die im Vorstellungsbetrieb szenisch eingesetzte Antriebe der Ober- und Unterbühne betreffen, gibt es natürlich auch noch davon unabhängige Einzelsteuerpulte und Steuerstellen für sonstige Einrichtungen, wie z. B. für die Portalbrücke, den Schutzvorhang und die Rauchklappen.

2.5.5 Beispiele für Steuerpulte

In Abb. 2.5/1 ist exemplarisch der Aufbau eines Hauptsteuerpultes für Antriebe der Oberbühne dargestellt: Die Fahrhebel 1 und 2 dienen zur Betätigung der Prospektzüge (Maschinenzüge M1, M2, ...). Über Leuchttaster kann jeder Zug einem der beiden Fahrhebel zugeordnet werden, mit den Schiebern (GV) kann die maximale Fahrgeschwindigkeit vorgewählt werden. Der Bewegungsablauf der Züge kann an den Bildschirmen BS2 und BS3 analog in Balkendarstellung verfolgt und die Positionen digital abgelesen werden.

Für die Bedienung der Beleuchterzüge ist ein eigener Fahrhebel vorhanden. Die Positionsanzeige erfolgt auf Digitalanzeigefeldern (DPA) am Bedientableau.

Die Portalbrücke wird über Leuchttaster gehoben oder gesenkt. Als Besonderheit des dargestellten Bedientableaus ist noch die Leuchttasterbedienung für das Portal zu erwähnen. Dieses Steuerpult ist für einen Mehrzweckraum konzipiert, und die Portalkonstruktion kann komplett weggehoben werden, um ein Schauspielhaus in einen Konzertsaal umzuwandeln.

Die Programmierung erfolgt über eine Tastatur im Computereingabefeld und den Bildschirm BS1.

Abb. 2.5/2 zeigt das Hauptsteuerpult für die Unterbühne der Wiener Volksoper (s. Abb. 1.4/7, 1.4/8). Dieses Steuerpult ist auch als Foto in Abb. 2.5/3 zu sehen.

Die linke Seite des Bedientableaus betrifft die Steuerung des Hub- und Raffvorhanges und des Schalldämpfers. Über einen Wahlschalter kann die Zuordnung des Fahrhebels vorgenommen

2.5 Bedienung der Bühnenantriebe

Abb. 2.5/4: Hauptsteuerpult und mobiles Nebensteuerpult
des Staatstheaters Stuttgart
Fotos: Mannesmann Rexroth

werden; die Maximalgeschwindigkeit kann mit dem GV-Schieber vorgewählt werden. Über Taster kann auch ein Notbetrieb erfolgen.

Die rechte Seite des Schaltpultes dient zur Steuerung der Drehbewegung von Ring- und Kernscheibe und der Hubbewegung des Kernzylinders, Hubstock genannt. Wieder kann die Maximalgeschwindigkeit über Schieber vorgewählt, Geschwindigkeit und Position digital angezeigt werden. Die beiden Drehscheiben können mechanisch gekuppelt werden, der Hubstock kann in speziellen Positionen verriegelt werden.

In Abb. 2.5/4 sind das Hauptsteuerpult und ein mobiles Nebensteuerpult für die Obermaschinerie im Staatstheater Stuttgart zu sehen, in Abb. 2.5/5 „Gassenpulte" für die Obermaschinerie der Oper Frankfurt und in Abb. 2.5/6 Einzelsteuerstellen auf der Arbeitsgalerie für Hubzüge des Residenztheaters München.

Abb. 2.5/5: Gassenpulte für die Bedienung der Obermaschinerie der Oper Frankfurt
Foto: Bayrischer BühnenBau

Eine spezielle Steuermöglichkeit für Punktzüge soll Abb. 2.5/7 zeigen. Der Fahrhebel der Gruppe 1 entspricht jenem in Abb. 2.5/1, der Fahrhebel der Gruppe 2 aber ist nicht nur in einer Ebene, sondern in alle vier Quadranten auslenkbar. Damit können auch mit dem Fahrhebel rechnerunterstützt Kippbewegungen in Handsteuerung mit beliebiger Kippachse vorgenommen werden; ein an Punktzügen abgehängter Plafond kann z. B. in beliebige Raumebenen geneigt werden.

Zum Schluß soll noch der neueste Trend in der Organisation und Gestaltung von Steuerpulten erwähnt werden: Die moderne Computer-Bildschirmtechnik ermöglicht den Einsatz sogenannter **„Touch screens",** wörtlich übersetzt „Berührungs-Bildschirme". Es handelt sich dabei um LCD-Bildschirme (Bildschirme mit Flüssigkeitskristallanzeige), bei denen dargestellte Schaltflächen

2.5 Bedienung der Bühnenantriebe   171

nicht durch Anklicken mit einer „Maus" (Fachausdruck aus der Computertechnik), sondern durch Berühren mit dem Finger aktiviert werden.

Dieses Verfahren bietet zwei entscheidende Vorteile:

- Es werden immer nur jene Tasten angezeigt, welche in der gegebenen Situation auch sinnvoll sind; überflüssige Tasten sind für den Bediener nicht sichtbar. Durch diese menügesteuerte Bedienerführung wird die Gefahr einer Fehlbedienung stark reduziert.
- Sollen zu einem späteren Zeitpunkt Softwareänderungen vorgenommen werden, um die Funktionen der Anlage zu erweitern, so können zusätzliche Funktionstasten softwaremäßig problemlos eingebunden werden, ohne am Steuerpult Änderungen vornehmen zu müssen.

Abb. 2.5/6: Einzelpulte auf der Arbeitsgalerie für Hubzüge im Residenztheater München
Foto: Mannesmann Rexroth

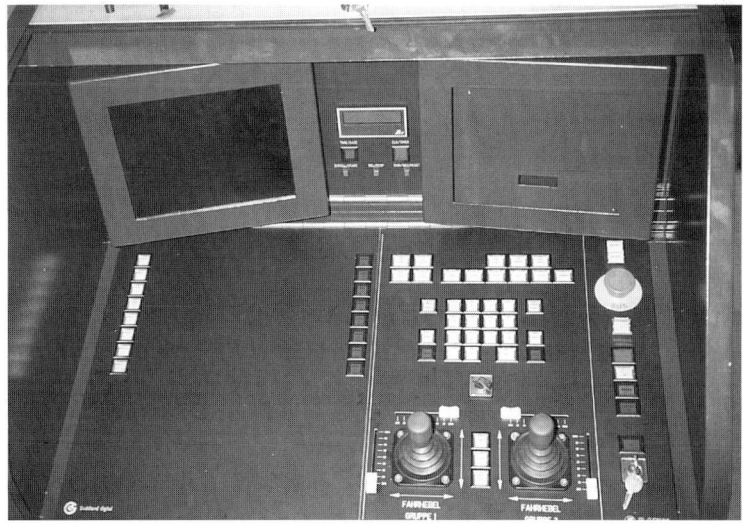

Abb. 2.5/7: Steuerpult mit Spezial-Fahrhebel für Bildfahrten mit Punktzügen
Foto: Batik

3 Grundlagen der Mechanik

Dieses Kapitel soll nicht ein Lehrbuch der Mechanik ersetzen; es wird darin auch nicht wissenschaftliche Exaktheit beansprucht. Es sollen damit vielmehr Lesern entsprechender Vorbildung einige Aspekte aus dem Fachgebiet der Mechanik in Erinnerung gerufen werden, die zum besseren Verständnis von in anderen Kapiteln des Buches gemachten Aussagen dienen. Außerdem soll damit für konkrete Berechnungen eine auf diesen spezifischen Bedarf abgestimmte Formelsammlung zur Verfügung gestellt werden, ohne allerdings exakte Hinweise für den Gültigkeitsbereich der Formeln anzugeben. Daher setzt deren Anwendung ein Grundwissen voraus, oder es muß auf entsprechende Fachliteratur zurückgegriffen werden (s. auch Hinweise für ergänzende Literatur zu den Teilen 2, 3 und 4, S. 252).

3.1 Das Internationale Einheitensystem

Bevor einige grundlegende Prinzipien und Formeln der Mechanik erläutert werden, soll das Internationale Einheitensystem in den hier relevanten Aspekten vorgestellt werden. Dieses System benützt sogenannte **kohärente Einheiten**. Das heißt, daß mit Formeln ohne Verwendung von Umrechnungsfaktoren gearbeitet werden kann, wenn die darin vorkommenden Größen in diesen Einheiten eingesetzt werden.

Ohne auf die physikalischen Grundlagen näher einzugehen, sei vermerkt, daß zunächst sogenannte „Basiseinheiten" festgelegt wurden, aus denen sich die übrigen Einheiten dann nach physikalischen Gesetzen ableiten lassen.

In den folgenden Aufstellungen sind in eckiger Klammer die Einheitenbezeichnungen angeführt, ferner wird die für den Begriff in Formeln meist verwendete Buchstabenbezeichnung angegeben. So wird z. B. eine Masse oft mit dem Buchstaben „m" abgekürzt. Die Einheit einer Masse ist Kilogramm, abgekürzt „kg".

Kohärente Basiseinheiten der Mechanik

Masse	[kg]	Kilogramm	m
Länge	[m]	Meter	l, s
Zeit	[s]	Sekunde	t
Stromstärke	[A]	Ampère	I
Temperatur	[°K]	Grad Kelvin	ϑ
	[°C]	Grad Celsius	$\vartheta\ °K = \vartheta\ °C + 273{,}15$

(für die Differenz zweier Skalenwerte gilt: 1 °K = 1 °C = 1 grd)

Abgeleitete Einheiten

Kraft	[N]	Newton	F (force)
Arbeit	[J]	Joule	W (work)
Leistung	[W]	Watt	P (power)
Druck	[Pa], [bar]	Pascal, bar	p (pressure)
elektrische Spannung	[V]	Volt	U

Weitere Begriffe

Geschwindigkeit	[m/s]		v (velocity)
Beschleunigung	[m/s²]		a (acceleration)
Winkelgeschwindigkeit	[1/s]		ω
Winkelbeschleunigung	[1/s²]		ε

Fläche   [m²] A (area)
Volumen   [m³] V
spezifische Masse (Dichte)   [kg/m³] ρ
Moment (Drehmoment)   [Nm] M
Drehwinkel im Bogenmaß   [rad], [1] φ

Bildung von Vielfachen und Teilen (Auszug)

Faktor	Vorsilbe	Zeichen der Vorsilbe
10^6	Mega	M
10^3	Kilo	k
10^2	Hekto	h
10	Deka	da
10^{-1}	Dezi	d
10^{-2}	Zenti	c
10^{-3}	Milli	m
10^{-6}	Mikro	μ
10^{-9}	Nano	n
10^{-12}	Piko	p

Formelzusammenhänge

Masse × Beschleunigung = Kraft

$$m\,[\text{kg}] \cdot a\,[\text{m/s}^2] = F\,[\text{kgm/s}^2 = \text{N}] \quad\ldots\ldots\ldots\ 1\text{ N} = 1\text{ kgm/s}^2 \tag{3.1/1}$$

Setzt man für a die Erdbeschleunigung g = 9,81 ≈ 10 m/s² ein, so erhält man das Gewicht G der Masse m nach $m \cdot g = G$

Massenträgheitsmoment × Winkelbeschleunigung = Drehmoment

$$I\,[\text{kgm}^2] \cdot \varepsilon\,[1/\text{s}^2] = M\,[\text{kgm/s}^2 \cdot \text{m} = \text{Nm}] \tag{3.1/2}$$

$$M \ldots \text{Moment (Drehmoment)} = \text{Kraft} \times \text{Hebelarm}$$

Kraft × Weg = Arbeit (= Energie = Wärmemenge)

$$F\,[\text{N}] \cdot s\,[\text{m}] = W\,[\text{Nm} = \text{J}] \quad\ldots\ldots\ldots\ldots\ 1\text{ J} = 1\text{ Nm} = 1\text{ Ws} \tag{3.1/3}$$

Moment × Drehwinkel = Arbeit

$$M\,[\text{Nm}] \cdot \varphi\,[\text{rad}] = W\,[\text{Nm} = \text{J}] \tag{3.1/4}$$

Arbeit / Zeit = Leistung

$$\frac{W\,[\text{J}]}{t\,[\text{s}]} = P\,[\text{J/s} = \text{Nm/s} = \text{W}] \quad\ldots\ldots\ldots\ldots\ 1\text{ W} = 1\text{ Nm/s} \tag{3.1/5}$$

Kraft × Geschwindigkeit = Leistung

$$F\,[\text{N}] \cdot v\,[\text{m/s}] = P\,[\text{W}] \tag{3.1/6}$$

Moment × Winkelgeschwindigkeit = Leistung

$$M\,[\text{Nm}] \cdot \omega\,[1/\text{s}] = P\,[\text{W}] \tag{3.1/7}$$

Kraft / Fläche = Druck

$$\frac{F\,[\mathrm{N}]}{A\,[\mathrm{m}^2]} = p\,[\mathrm{N/m}^2 = 1\,\mathrm{Pa}] \quad\ldots\ldots\ldots\ldots\quad 1\,\mathrm{N/m}^2 = 1\,\mathrm{Pa} \tag{3.1/8}$$

$10^6\,\mathrm{Pa} = 10^6\,\mathrm{N/m^2} = 1\,\mathrm{N/mm^2} = 1\,\mathrm{MPa}$
$10^5\,\mathrm{Pa} = 10^5\,\mathrm{N/m^2} = 1\,\mathrm{daN/cm^2} = 1\,\mathrm{bar}$

Vor Einführung des soeben dargestellten Internationalen Einheitensystems wurden in der Technik teilweise andere Einheiten verwendet, die kein kohärentes System darstellten. Auch diese sollen kurz erläutert werden, weil sie in älterer Literatur vorkommen und die Art der Umrechnung bekannt sein sollte.

Einheiten des alten technischen Einheitensystems und deren Umrechnung

– alte Krafteinheit [kp] (Kilopond)
   $1\,[\mathrm{kg}] \cdot 9{,}81\,[\mathrm{m/s^2}] = 1\,[\mathrm{kp}]$

   D. h. die Kraftwirkung einer Masse von 1 kg im Schwerefeld der Erde (Normalbeschleunigung g = 9,81 m/s²) beträgt 1 Kilopond und stellt deren Gewicht G dar.

– alte Einheiten für die Leistung [kpm/s], [PS]

$$\frac{1\,\mathrm{kp} \cdot 1\,\mathrm{m}}{1\,\mathrm{s}} = 1\,\frac{\mathrm{kpm}}{\mathrm{s}}, \quad \frac{75\,\mathrm{kp} \cdot 1\,\mathrm{m}}{1\,\mathrm{s}} = 75\,\frac{\mathrm{kpm}}{\mathrm{s}} = 1\,\mathrm{PS}$$

– alte Einheit für eine Wärmemenge [cal] (Kalorie)
   1 [cal] = Wärmemenge (Arbeit), die erforderlich ist, um 1 g reines Wasser bei Atmosphärendruck um 1 °C zu erwärmen (von 14,5 °C auf 15,5 °C).

Umrechnungen:

1 W = 1 / 9,81 kpm/s = 0,102 kpm/s
   bzw. P [W] = P [kpm/s] · 9,81 = P [kpm/s] / 0,102
   P [kW] = P [kpm/s] · (9,81/1000) = P [kpm/s] / 102

1 PS = 75 kpm/s = (75 / 102) kW = (1 / 1,36) kW
   bzw. P [PS] = P [kpm/s] / 75 = P [kW] · 1,36

1 kcal = 427 kpm = 427 · 9,81 [Nm] = 4187 [Nm = J]
   bzw. Q [kcal] = Q [J] / 4187 = Q [kJ] / 4,187

3.2 Grundbegriffe der Kinematik

Bewegungsabläufe, so auch Arbeitsbewegungen bühnentechnischer Einrichtungen, lassen sich in Zeitintervalle zerlegen, in denen

– die Bewegung mit veränderlicher Geschwindigkeit abläuft (Phase des Beschleunigens oder Verzögerns),
– die Bewegung mit konstanter Geschwindigkeit abläuft (in gleichen Zeitabschnitten Δt werden gleiche Wegstrecken Δs durchlaufen).

Für die Beschleunigungs- und Verzögerungsphase ist vor allem jener Sonderfall interessant, bei dem die Geschwindigkeit in gleichen Zeitabschnitten Δt um den gleichen Wert Δv zu- oder abnimmt. Man nennt dies dann eine **gleichmäßig beschleunigte** oder **gleichmäßig verzögerte Bewegung**, da der Wert der Beschleunigung oder Verzögerung über der Zeit konstant bleibt. Solche Bewegungssituationen treten immer dann ein, wenn Kräfte gleichbleibender Größe beschleunigend oder bremsend wirken. Dies ist in den meisten Anwendungsfällen zumindest näherungsweise gegeben.

So kann z. B. der Bewegungsablauf einer motorisch angetriebenen Laststange eines Prospektzuges beim Heben zerlegt werden:

– in einen Bewegungsabschnitt, in dem die Geschwindigkeit vom Stillstand, also $v_0 = 0$, gleichmäßig auf die Geschwindigkeit v_1 erhöht wird (Beschleunigungsphase mit konstanter Beschleunigung a_c),
– in einen Bewegungsabschnitt, in dem die Latte mit konstanter Geschwindigkeit $v_c = v_1$ verfahren wird und
– in einen Bewegungsabschnitt, in dem die Geschwindigkeit der Latte wieder gleichmäßig von der Geschwindigkeit v_1 auf $v_0 = 0$, also bis zum Stillstand, verzögert wird (Phase mit konstanter Verzögerung a_c). (a_c kann beim Beschleunigen und Verzögern von unterschiedlicher Größe sein.)

Das soeben gegebene Beispiel stellt eine geradlinige Bewegung – eine sogenannte **Translation** – dar. Ein analoger Sachverhalt ist natürlich auch bei drehender Bewegung – sogenannter **Rotation** – gegeben. Statt eines Weges s in [m] ist dann der Drehwinkel φ in [rad], statt der Geschwindigkeit v in [m/s] die Winkelgeschwindigkeit ω [1/s] und statt der Beschleunigung a in [m/s²] die Winkelbeschleunigung ε in [1/s²] maßgebend.

Für diese kinematischen Größen (Translation und Rotation) bestehen folgende Formelzusammenhänge:

Translation

a) Für eine Bewegung mit **konstanter Geschwindigkeit** v_c [m/s] gilt gemäß Abb. 3.2/1a:

$$v = \Delta s / \Delta t = v_c = \text{const.}$$
$$\Delta s = v_c \cdot \Delta t \quad (3.2/1)$$
$$s = s_0 + \Delta s$$

b) Für eine Bewegung mit **konstanter Beschleunigung** a_c [m/s²] von einer Anfangsgeschwindigkeit v_0 zum Zeitpunkt $t = 0$ aus gilt gemäß Abb. 3.2/1b, c:

$$a = \Delta v / \Delta t = a_c = \text{const.}$$
$$\Delta v = a_c \cdot \Delta t$$
$$v = v_0 + \Delta v = v_0 + a_c \cdot \Delta t = \sqrt{v_0^2 + 2 \cdot a_c \cdot \Delta s}$$
$$\Delta s = v_0 \cdot \Delta t + \frac{1}{2} \cdot a_c \cdot (\Delta t)^2 = \frac{v_0 + v}{2} \cdot \Delta t \quad (3.2/2)$$
$$s = s_0 + \Delta s$$

Für den Sonderfall der Anfangsgeschwindigkeit $v_0 = 0$ (Beschleunigen aus dem Stillstand) und $s_0 = 0$ wird

$$v = a_c \cdot \Delta t = \sqrt{2 \cdot a_c \cdot \Delta s}$$
$$s = \frac{1}{2} \cdot a_c \cdot (\Delta t)^2 = \frac{v}{2} \cdot \Delta t = \frac{v^2}{2 \cdot a_c}$$

Δt ... Zeitintervall [s]
s_0 ... Wegmarke zur Zeit $t = 0$ [m]
s ... Wegmarke nach der Zeit Δt [m]
Δs ... im Zeitintervall Δt zurückgelegter Weg [m]
v ... Geschwindigkeit [m/s]
Δv ... Geschwindigkeitsänderung im Zeitintervall Δt
a ... Beschleunigung [m/s²]

$a > 0$ positive Beschleunigung bedeutet, daß die Geschwindigkeit zunimmt
$a < 0$ negative Beschleunigung (=Verzögerung) bedeutet, daß die Geschwindigkeit abnimmt

3.2 Grundbegriffe der Kinematik

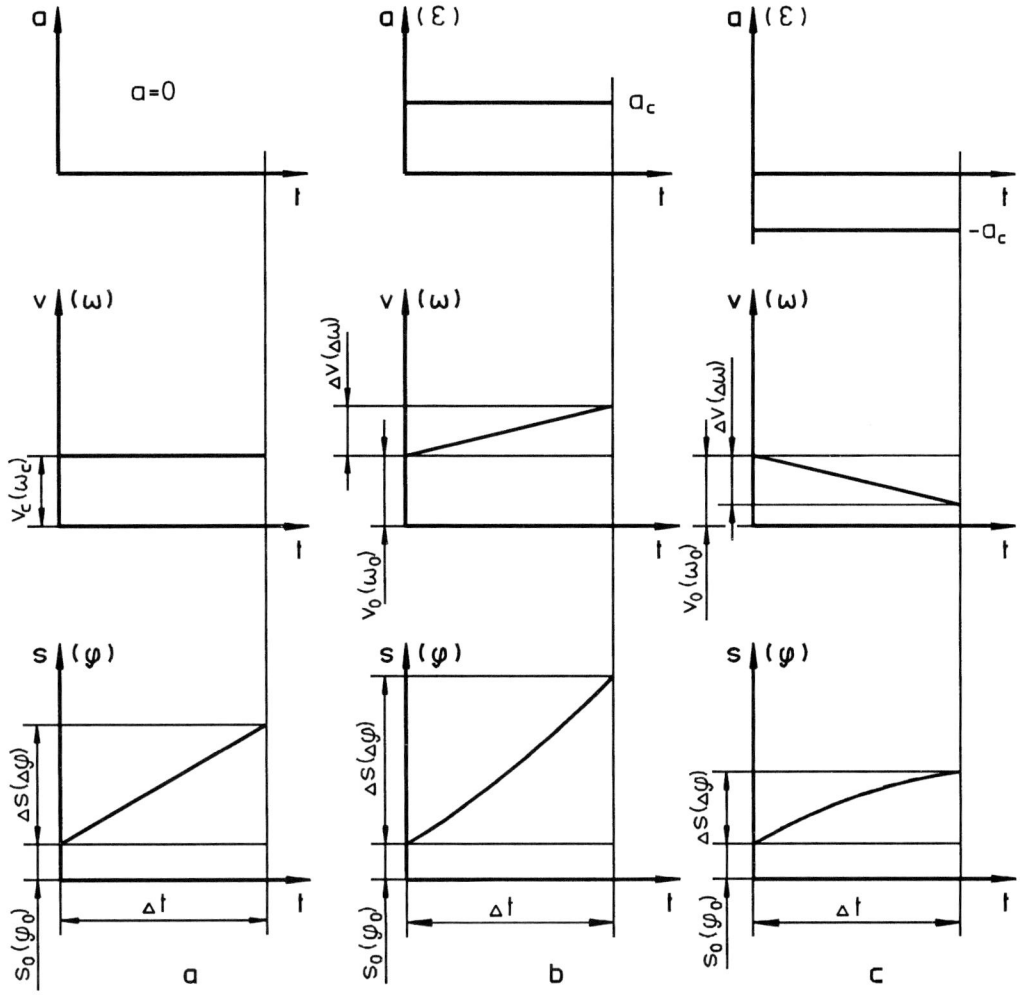

Abb. 3.2/1: Zeitdiagramme bei Bewegung mit konstanter
a) Geschwindigkeit, b) Beschleunigung, c) Verzögerung
(Weg s, Geschwindigkeit v und Beschleunigung a bei Translation; Drehwinkel φ, Winkelgeschwindigkeit ω und Winkelbeschleunigung ε bei Rotation)

Rotation

a) Für eine Rotation mit **konstanter Winkelgeschwindigkeit** ω_c [1/s] gilt gemäß Abb. 3.2/1a:

$$\omega = \Delta\varphi\,/\,\Delta t = \omega_c = \text{const.}$$
$$\Delta\varphi = \omega_c \cdot \Delta t \qquad (3.2/3)$$
$$\varphi = \varphi_0 + \Delta\varphi$$

b) Für eine Rotation mit **konstanter Winkelbeschleunigung** ε_c [1/s²] von einer Winkelgeschwindigkeit ω_0 zum Zeitpunkt $t = 0$ aus gilt gemäß Abb. 3.2/1b, c:

$$\varepsilon = \Delta\omega\,/\,\Delta t = \varepsilon_c = \text{const.}$$
$$\Delta\omega = \varepsilon_c \cdot \Delta t \qquad (3.2/4)$$
$$\omega = \omega_0 + \Delta\omega = \omega_0 + \varepsilon_c \cdot \Delta t = \sqrt{\omega_0^2 + 2 \cdot \varepsilon_c \cdot \Delta\varphi}$$

$$\Delta\varphi = \varphi_0 \cdot \Delta t + \frac{1}{2} \cdot \varepsilon_c \cdot (\Delta t)^2 = \frac{\omega_0 + \omega}{2} \cdot \Delta t$$

$$\varphi = \varphi_0 + \Delta\varphi$$

Für den Sonderfall $\omega_0 = 0$ (Beschleunigen aus dem Stillstand) und $\varphi_0 = 0$ wird

$$\omega = \varepsilon_c \cdot \Delta t = \sqrt{2 \cdot \varepsilon_c \cdot \Delta\varphi}$$

$$\varphi = \frac{1}{2} \cdot \varepsilon_c \cdot (\Delta t)^2 = \frac{\omega}{2} \cdot \Delta t = \frac{\omega^2}{2 \cdot \varepsilon_c}$$

Δt ... Zeitintervall [s]
φ_0 ... Winkelmarke zur Zeit $t = 0$ [°, rad]
φ ... Winkelmarke zur Zeit t
$\Delta\varphi$ ... im Zeitintervall Δt durchlaufener Winkel [rad]
ω ... Winkelgeschwindigkeit [1/s]
$\Delta\omega$ ... Änderung der Winkelgeschwindigkeit im Zeitintervall Δt
ε ... Winkelbeschleunigung [1/s²]
   $\varepsilon > 0$ positive Winkelbeschleunigung bedeutet, daß die Drehgeschwindigkeit zunimmt
   $\varepsilon < 0$ negative Winkelbeschleunigung (= Winkelverzögerung) bedeutet, daß die Drehgeschwindigkeit abnimmt

Ein Winkel α, so auch der Drehwinkel φ, kann entweder im **Bogenmaß** oder im **Gradmaß** angegeben werden. In den obigen Formeln ist er im Bogenmaß [rad] einzusetzen!

Ein Winkel von 360° beträgt im Bogenmaß 2π und entspricht somit dem Umfang $u = 2 \cdot r \cdot \pi$ des Einheitskreises mit $r = 1$.

Daher gilt allgemein für einen Winkel α

$$\alpha [°] = \frac{180}{\pi} \cdot \alpha [\text{rad}] \tag{3.2/5}$$

Die Geschwindigkeit, mit der eine drehende Bewegung erfolgt, kann – wie oben – mit dem Begriff der **Winkelgeschwindigkeit** in [1/s] angegeben werden. Es ist aber auch möglich, die Bewegung durch Angabe der Zahl der Umdrehungen pro Sekunde oder pro Minute zu beschreiben, der sogenannten **Drehzahl** mit der Einheit [U/s = 1/s] bzw. [U/min = 1/min]. Oder es wird die Geschwin-

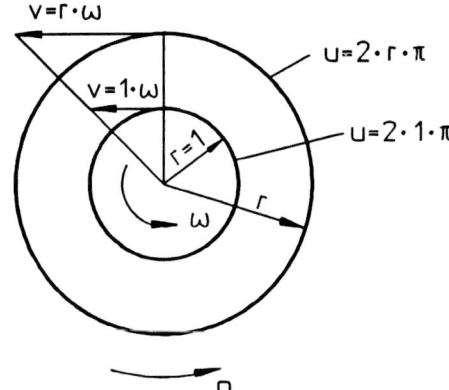

Abb. 3.2/2: Begriffe zur Drehgeschwindigkeit: Umfangs-, Winkelgeschwindigkeit, Drehzahl

digkeit v in [m/s] in einem definierten Abstand r vom Drehpunkt als **Umfangsgeschwindigkeit** angegeben. Somit kann der Zahlenwert der Winkelgeschwindigkeit als die Umfangsgeschwindigkeit in [m/s] und der Zahlenwert der Winkelbeschleunigung als Beschleunigung in [m/s²] gemessen am Radius 1 m interpretiert werden. Zwischen diesen drei die Rotation beschreibenden Größen ergeben sich folgende Formelzusammenhänge (Abb. 3.2/2):

$$\omega = v / r \; [1/s] \tag{3.2/6}$$

$$n = \frac{\omega}{2\,\pi} = \frac{v}{2\,r \cdot \pi} = \frac{v}{d \cdot \pi}\;[\text{U/s}]$$

$$n^* = 30\frac{\omega}{\pi} = 30\frac{v}{r \cdot \pi} = 60\frac{v}{d \cdot \pi}\;[\text{U/min}] \tag{3.2/7}$$

$$v = \omega \cdot r = d \cdot \pi \cdot n = \frac{d \cdot \pi \cdot n^*}{60}\;[\text{m/s}] \tag{3.2/8}$$

$$\varepsilon = a / r\;[1/s^2] \tag{3.2/9}$$

ω ... Winkelgeschwindigkeit [1/s]
v ... Umfangsgeschwindigkeit [m/s] am Radius r bzw. Durchmesser d
a ... Beschleunigung [m/s²] am Radius r bzw. Durchmesser d
ε ... Winkelbeschleunigung [1/s²]
n ... Drehzahl [U/s] bzw. n^* [U/min]

3.3 Grundbegriffe der Dynamik

In diesem Abschnitt sollen nochmals die wichtigsten Grundformeln der Mechanik zusammengefaßt werden, die ja teilweise schon zur Erläuterung der „abgeleiteten Einheiten" des Internationalen Einheitensystems herangezogen wurden. Mit ihnen kann das Bewegungsverhalten einfacher Systeme unter der Einwirkung von Kräften und Momenten untersucht werden.

Die ebene Bewegung eines starren Körpers läßt sich mit dem **Schwerpunktsatz** (für die Translation)

$$F = m \cdot a \tag{3.3/1}$$

und dem **Drallsatz** (für die Rotation)

$$M = I \cdot \varepsilon \tag{3.3/2}$$

behandeln.

F ... Resultierende aller am starren Körper angreifenden Kräfte [N]
M ... Moment der äußeren Kräfte um die Rotationsachse [Nm]
m ... Masse [kg]
I ... Massenträgheitsmoment in bezug auf die zur Bewegungsebene senkrechte Rotationsachse [kgm²]
a ... Beschleunigung [m/s²]
ε ... Winkelbeschleunigung [1/s²]

Ferner besagt der **Arbeitssatz**, angewandt auf einen starren Körper, daß die Zunahme der kinetischen Energie eines Körpers in einem beliebigen Zeitintervall gleich ist der von den äußeren Kräften in diesem Zeitintervall geleisteten Arbeit.

$$\Delta T = T_2 - T_1 = W_{1,2} \tag{3.3/3}$$

T ... kinetische Energie [Nm = J]
W ... Arbeit [Nm = J]
Index 1, 2 ... Zustand 1, 2

Die **kinetische Energie** stellt das Arbeitsvermögen einer bewegten Masse, deren „Wucht", dar. In Formeln ausgedrückt heißt dies, angewandt auf eine mit der Geschwindigkeit v translatorisch bewegte Masse m

$$T = \frac{m \cdot v^2}{2} \tag{3.3/4}$$

und angewandt auf eine mit der Winkelgeschwindigkeit ω rotierende Masse mit dem Massenträgheitsmoment I

$$T = \frac{I \cdot \omega^2}{2} \tag{3.3/5}$$

Mehrmassensysteme

In den meisten Fällen wird ein System aus translatorisch und rotatorisch bewegten Massen bestehen.

Soll z. B. ein Bühnenwagen in Bewegung gesetzt werden, so ist ja nicht nur die gesamte Masse m des Wagens samt etwaiger Nutzlastmassen im Sinne dieser Translation zu beschleunigen, sondern es müssen auch alle rotierenden Massen gegen die Wirkung derer Massenträgheitsmomente beschleunigt werden.

Nimmt man vereinfachend eine starre Koppelung mehrerer Einzelmassen an, so kann das Verhalten des Systems folgendermaßen untersucht werden: Man wählt ein beliebiges translatorisch oder rotatorisch bewegtes System als Ersatzsystem und rechnet alle mit anderer Geschwindigkeit oder Winkelgeschwindigkeit bewegten Massen auf dieses Ersatzsystem um. Diese Massenreduktion erfolgt derart, daß man in einer **Energiebilanz** die ins Ersatzsystem zu reduzierenden Massen so ansetzt, daß sie die gleiche kinetische Energie wie im tatsächlichen System besitzen. Massen mit sehr kleiner kinetischer Energie, also nur langsam bewegte oder sehr kleine Massen, können dabei vernachlässigt werden. Ebenso muß man auf das System wirkende Kräfte oder Drehmomente auf das Ersatzsystem reduzieren, indem man in einer **Leistungsbilanz** die Leistungen gleichsetzt.

Wirkt also z. B. auf eine mit der Geschwindigkeit v bewegte Masse m eine Kraft F (System 1) und auf eine mit ω rotierende Masse mit dem Trägheitsmoment I ein Moment M (System 2), so kann das Gesamtsystem entweder auf System 1 oder auf System 2 reduziert werden. In den folgenden Formeln wird in der Energie- und Leistungsbilanz der Wirkungsgradeinfluß außer acht gelassen. Bei Systemen mit schlechtem Wirkungsgrad (z. B. Gleitspindeltrieb, Schneckengetriebe, s. Kap. 4.3, 4.4) ist dies nicht zulässig (s. Fachliteratur).

Reduktion auf das System 1 (Glg. 3.3/1)

$$F + F_{\text{red}} = (m + m_{\text{red}}) \cdot a \tag{3.3/6}$$

Aus der Energiebilanz nach Glg. 3.3/4 und Glg. 3.3/5

$$\frac{m_{\text{red}} \cdot v^2}{2} = \frac{I \cdot \omega^2}{2} \quad \text{folgt} \quad m_{\text{red}} = I \cdot \left(\frac{\omega}{v}\right)^2 \tag{3.3/7}$$

und aus der Leistungsbilanz nach Glg. 3.1/6 und Glg. 3.1/7

$$F_{\text{red}} \cdot v = M \cdot \omega \quad \text{folgt} \quad F_{\text{red}} = M \cdot \frac{\omega}{v} \tag{3.3/8}$$

Reduktion auf das System 2 (Glg. 3.3/2)

$$M + M_{\text{red}} = (I + I_{\text{red}}) \cdot \varepsilon \tag{3.3/9}$$

3.4 Reibung

Aus der Energiebilanz nach Glg. 3.3/4 und Glg. 3.3/5

$$\frac{I_{red} \cdot \omega^2}{2} = \frac{m \cdot v^2}{2} \quad \text{folgt} \quad I_{red} = m \cdot \left(\frac{v}{\omega}\right)^2 \tag{3.3/10}$$

und aus der Leistungsbilanz

$$M_{red} \cdot \omega = F \cdot v \quad \text{folgt} \quad M_{red} = F \cdot \frac{v}{\omega} \tag{3.3/11}$$

Mit Glg. 3.3/6 bzw. Glg. 3.3/9 kann damit die Beschleunigung a bzw. ε errechnet werden.

3.4 Reibung

3.4.1 Arten der Reibung

Gleitreibung

Berühren sich zwei Körper mit der Druckkraft F_N und beträgt der vom Material der beiden Körper und einem etwaigen Schmierzustand abhängige **Reibungskoeffizient** μ, so ist für eine Relativverschiebung der Körper gemäß Abb. 3.4/1a eine Kraft

$$F_R = F_N \cdot \mu \quad \text{mit} \quad \mu = \tan \rho \tag{3.4/1}$$

zur Überwindung der Reibung erforderlich.

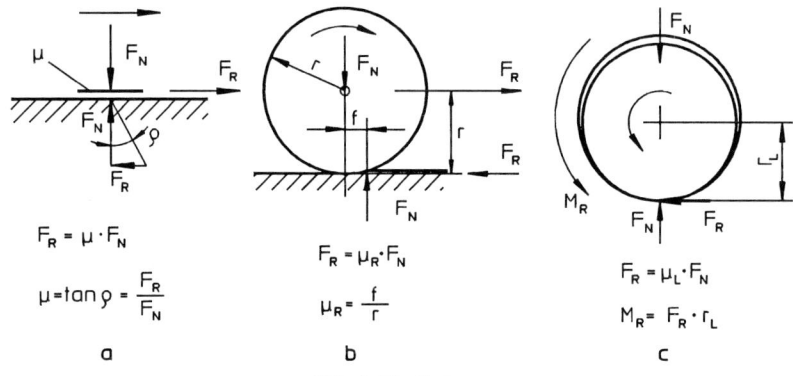

Abb. 3.4/1: Reibung
a) Gleitreibung, b) Rollreibung, c) Lagerreibung (Zapfenreibung)

Bezüglich der Größe von μ ist i. a. zwischen der **Haft-** und der **Gleitreibung** zu unterscheiden. Findet zwischen den beiden sich berührenden Körpern keine Relativbewegung statt, ist der Reibschluß durch den **Haftreibwert** μ_H bestimmt, und es kann unter einer Kraftwirkung F erst dann eine Relativbewegung einsetzen, wenn F größer $F_N \cdot \mu_H$ ist.

Im Zustand einer Relativbewegung ist die erforderliche Kraft F durch den **Gleitreibwert** μ_G bestimmt, der i. a. niedriger ist als der Haftreibwert μ_H. Findet bereits eine Relativbewegung statt, so bleibt diese bestehen, solange F größer $F_N \cdot \mu_G$ ist.

F_N ... Druckkraft [N]
F_R ... Reibkraft [N]
μ ... Reibungskoeffizient [–]
μ_H ... Reibungskoeffizient für Haftreibung [–]
μ_G ... Reibungskoeffizient für Gleitreibung [–]
ρ, ρ_H, ρ_G ... Reibungswinkel [°, rad]

Rollreibung

Unter diesem Begriff werden Bewegungswiderstände zweier sich aneinander abwälzender Körper unter einer Druckkraft F_N verstanden, die sich infolge plastischer Verformung der Druckkörper ergeben. Diese Situation ist am auf einer Schiene rollenden Rad gemäß Abb. 3.4/1 b erläutert.

Infolge der Verformung bilden die Aktions- und Reaktionskraft F_N bei rollender Bewegung ein Kräftepaar mit dem Abstand f, wodurch sich am Rad mit dem Radius r ein Bewegungswiderstand F_R ergibt.

$$F_R = F_N \cdot \frac{f}{r} = F_N \cdot \mu_R \qquad (3.4/2)$$

f ... Hebelarm der Rollreibung [m]
r ... Radius des Rades [m]
μ_R ... Rollreibungskoeffizient [–]

Damit tatsächlich ein Rollen des Rades und nicht ein Gleiten auftritt, muß $\mu_R < \mu_H$ sein.

Lagerreibung

Auch eine in einem Lager geführte Welle wird durch Reibkräfte in ihrer Drehbewegung behindert. Auch für diesen Fall besteht eine Beziehung zwischen Lagerkraft und dem Reibmoment im Lager (Abb. 3.4/1 c). Die Größe des Lagerreibungskoeffizienten μ_L hängt vor allem davon ab, ob es sich um ein Gleit- oder Wälzlager handelt.

$$F_R = F_N \cdot \mu_L \quad \text{und} \quad M_R = F_R \cdot r_L \qquad (3.4/3)$$

r_L ... Lagerradius [m]
M_R ... Reibmoment [Nm]
μ_L ... Lagerreibungskoeffizient [–]

Gesamtwiderstand eines rollenden Rades

Dieser setzt sich aus dem Rollreibungswiderstand am Laufrad nach Glg. 3.4/2 und dem Lagerreibungswiderstand nach Glg. 3.4/3 zusammen und beträgt

$$F_R = F_N \cdot \left(\frac{f}{r} + \mu_L \cdot \frac{r_L}{r} \right)$$

Oft wird mit einem beide Komponenten und etwaige Zusatzwiderstände (wie z. B. die Spurkranzreibung) erfassenden spezifischen Fahrwiderstand w_R gerechnet.

$$F_R = F_N \cdot w_R \qquad (3.4/4)$$

w_R ... spezifischer Fahrwiderstand [–], [N/N]
(Widerstand in N pro N Radlast, manchmal auch in [N/kN] angegeben)

3.4.2 Adhäsionsbedingung

Bei Fahrantrieben von Bühnenwagen oder z. B. bei Drehantrieben von kleineren Drehscheiben erfolgt die Übertragung der Triebkraft über Reibschluß zwischen Rad und Schiene. Die Größe der übertragbaren Umfangskraft hängt von der Größe der zwischen Rad und Schiene wirkenden Druckkraft und dem Reibwert der Laufrad-Schienenpaarung ab, nach der Beziehung

$$F_{U\,max} = R_A \cdot \mu_A \qquad (3.4/5)$$

Daher darf der vom Antriebsrad zu überwindende Bewegungswiderstand (s. Kap. 3.6) nicht größer sein, und es folgt die Adhäsionsbedingung

$F_v^* + F_a^* \leq R_A \cdot \mu_A$ bzw. bei mehreren Antriebsrädern

$$F_v^* + F_a^* \leq \sum R_A \cdot \mu_A \qquad (3.4/6)$$

$F_{U\,max}$ ... am Antriebsrad übertragbare Umfangskraft
F_v^* ... Bewegungswiderstand in der Beharrung
F_a^* ... zusätzlicher Widerstand beim Beschleunigen
R_A ... zwischen Antriebsrad und Schiene wirkende Druckkraft
μ_A ... Reibwert am Antriebsrad, z. B.
$\mu_A = 0{,}14$ Stahlrad auf Stahlschiene
$\mu_A = 0{,}2 \div 0{,}7$ Vulkollanrad auf Stahlschiene

Das Zusatzzeichen „*" bei F_v und F_a soll darauf hinweisen, daß bei Ermittlung dieser Größen bei exakter Betrachtung nur jene Kraftanteile zu berücksichtigen sind, die auch tatsächlich an den Antriebsrädern über Reibschluß übertragen werden müssen. D. h. beispielsweise, daß der F_v-Anteil aus der Laufrad-Lagerreibung oder der F_a-Anteil zur Beschleunigung rotierender Massen im Antriebsstrang zwar für die Bestimmung der Motorgröße, nicht aber für die Adhäsionsbedingung von Relevanz ist.

Die Kraft R_A kann aus Gewichtskräften resultieren, wie dies z. B. beim Fahrantrieb des in Abb. 1.6/37 dargestellten Brückenwagens oder bei den Reibrädern des in Abb. 1.6/40 abgebildeten Bühnenwagens gegeben ist, oder aus einer Federkraft, wie dies beim Reibradantrieb des in Abb. 1.6/43 dargestellten Drehscheibenantriebes der Fall ist.

3.5 Wirkungsgrad

Wird in ein reibungsbehaftetes Triebwerkselement am Antrieb eine bestimmte Energie während eines Zeitintervalles eingebracht, so kann am Abtrieb im gleichen Zeitintervall nur eine reduzierte Energiemenge abgegeben werden **(Nutzarbeit)**; der Differenzbetrag kann als Bewegungsenergie nicht genutzt werden, sondern geht vor allem als Wärmeenergie verloren.

Betrachtet man als Zeitintervall die Zeiteinheit, so kann dieser Sachverhalt auch mit dem Begriff der Leistung beschrieben werden. Die **Abtriebsleistung** P_{ab} **(Nutzleistung)** ist um die **Verlustleistung** P_V kleiner als die **Antriebsleistung** P_{an}.

$P_{ab} = P_{an} - P_V$

Nur bei einem verlustlosen Antrieb (Index 0) ist

$P_{0\,an} = P_{0\,ab} = P_0$

Den Quotienten „Nutzarbeit dividiert durch aufgewendete Arbeit" bzw. „Abtriebsleistung (Nutzleistung) zu Antriebsleistung" bezeichnet man als **Wirkungsgrad** η. Der Wirkungsgrad ist also in einem „realen" verlustbehafteten System immer kleiner 1 (im Zähler steht immer der kleinere Wert) und nur in einem „idealen" verlustlosen System gleich 1.

$$\eta = \frac{P_{ab}}{P_{an}} = \frac{P_{an} - P_V}{P_{an}} = \frac{P_{ab}}{P_{ab} + P_V} = \frac{P_{0\,an}}{P_{an}} = \frac{P_{ab}}{P_{0\,ab}} \qquad (3.5/1)$$

P_{an} ... Antriebsleistung im verlustbehafteten System
P_{ab} ... Abtriebsleistung im verlustbehafteten System
P_V ... Verlustleistung
$P_{0\,an} = P_{0\,ab} = P_0$ ... An- bzw. Abtriebsleistung im verlustlosen System
η ... Wirkungsgrad [–]

Zur Ermittlung des Wirkungsgrades eines Systems muß also z. B. verglichen werden, welche Arbeit bzw. Leistung eingebracht werden muß, um einen Bewegungszustand im realen verlustbehafteten System infolge von Reibung aufrecht zu erhalten und welche Arbeit bzw. Leistung in einem idealen verlustlosen System ohne Wirkung von Reibung einzubringen wäre.

Im Falle einer Hub- oder Senkbewegung unter Wirkung der Schwerkraft muß zwischen zwei Fällen unterschieden werden:

- Beim **Heben** einer Last mit der Geschwindigkeit v muß „**Treibleistung**" erbracht werden. Die der Bewegungsrichtung entgegenwirkende Schwerkraft muß auch im verlustlosen System überwunden werden. Die im verlustbehafteten System wirkenden Reibkräfte vergrößern diesen Bewegungswiderstand. Daher muß im realen System neben der Treibleistung P_0 auch eine Verlustleistung P_V erbracht werden. Der **Hubwirkungsgrad** η_H beträgt daher

$$\eta_H = \frac{P_0}{P_H} = \frac{P_0}{P_0 + P_V} \qquad (3.5/2)$$

$$P_H = P_0 \cdot 1/\eta_H \qquad (3.5/3)$$

- Beim **Senken** einer Last mit der Geschwindigkeit v muß „**Bremsleistung**" erbracht werden; sonst würde die Last unter der Wirkung der Schwerkraft immer schneller werdend abstürzen. Im verlustlosen System muß also die in Bewegungsrichtung treibende Schwerkraft ausgeglichen werden. Diese treibende Kraft wird im verlustbehafteten System durch Reibung verkleinert. Daher wird die Bremsleistung P_0 im realen System um die Verlustleistung P_V reduziert und der **Senkwirkungsgrad** η_S beträgt

$$\eta_S = \frac{P_S}{P_0} = \frac{P_0 - P_V}{P_0} \qquad (3.5/4)$$

$$P_S = P_0 \cdot \eta_S = P_H \cdot \eta_H \cdot \eta_S \qquad (3.5/5)$$

Unter der Bedingung, daß die Verlustleistung P_V im Hub- und Senksinn gleich groß ist, errechnet sich daraus der Zusammenhang

$$\eta_S = 2 - 1/\eta_H \qquad (3.5/6)$$

In der folgenden Tabelle sind nach Glg. 3.5/6 errechnete Werte für η_H und η_S gegenübergestellt.

η_H	0,99	0,95	0,90	0,80	0,50
η_S	0,99	0,95	0,89	0,75	0

Bei sehr guten Wirkungsgradwerten, etwa für $\eta_H > 0,9$, kann ohne weiteres $\eta_H = \eta_S = \eta$ gesetzt werden. Bei hohen Wirkungsgradwerten wird daher i. a. gar nicht zwischen Hub- und Senkwirkungsgrad unterschieden, sondern man setzt für die Hubsituation

$$P_H = P_0 \cdot \frac{1}{\eta_H}$$

und für die Senksituation gemäß Glg. 3.5/5

$$P_S = P_0 \cdot \eta_S \approx P_H \cdot \eta^2 \qquad (3.5/7)$$

Aus der Betrachtung der Bremssituation, wie sie beim Senken einer Last beschrieben wurde, kann aber auch folgendes Systemverhalten abgeleitet werden: Sind die in einem Triebwerk wirksamen Reibkräfte größer als die treibende Kraftwirkung infolge der Schwerkraft, dann ist gar keine Bremsleistung, sondern sogar für die Senkbewegung eine Treibleistung vom Antrieb aufzubringen.

3.6 Leistungsermittlung

Dabei sind allerdings zwei Fälle zu unterscheiden:
- Das Erfordernis, auch beim Senken antreiben zu müssen, ist nur bei kleinen, „nicht durchziehenden" Lasten gegeben, während bei größeren Lasten sehr wohl gebremst werden muß.
- Das Erfordernis, auch beim Senken antreiben zu müssen, ist systemimmanent und unabhängig von der Lastgröße immer gegeben, d. h. auch eine noch so große Last kann keinen Senkvorgang hervorrufen. Dieser Zustand wird als **Selbsthemmung** bezeichnet. Ein System ist also selbsthemmend, wenn der Senkwirkungsgrad η_S von der Größe der Last unabhängig und kleiner/gleich Null ist.

$$\eta_S \leq 0 \tag{3.5/8}$$

Gilt Glg. 3.5/6, dann folgt daraus, daß diese Bedingung gleichbedeutend ist mit der Bedingung

$$\eta_H \leq 0{,}5$$

In Kap. 4.3 sind die Verhältnisse für Keil- und Spindeltrieb dargelegt.

3.6 Leistungsermittlung

Zur Berechnung der erforderlichen Leistung eines Antriebes muß zuerst untersucht werden, welche Kraftwirkungen F_W sich der gewünschten Bewegung als Bewegungswiderstand entgegensetzen.

Bewegungswiderstände in der Beharrung

Darunter sind Bewegungswiderstände zu verstehen, die überwunden werden müssen, um einen Bewegungszustand mit einer Geschwindigkeit v aufrecht zu erhalten. Sie können bei **translatorischer Bewegung** unter der Bezeichnung

$$F_v = \sum F_W \tag{3.6/1}$$

zusammengefaßt werden.

F_W sind als Bewegungswiderstand wirksame Kräfte, für die nachfolgend einige Beispiele angeführt werden:
- Wirkung der **Schwerkraft** bei vertikalem Hub der Masse m (s. Glg. 3.1/1)
$$F_W = G \text{ [N]} = m \text{ [kg]} \cdot g \text{ [m/s}^2\text{]} \tag{3.6/2}$$
- an Laufrädern bei horizontaler Fahrbewegung gemäß Glg. 3.4/4 wirkender **Fahrwiderstand**
$$F_W = w_R \cdot F_N \tag{3.6/3}$$
- Im Falle des Verfahrens einer Masse unter einem Steigungswinkel α nach Abb. 3.6/1 resultiert der Bewegungswiderstand aus der Sinuskomponente des Gewichtes und dem Fahrwiderstand
$$F_W = G \cdot \sin \alpha + w_R \cdot G \cdot \cos \alpha = G \cdot (\sin \alpha + w_R \cdot \cos \alpha) \tag{3.6/4}$$

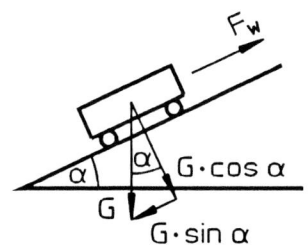

Abb. 3.6/1: Fahrwiderstand auf schiefer Ebene

– Wirkung eines **statischen Druckes** p auf eine Fläche A gemäß Abb. 3.6/2 (s. auch Glg. 3.7/1)

$$F_W = p \cdot A \tag{3.6/5}$$

p ... hydrostatischer Druck [N/m²]
A ... druckbeaufschlagte Fläche [m²]

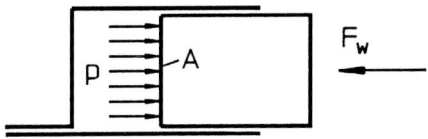

Abb. 3.6/2: Kraftwirkung eines hydrostatischen Druckes auf eine Fläche

– Als Druck kann auch der **Staudruck** eines strömenden Mediums nach Glg. 3.7/3, z. B. der Winddruck bei einer Anlage im Freien, wirken. Die geometrische Form der angeströmten Struktur wird durch einen aerodynamischen Kraftbeiwert c berücksichtigt:

$$F_W = c \cdot q \cdot A_W \tag{3.6/6}$$

A_W ... angeströmte projizierte Fläche
q ... Staudruck [N/m²] $q = (\rho/2) \cdot v^2$
v ... Relativgeschwindigkeit Luft-Objekt [m/s]; das ist bei kleinen Fahrgeschwindigkeiten die Windgeschwindigkeit
c ... aerodynamischer Kraftbeiwert (Gestaltbeiwert) [–] ($c \approx 0,8 \div 1,3 \div 1,6$)
ρ ... Dichte der Luft [kg/m³] ($\rho \approx 1,3$ kg/m³)

Bei **drehenden Bewegungen** sind die Bewegungswiderstände als Drehmomente darstellbar, und Glg. 3.6/1 kann in der abgewandelten Form

$$M_v = \sum M_W \tag{3.6/7}$$

angeschrieben werden.

Bewegungswiderstände beim Beschleunigen

Zur Einleitung einer Bewegung mit der Geschwindigkeit v muß die Masse m erst mit der Beschleunigung a [m/s²] auf die Geschwindigkeit v gebracht werden. Aufgrund der Massenträgheit setzt die Masse m der Beschleunigung einen mit F_a bezeichneten Beschleunigungswiderstand entgegen (Glg. 3.3/1 und 3.3/6).

$$F_a = m \cdot a \quad \text{bzw.} \quad F_a = (m + m_{red}) \cdot a \tag{3.6/8}$$

Ebenso sind bei rotierender Bewegung Drehmomente M_a zur Beschleunigung des Systems in Betracht zu ziehen (Glg. 3.3/2 und 3.3/9)

$$M_a = I \cdot \varepsilon \quad \text{bzw.} \quad M_a = (I + I_{red}) \cdot \varepsilon \tag{3.6/9}$$

Antriebsleistung

Die erforderliche Leistung eines Antriebes setzt sich somit unter Beachtung eines Wirkungsgrades η zur Berücksichtigung zusätzlicher Verluste (Glg. 3.5/1) zusammen aus:

a) der **Beharrungsleistung** P_v
 – zum Aufrechterhalten einer Geschwindigkeit v [m/s] gegen Widerstandskräfte F_v [N] bei Translation

$$P_v = F_v \cdot v \cdot 1/\eta \quad [\text{N} \cdot \text{m/s} = \text{Nm/s} = \text{W}] \tag{3.6/10}$$

- zum Aufrechterhalten einer Winkelgeschwindigkeit ω [1/s] gegen ein Drehmoment M_v [Nm] bei Rotation

$$P_v = M_v \cdot \omega \cdot 1/\eta \quad [\text{Nm} \cdot 1/\text{s} = \text{Nm/s} = \text{W}] \tag{3.6/11}$$

b) der maximalen **Beschleunigungsleistung** P_a

- zum Beschleunigen einer translatorisch bewegten Masse (Glg. 3.1/1 und 3.2/2) in der Anfahrzeit t_a

$$P_a = F_a \cdot v \cdot 1/\eta = m \cdot a \cdot v \cdot 1/\eta = m \cdot (v^2/t_a) \cdot 1/\eta \quad [\text{N} \cdot \text{m/s} = \text{W}] \tag{3.6/12}$$

- zum Beschleunigen einer rotierenden Masse (Glg. 3.1/2 und 3.2/4)

$$P_a = M_a \cdot \omega \cdot 1/\eta = I \cdot \varepsilon \cdot \omega \cdot 1/\eta = I \cdot (\omega^2/t_a) \cdot 1/\eta \quad [\text{Nm} \cdot 1/\text{s} = \text{W}] \tag{3.6/13}$$

In der Beschleunigungsphase ist somit maximal eine Antriebsleistung

$$P_{ges} = P_v + P_a \tag{3.6/14}$$

erforderlich, in der Phase der Beharrung reicht eine Antriebsleistung P_v aus.

Die tatsächlich erforderliche Nennleistung eines elektrischen Antriebsmotors ist so zu wählen, daß Anfahr- und Nennmoment dem Bedarf entsprechen. Es ist aber auch zu bedenken, daß der Motor thermisch richtig ausgelegt ist, das heißt, daß er im Betrieb nicht zu heiß wird. Die thermische Belastung hängt vor allem von der Einschaltdauer und den Kühlverhältnissen des Motors ab.

3.7 Grundbegriffe der Hydraulik

3.7.1 Grundbegriffe und -beziehungen

Hydrostatischer Druck

Wirkt auf eine eingeschlossene Flüssigkeit über eine Kolbenfläche A die Kraft F (Abb. 3.7/1 a), so steht diese Flüssigkeit unter dem Druck

$$p\,[\text{N/m}^2] = \frac{F\,[\text{N}]}{A\,[\text{m}^2]} \tag{3.7/1}$$

F ... Kraft [N]
A ... Fläche [m²]
p ... Druck [N/m² = Pa]

Gewichtsdruck

Neben diesem durch äußere Kräfte hervorgerufenen hydrostatischen Druck wirkt in einer Flüssigkeitssäule der Höhe h (unabhängig von der Form der Drucksäule) noch der **Gewichtsdruck** oder **Schweredruck** p_s nach Abb. 3.7/1 b.

$$p_s = h \cdot \rho \cdot g \tag{3.7/2}$$

h ... Höhe der Flüssigkeitssäule [m]
ρ ... Dichte der Flüssigkeit [kg/m³] (Wasser $\rho \approx 1000$ kg/m³,
                                                     Mineralöl $\rho \approx 900$ kg/m³)
g ... Erdbeschleunigung, g = 9,81 $\approx$ 10 [m/s²]

10 m Wassersäule ergeben daher einen Schweredruck

$p_s \approx 10\,[\text{m}] \cdot 1000\,[\text{kg/m}^3] \cdot 10\,[\text{m/s}^2] = 100.000\,[\text{kgm/s}^2 \cdot 1/\text{m}^2] = 100.000\,[\text{N/m}^2] = 1$ bar

Luft- und Schweredruck sind gegenüber den in der hydrostatischen Antriebstechnik verwendeten Drücken vernachlässigbar klein und werden daher in der hydrostatischen Antriebstechnik nicht in Rechnung gestellt.

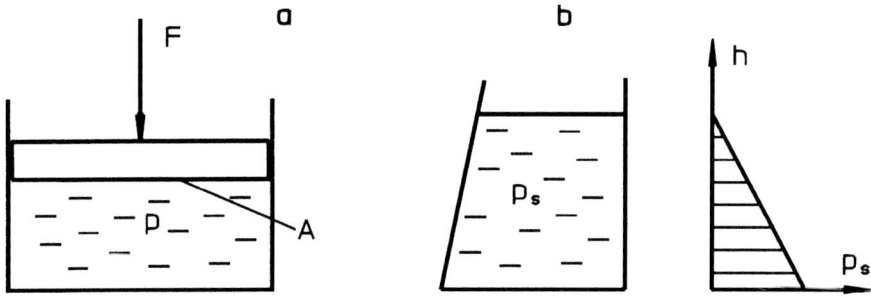

Abb. 3.7/1: Hydrostatischer Druck infolge einer äußeren Kraft und Gewichtsdruck
a) Druck p infolge einer äußeren Kraft, b) Druckverteilung p_s infolge des Flüssigkeitsgewichts

Hydrodynamischer Druck

Auch eine strömende Flüssigkeit erzeugt Kraftwirkungen bzw. Druck infolge der ihr innewohnenden kinetischen Energie. Dieser dynamische Druck, auch **Staudruck** genannt, ist die kinetische Energie pro Volumseinheit und beträgt, wenn man in Glg. 3.3/4 $m = \rho \cdot V$ setzt und durch V dividiert

$$p_{\text{dyn}} = \frac{\rho \cdot v^2}{2} \tag{3.7/3}$$

Bei hydrostatischen Antrieben ist auch diese hydrodynamische Druckwirkung vernachlässigbar klein.

Kontinuitätsgleichung

Strömt durch den Querschnitt A eine Flüssigkeit mit der Geschwindigkeit v, so beträgt der Volumenstrom pro Zeiteinheit (Fördermenge)

$$Q\ [\text{m}^3/\text{s}] = A\ [\text{m}^2] \cdot v\ [\text{m/s}] \quad \text{bzw.} \tag{3.7/4}$$

$$Q\ [\text{l/min}] = Q\ [\text{m}^3/\text{s}] \cdot 60\,000$$

Q ... Fördermenge, Volumenstrom der Flüssigkeit [m³/s]
v ... Fördergeschwindigkeit, Fließgeschwindigkeit [m/s]

Da man die Hydraulikflüssigkeiten als nahezu inkompressibel annehmen kann, gilt für zwei Querschnittsbereiche 1 und 2 nach Abb. 3.7/2

$$Q = A_1 \cdot v_1 = A_2 \cdot v_2 = \text{const.} \tag{3.7/5}$$

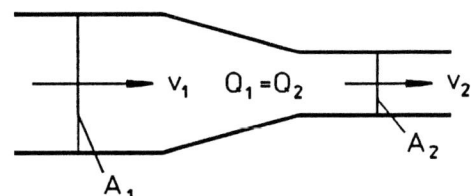

Abb. 3.7/2: Strömungsgeschwindigkeit in Abhängigkeit vom Durchflußquerschnitt

Durchflußmenge einer Drossel

In Anwendung des Satzes von der Erhaltung der Energie für eine strömende Flüssigkeit (Gleichung von Bernoulli; siehe Fachliteratur) läßt sich der Zusammenhang zwischen Durchflußmenge und Druckabfall an einer Drossel oder Blende ermitteln. Unter Hinzufügung eines Korrekturwertes α_D zur Berücksichtigung der geometrischen Form der Querschnittsverengung und der Viskosität der Flüssigkeit ergibt sich die Beziehung

$$Q_D = \alpha_D \cdot A_D \cdot \sqrt{\frac{2 \cdot \Delta p}{\rho}} \qquad (3.7/6)$$

D. h. die Durchflußmenge einer Drossel ist insbesondere von der Druckdifferenz abhängig.

Q_D ... Durchflußmenge durch die Drossel [m³/s]
α_D ... Durchflußbeiwert [–], $\alpha_D \approx 0{,}6 \div 0{,}9$
A_D ... Drosselquerschnitt [m²]
Δp ... Druckdifferenz aus den Drücken vor und nach der Drossel [N/m²]
ρ ... Dichte des strömenden Mediums [kg/m³]

3.7.2 Hydrostatische Geräte mit linearer und rotierender Arbeitsfunktion

Wie bereits in Kap. 2.3 erläutert, ist als Gerät mit **linearer Arbeitsbewegung** als Verbraucher der **Hydraulikzylinder** und in Umkehrung des Arbeitsprinzips der **Kolbenspeicher** anzuführen. Als Geräte mit **rotierender Arbeitsbewegung** sind die **Hydropumpe** als Druckerzeuger bzw. der **Hydromotor** als Verbraucher zu nennen.

Leistung eines hydrostatischen Arbeitsgerätes

Setzt man in Glg. 3.1/6 die Glg. 3.7/1 für die Kraft F und Glg. 3.7/4 für die Geschwindigkeit v ein, erhält man

$P = F \cdot v = p \cdot A \cdot v$
$P \,[W] = p \,[N/m^2] \cdot Q \,[m^3/s]$
$P \,[KW] = p \,[MPa] \cdot Q \,[l/min] \cdot 1/60$
$\qquad = p \,[bar] \cdot Q \,[l/min] \cdot 1/600$

Steht das hydrostatische Arbeitsgerät auf der Hochdruckseite unter p und auf der Niederdruckseite unter $p_0 > 0$, so ist für die Leistung P natürlich nur die Druckdifferenz $\Delta p = p - p_0$ in Rechnung zu stellen.

$$P \,[W] = \Delta p \,[N/m^2] \cdot Q \,[m^3/s] \qquad (3.7/7)$$

Wirkungsgrad eines hydrostatischen Systems

In einem hydrostatischen System ist neben dem auf Reibungsverluste zurückzuführenden **mechanischen Wirkungsgrad** auch der von Lecköl herrührende **volumetrische Wirkungsgrad** zu berücksichtigen.

$$\eta_{ges} = \eta_m \cdot \eta_v \qquad (3.7/8)$$

η_m [–] oder [%] ... mechanischer Wirkungsgrad zur Berücksichtigung von Reibungsverlusten
$\qquad \eta_m \approx 0{,}8$ Zahnradpumpe
$\qquad \quad \approx 0{,}9$ Kolbenpumpe

η_v [–] oder [%] ... volumetrischer Wirkungsgrad zur Berücksichtigung von Verlusten an druckwirksamem Volumen durch Lecköl
$\qquad \eta_v \approx 0{,}85$ Zahnradpumpe
$\qquad \quad \approx 0{,}95$ Kolbenpumpe

Sind die Verluste in einem System η_{ges}, so muß in das System eine Leistung $P' = P / \eta_{ges}$ hineingesteckt werden, damit die Leistung P abgegeben werden kann; bzw. wird in ein verlustbehaftetes System P hineingesteckt, so wird nur die Leistung $P'' = P \cdot \eta_{ges}$ abgegeben.

Sonstige Formelzusammenhänge

Wendet man diese Grundgleichungen auf hydrostatische Geräte an, so ergeben sich für Linear- und Rotationsgeräte folgende Formeln:

Lineargeräte

mit einer Kolbenfläche A [m²] und einem Hub h [m]

– gewichtsbelasteter **Kolbenspeicher** (Abb. 3.7/1 und Abb. 2.3/4)

$$F = G = m \cdot g \quad \text{bzw.} \quad p = G / A \tag{3.7/9}$$

– **einfachwirkender Hydraulikzylinder** (Plungerzylinder nach Abb. 3.7/3a)

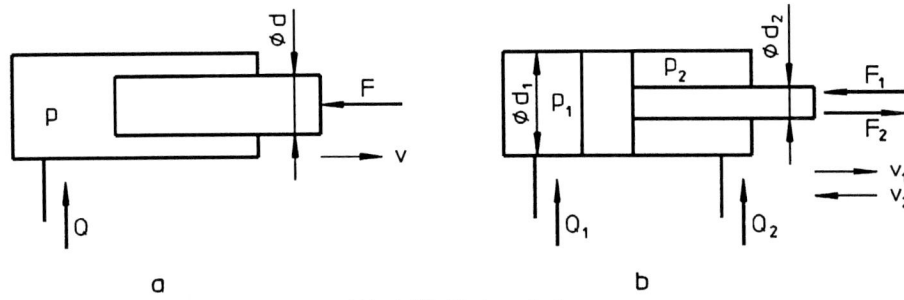

Abb. 3.7/3: Hydrozylinder
a) einfachwirkend, b) doppeltwirkend

In Anwendung von Glg. 3.7/1 und Glg. 3.7/4 wird

$$F = p \cdot A_K \quad \text{mit} \quad A_K = \frac{d^2 \cdot \pi}{4} \tag{3.7/10}$$

$v_K = Q / A_K$ und $P = F \cdot v_K = Q \cdot p$

– **doppeltwirkender Hydraulikzylinder** nach Abb. 3.7/3 b

Bei Beaufschlagung der Kolbenfläche A_{K1} mit dem Druck p_1 und der Fördermenge Q_1 errechnen sich Kraft, Kolbengeschwindigkeit und Leistung zu

$$F_1 = p_1 \cdot A_{K1} \quad \text{mit} \quad A_{K1} = \frac{d_1^2 \cdot \pi}{4}$$

$v_{K1} = Q_1 / A_{K1}$ und $P_1 = F_1 \cdot v_{K1} = Q_1 \cdot p_1$

Bei Beaufschlagung der Kolbenfläche A_{K2} mit p_2 und Q_2 zu

$$F_2 = p_2 \cdot A_{K2} \quad \text{mit} \quad A_{K2} = \frac{\pi}{4}(d_1^2 - d_2^2) \tag{3.7/11}$$

$v_{K2} = Q_2 / A_{K2}$ und $P_2 = F_2 \cdot v_{K2} = Q_2 \cdot p_2$

Zur Zurücklegung des Hubes h wird die Zeit [s]

$$t_1 = h / v_{K1} = h \cdot A_{K1} / Q_1 \quad \text{bzw.}$$

$$t_2 = h / v_{K2} = h \cdot A_{K2} / Q_2$$

benötigt.

3.7 Grundbegriffe der Hydraulik

Im Falle $p_1 = p_2$ und $Q_1 = Q_2$ ist $F_1 > F_2$, $v_{K1} < v_{K2}$ und $t_1 > t_2$.
(Der Reibungswiderstand in der Kolbenführung und den Dichtungsmanschetten kann durch einen Zylinderwirkungsgrad $\eta_z \approx 0{,}9$ berücksichtigt werden.)

Rotationsgeräte

mit einem Förder- bzw. Schluckvolumen je Umdrehung V [m³/U], [l/U]

– mit der Drehzahl n_P angetriebene **Pumpe**

$$Q \,[\text{m}^3/\text{s}] = V_P \,[\text{m}^3/\text{U}] \cdot n_P \,[\text{U/s}] \tag{3.7/12}$$

$$Q \,[\text{l/min}] = V_P \,[\text{l/U}] \cdot n_P^* \,[\text{U/min}]$$

Ist der Leckölverlust der Pumpe gegeben durch η_{vP}, wird die effektive Fördermenge der Pumpe $Q' = Q \cdot \eta_{vP}$ bzw. um Q zu fördern, muß die Pumpe statt mit n_P mit $n_P' = n_P / \eta_{vP}$ angetrieben werden.

– mit dem Volumenstrom Q beaufschlagter **Hydromotor**

$$n_M \,[\text{m}^3/\text{s}] = \frac{Q \,[\text{m}^3/\text{s}]}{V_M \,[\text{m}^3/\text{U}]} \tag{3.7/13}$$

$$n_M^* \,[\text{U/min}] = Q \,[\text{l/min}] / V_M \,[\text{l/U}]$$

Ist der Leckölverlust des Motors gegeben durch η_{vM}, so ist die effektive Drehzahl des Hydromotors $n_M' = (Q / V_M) \cdot \eta_{vM}$.

Das von einem Hydromotor abgegebene Drehmoment errechnet sich unter Anwendung der Glg. 3.1/7, 3.2/7 und 3.7/7 zu $M_M = P/\omega = Q \cdot \Delta p / \omega = (V_M \cdot n_M \cdot \Delta p) / (2\pi \cdot n_M)$ zu

$$M_M \,[\text{Nm}] = \frac{1}{2\pi} \cdot V_M \,[\text{m}^3/\text{U}] \cdot \Delta p \,[\text{N/m}^2] \tag{3.7/14}$$

$$M_M \,[\text{Nm}] = \frac{100}{2\pi} \cdot V_M \,[\text{l/U}] \cdot \Delta p \,[\text{bar}] = 15{,}9 \cdot V_M \,[\text{l/U}] \cdot \Delta p \,[\text{bar}]$$

n ... Drehzahl [U/s], n^* [U/min]
M ... Drehmoment [Nm]
V ... Förder-, Schluckvolumen [m³/U]
Index P ... Pumpe, Index M ... Motor

Unter Beachtung eines mechanischen Wirkungsgrades des Hydromotors η_{mM} wird $M_M' = M_M \cdot \eta_{mM}$ und unter Beachtung eines volumetrischen Wirkungsgrades des Hydromotors η_{vM} wird $\omega_M' = \omega_M \cdot \eta_{vM}$ und die Leistung des mit Q und p beaufschlagten Hydromotors (siehe die Glg. 3.1/7, 3.7/14, 3.2/7, 3.7/12) ist

$$P' = M_M' \cdot \omega_M' = \frac{V_M \cdot \Delta p}{2\pi} \eta_{mM} \cdot 2\pi \frac{Q}{V_M} \eta_{vM} = Q \cdot \Delta p \cdot \eta_{ges}$$

3.7.3 Hydrospeicher

Hydrospeicher nehmen ein bestimmtes Flüssigkeitsvolumen unter Druck auf und können diese Menge unter Druck bei Bedarf wieder in einen Hydraulikkreislauf abgeben.

Bauarten

Grundsätzlich kann zwischen zwei Arten von Speichern unterschieden werden:

- Speicher, bei denen der Druck bei Flüssigkeitsabgabe konstant bleibt; dies ist bei Gewichtsspeichern der Fall, da immer die gleiche Kraft zur Wirkung kommt;
- Speicher, bei denen der Druck bei Flüssigkeitsabgabe abnimmt; dies ist bei Federspeichern der Fall, egal, ob die Feder eine mechanische Feder oder – wie allgemein üblich – eine Gasfeder ist.

Im folgenden sollen die Verhältnisse bei Gasspeichern näher untersucht werden, da diese in Druckstationen bühnentechnischer Anlagen eingesetzt werden. Zur Vermeidung von Korrosion und aus Sicherheitsgründen wird als Füllgas i. a. Stickstoff verwendet. (Bei höheren Temperaturen und unter Druck entzündet sich ein Öl-Sauerstoff-Gemisch; Diesel-Effekt.)

Dimensionierung von Gasspeichern

Gewünscht ist ein Hydrospeicher, der die Flüssigkeitsmenge ΔV abgeben kann, wobei der Druck von $p_{max} = p_1$ auf $p_{min} = p_2$ absinken darf.

Auf der Gasseite gilt allgemein für eine polytrope Zustandsänderung das Gesetz

$$p \cdot V^n = \text{const.}$$

und für die Zustände 1 und 2

$$p_1 \cdot (V_1)^n = p_2 \cdot (V_2)^n \quad \text{bzw.} \quad V_1 = V_2 \cdot \sqrt[n]{p_2/p_1} \tag{3.7/15}$$

Mit $\Delta V = V_2 - V_1$ folgt daraus

$$\Delta V = V_2 \ (1 - \sqrt[n]{p_2/p_1}) \tag{3.7/16}$$

$p_{1,2}$ ... Druck im gefüllten bzw. entleerten Zustand [N/m²]
$V_{1,2}$ ... Volumen im gefüllten bzw. entleerten Zustand [m³]
n ... Polytropenexponent

Will man sich auf einen Vorspannungszustand, charakterisiert durch die Zustandsgrößen V_0 und p_0, beziehen, so gilt

$$p_1 \cdot (V_1)^n = p_2 \cdot (V_2)^n = p_0 \cdot (V_0)^n \quad \text{bzw.}$$
$$(V_1)^n = (p_0/p_1) \cdot (V_0)^n \quad \text{und} \quad (V_2)^n = (p_0/p_2) \cdot (V_0)^n$$

Eingesetzt in die Bedingung $\Delta V = V_2 - V_1$ folgt daraus

$$\Delta V = V_0 \cdot (\sqrt[n]{p_0/p_2} - \sqrt[n]{p_0/p_1}) \quad \text{bzw.}$$

$$V_0 = \frac{\Delta V}{\sqrt[n]{p_0/p_2} - \sqrt[n]{p_0/p_1}} \tag{3.7/17}$$

Erfolgt die Zustandsänderung vom Zustand 1 in den Zustand 2 sehr langsam, so daß stets ein Temperaturausgleich mit der Umgebung stattfinden kann, liegt eine **isotherme Zustandsänderung** vor. In diesem Fall kann $n = 1$ gesetzt werden. Bei hohen Füll- bzw. Entnahmegeschwindigkeiten, also bei raschen Zustandsänderungen, kann kein Wärmeaustausch stattfinden, und es liegt eine **adiabatische Zustandsänderung** vor. In diesem Fall ist mit $n = \kappa = 1,4$ zu rechnen. Tatsächlich wird „n" zwischen den Werten 1 und 1,4 liegen.

Um den Druckabfall im Speicher bei Entnahme von Hydraulikflüssigkeit möglichst gering zu halten, wird in Druckzentralen bühnentechnischer Anlagen einem Kolbenspeicher für die Flüssigkeitsmenge V_F in Gasflaschen ein Gasvolumen $V_G \approx 5 \cdot V_F$ zugeordnet.

3.7.4 Rohrleitungen

Um die Strömungsverluste bzw. die Erwärmung der Hydraulikflüssigkeit und die Schallemission gering zu halten, sollen in hydrostatischen Anlagen der Bühne folgende Strömungsgeschwindigkeiten nicht überschritten werden:

in **Druckleitungen**   3   m/s
in **Saugleitungen**   0,7 m/s
in **Tank-Rücklaufleitungen** 2   m/s

(In der Druckzentrale können für Druckleitungen auch höhere Geschwindigkeiten zugelassen werden.)
Nach Glg. 3.7/4 kann daraus der erforderliche Nennquerschnitt errechnet werden.

3.8 Hydraulikflüssigkeiten

Die Hydraulikflüssigkeit ist in hydrostatischen Antrieben Energieträger zur Weiterleitung von Kraftwirkungen, muß aber auch die durch Verluste freigesetzte Wärmeenergie abführen. Ferner übernimmt die Hydraulikflüssigkeit Aufgaben der Schmierung, des Korrosionsschutzes sowie des Abtransportes von Verschleißmaterial (Abrieb) und der Sammlung der Feststoffteilchen in Filtern.

Hydraulikflüssigkeiten sollten nicht zu dickflüssig sein, um ein gutes Ansaugen durch die Pumpe zu gewährleisten und die Strömungsverluste gering zu halten; andererseits sollten sie nicht zu dünnflüssig sein, um die Leckölverluste an Dichtspalten gering zu halten.

Als Hydraulikmedium kommen verschiedene Flüssigkeiten in Frage, deren sehr unterschiedliche Eigenschaften aber beachtet werden müssen: Mineralöle, pflanzliche Öle, Öl-Wasser-Gemische, Wasser-Glykollösungen (Polyglykole), synthetische wasserfreie Flüssigkeiten (Ester).

Bei **Hydraulikölen auf Mineralölbasis** unterscheidet man nach DIN 51 524 zwischen

– HL-Ölen mit Wirkstoffen zur Erhöhung der Alterungsbeständigkeit und des Korrosionsschutzes, geeignet bis zu Flüssigkeitsdrücken von etwa 200 bar,
– HLP-Ölen, die mit Hochdruck-Zusätzen zur Verschleißverringerung bei hohen Drücken versehen sind, und
– HVLP-Ölen, bei denen außerdem Wirkstoffe zur Verringerung der Abhängigkeit der Viskosität von Druck und Temperatur zugesetzt sind.

Üblicherweise werden in hydrostatischen Anlagen, falls der Betrieb nicht bei besonders großen Temperaturunterschieden erfolgt, HLP-Öle eingesetzt. In der Bühnentechnik sind aufgrund von Vorschriften des öfteren aber auch schwerentflammbare Flüssigkeiten mit einem bestimmten Entzündungs- und Brennverhalten zu verwenden, die nach ISO mit HFA–HFD bezeichnet werden. Zu den **schwerentflammbaren Hydraulikflüssigkeiten** zählen:

– HFA-Flüssigkeiten: Öl-in-Wasser-Emulsionen mit einem Wassergehalt von 80–98 %, d. h. brennbarer Anteil maximal 20 %,
– HFB-Flüssigkeiten: Wasser-in-Öl-Emulsionen mit einem Wassergehalt von mehr als 40 %, d. h. brennbarer Anteil maximal 60 %,
– HFC-Flüssigkeiten: wäßrige Lösungen, z. B. Wasser-Glykol mit einem Wassergehalt von 35–55 %,
– HFD-Flüssigkeiten: wasserfreie synthetische Flüssigkeiten wie z. B. Phosphatester, chlorierte Kohlenwasserstoffe und organische Ester.

In der Bühnentechnik wurden in alten Bühnenanlagen aus Brandschutzgründen oft Systeme mit Wasserhydraulik (HFA- und HFC-Flüssigkeiten) eingesetzt. Bei der Anwendung von HFA-Flüssigkeiten stellen mechanischer Verschleiß, Erosion und Kavitationserosion sowie mikrobieller Befall besondere technologische Probleme dar.

Neuerdings werden häufig HFD-Flüssigkeiten, und zwar **organische Ester**, als Hydraulikmedium verwendet. Bei synthetischen Flüssigkeiten ist zu bedenken, daß durch chemische Verunreinigungen eventuell elektrochemische Korrosionsvorgänge ausgelöst werden können. Daher sollten diese Flüssigkeiten zeitweilig hinsichtlich ihrer Zusammensetzung überprüft werden, um eventuell rechtzeitig geeignete Gegenmaßnahmen ergreifen zu können.

Unter diesen organischen Estern wird in der Bühnentechnik ein Produkt unter der Markenbezeichnung „Quintolubric N 822" sehr häufig eingesetzt, das daher exemplarisch bezüglich seiner Eigenschaften etwas näher beschrieben werden soll:

- Die **Selbstzündungstemperatur** liegt bei 460 °C, d. h. unterhalb dieser Temperatur ist eine Selbstzündung unmöglich, der **Brennpunkt** bei 350 °C, d. h. unterhalb dieser Temperatur brennt die Flüssigkeit nicht, wenn eine offene Flamme als Zündquelle verwendet wird. Wird die Zündquelle entfernt, so zeigt die Flüssigkeit einen **Selbstlöscheffekt.**
- Verträglichkeit mit allen Metallen, allen Hydraulikflüssigkeiten auf Mineralölbasis und den gebräuchlichsten Phosphatestern ist gegeben. Ferner können in den Geräten fast alle allgemein gebräuchlichen Standarddichtungen verwendet werden.
- Die spezifische Masse beträgt 0,92 kg/dm³ und erlaubt ein Aufschwimmen bei Wasserbeimengungen, was deren Entfernen ermöglicht. Es ist wichtig, die Flüssigkeit wasserfrei zu halten, denn sie ist mit Wasser nicht mischbar und das Wasser würde in Form von Wassertröpfchen zu nachteiligem Betriebsverhalten führen.
- Die Flüssigkeit ist biologisch abbaubar und ungiftig.
- Die Schmiereigenschaften sind in einem großen Temperaturbereich sehr gut.

Diverse Kennwerte von Hydraulikflüssigkeiten

Spezifische Masse (Dichte)

Die Dichte ist vom Produkt, aber auch von der Temperatur und dem Druck abhängig. Grobe Richtwerte sind der Tabelle zu entnehmen.

	kg/dm³	kg/m³
Mineralöle	0,90	900
HFA	0,99	990
HFB	0,95	950
HFC	1,04 – 1,09	1040 – 1090
HFD, Quintolubric	0,92 – 1,45	920 – 1450

Viskosität

Die kinematische Zähigkeit (Viskosität) wird meist in [mm²/s] angegeben. Sie ist i. a. stark temperatur-, aber auch druckabhängig; mit steigender Temperatur nimmt die Viskosität ab. Der zulässige Viskositätsbereich hängt vor allem von der im System verwendeten Pumpen- und Motorenbauart ab und ist den Herstellerangaben zu entnehmen.

Bei 50 °C beträgt die Viskosität von Ölen etwa 20 ÷ 150 mm²/s, jene von Wasser 0,6 mm²/s.

Kompressibilität

Bei den meisten Betrachtungen können Hydraulikmedien als inkompressibel angesehen werden, aber manchmal ist die geringfügige Kompressibilität doch zu berücksichtigen. Der Wert

$$\beta_K = \frac{\Delta V}{V_0} \cdot \frac{1}{\Delta p} \text{ [m}^2\text{/N], [1/bar]} \quad \text{mit } \Delta V = V_1 - V_0 \qquad (3.8/1)$$
$$\Delta p = p_0 - p_1$$

$$\Delta V = \beta_K \cdot V_0 \cdot \Delta p$$

3.8 Hydraulikflüssigkeiten

wird als **Kompressibilitätskoeffizient** und der Reziprokwert

$$K = \frac{1}{\beta_K} = \frac{V_0 \cdot \Delta p}{\Delta V} = E_H \quad [N/m^2, bar] \tag{3.8/2}$$

als **Kompressionsmodul** bezeichnet.

Die **Kompressibilität** einer Flüssigkeit ist vor allem vom Druckniveau, aber auch von der Temperatur abhängig: Je höher der Druck ist, desto geringer ist β_K bzw. desto größer ist K.

Je höher die Temperatur ist, desto größer ist β_K bzw. desto geringer ist K. Die Abhängigkeit von der Temperatur ist im üblichen Temperaturbereich aber vernachlässigbar gering.

Lufteinschlüsse in der Hydraulikflüssigkeit erhöhen die Kompressibilität. Bei sehr hohen Drücken (>350 bar) wirken sich Lufteinschlüsse allerdings kaum mehr auf die Kompressibilität aus.

Für **Mineralöl** gilt je nach Druckniveau im Mittel

$\beta_K = 6{,}7 \cdot 10^{-5}$ 1/bar $= 6{,}7 \cdot 10^{-6}$ cm²/N $= 6{,}7 \cdot 10^{-10}$ m²/N

$K = E_H = 1{,}5 \cdot 10^4$ bar $= 1{,}5 \cdot 10^5$ N/cm² $= 1{,}5 \cdot 10^9$ N/m² $= 1{,}5$ kN/mm²

($K = 1{,}6$ kN/mm² bei normalem Atmosphärendruck,

$K = 1{,}4$ kN/mm² im Druckbereich 100 bis 300 bar.)

Für **Wasser** gilt im Mittel

$\beta_K = 4{,}8 \cdot 10^{-5}$ 1/bar

$K = 2{,}1 \cdot 10^4$ bar

D. h. Wasser besitzt eine geringere Kompressibilität als Öl.

Der **Kompressibilitätsmodul** K einer Flüssigkeit entspricht dem **Elastizitätsmodul** eines Feststoffes und wird daher auch mit E_H bezeichnet. Vergleichsweise beträgt der E-Modul von Stahl

$E = 206$ [kN/mm²] $= 206 \cdot 10^9$ [N/m²]

Öl ist also $206/1{,}5 \approx 140$fach und Wasser $206/2{,}1 \approx 100$fach elastischer als Stahl.

Daher ist ein von Spindeln oder Zahnstangen getragenes Hubpodium viel starrer gelagert als ein auf Hydrozylindern abgestütztes Podium. Die weit höhere Kompressibilität der Flüssigkeit wirkt sich in einer größeren Lageänderung des Podiums bei Änderung der Last, vor allem aber in einer größeren „Schwingungsanfälligkeit" im unverriegelten Zustand aus, da die Eigenfrequenz des Systems viel niedriger ist (siehe Kap. 3.9).

Wird also in einem Zylinder der Innendruck durch Vergrößerung der Last um Δp erhöht, kann die Veränderung ΔV des Flüssigkeitsvolumens mit Glg. 3.8/1 bzw. Glg. 3.8/2 errechnet werden. Der Kolben verschiebt sich um das Maß

$$l_p = \Delta V / A \tag{3.8/3}$$

V_0 ... Volumen der Hydraulikflüssigkeit im Zylinder [m³]
ΔV ... Volumsänderung der Hydraulikflüssigkeit infolge der Druckänderung [m³]
A ... Kolbenfläche [m²]
l_p ... Verschiebung des Kolbens [m]
β_K ... Kompressibilitätskoeffizient [m²/N, 1/bar, ...]
$K = E_H$ ... Kompressionsmodul [N/m², bar, ...]

Genaugenommen müßte bei dieser Betrachtung auch die Dehnung des Zylinderrohres bei Druckerhöhung berücksichtigt werden. Diese ist aber i. a. vernachlässigbar klein.

Wärmedehnzahl

Der volumetrische Wärmeausdehnungskoeffizient ist

$$\beta_\vartheta = \frac{\Delta V}{V_0} \cdot \frac{1}{\Delta \vartheta} \; [1/\text{grd}] \quad \text{mit} \quad \Delta V = V_1 - V_0 \qquad (3.8/4)$$
$$\Delta \vartheta = \vartheta_1 - \vartheta_0$$

$$\Delta V = \beta_\vartheta \cdot V_0 \cdot \Delta \vartheta$$

Er beträgt für **Hydrauliköl** ca. $\beta_\vartheta = 7{,}0 \cdot 10^{-4}$ [1/grd]
für **Wasser** $\beta_\vartheta = 1{,}8 \cdot 10^{-4}$ [1/grd]

Mit Glg. 3.8/4 und dem Ansatz

$$l_\vartheta = \Delta V / A \qquad (3.8/5)$$

$\Delta \vartheta$ ... Temperaturänderung der Hydraulikflüssigkeit [grd]
l_ϑ ... Verschiebung des Kolbens infolge der Temperaturänderung

kann daher die Volumsänderung bei Veränderung der Temperatur und die daraus resultierende Verschiebung des Zylinderrohres errechnet werden.

Genaugenommen müßte die Durchmesseränderung des Zylinderrohres bei Temperaturänderung berücksichtigt werden. Diese ist jedoch i. a. vernachlässigbar klein.

Spezifische Wärme

Die spezifische Wärme c ist jene Wärmemenge Q, die erforderlich ist, um 1 kg eines Stoffes um 1 grd zu erwärmen. Es gilt daher die Beziehung

$$Q = c \cdot m \cdot \Delta \vartheta \qquad (3.8/6)$$

Q ... zu- bzw. abgeführte Wärmemenge = Energie = Arbeit [Nm = J]
m ... Masse des Stoffes [kg]
c ... spezifische Wärme [J/(kg·grd)]

Die spezifische Wärme beträgt für

	kJ / (kg·grd)	kcal / (kg·grd)
Mineralöl	1,9 ÷ 2,1	0,45 ÷ 0,5
Wasser, HFA-Flüssigkeiten	4,18	1,0
HFB-, HFC-Flüssigkeiten	3,3	0,8
HFD-Flüssigkeiten, Quintolubric	1,26	0,3

Die spezifische Wärme von Mineralöl ist also nur etwa halb so groß wie jene von Wasser, die von Quintolubric nur etwa ein Drittel jener von Wasser. Daher wird sich eine Gewichtsmenge Mineralöl im Vergleich zur gleichen Gewichtsmenge Wasser bei Zufuhr der gleichen Wärmemenge um etwa das Doppelte und Quintolubric um etwa das Dreifache erwärmen. Daher kann es sein, daß eine Anlage mit Wasser als Betriebsmedium kein Kühlsystem benötigt, dieselbe Anlage mit Öl als Hydraulikmedium aber mit einem Kühlsystem ausgerüstet sein muß.

3.9 Schwingungen

Bei der Dimensionierung von Bauteilen ist zu beachten, daß im Betrieb keine störenden Schwingungen auftreten. In der Bühnentechnik ist dieses Kriterium von besonderer Bedeutung. Es wäre z. B. nicht tolerierbar, wenn ein Podium mit aufgebauten Kulissen durch Ballettänzer(innen) oder durch Antriebe zu deutlich wahrnehmbaren Schwingungen angeregt werden würde.

3.9 Schwingungen

Ganz allgemein bezeichnet man als Schwingungen mehr oder weniger regelmäßig auftretende Schwankungen von Zustandsgrößen. In der hier angesprochenen Problemstellung handelt es sich um mechanische Schwingungen, bei denen ein Bauteil periodisch um eine Ruhelage schwingt. Abb. 3.9/1a zeigt eine Schwingung mit periodischer Veränderung eines Zustandswertes x (z. B. Lagekoordinate, Geschwindigkeit, Beschleunigung, Kraft oder Winkellage, Winkelgeschwindigkeit, Winkelbeschleunigung, Moment) über der Zeit t, wobei gilt

$$x(t) = x(t + T) \tag{3.9/1}$$

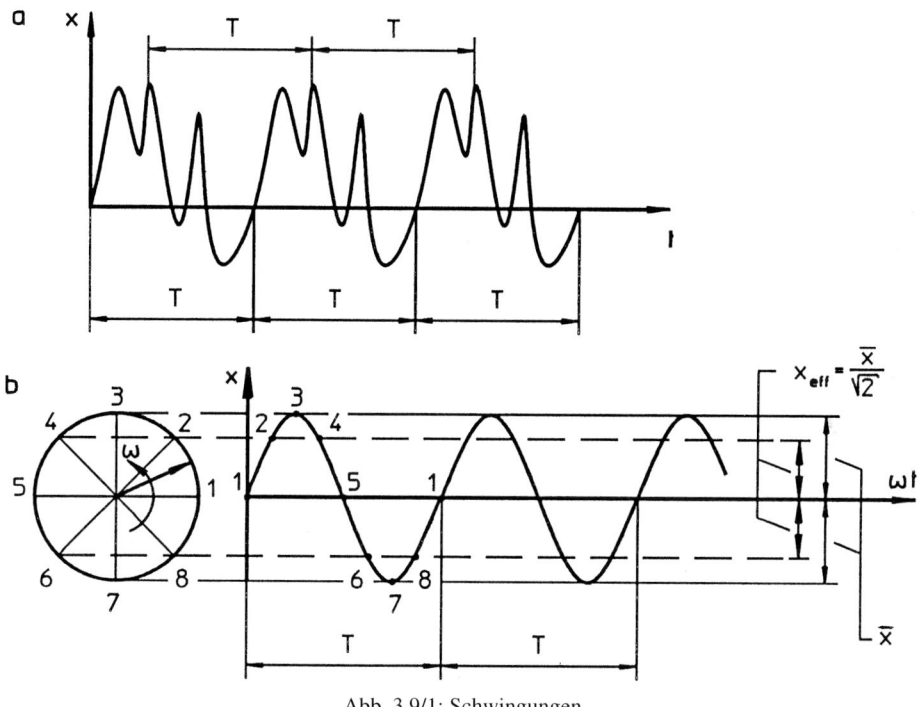

Abb. 3.9/1: Schwingungen
a) periodische Schwingung, b) harmonische Schwingung

Einen charakteristischen Wert einer veränderlichen Größe stellt deren **Effektivwert** dar, der als **quadratischer Mittelwert** definiert ist:

$$x_{eff} = \sqrt{\frac{1}{T}\int x^2(t)\,dt} \tag{3.9/2}$$

x ... Zustandswert
t ... Zeit [s]
T ... Schwingungsdauer = Dauer einer Periode [s]
x_{eff} ... Effektivwert des Zustandswertes

Die meisten in Natur und Technik vorkommenden Schwingungen sind **Sinusschwingungen** der Form $x = \bar{x} \cdot \sin(\omega \cdot t)$ nach Abb. 3.9/1b; sie werden auch als **harmonische Schwingungen** bezeichnet. Auf diese Art der Schwingungen beziehen sich die weiteren Betrachtungen. Für sie gilt insbesondere:

$$f = \frac{1}{T} \quad \text{und} \quad \omega = 2 \cdot \pi \cdot f \quad \text{bzw.} \quad f = \frac{\omega}{2 \cdot \pi} \tag{3.9/3}$$

$$\bar{x} = 1/2 \cdot (x_{max} - x_{min}) \tag{3.9/4}$$

$$x_{eff} = \sqrt{\frac{1}{T} \int (\bar{x} \cdot \sin \omega t)^2 \, dt} = \frac{\bar{x}}{\sqrt{2}} \tag{3.9/5}$$

f ... Frequenz = Zahl der Schwingungen pro Zeiteinheit [1/s]
ω ... Kreisfrequenz = Zahl der Schwingungen in 2π Sekunden [1/s]
$\bar{x}$ ... Amplitude = halber Wert der gesamten Schwingweite [Dimension des Wertes x]

Einen sinusförmigen Kurvenverlauf für x über t kann man erhalten, indem man einen Punkt am Umfang eines Kreises mit dem Radius $\bar{x}$ mit der Winkelgeschwindigkeit ω um den Kreismittelpunkt rotieren läßt und die jeweilige x-Koordinate des Punktes über der Zeit t aufträgt. Daher wird diese Winkelgeschwindigkeit ω **Kreisfrequenz** genannt. Damit lassen sich auch die oben angegebenen Formelzusammenhänge erläutern: Bei einer Winkelgeschwindigkeit ω läuft der Punkt am Kreisumfang der Länge $u = 2 \cdot \bar{x} \cdot \pi$ mit der Umfangsgeschwindigkeit

$$v = \bar{x} \cdot \omega$$

Die Umlaufzeit T beträgt daher $T = \dfrac{u}{v} = \dfrac{2\pi}{\omega} = \dfrac{1}{f}$

Die folgenden Ausführungen sollen nicht Schwingungslehre im Sinne eines Lehrbuches vermitteln, sondern eine für Problemstellungen der Bühnentechnik relevante Formelsammlung bieten.

3.9.1 Einmassenschwinger

Zunächst werden Schwinger betrachtet, bei denen eine an einem Ort konzentriert gedachte Masse (Massenpunkt) eine schwingende Bewegung ausführt. Wird ein derartiger **Einmassenschwinger** z. B. durch eine Auslenkung einmalig angeregt, so schwingt er mit einer ganz bestimmten systemspezifischen Frequenz, der sogenannten **Eigenfrequenz** f_{eig} bzw. ω_{eig}.

Bei einer **ungedämpften Eigenschwingung** würde diese Schwingung theoretisch unendlich lange fortdauern. Tatsächlich sind immer dämpfende Einflüsse vorhanden, so daß die Schwingung je nach Art und Größe der Dämpfung früher oder später abklingt **(gedämpfte Eigenschwingung).**

Es ist aber auch leicht vorstellbar, daß sich ein System, das dauernd im Takt seiner Eigenfrequenz oder ähnlich seiner Eigenfrequenz angeregt wird, zu Schwingungen besonders großer Amplituden aufschaukelt. Stimmen Eigen- und **Erregerfrequenz** überein, so spricht man von **Resonanz.** Bei einem völlig ungedämpften System würde die Schwingungsamplitude in diesem Fall theoretisch unendlich groß werden. Wieder hängt es von Art und Größe der Dämpfung ab, wie groß die Schwingungsamplituden tatsächlich werden.

Eigenfrequenz eines Feder-Masse-Systems

Ist die Masse der Feder klein gegenüber der Masse m, kann die Feder zur Vereinfachung als masselos angenommen werden. Für den **Feder-Masse-Schwinger mit translatorischer Bewegung** der Masse nach Abb. 3.9/2 a gilt

$$\omega_{eig} = \sqrt{\frac{c}{m}} \tag{3.9/6}$$

$$c = F / \delta \tag{3.9/7}$$

m ... schwingende Masse [kg]
c ... Federkonstante der Feder [N/m]
F ... Kraft [N]
δ ... Verschiebung [m] infolge der Kraft F [N]

3.9 Schwingungen

F ist jene an der Stelle der Masse in Richtung der Schwingbewegung anzusetzende Kraft, die erforderlich ist, eine Auslenkung um eine Strecke δ vorzunehmen.

Sind zwei Federn nach Abb. 3.9/2 b, c parallel geschaltet, so ist die resultierende Federkonstante

$$c = c_1 + c_2 \tag{3.9/8}$$

Sind zwei Federn nach Abb. 3.9/2 d in Reihe geschaltet, so ist

$$1/c = 1/c_1 + 1/c_2 \tag{3.9/9}$$

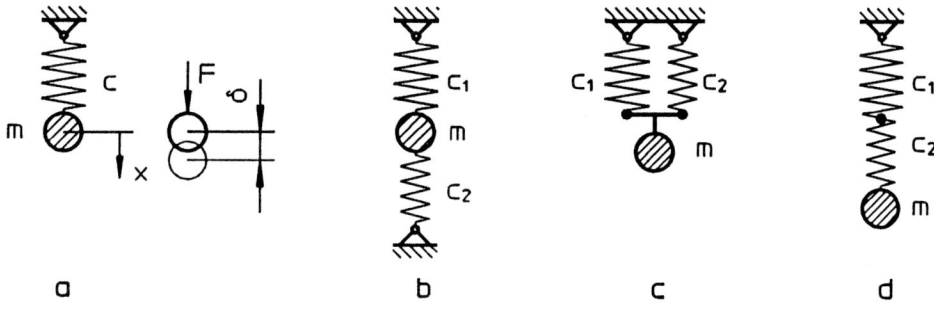

Abb. 3.9/2: Feder-Masse-Schwinger
a) Einzelfeder, b), c) Parallelschaltung von Federn, d) Serienschaltung von Federn

Für einen **Feder-Masse-Schwinger mit drehender Bewegung** der Masse nach Abb. 3.9/7 a gilt in analoger Weise (masselose Drehfeder)

$$\omega_{eig} = \sqrt{\frac{c}{I_m}} \tag{3.9/10}$$

$$c = M / \varphi \tag{3.9/11}$$

I_m ... Massenträgheitsmoment der schwingenden Masse [kgm²]
c ... Drehfederkonstante der Drehfeder [N/rad]
M ... Drehmoment [Nm]
φ ... Drehwinkel [rad] infolge des Drehmomentes M [Nm]

Die Masse m ist also in diesem Fall durch das Massenträgheitsmoment I_m der Masse m ersetzt, die Federkonstante bezieht sich auf ein erforderliches Drehmoment M zur Erzielung eines Verdrehwinkels φ.

Im folgenden werden einige spezielle Beispiele näher behandelt:

Elastischer Zugstab (Abb. 3.9/3a)

Ist die Feder ein als masselos angenommener Stab mit der Querschnittsfläche A und aus einem Werkstoff mit dem Elastizitätsmodul E, so gilt unter Anwendung des Hookeschen Gesetzes der Festigkeitslehre für die Verschiebung δ unter einer Kraftwirkung F

$$\frac{\delta}{l} = \frac{F}{A \cdot E} \quad \text{und} \quad c = \frac{F}{\delta} = \frac{A \cdot E}{l} \tag{3.9/12}$$

A ... Querschnittsfläche des Stabes [m²]
E ... Elastizitätsmodul des Stabes [N/m²]
l ... Länge des elastischen Stabes [m]

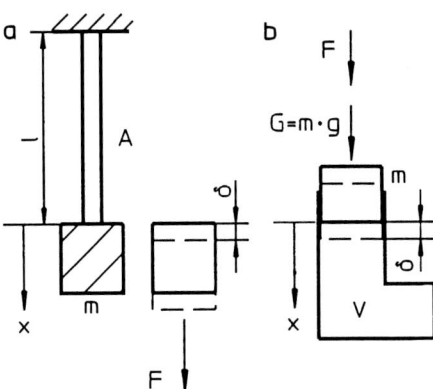

Abb. 3.9/3: Stab und Flüssigkeitssäule als Feder
a) Zugstab, b) Flüssigkeitssäule

Flüssigkeitssäule (Abb. 3.9/3 b)

Auch eine Flüssigkeitssäule hat infolge der Kompressibilität einer Flüssigkeit federnde Eigenschaften. Der Kompressionsmodul K der Hydraulikflüssigkeit entspricht dem Elastizitätsmodul E_H (s. Kap. 3.8, Glg. 3.8/2).

Stützt sich daher eine Masse m über einen Kolben der Fläche A nach Abb. 3.9/3 b auf einem Flüssigkeitsvolumen V ab, so können Federsteifigkeit und Eigenfrequenz des Flüssigkeitsvolumens folgendermaßen errechnet werden:

$$c = \frac{F}{\delta} = \frac{\Delta p \cdot A}{\Delta V / A} = \frac{\Delta p}{\Delta V} \cdot A^2 = \frac{\Delta p \cdot A^2 \cdot E_H}{V_0 \cdot \Delta p} = \frac{A^2}{V_0} \cdot E_H \qquad (3.9/13)$$

$$\omega_{eig} = \sqrt{\frac{c}{m}} = \sqrt{\frac{A^2 \cdot E_H}{V_0 \cdot m}} \qquad (3.9/14)$$

A ... Kolbenfläche [m²]
V_0 ... federndes Volumen der Hydraulikflüssigkeit [m³]
E_H ... Elastizitätsmodul der Hydraulikflüssigkeit = Kompressibilitätskoeffizient K [N/m²] (s. Kap. 3.8)

Gleichgangzylinder (Abb. 3.9/4 a)

Ist die Masse m zwischen zwei parallel geschalteten Flüssigkeitssäulen eingespannt, so ist

$$c = c_1 + c_2 = E_H \cdot A^2 \cdot \left(\frac{1}{V_1} + \frac{1}{V_2} \right) \qquad (3.9/15)$$

Setzt man für $V_1 = A \cdot x$ und für $V_2 = A \cdot (h - x)$, erhält man

$$c = E_H \cdot A \cdot \left(\frac{1}{x} + \frac{1}{h - x} \right)$$

Jene Kolbenstellung x_0, bei der die Federsteifigkeit und damit die Eigenfrequenz ein Minimum ist, erhält man durch Differenzieren und Nullsetzen ($dc/dx = 0$):

$$x_0 = h/2 \quad \text{und} \quad c_{min} = \frac{4 \cdot A \cdot E_H}{h}$$

3.9 Schwingungen

Die Eigenfrequenz beträgt daher in dieser Kolbenstellung

$$\omega_{eig} = \sqrt{\frac{c_{min}}{m}} = \sqrt{\frac{4 \cdot A \cdot E_H}{h \cdot m}} \qquad (3.9/16)$$

Differentialzylinder (Abb. 3.9/4 b)

In analoger Weise läßt sich ein Differentialzylinder behandeln. Zur weiteren Verallgemeinerung ist hier zu den Flüssigkeitsvolumina auf beiden Kolbenseiten noch jeweils ein Zusatzvolumen V_I und V_{II} zur Berücksichtigung von Rohrabschnitten bis zum nächsten Absperrorgan hinzugefügt.

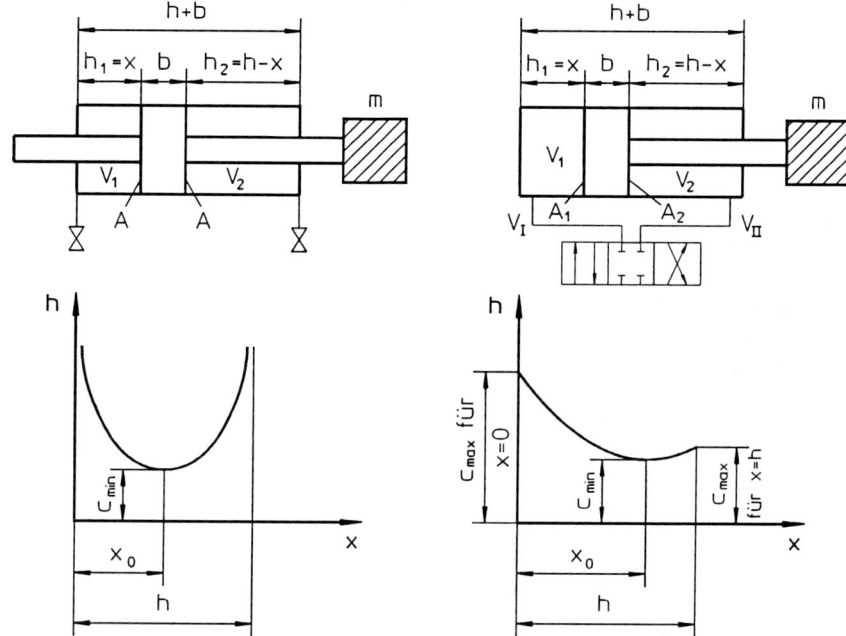

Ab. 3.9/4: Doppeltwirkende Zylinder
a) Gleichgangzylinder (Volumen V_1 und V_2), b) Differentialzylinder (Volumen V_1+V_I und V_2+V_{II})

$$c = c_1 + c_2 = \frac{A_1^2 \cdot E_H}{A_1 \cdot x + V_I} + \frac{A_2^2 \cdot E_H}{A_2 \cdot (h-x) + V_{II}} \qquad (3.9/17)$$

Aus der Bedingung $dc/dx = 0$ folgt analog zu vorher

$$x_0 = \frac{A_2 \cdot h / \sqrt{A_2^3} + V_{II}/\sqrt{A_2^3} - V_I/\sqrt{A_1^3}}{1/\sqrt{A_2} + 1/\sqrt{A_1}}$$

$$c_{min} = \frac{A_1^2 \cdot E_H}{V_1} + \frac{A_2^2 \cdot E_H}{V_2} \quad \text{mit} \quad \begin{array}{l} V_1 = A_1 \cdot x_0 + V_I \\ V_2 = A_2 \cdot (h - x_0) + V_{II} \end{array}$$

$$\omega_{eig} = \sqrt{c_{min}/m} \qquad (3.9/18)$$

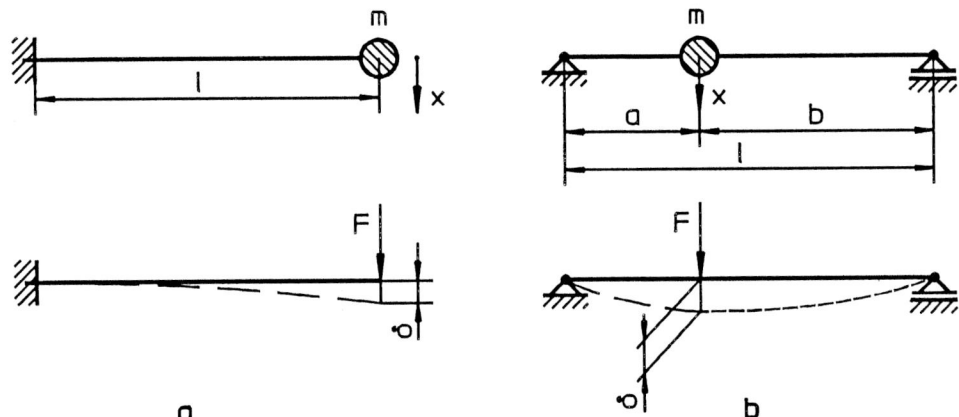

Abb. 3.9/5: Biegeschwinger mit Einzelmasse
a) Kragträger, b) Träger auf zwei Stützen

Biegeschwinger (Abb. 3.9/5)

Zur Anwendung von Glg. 3.9/6 gilt für einen Kragträger nach Abb. 3.9/5 a

$$\delta = \frac{F}{3 \cdot E \cdot J} \cdot l^3 \quad \text{und} \quad c = \frac{F}{\delta} = \frac{3 \cdot E \cdot J}{l^3} \tag{3.9/19}$$

und für einen gelenkig gelagerten Träger auf zwei Stützen nach Abb. 3.9/5 b

$$\delta = \frac{F}{3 \cdot E \cdot J} \cdot \frac{a^2 \cdot b^2}{l} \quad \text{und} \quad c = \frac{F}{\delta} = \frac{3 \cdot E \cdot J \cdot l}{a^2 \cdot b^2} \tag{3.9/20}$$

E ... Elastizitätsmodul des Trägermaterials [N/m²]
J ... Flächenträgheitsmoment des Trägerquerschnittes [m⁴]
a, b, l ... Längen gemäß Abb. 3.9/5 [m]

Anders gelagerte Träger können unter Anwendung der entsprechenden Formeln für die Durchbiegung analog behandelt werden.

Querschwingende Saite mit mittiger Masse (Abb. 3.9/6)

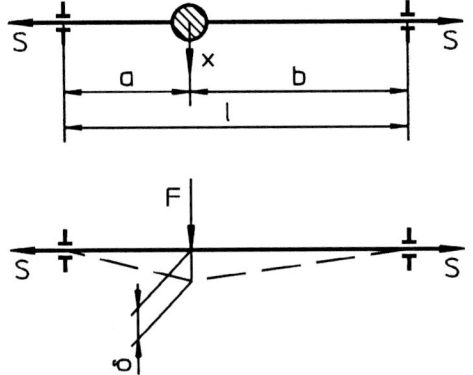

Abb. 3.9/6: Querschwingende Saite mit Einzelmasse

3.9 Schwingungen

Für eine mit der Vorspannkraft S gespannte (masselose) Saite gilt für die Anwendung von Glg. 3.9/7 nach den Gesetzen der Seilstatik

$$\delta = \frac{F}{S} \cdot \frac{a \cdot b}{l} \quad \text{und} \quad c = \frac{F}{\delta} = \frac{S \cdot l}{a \cdot b} \tag{3.9/21}$$

Drehschwinger (Abb. 3.9/7 a)

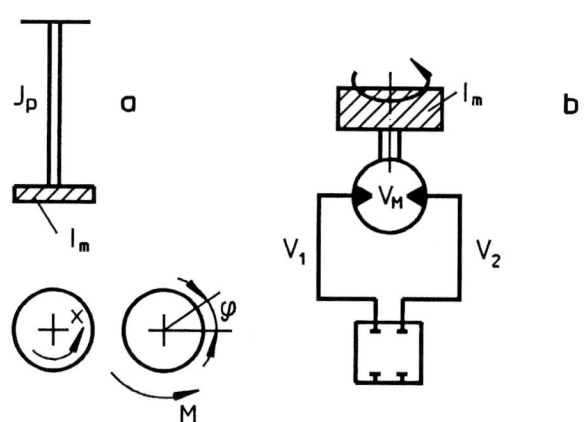

Abb. 3.9/7: Drehschwinger
a) Torsionsstab mit Masse, b) Hydromotor

Ist die Drehfeder ein Torsionsstab mit Kreisquerschnitt, so ist Glg. 3.9/10 anzuwenden mit

$$\varphi = \frac{M \cdot l}{G \cdot J_p} \quad \text{und} \quad c = \frac{M}{\varphi} = \frac{G \cdot J_p}{l} \tag{3.9/22}$$

J_p ... polares Flächenträgheitsmoment [m⁴]
G ... Schubmodul des Werkstoffes des Torsionsstabes [N/m²]
l ... Länge des Torsionsstabes [m]
φ ... Verdrehwinkel [rad]

Hydromotor (Abb. 3.9/7 b)

Auch eine von einem Hydromotor bewegte Masse m stellt ein schwingungsfähiges System dieser Art dar. Hat der Hydromotor das Schluckvolumen V_M (s. Kap. 2.3.2, 3.7.2), kann angenommen werden, daß das eingespannte Volumen im Motor je Seite $V_M/2$ ist. Schließt auf der einen Seite mit Rohrleitungen ein Volumen V_I an, auf der anderen Seite ein Volumen V_{II}, so betragen die eingespannten Volumina

$$V_1 = \frac{V_M}{2} + V_I \quad \text{und} \quad V_2 = \frac{V_M}{2} + V_{II} \tag{3.9/23}$$

Die Eigenfrequenz dieses Systems kann ebenfalls mit Glg. 3.9/10, 3.9/11 bestimmt werden. Wird dem Hydromotor die seinem Schluckvolumen V_M entsprechende Flüssigkeitsmenge zugeführt, so dreht sich der Rotor um den Winkel 2π; einer Volumensänderung ΔV entspricht daher ein Drehwinkel

$$\varphi = 2\pi \cdot \Delta V / V_M$$

In Anwendung von Glg. 3.9/11, 3.7/14 und 3.8/2 ist daher

$$c = \frac{M}{\varphi} = \frac{\frac{1}{2\pi} \cdot V_M \cdot \Delta p}{2\pi \cdot \frac{\Delta V}{V_M}} = \left(\frac{V_M}{2\pi}\right)^2 \cdot \frac{\Delta p}{\Delta V} = \left(\frac{V_M}{2\pi}\right)^2 \cdot \frac{E_H}{V_0} \qquad (3.9/24)$$

Setzt man für V_0 nun die Volumina nach Glg. 3.9/23 ein, erhält man

$$c = c_1 + c_2 = \left(\frac{V_M}{2\pi}\right)^2 \cdot E_H \cdot \left(\frac{1}{V_1} + \frac{1}{V_2}\right) \qquad (3.9/25)$$

und gemäß Glg. 3.9/10

$$\omega_{eig} = \frac{V_M}{2\pi} \cdot \sqrt{\frac{E_H}{I_m} \cdot \left(\frac{1}{V_1} + \frac{1}{V_2}\right)} \qquad (3.9/26)$$

Für den Sonderfall $V_1 = V_2 = V$ ergibt sich

$$\omega_{eig} = \frac{V_M}{2\pi} \cdot \sqrt{\frac{2 \cdot E_H}{I_m \cdot V}} \qquad (3.9/27)$$

Eigenfrequenz des Fadenpendels

Zum Schluß sei noch das sogenannte **Fadenpendel** nach Abb. 3.9/8 (auch **mathematisches Pendel** genannt) erwähnt, bei dem eine Masse m an einem masselosen Faden hängend unter der Wirkung der Schwerkraft schwingt. Für dieses schwingungsfähige System gilt im Falle kleiner Auslenkungen

$$\omega_{eig} = \sqrt{\frac{g}{l}} \qquad (3.9/28)$$

g ... Erdbeschleunigung g = 9,81 [m/s²]
l ... Pendellänge [m]

D. h. in diesem Fall ist die Eigenfrequenz unabhängig von der Größe der schwingenden Masse.

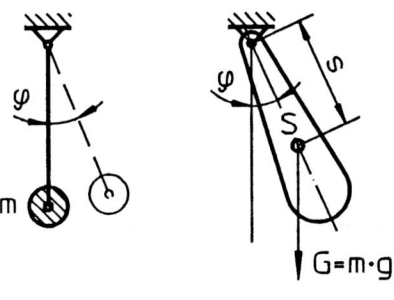

Abb. 3.9/8: Pendel
a) Fadenpendel, b) physikalisches Pendel

3.9.2 Schwingendes Kontinuum

Mit dem Begriff **schwingendes Kontinuum** ist ein schwingendes Bauelement gemeint, bei dem nicht zwischen masseloser Feder und schwingender Masse unterschieden werden kann; es schwingt **ein** massebehaftetes Bauelement infolge seiner Eigenelastizität. Einem solchen schwingenden Kontinuum ist eigen, daß es unendlich viele Eigenfrequenzen hat: eine niedrigste Eigenfrequenz und viele überlagerte Oberschwingungen höherer Frequenz. Resonanz tritt wieder dann auf, wenn die Erregerfrequenz mit einer dieser Eigenfrequenzen übereinstimmt. Von besonderem Interesse ist meist die niedrigste Eigenfrequenz.

Eigenfrequenz eines schwingenden Kontinuums

Es werden nur die Formeln für die Längs- und Querschwingungen eines Balkens mit konstantem Querschnitt angegeben.

Längsschwingung eines Balkens

$$\omega_{eig} = K_n \cdot \sqrt{\frac{c}{m}} \tag{3.9/29}$$

Der Faktor K_n hängt von der Art der Lagerung (den Randbedingungen) ab; c errechnet sich nach Glg. 3.9/12.

– Für völlig freie Längsbeweglichkeit oder feste Halterung (Einspannung) an den beiden Enden als Randbedingung ist zu setzen

$$K_n = \pi \cdot n \quad \text{mit } n = 1, 2, 3, \ldots$$

Wendet man Glg. 3.9/29 für eine **in einem Rohr** der Länge l **eingespannte Flüssigkeitssäule** (Querschnittsfläche A) an, so ergibt sich mit Glg. 3.9/13

$$c = \frac{A^2}{V_0} \cdot E_H = \frac{A^2}{A \cdot l} \cdot E_H = \frac{A}{l} \cdot E_H \quad \text{und mit} \quad m = V \cdot \rho = A \cdot l \cdot \rho$$

$$c = \frac{m \cdot E_H}{l^2 \cdot \rho}$$

$$\omega_{eig} = \pi \cdot n \cdot \sqrt{\frac{c}{m}} = \frac{\pi \cdot n}{l} \cdot \sqrt{\frac{E_H}{\rho}} = \frac{\pi \cdot n}{l} \cdot v_s \quad \text{mit} \quad v_s = \sqrt{\frac{E_H}{\rho}} \tag{3.9/30}$$

$$f_{eig} = \frac{\omega_{eig}}{2\pi} = \frac{n \cdot v_s}{2 \cdot l} \quad \text{(nach Glg. 3.9/3)}$$

Die niedrigste Frequenz ω_0 bzw. f_0 erhält man für $n = 1$.

Die Wellenlänge errechnet sich daraus (Glg. 3.10/1) zu

$$\lambda = \frac{v_s}{f} = \frac{2 \cdot l}{n} \tag{3.9/31}$$

Resonanz liegt vor, wenn die Rohrlänge l dieser Bedingung entspricht:

$$l = n \cdot \lambda/2 \quad \text{d. h. für } l = \lambda/2, \lambda, 3\lambda/2, 2\lambda, \ldots \tag{3.9/32}$$

– Für die Randbedingungen ein Ende frei, das andere fest gilt

$$K_n = \pi \cdot \frac{2n-1}{2} \quad \text{und es errechnet sich in analoger Weise}$$

$$\omega_{eig} = \pi \cdot \frac{2n-1}{2 \cdot l} \cdot v_s \quad \text{bzw.} \quad f_{eig} = \frac{2n-1}{4 \cdot l} \cdot v_s \tag{3.9/33}$$

$$\lambda = \frac{v_s}{f} = \frac{4 \cdot l}{2n-1} \tag{3.9/34}$$

Resonanz liegt vor für

$$l = \frac{2n-1}{4} \cdot \lambda \quad \text{d. h. für } l = \lambda/4, \ 3\lambda/4, \ 5\lambda/4 \ldots \tag{3.9/35}$$

E_H ... Kompressionsmodul der Flüssigkeit [N/m²]
v_s ... Schallgeschwindigkeit in der Flüssigkeit [m/s] $v_s = \sqrt{E_H/\rho}$
K_n ... Randbedingungsfaktor [–]
l ... Balkenlänge [m]
n ... natürliche Zahl 1, 2, 3, ...
λ ... Wellenlänge [m]
ρ ... spezifische Masse der Flüssigkeit [kg/m³]

Biegeschwingung eines Balkens (Abb. 3.9/9)

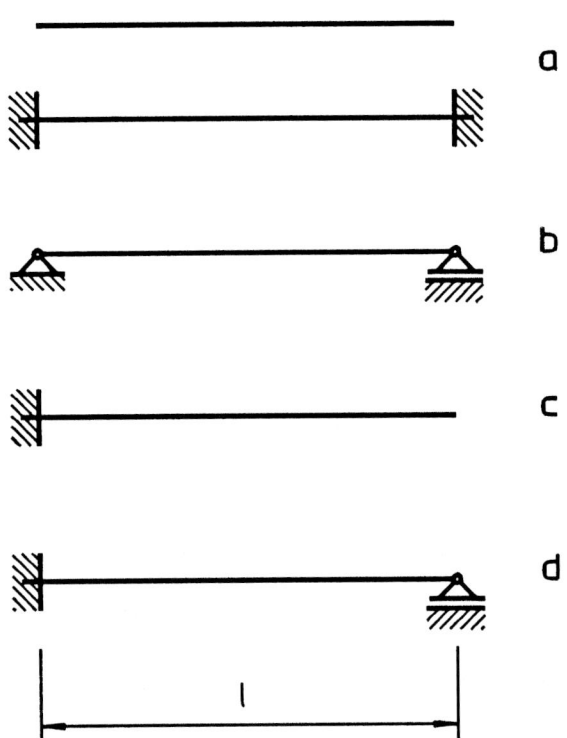

Abb. 3.9/9: Eigenfrequenzen des querschwingenden Balkens – Randbedingungen:
a) frei – frei, eingespannt – eingespannt, b) gelenkig – gelenkig, c) eingespannt – frei, d) eingespannt – gelenkig

3.9 Schwingungen

Für die Biegeschwingung eines Balkens mit konstanter Materialbelegung über die Balkenlänge l sind die Eigenfrequenzen nach folgender Formel zu errechnen:

$$\omega_{eig} = K_n^2 \cdot \sqrt{\frac{E}{\rho}} \cdot \sqrt{\frac{J}{A}} \qquad (3.9/36)$$

J ... Flächenträgheitsmoment des Balkens [m⁴]

v_s ... Schallgeschwindigkeit im Balkenwerkstoff [m/s] $v_s = \sqrt{E/\rho}$

Randbedingungen nach Abb. 3.9/9:

a) $K_1 \approx 4{,}73/l$ $\qquad K_2 \approx 7{,}85/l$ $\qquad K_3 \approx 11{,}00/l$ $\qquad K_n = (2n+1)\cdot\pi/(2\cdot l)$

b) $K_1 \approx \pi/l$ $\qquad K_2 \approx 2\pi/l$ $\qquad K_3 \approx 3\pi/l$ $\qquad K_n = n\cdot\pi/l$

c) $K_1 \approx 1{,}88/l$ $\qquad K_2 \approx 4{,}69/l$ $\qquad K_3 \approx 7{,}86/l$ $\qquad K_n = (2n-1)\cdot\pi/(2\cdot l)$

d) $K_1 \approx 3{,}93/l$ $\qquad K_2 \approx 7{,}07/l$ $\qquad K_3 \approx 10{,}21/l$ $\qquad K_n = (4n+1)\cdot\pi/(4\cdot l)$

(K_4, K_5 ... ist mit der Formel für K_n mit $n = 4, 5$ ... zu ermitteln.)

Die Eigenfrequenz für Biegeschwingungen ist auch für eine rotierende Welle von Relevanz und ergibt die **kritische Winkelgeschwindigkeit** ω_k bzw. mit Glg. 3.2/7 die **kritische Drehzahl** $n_k = (1/2\pi)\cdot\omega_k$.

Exemplarisch sei die biegekritische Drehzahl ersten Grades (Schwingungsbauch zwischen den Lagern) mit K_n für $n=1$ einer beidseitig gelenkig gelagerten Rohrwelle (Fall b) angegeben. In Anwendung der Glg. 3.9/36 wird

$$\omega_k = \left(\frac{\pi}{l}\right)^2 \cdot \sqrt{\frac{E}{\rho}} \cdot \sqrt{\frac{J}{A}} \qquad (3.9/37)$$

Daraus folgt für eine Rohrwelle (z. B. auch für eine Gelenkwelle)

mit $A = \frac{\pi}{4}\cdot(D^2-d^2)$ und $J = \frac{\pi}{64}\cdot(D^4-d^4)$

$$\omega_k = \frac{\pi^2}{4} \cdot \sqrt{\frac{E}{\rho}} \cdot \frac{\sqrt{D^2+d^2}}{l^2} \quad [1/s] \qquad (3.9/38)$$

J ... Flächenträgheitsmoment [m⁴]
A ... Rohrquerschnitt [m²]
ρ ... spez. Masse des Rohrwerkstoffes [kg/m³]
E ... Elastizitätsmodul des Rohrwerkstoffes [N/m²]
D ... Außendurchmesser der Rohrwelle [m]
d ... Innendurchmesser der Rohrwelle [m]
l ... Länge der Rohrwelle von Gelenk zu Gelenk [m]

Setzt man für Stahl $\sqrt{E/\rho} = 5100$ m/s, erhält man mit Glg. 3.2/7

$$n_k = 120 \cdot 10^3 \cdot \sqrt{\frac{D^2+d^2}{l^2}} \quad [\text{U/min}] \quad \text{mit } D, d, l \text{ [m]} \qquad (3.9/39)$$

Für eine Vollwelle ist $d = 0$ zu setzen und es wird

$$\omega_k = \frac{\pi^2}{4} \cdot \sqrt{\frac{E}{\rho}} \cdot \frac{D}{l^2} \quad \text{bzw.} \tag{3.9/40}$$

$$n_k = 120 \cdot 10^3 \cdot D / l^2 \; [\text{U/min}] \quad \text{mit } D, l \; [\text{m}] \tag{3.9/41}$$

Eigenfrequenz des Körperpendels

Im Gegensatz zum bei den Einmassenschwingern erläuterten Fadenpendel gilt für das **Körperpendel** (auch physisches oder physikalisches Pendel genannt) nach Abb. 3.9/8 b bei kleiner Auslenkung

$$\omega_{eig} = \sqrt{\frac{m \cdot g \cdot s}{I_m}} \tag{3.9/42}$$

m ... Pendelmasse [kg]
I_m ... Massenträgheitsmoment der Masse m um den Drehpunkt [kgm²]
g ... Erdbeschleunigung [m/s²] $g = 9{,}81$ m/s²
s ... Schwerpunktsabstand vom Drehpunkt [m]

3.9.3 Schwingungserregung

Die Möglichkeiten Schwingungen anzuregen sind natürlich sehr vielfältig. Hier werden nur exemplarisch einige Fälle, die vor allem in der Bühnentechnik von Relevanz sein können, angeführt:

Rotierende Masse

Die Erregerfrequenz f_{err} beträgt

$$f_{err} = n = n^*/60 \; [1/s] \quad \text{bzw.} \quad \omega_{err} = 2 \cdot \pi \cdot f_{err} \tag{3.9/43}$$

f ... Frequenz [1/s]
ω ... Kreisfrequenz, Winkelgeschwindigkeit [1/s]
n ... Drehzahl [U/s]
n^* ... Drehzahl [U/min]

Gelenkwelle

Die Masse der Zwischenwelle einer Gelenkwelle (s. Kap. 4.5) läuft mit einer Ungleichförmigkeit der doppelten Drehfrequenz der An- und Abtriebswelle

$$f_{err} = 2 \cdot n = 2 \cdot \frac{n^*}{60} \tag{3.9/44}$$

Zahntriebe

Ebenso gibt ein Zahnrad durch den ständig wechselnden Zahneingriff in der Paarung mit einem anderen Zahnrad Störimpulse der Frequenz

$$f_{err} = z \cdot n = \frac{z \cdot n^*}{60} \tag{3.9/45}$$

z ... Zähnezahl des Zahnrades

Kettengetriebe

Infolge des Polygoneffekts (s. Kap. 4.2.2) bewirkt auch ein mit gleichförmiger Winkelgeschwindigkeit angetriebenes Kettenrad eine ungleichförmige Längsbewegung der Kette und – von geometrischen Sonderfällen abgesehen – auch eine ungleichförmige Rotation eines durch diese Kette angetriebenen Kettenrades. Die Frequenz der Ungleichförmigkeit der Kettenlängsbewegung ist gemäß Glg. 3.9/45 zu errechnen, wobei z die Zähnezahl des Kettenrades ist.

Hydraulikpumpe, -motor

Eine rotierende Hydraulikeinheit erzeugt in Abhängigkeit von der Anzahl der Förderkammern oder Verdrängerelemente einen mit der Frequenz f_{err} pulsierenden Förderstrom. Die Frequenz f_{err} ist nach Glg. 3.9/45 zu errechnen, wobei für z gilt:

z ... Anzahl der Verdrängerelemente (der Kolben bei einer Kolbenpumpe
der Zähne bei einer Zahnradpumpe
der Flügel bei einer Flügelzellenpumpe)

Reibungsschwingungen

Periodische Erregungen können auch durch den sogenannten **Slip-Stick-Effekt** (Ruckgleiten) entstehen. Soll eine Masse m, angetrieben durch einen elastischen Antriebsstrang, auf einer Fläche gleitend bewegt werden, und ist der Reibungskoeffizient der Haftreibung μ_H größer als jener der Bewegung μ_G, so kann bei kleiner Relativgeschwindigkeit folgendes Phänomen auftreten:

Infolge des hohen Haftreibwertes tritt trotz Kraftwirkung zunächst keine Gleitbewegung ein; die die Verschiebekraft übertragenden Bauelemente werden aber elastisch verformt und wie eine Feder gespannt. Ab einer gewissen Verspannung wird der Reibschluß gebrochen und Gleitbewegung setzt ein. Die Verspannung löst sich ruckartig. Dadurch kommt es aber wieder zur Situation, daß die Relativbewegung der beiden aneinander gleitenden Körper Null wird. Somit ist wieder Haftreibung gegeben, und dieser Vorgang wiederholt sich von neuem. Durch Erhöhung der Gleitgeschwindigkeit und Verbesserung der Schmierverhältnisse kann der Slip-Stick-Effekt meist zum Verschwinden gebracht werden.

Bewegungen von Darstellern

Schließlich kann im Bühnengeschehen eine Schwingungserregung auch durch rhythmische Bewegungen von Darstellern erfolgen, bei marschierenden Personengruppen, durch Ballettänzer(innen) etc.

3.9.4 Wahrnehmung von Schwingungen

Schwingungen in bestimmten Frequenzbereichen sind für den Menschen wahrnehmbar und, wenn sie nicht beabsichtigt sind, meist störend, sei es, daß man eine Schwingungsbewegung sieht oder spürt. Schwingungen der Luft im Frequenzbereich von etwa 16 (20) bis 16.000 (20.000) Hz werden als Schall wahrgenommen (s. Kap. 3.10). Besonders unangenehm empfindet der Mensch Schwingungen im Bereich von etwa 1 bis 10 Hz. Die **mittlere Spürbarkeitsgrenze** des Menschen liegt bei einer effektiven Schwinggeschwindigkeit von etwa $v_{eff} = 0{,}11$ mm/s (s. Glg. 3.9/2, 3.9/5 mit v für den Wert x).

Bei der Dimensionierung bühnentechnischer Einrichtungen muß beachtet werden, daß z. B.
– Bauteile, die begehbar sind, nicht zu niedrige Eigenfrequenz haben,
– rasch rotierende Massen besonders gut ausgewuchtet werden,
– Maschinen auf Schwingmetalle zur Schwingungsisolierung aufgestellt und von der übrigen Konstruktion schwingungstechnisch weitgehend entkoppelt werden.

3.10 Akustik

Akustik ist die Lehre vom Schall und umfaßt alle Bereiche der Schallerzeugung, Schallausbreitung und des Schallempfanges.

Bezüglich der akustischen Gestaltung eines Bühnen- und Zuschauerraumes muß einerseits dafür Sorge getragen werden, daß Sprache und Gesang der Darsteller bzw. der Klang des Orchesters von allen Zuschauern in möglichst guter Qualität wahrgenommen werden, andererseits muß danach getrachtet werden, daß Schallemissionen technischer Einrichtungen, die für den Spielbetrieb erforderlich sind, die Zuschauer kaum erreichen bzw. von diesen nicht als störend empfunden werden.

In diesem Buch, das sich mit bühnentechnischen Einrichtungen befaßt, soll daher nur die Problematik der Schallemission und Schallausbreitung von bühnentechnischen Antrieben behandelt werden. Zulässige Toleranzwerte hiefür sind sehr niedrig, werden doch bereits relativ leise Geräusche bei Verwandlungen auf offener Bühne als störend empfunden.

3.10.1 Schall und Hörempfinden

Das Wesen des Schalles und seine Ausbreitung

Unter **Schall** versteht man mechanische Schwingungen in festen, flüssigen oder gasförmigen Medien im Frequenzbereich des menschlichen Hörempfindens. Von besonderer Bedeutung ist die Schalleitung in Luft, bezeichnet als **Luftschall,** und in Festkörpern, bezeichnet als **Körperschall.** Die Schallweiterleitung in Flüssigkeiten ist nur im Zusammenhang mit hydraulischen Anlagen von Interesse.

Die Ausbreitung des Schalles in Gasen (aber auch Flüssigkeiten) erfolgt in Form von Longitudinalwellen als periodische Druckschwankungen (Verdichtung und Verdünnung) im Medium. Treffen diese Druckschwankungen am Trommelfell des Ohres ein, werden sie als Schall wahrgenommen. In festen Körpern wird Schall auch als Transversalwelle übertragen, da in Festkörpern auch Schubspannungen wirken können.

Wird etwa von einem Elektromotor Schall emittiert, so heißt dies, daß Vibrationen von Bauteilen dieses Motors und Strömungsgeräusche der Luft die umgebende Luft zu Schwingungen anregen, so daß dem atmosphärischen Luftdruck kleine Druckschwankungen überlagert werden. Diese Druckwellen breiten sich nach allen Seiten aus, gelangen schließlich auch zum Ohr des Menschen, der diese Druckschwankungen dann eben als Schall wahrnimmt. Schwingungen von Bauteilen des Motors können aber auch über die Stahlkonstruktion, auf der der Motor befestigt ist, weitergeleitet werden, so daß über Körperschall zu Schwingungen angeregte Bauteile weitere Quellen zur Luftschallausbreitung werden können.

Der Luftschall trifft jedoch nicht nur am Ohr ein und versetzt das Trommelfell in Schwingungen; er kann auch andere Bauteile zu Schwingungen anregen. Insbesondere erfolgt dies dann, wenn die Frequenz des Schalles mit der Eigenfrequenz eines Bauteiles übereinstimmt (z. B. klirrende Fensterscheibe bei vorbeifahrendem Auto). Unter Eigenfrequenz versteht man jene Zahl der Schwingungen pro Sekunde, mit denen ein Bauteil sich selbst überlassen schwingt, wenn er zu Schwingungen, z. B. durch einen Schlag, kurz angeregt wurde (praktische Anwendung: Stimmgabel, Gong, Gitarrensaite etc.). Bei Gleichheit von **Eigen- und Erregerfrequenz** spricht man von **Resonanz.**

Trifft eine Schallwelle auf eine Wand, so wird ein Teil des Schalles reflektiert, der restliche Teil wird von der Wand absorbiert. Von diesem absorbierten Teil wird ein gewisser Prozentsatz durch die Wand wieder abgestrahlt, ein anderer Teil wird in der Wand in Wärme umgewandelt, also als Schallenergie vernichtet. In Schalldämpfern wird absichtlich möglichst viel Schallenergie in Wärme umgewandelt.

Frequenz des Schalles und Größe des Schalldruckes

Die **Frequenz des Schalles** ist die Anzahl der Druckschwankungen je Sekunde. Sie bestimmt in der Wahrnehmung die Höhe des Tones. Der Bereich des hörbaren Schalles erstreckt sich beim jungen gesunden Menschen von etwa **6 Hz bis 16 kHz** (20 kHz). Bei älteren Menschen ist dieser Bereich stark reduziert. Für andere Lebewesen gelten teilweise auch andere Bereiche; so können z. B. Hunde weit höhere Töne wahrnehmen als Menschen (Hundepfeife). Der Grundton einer Baßstimme liegt bei etwa 85 Hz, jener einer Sopranstimme reicht etwa bis 1400 Hz. Der Kammerton beträgt 440 Hz, bei Orchestern bis 446 Hz.

Frequenz und Schallgeschwindigkeit bestimmen die Wellenlänge nach der Formel

$$\lambda = v_s / f \tag{3.10/1}$$

v_s ... Schallgeschwindigkeit [m/s] in bühnentechnisch relevanten Temperaturbereichen
    in Luft $\approx$ 330 – 340 m/s
    in Wasser $\approx$ 1400 – 1500 m/s
    in Mineralöl $\approx$ 1200 – 1300 m/s
    in Stahl $\approx$ 5100 m/s
f ... Frequenz [1/s = Hz]
λ ... Wellenlänge [m]

Je größer der am Ohr eintreffende **Schalldruck** ist bzw. die am Ohr wirksamen Druckschwankungen sind, desto lauter empfindet der Mensch den Schall. Die Hörschwelle des Menschen liegt bei einem Druck von ca. $20 \cdot 10^{-6}$ Pa = 20 µPa, die Schmerzschwelle bei ca. 100 Pa = = $100 \cdot 10^6$ µPa. Der in der Akustik interessante Schalldruckbereich schwankt also zwischen einem Minimal- und Maximalwert im Verhältnis von ca. 1 zu 1 Million.

Bezüglich des menschlichen Hörempfindens ist noch eine weitere physiologische Gegebenheit zu berücksichtigen. Wie bereits gesagt, empfindet der Mensch einen kleinen Schalldruck als leise und einen großen Schalldruck als laut. Schallwellen unterschiedlicher Frequenz bewirken beim Menschen aber nicht das gleiche Lautheitsempfinden, auch wenn der objektiv mit einem Meßgerät festgestellte Schalldruck gleich groß ist. Unser Ohr reagiert auf Frequenzen im Bereich von 500 bis

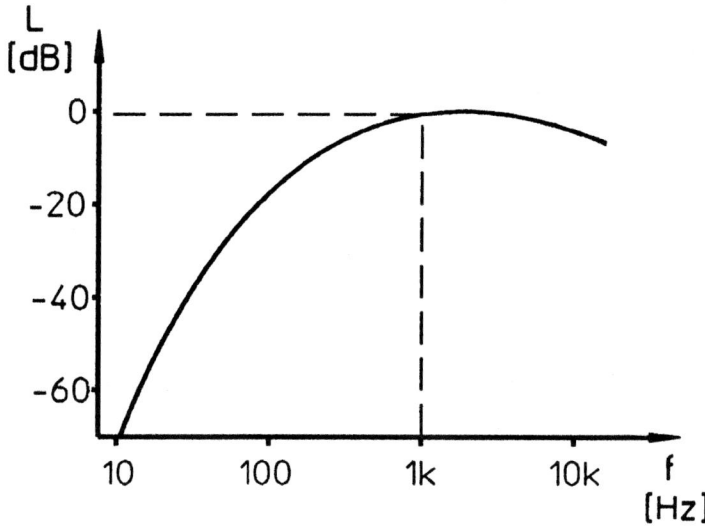

Abb. 3.10/1: A-Bewertung des Schallpegels

5000 Hz besonders empfindlich. Mit von der Höhe der Frequenz abhängigen Abminderungsfaktoren muß daher der gemessene Schalldruckwert noch im Hinblick auf die tatsächliche Wahrnehmungssituation für den Menschen korrigiert werden. In den meisten Fällen, so auch in der Bühnentechnik, wird eine in der Norm festgelegte **A-Bewertung** des Schalldruckpegels vorgenommen. Ein Ton mit der Frequenz 1000 Hz wird mit 1 bewertet. Gemessene Schalldruckwerte für Töne niedrigerer und höherer Frequenz werden entsprechend der in Abb. 3.10/1 dargestellten Kurve abgemindert. Auf der Ordinate des Diagramms ist der Schalldruck als bezogene Größe aufgetragen (s. Kap. 3.10.2). Daher sind wegen der Definition der Pegelwerte mit dem Logarithmus Abminderungsbeträge in dB angegeben.

Konsequenzen für die Bühnentechnik

Beispielsweise stellt ein an einem Hubpodium als Klettertrieb befestigter Elektromotor eine Schallquelle dar. Dieser Motor wird eine bestimmte **Schalleistung,** d. h. eine bestimmte Schallenergie pro Zeiteinheit, an seine Umgebung abgeben. Der Schall wird, da der Motor am Podium befestigt ist, durch Körperschalleitung auf andere Bauteile des Podiums übertragen und setzt womöglich die Holz-Bühnenböden am Podium ebenfalls in Schwingung. So angeregte Luftschallwellen breiten sich als Druckschwankungen kugelförmig nach allen Seiten aus, werden an Wänden teilweise reflektiert, teilweise absorbiert, regen vielleicht auch andere Bauteile zu Resonanzschwingungen an; letztlich treffen Druckschwankungen bestimmter Größe im Zuschauerraum ein, die als Lärm wahrgenommen werden.

Die Größe des **Schalldruckes,** der vom Zuschauer wahrgenommen wird, hängt also nicht nur von der Größe der vom eigentlichen Schallerreger abgegebenen **Schalleistung** ab, sondern auch von der Entfernung von der Schallquelle und den Raumgegebenheiten, die die Art der Schallausbreitung beeinflussen. Es wird darauf ankommen, wieviel Schall im Bühnen- und Zuschauerraum reflektiert und absorbiert wird (z. B. welches Dekorationsmaterial sich auf der Bühne befindet, wie viele Textilien in der Oberbühne abgehängt sind) und wieviel Schalleistung eventuell durch Öffnungen an einen anderen Raum abgegeben wird. Der Schalldruck wird daher auch nicht an jeder Stelle im Zuschauerraum gleich groß sein.

Aus dieser Darstellung läßt sich sehr leicht die Problemstellung für den Bühnentechniker erkennen. Für den Zuschauer ist letztlich nur relevant, welcher Schalldruck bei ihm eintrifft. Daher ist in den meisten technischen Spezifikationen für bühnentechnische Einrichtungen ein maximal zulässiger Schalldruckwert gemessen an einem Sitzplatz in der Mitte der ersten Zuschauerreihe festgelegt.

Aus diesem maximal zulässigen Schalldruckwert im Zuschauerraum läßt sich aber kaum bzw. nur annähernd schließen, welche Schalleistung eine Schallquelle in der Bühne nun wirklich abgeben darf, um diesen Grenzwert nicht zu überschreiten. Die Verhältnisse bezüglich der Schallausbreitung sind nur sehr schwer abschätzbar und hängen wie erläutert von sehr vielen Einflußfaktoren ab. Zusätzlich ist dabei noch zu bedenken, daß im Bühnenbetrieb natürlich mehrere Schallquellen gleichzeitig aktiviert werden können.

An dieser Stelle sei vermerkt, daß in technischen Spezifikationen oft extrem niedrige Werte vorgegeben werden, die dann in der Realität gar nicht eingehalten werden können oder wirtschaftlich kaum vertretbare Sondermaßnahmen erfordern.

Es sei aber auch hier, wie an vielen anderen Stellen, darauf hingewiesen, daß mit der Wahl der Bauweise bühnentechnischer Einrichtungen, derer konstruktiven Gestaltung und insbesondere der Wahl der Antriebskonzepte sehr viel Einfluß auf das Lärmverhalten genommen werden kann. Einige konkrete Hinweise werden in Kap. 3.10.3 gegeben.

3.10.2 Schallfeldgrößen

Nach den einleitenden Bemerkungen in Kap. 3.10.1 sollen in diesem Abschnitt die physikalischen Begriffe etwas näher erläutert werden.

Begriffe

Bei der Erläuterung des Begriffes „Schalldruck" wurde bereits darauf hingewiesen, daß das Hörempfinden des Menschen von der Hörschwelle bis zur Schmerzgrenze einen sehr großen Druckbereich im Verhältnis von eins zu einer Million umfaßt. Es ist daher in der Akustik üblich, nicht mit Absolutwerten zu arbeiten, sondern mit Relativwerten unter Verwendung einer logarithmischen Skala. Eine logarithmische Skala ist auch deshalb zweckmäßig, weil unser Gehör nach einem logarithmischen Gesetz wahrnimmt. Eine Erhöhung der Schalleistung um das Zehnfache wird ungefähr als eine Verdoppelung der Lautstärke empfunden. Außerdem erreicht das menschliche Ohr bei niedrigeren Schalldrücken eine höhere Auflösung.

In diesem Abschnitt sollen nun die wichtigsten in der Akustik verwendeten **Schallfeldgrößen** erläutert werden. Neben den dimensionsbehafteten Absolutwerten werden daher auch die als sogenannte **Pegelwerte** logarithmisch skalierten Relativwerte angegeben. In den in der Folge angeschriebenen Formeln steht „lg" für den Zehnerlogarithmus $^{10}\log$.

Schalleistung P [W]

Die Schalleistung ist die pro Zeiteinheit von einer Schallquelle abgestrahlte Leistung. Sie ist eine analoge Größe zur abgestrahlten Wärmeenergie eines Heizkörpers je Zeiteinheit. Die Schalleistung ist daher eine für die Schallquelle charakteristische Größe und völlig unabhängig von der Umgebungssituation und dient zur Lärmbewertung von Maschinen.

Schalleistungspegel: L_P [dB]

$$L_P = 10 \cdot \lg (P/P_0) \text{ bzw.}$$
$$P = P_0 \cdot 10^{L_P/10}$$

(3.10/2)

mit $P_0 = 10^{-12}$ W = 1 pW (Piko-Watt)

Folgende Tabelle gibt Richtwerte für Schalleistung und Schalleistungspegel an:

	P [W]		L_P [dB]
Turbojet	10.000	$= 10^4$	160
Propellerflugzeug	1.000	$= 10^3$	150
Schmerzgrenze	100	$= 10^2$	140
großes Orchester	10	$= 10^1$	130
Autohupe	1	$= 10^0$	120
lautes Radio	0,1	$= 10^{-1}$	110
PKW auf Autobahn	0,01	$= 10^{-2}$	100
U-Bahn-Innengeräusch	0,001	$= 10^{-3}$	90
laute Unterhaltung	0,0001	$= 10^{-4}$	80
normale Unterhaltung	0,00001	$= 10^{-5}$	70
Büro	0,000001	$= 10^{-6}$	60
leise Unterhaltung	0,0000001	$= 10^{-7}$	50
Flüstergeräusch	0,00000001	$= 10^{-8}$	40

Schallintensität I [W/m²]

Die Schallintensität, oder auch **Schallstärke** genannt, ist die in einer bestimmten Richtung durch eine bestimmte Fläche in der Zeiteinheit fließende Energiemenge, also die je Flächeneinheit übertragene Schalleistung. Die Schallintensitätsmessung kann vor allem zur Lokalisierung und Beurteilung von Lärmquellen herangezogen werden.

Schallintensitätspegel (Schallstärkepegel): L_I [dB]

$$L_I = 10 \cdot \lg (I / I_0) \text{ bzw.} \tag{3.10/3}$$

$$I = I_0 \cdot 10^{L_I/10}$$

mit $I_0 = 10^{-12}$ W/m² = 1 pW/m²

Schalldruck p [N/m² = Pa]

Der Schalldruck ist die dem statischen Luftdruck überlagerte Druckschwankung.

Der statische Luftdruck beträgt ungefähr 10^5 Pa = 1 bar. Die Druckschwankungen bei normaler Sprechlautstärke liegen in der Größenordnung von Mikrobar (μbar). Der Druck p ist also eine über die Zeit veränderliche Größe und als charakteristischer Wert für p ist der Effektivwert p_{eff} (s. Kap. 3.9) der Druckschwankung gemeint.

Die Messung des Schalldruckes dient zur Beurteilung der Einwirkung von Schall auf den Menschen und erfaßt die Größe der wahrnehmbaren Druckschwankungen an einem bestimmten Ort, resultierend aus Schallemissionen, Reflexionen und Absorptionen im Umfeld.

Schalldruckpegel: L_p [dB]

$$L_p = 10 \cdot \lg (p / p_0)^2 = 20 \cdot \lg (p / p_0) \text{ bzw.} \tag{3.10/4}$$

$$p = p_0 \cdot 10^{L_p/20}$$

mit $p_0 = 20 \cdot 10^{-6}$ Pa = 20 μPa (Hörschwelle)

Schalleistung P, Schallintensität I und Schalldruck p hängen bei kugelförmiger Schallausbreitung im Fernfeld nach folgenden Beziehungen zusammen:

$$I = \frac{P}{4 \cdot \pi \cdot r^2} = \frac{p^2}{\rho \cdot c}$$

Somit bestehen folgende Proportionalitäten

$$I \approx P \approx p^2 \approx 1 / r^2 \tag{3.10/5}$$

r ... Abstand von der Schallquelle [m]
ρ ... Dichte der Luft $\rho \approx 1{,}3$ [kg/m³]
c ... Schallgeschwindigkeit [m/s]

Dies bedeutet unter Freifeldbedingungen beispielsweise:
- Die Schallintensität nimmt mit dem Quadrat der Entfernung ab.
- Verdoppelt man den Abstand zur Schallquelle, so wird die Schallintensität auf ¼ und der Schalldruck auf ½ reduziert (für $r_2 = 2r_1$ ist $I_2 = I_1/4$ und $p_2 = p_1/2$), der Schallintensitätspegel und der Schalldruckpegel werden um 6 dB reduziert.

Schallschnelle v [m/s]

Unter **Schallschnelle** versteht man die Schwinggeschwindigkeit der den Schall weiterleitenden Teilchen.

Schallschnellepegel: L_v [dB]

$$L_v = 10 \cdot \lg (v / v_0)^2 = 20 \cdot \lg (v / v_0) \tag{3.10/6}$$

mit $v_0 = 5 \cdot 10^{-8}$ m/s = 50 nm/s (Nanometer/Sekunde)

Äquivalenter Dauerschallpegel $L_{p\,äqu}$

Wechselt eine schwingende Zustandsgröße $x(t)$ mit der Periode T ihre Größe, so ist gemäß Glg. 3.9/2 deren Effektivwert als quadratischer Mittelwert definiert. Meßgeräte messen diesen

3.10 Akustik

Effektivwert, z. B. den Schalldruck p_{eff} bzw. den Schalldruckpegel $L_{p\,eff}$ (als p bzw. L_p bezeichnet), über sehr kurze Zeitintervalle.

Bleibt dieser Effektivwert über einen längeren Zeitabschnitt nicht konstant, sondern verändert seinen Wert, kann in analoger Weise über einen Zeitabschnitt Δt eine Mittelung vorgenommen werden. Diesen Mittelwert nennt man **äquivalenter Dauerschallpegel** nach dem Ansatz

$$L_{p\,\text{äqu}} = 10 \cdot \lg \frac{1}{\Delta t} \int_{\Delta t} \left(\frac{p(t)}{p_0} \right)^2 dt \qquad (3.10/7)$$

Er ist ein Maß für den Energieinhalt des Signals während der Meßperiode. Sehr oft wird ein Zeitintervall von $\Delta t = 60$ Sekunden gewählt und der Schalldruck A-bewertet in Rechnung gestellt. Wirken in Zeitintervallen Δt_i Schallpegel L_{p_i}, wobei gilt $\sum_i \Delta t_i = \Delta t$, so kann Glg. 3.10/7 in der Form

$$L_{p\,\text{äqu}} = 10 \cdot \lg \frac{1}{\Delta t} \cdot \sum_i \left[\left(\frac{p_i}{p_0} \right)^2 \cdot \Delta t_i \right]$$

angeschrieben werden. Setzt man gemäß Glg. 3.10/4 für $(p_i / p_0)^2 = 10^{L_{p_i}/10}$, so erhält man

$$L_{p\,\text{äqu}} = 10 \cdot \lg \frac{1}{\Delta t} \cdot \sum_i \left(10^{L_{p_i}/10} \cdot \Delta t_i \right) \qquad (3.10/8)$$

Δt_i ... Zeitintervall, in dem L_{p_i} wirkt [s]
Δt ... gesamtes Zeitintervall [s] $\sum_i \Delta t_i = \Delta t$
L_{p_i} ... Schalldruckpegel im Zeitintervall Δt_i [–]
$L_{p\,\text{äqu}}$ ... äquivalenter (mittlerer) Schalldruckpegel im Zeitintervall Δt [–]

Reflexion und Absorption von Schall

Auf eine Wand treffender Schall wird teilweise reflektiert, teilweise absorbiert. Mit dem **Reflexions-** und **Absorptionsgrad** können die Verhältnisse bezüglich der Schalleistung quantitativ beschrieben werden:

$$P_{ges} = P_{ref} + P_{abs}$$
$$r = P_{ref} / P_{ges} \quad \text{und} \quad a = P_{abs} / P_{ges} \qquad (3.10/9)$$

r ... Reflexionsgrad [–]
a ... Absorptionsgrad [–]
P_{ges} ... auf die Wand treffende Schalleistung [W]
P_{ref} ... von der Wand reflektierte Schalleistung [W]
P_{abs} ... von der Wand absorbierte Schalleistung [W]

Somit ist $r + a = 1$.
D. h. bei vollständiger Reflexion ist $r = 1$ und $a = 0$,
bei vollständiger Absorption ist $r = 0$ und $a = 1$.

Nachhallzeit T_N [s]

Unter der **Nachhallzeit** versteht man jene Zeit, die zum Abklingen einer plötzlich abgeschalteten Schallquelle und Absinken des Schalldruckes auf 1 / 1000 seines Wertes benötigt wird. Ist der Schalldruck zunächst p_1, so wird die Zeit bis zum Erreichen der Größe $p_2 = p_1 / 1000$ gemessen.

Umgewandelt in die bezogene Größe des Schalldruckpegels bedeutet dies: Ist der Schalldruckpegel zunächst $L_{p_1} = 20 \cdot \lg (p_1 / p_0)$, so beträgt der Schalldruckpegel des Druckes p_2

$$L_{p_2} = 20 \cdot \lg (p_2 / p_0) = 20 \cdot \lg [(1 / 1000) \cdot (p_1 / p_0)] =$$
$$= 20 \cdot \lg (p_1 / p_0) + 20 \cdot \lg (1 / 1000) = L_{p_1} - 60 \text{ [dB]} \tag{3.10/10}$$

Man kann also auch sagen: Die Nachhallzeit T_N ist jene Zeitspanne, in der der Schalldruckpegel bei einer plötzlich abgeschalteten Schallquelle um 60 dB absinkt.

Die Nachhallzeit T_N ist eine für die Raumakustik entscheidende Größe. So wie sich das Klangempfinden eines am Klavier angeschlagenen Tones unterschiedlich verhält, je nachdem, ob mit oder ohne Pedal gespielt wird, ist die Nachhallzeit auch für das Hörempfinden in einem Veranstaltungsraum von Bedeutung. Als Richtwerte kann man angeben: In Sprechtheatern soll die Nachhallzeit etwa 0,8 ÷ 1,4 s betragen, in Musiktheatern 1,1 ÷ 1,7 s und in Konzertsälen 1,5 ÷ 2,5 s.

Nach Sabine kann die Nachhallzeit nach folgender Formel errechnet werden:

$$T_N = 0{,}163 \, \frac{V}{\sum_i (A_i \cdot a_i)} = 0{,}163 \cdot \frac{V}{A_{\text{äqu}}} \tag{3.10/11}$$

V ... Volumen des Raumes [m³]

A_i ... absorbierende Flächen [m²], das sind Raumbegrenzung, Einbauten, Personen

a_i ... Absorptionsgrad der Flächen A_i [–]

$A_{\text{äqu}}$ ... äquivalente Schallabsorptionsfläche [m²]; das ist eine fiktive Fläche mit dem Absorptionsgrad $a = 1$, die den gleichen Anteil an Schallenergie schlucken würde wie die gesamte Oberfläche des Raumes und der in ihm befindlichen Gegenstände und Personen

Schalldämmaß R [–]

Das **Schalldämmaß** gibt an, welcher Anteil von der an einer Wand eintreffenden Schalleistung die Wand durchdringt; es ist nach folgender Formel definiert:

$$R = 10 \cdot \lg (P_a / P_d) \tag{3.10/12}$$

P_a ... auftreffende Schalleistung [W]
P_d ... durchdringende Schalleistung [W]

Daraus folgt in Anwendung von Glg. 3.10/2

$$R = 10 \cdot \lg \frac{P_a}{P_d} = \lg \frac{10^{L_{P_a}}}{10^{L_{P_d}}} = \lg 10 \cdot (L_{P_a} - L_{P_d}), \quad \text{und da } \lg 10 = 1$$

$$R = L_{P_a} - L_{P_d} \tag{3.10/13}$$

Dieses Schalldämmaß ist ein entscheidender Kennwert für bauakustische Maßnahmen zur Behinderung bzw. Reduktion der Schallausbreitung. Ist z. B. die Hinterbühne oder eine Seitenbühne durch ein Brandschutztor von der Hauptbühne abtrennbar, so wird von einem derartigen Tor meist auch eine schalldämmende Wirkung verlangt, um während des Spielbetriebes auf der Hauptbühne Dekorationsvorbereitungen in der Nebenbühne ohne Lärmbelästigung für Darsteller und Zuschauer vornehmen zu können. In der Spezifikation wird dann ein bestimmtes Mindestschalldämmaß R, oft $R = 30$, vorgegeben.

Grundgeräuschpegel

Unter dem **Grundgeräuschpegel** versteht man den während eines bestimmten Zeitraumes an einem Ort gemessenen geringsten A-bewerteten Schallpegel in dB, der durch entfernte Geräusche verursacht wird und bei dessen Einwirkung noch Ruhe empfunden wird.

Richtwerte für den Grundgeräuschpegel werden z. B. für Wohngebiete etc. angegeben. Auch im Zuschauerraum eines Theaters liegt ein bestimmter Grundgeräuschpegel vor. Einerseits ist durch die im Raum anwesenden Personen stets eine gewisse Geräuschsituation gegeben, andererseits dringt in manche Theater Straßenlärm von außen ein. Unter Beachtung dieses Aspektes werden in Spezifikationen – wie bereits erwähnt – oft übertriebene Vorgaben bezüglich des maximal zulässigen Schalldruckpegelwertes in der ersten Zuschauerreihe gemacht.

Rechnen mit Pegelwerten

Pegeladdition von Schallquellen

Bewirken n einzelne Schallquellen an einem Meßort die gleiche Schallintensität I, so ist die Intensität am Meßort bei Wirkung aller n Schallquellen in Summe $I_{ges} = I \cdot n$. Der Schallintensitätspegel aller n Schallquellen beträgt daher

$$L_{I\,ges} = 10 \cdot \lg \frac{I \cdot n}{I_0} = 10 \cdot \lg \frac{I}{I_0} + 10 \cdot \lg n$$

Der Schalldruckpegel beträgt wegen $I \approx p^2$ (Glg. 3.10/5)

$$L_{p\,ges} = 10 \cdot \lg \left(\frac{n \cdot p^2}{p_0^2} \right) = 10 \cdot \lg \left(\frac{p}{p_0} \right)^2 + 10 \cdot \lg n$$

oder allgemein

$$L_{ges} = L + 10 \cdot \lg n \qquad (3.10/14)$$

Für zwei Schallquellen ($n = 2$) heißt dies wegen $10 \cdot \lg 2 = 3$, daß zwei gleich laute Schallquellen bei gleichzeitigem Wirken den Schallpegel um 3 dB erhöhen; zehn Schallquellen erhöhen ihn um 10 dB.

Haben n Schallquellen am Meßort unterschiedliche Schallintensität I_i, ergibt der analoge Ansatz mit Glg. 3.10/3 für L_I und L_p

$$L_{I\,ges} = 10 \cdot \lg \frac{\sum_i I_i}{I_0} = 10 \cdot \lg \sum_i \frac{I_i}{I_0} = 10 \cdot \lg \sum_i 10^{L_{I_i}/10}$$

bzw. allgemein

$$L_{ges} = 10 \cdot \lg \sum_i 10^{L_i/10} \qquad (3.10/15)$$

Pegelsubtraktion

Bewirken die Schallquellen 1 und 2 am Meßort einen Schallpegel L_{1+2} und die Schallquelle 2 allein einen Schallpegel L_2, so errechnet sich der nur von der Schallquelle 1 herrührende Schallpegel L_1 wegen

$$I_1 = I_{1+2} - I_2 \quad \text{bzw.} \quad (p_1)^2 = (p_{1+2})^2 - (p_2)^2 \quad \text{zu}$$

$$L_{I_1} = 10 \cdot \lg \frac{I_1}{I_0} = 10 \cdot \lg \left(\frac{I_{1+2}}{I_0} - \frac{I_2}{I_0} \right)$$

Analoges gilt auch für L_p, so daß allgemein angeschrieben werden kann

$$L_1 = 10 \cdot \lg\ (10^{L_{1+2}/10} - 10^{L_2/10}) \qquad (3.10/16)$$

Diese Formel kann z. B. verwendet werden, wenn der Einfluß des Hintergrundgeräusches bei einer Schallmessung eliminiert werden soll. Der Index 1 bezieht sich dann auf den Schallpegel der Schallquelle ohne Hintergrundgeräusch, der Index 2 auf jenen des Hintergrundgeräusches.

3.10.3 Maßnahmen zur Lärmreduktion

Maßnahmen beim Schallempfänger

Eine Reduktion des auf den Menschen einwirkenden Schalldruckpegels durch Maßnahmen am Schallempfänger sind in bühnentechnischer Anwendung irrelevant, es sei denn, es handelt sich um Sondermaßnahmen, z. B. in der Druckstation einer hydrostatischen Anlage. So kann der Mensch bei sehr hohen Schalldruckpegelwerten durch Gehörschutz oder durch den Aufenthalt in schallgedämmten Räumen vor zu hoher Belastung geschützt werden.

Maßnahmen an der Schallquelle

Einsatz von Bauelementen mit geringer Schallemission

Natürlich wird man bestrebt sein, grundsätzlich **Bauelemente** mit möglichst **geringer Schallemission** zu verwenden:

- Durch die Bauweise des **Getriebe**kastens, Art und Qualität der Verzahnung und Wahl der Übersetzungsstufen kann die Schallemission eines Getriebes beeinflußt werden.
- In **Gelenkwellen**strängen sind hohe Drehzahlen zu vermeiden, bzw. es muß auf besonders gutes Auswuchten Wert gelegt werden.
- Bei **Elektromotoren** kann in manchen Fällen bei Kurzzeitbetrieb auf den Einbau eines Kühlventilators verzichtet werden, da dieser die am deutlichsten wahrnehmbaren Geräusche verursacht. Aber auch der durch das magnetische Feld bewirkte Geräuschanteil, insbesondere Schwingungen von Blechpaketen, können deutlich hörbar sein.
- Mit hohen Drehzahlen arbeitende wälzgelagerte **Laufrollen** können deutlich wahrnehmbare Geräusche abgeben. Daher können in manchen Fällen Gleitführungen günstiger sein.
- **Hydropumpen** verursachen i. a. Druckpulsationen. (Günstig verhalten sich Schraubenpumpen, da diese nahezu keine geometrisch bedingten Volumenstrompulsationen erzeugen.)

Unterbringung von Lärmquellen in geeigneten Raumbereichen

Unvermeidbare **Schallquellen** sind möglichst **in Räume** oder Raumbereiche zu **verlagern,** von denen aus eine Schallausbreitung in den Zuschauerraum nicht gegeben ist bzw. verhindert werden kann.

- So wird man **Elektromotoren** größerer Nennleistung für Podien möglichst im Kellerbereich der Unterbühne anordnen und nicht mit dem Podium als Kletterantrieb mitfahren lassen.
- Man wird **Hydraulikpumpen** in einer eigenen Druckzentrale unterbringen.
- Kleinere **Hydraulikaggregate** kann man in Unteröl- oder Tauchpumpenanordnung konzipieren, d. h. Pumpe und Motor sind schwingungsisoliert am Behälter montiert und tauchen teilweise oder gänzlich in das Hydraulikmedium, so daß Schall zwar als Flüssigkeitsschall weitergeleitet wird, die Behälterwände aber dämmend wirken.

– Man wird **Windenantriebe** mit höherer Schallemission für Zugeinrichtungen in der Oberbühne möglichst vom allgemeinen Bühnenraum abtrennen und die Seile nur durch kleine Öffnungen durchführen.

Vermeidung der Weiterleitung des Körperschalles

Ferner muß versucht werden, **Körperschallweiterleitungen** möglichst zu **unterbinden.** Der Schallerreger, also z. B. der Motor oder aber der gesamte Grundrahmen einer Antriebseinheit, muß mit der übrigen Konstruktion elastisch über **Schwingmetalle** verbunden werden, so daß zumindest für kritische Frequenzbereiche eine Schwingungsentkoppelung zustande kommt.

Kapselung von Lärmquellen mit Schallschluckhauben

Muß eine Schallquelle raummäßig sehr ungünstig situiert werden und ist eine Reduktion der emittierten Schalleistung am Gerät nicht möglich, so muß der Aufwand einer Luftschalldämmung durch Kapselung in Kauf genommen werden, indem eine Schallschutzhaube angebracht wird. Durch diese Umbauung einer Lärmquelle wird zwar innerhalb der Kapsel zunächst eine Pegelerhöhung bewirkt, durch die Kapselwand erfolgt dann aber eine Pegelreduzierung.

Schalldämmung erfolgt durch Anordnung von Schalltrennwänden, die aufgrund ihrer Masse und Eigenfrequenz nur eine geringe Schalleistung durchlassen. Bei **Schalldämpfung** werden Reibungseffekte strömender Luft ausgenützt, um Schallenergie in Wärme umzuwandeln, wie dies an Vorhängen, Polsterungen, Teppichen, Schallisolationsmatten etc. der Fall ist.

4 Projektierungs- und Konstruktionshinweise zu Bauelementen der Bühnentechnik

In diesem Kapitel werden einige ergänzende Hinweise zu wichtigen Bauelementen der Bühnentechnik, insbesondere zu Komponenten der Antriebstechnik, gegeben.

4.1 Seile und Seiltriebe

Seiltriebe werden in der Oberbühne vor allem bei Laststangen- und Punktzügen, in der Unterbühne für Hubpodien, aber auch zum Verfahren von Bühnenwagen oder Antreiben von Drehscheiben eingesetzt.

4.1.1 Seile

Bauarten von Drahtseilen

In einem Drahtseil übernehmen mehrere nebeneinanderliegende Einzeldrähte die Gesamtzugkraft. Je nach Art der Bündelung der Drähte unterscheidet man mehrere Macharten. Sieht man von kaum verwendeten geflochtenen Seilen ab, so sind in einem Seil Drähte oder aus Drähten bestehende Litzen schraubenförmig um einen Kern geschlagen.

Werden ein oder mehrere Drahtlagen um einen Kerndraht verschraubt, so ergibt dies ein **Spiralseil** (Abb. 4.1/1 a) oder eine **Litze** als Bauelement eines **Litzenseiles.** Werden mehrere Litzen ein- oder mehrlagig um eine Hanf- oder Kunststoffseele geschlagen, so entsteht ein **Rundlitzenseil** nach Abb. 4.1/1 b–e; werden sie um eine Kernlitze geschlagen, so entsteht ein **Litzenspiralseil** nach Abb. 4.1/1 f.

Spiralseile nach Abb. 4.1/1a sind sehr biegesteif und werden als bewegte über Rollen laufende Seile oder für Trommelwinden nicht verwendet.

Mehrlagige Litzenspiralseile nach Abb. 4.1/1 f verwendet man insbesondere bei Punktzügen, da diese in **drehungsarmer** bzw. **drehungsfreier Machart** herstellbar sind und kaum zum Aufdrehen unter Last neigen.

In Abb. 4.1/1 g, h sind auch Querschnitte von Spezialseilen mit sogenannten **verdichteten Litzen** dargestellt, die sich ebenfalls durch besondere Drehungsfreiheit, aber auch durch einen hohen Füllfaktor (s. Glg. 4.1/2) auszeichnen.

Bruchkraft eines Seiles

Werden Drähte der Nennfestigkeit σ_B verwendet, so läßt sich die Bruchkraft des Gesamtseiles als Produkt aus dieser Bruchspannung mal dem metallischen Seilquerschnitt errechnen.

$$S_{B,r} = A_m \cdot \sigma_B = A_S \cdot f \cdot \sigma_B \qquad (4.1/1)$$

$$f = A_m / A_S \qquad (4.1/2)$$

Tatsächlich reißt das Gesamtseil aber bereits bei einer um etwa 15 % geringeren Kraft, da in den schraubenförmig verlegten und sich gegenseitig berührenden Drähten in Wirklichkeit komplexere Spannungszustände gegeben sind als reine Zugbeanspruchungen, wie bei der Berechnung von $S_{B,r}$ angenommen. Die kleinste zulässige wirkliche Bruchkraft wird nach DIN als **Mindestbruchkraft** bezeichnet.

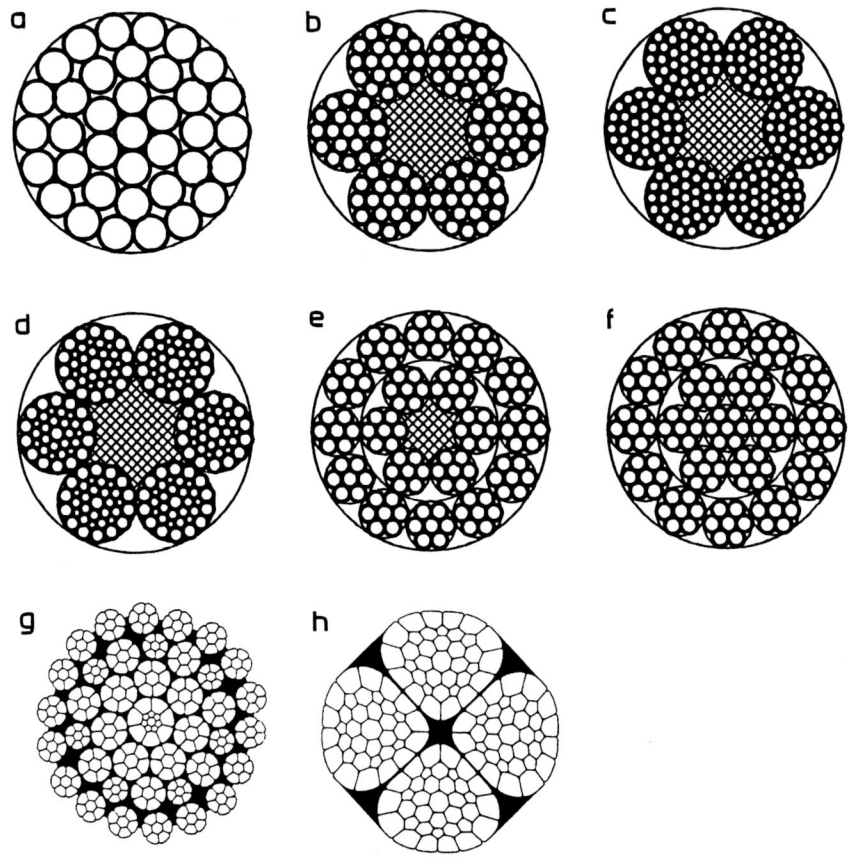

Abb. 4.1/1: Macharten von Drahtseilen
a) Spiralseil oder Litze, b) Rundlitzenseil mit Hanfseele nach DIN 3060, 6 × 19 Standard, c) Rundlitzenseil mit Hanfseele nach DIN 3066, 6 × 37 Standard, d) Rundlitzenseil mit Hanfseele nach DIN 3064, 6 × 36 Warrington-Seale, e) Spiralrundlitzenseil (Litzenspiralseil) nach DIN 3069, 18 × 7 drehungsarm, f) Spiralrundlitzenseil mit Kernlitze, g) Spezialseil mit verdichteten Litzen, drehungsfrei, „Casar Powerlift", h) Spezialseil mit verdichteten Litzen, drehungsfrei, „Casar Quadrolift"
Bildnachweis für g), h): Drahtseilwerk Saar GmbH (D-Kirkel-Limbach)

$$S_B = k \cdot S_{B,r} \qquad (4.1/3)$$

d_S ... Durchmesser des Seiles [mm]
A_S ... Fläche des Seil-Hüllkreises [mm²] $A_S = d_S^2 \cdot \pi / 4$
A_m ... metallischer Seilquerschnitt [mm²] (Summe aller Drahtquerschnitte)
σ_B ... Nennfestigkeit des Einzeldrahtes [N/mm²]
$S_{B,r}$ ... rechnerische Bruchkraft des Seiles [N]
S_B ... Mindestbruchkraft [N]
f ... Füllfaktor [–]
k ... Verseilfaktor [–]

In den Seilkatalogen sind sowohl die rechnerische als auch die Mindestbruchkraft angegeben. Ein für Laststangenzüge oft verwendetes Rundlitzenseil mit der Bezeichnung „6 × 19 Standard" nach DIN 3060 (6 Litzen zu je 19 Drähten) mit $d_S = 5$ mm ($A_m \approx 8{,}93$ mm²) hat z. B. bei einer Drahtnennfestigkeit von 1770 N/mm² eine rechnerische Bruchkraft $S_{B,r}$ = 15,8 kN und eine Mindestbruchkraft von S_B = 13,6 kN. Somit ist in diesem Fall f = 0,46 und k = 0,86.

Ein Seil richtig dimensionieren heißt, für den ungünstigsten Lastfall die tatsächlich im Seil wirkende Zugkraft zu ermitteln und zu überprüfen, ob diese vorhandene Seilkraft ausreichend weit unterhalb der Bruchkraft liegt.

Der Quotient aus Seilbruchkraft und vorhandener Seilkraft stellt den Sicherheitsfaktor dar. Je nachdem, welcher Wert im Zähler eingesetzt wird, bezieht sich diese Sicherheit auf die rechnerische Bruchkraft oder die Mindestbruchkraft. Es ist daher zu beachten, auf welchen Wert sich in Vorschriften geforderte Sicherheitsfaktoren beziehen.

$$\begin{aligned} v_r &= S_{B,r} / S \geq v_{r\,erf} \\ v_w &= S_B / S \geq v_{w\,erf} \end{aligned} \qquad (4.1/4)$$

$\qquad S \quad$ ... im Seil aus der Belastung tatsächlich vorhandene Zugkraft [N]
$\qquad v_{r,w} \quad$ ... Sicherheitsfaktor in bezug auf die rechnerische Bruchkraft bzw. auf die Mindestbruchkraft [–]

Wird ein Seil um eine Rolle geführt oder auf eine Trommel gewickelt, so wird das Seil auch auf Biegung beansprucht. Diese von der Biegung verursachten Zusatzspannungen könnten berechnet und zu den Zugspannungen addiert werden, um die Gesamtspannung zu ermitteln. In Anlehnung an den Kranbau werden aber auch in der Bühnentechnik diese Spannungen nicht wirklich errechnet, sondern man nimmt auf diese örtliche Spannungserhöhung dadurch Rücksicht, daß man kleinstzulässige Biegeradien festlegt. Dies geschieht dadurch, daß ein Mindestwert für das Verhältnis „Durchmesser der Seilrolle (bzw. Durchmesser der Seiltrommel) zu Durchmesser des Seiles" vorgegeben wird. Also z. B.

$$\begin{aligned} D_{SR} / d_S &\leq 20 \quad \text{für Seilrollen} \\ D_{ST} / d_S &\leq 18 \quad \text{für Seiltrommeln} \end{aligned} \qquad (4.1/5)$$

$\qquad d_S \quad$ ... Durchmesser des Seiles (des Hüllkreises)
$\qquad D_{SR} \quad$ ... Durchmesser der Seilrolle
$\qquad D_{ST} \quad$ ... Durchmesser der Seiltrommel
$\qquad \qquad$ (D_{SR} und D_{ST} werden von Seilmitte zu Seilmitte gemessen.)

Elastizität von Seilen

Bei Zugbeanspruchung dehnt sich ein Seil ähnlich einer Zugfeder; je größer die Kraft, desto größer die Verlängerung des Seiles. Die Elastizität des Seiles kann daher durch Angabe jener Kraft charakterisiert werden, die erforderlich ist, eine Dehnung von einer Längeneinheit hervorzurufen; sie wird als **Federrate** c bezeichnet.

$$c = \frac{\Delta F}{\Delta l} \qquad (4.1/6)$$

$\qquad \Delta F \quad$ ... Änderung der Zugkraft [N]
$\qquad \Delta l \quad$ ... Änderung der Länge [m, mm]
$\qquad c \quad$ ... Federrate [N/m, N/mm]

Für ein bestimmtes Seil, spezifiziert durch Durchmesser, metallischen Querschnitt und Machart, ändert sich die Federrate c mit der Länge des Seiles, denn je länger eine Feder ist, um so mehr dehnt sie sich bei gleicher Kraftwirkung. Ein von der Seillänge unabhängiger Kennwert für das Dehnverhalten des Seiles ist der **Elastizitätsmodul** E_S des Seiles. Infolge der schraubenförmigen Lage der Drähte und der Nachgiebigkeit der Seele ist das Gesamtgefüge des Seiles viel elastischer als der Stahl eines Einzeldrahtes.

Unter Anwendung des Hookeschen Gesetzes gilt mit Glg. 4.1/6 für den Zusammenhang zwischen einer Kraft F und der Dehnung Δl die Beziehung $F = c \cdot \Delta l = A \cdot E \cdot \Delta l \,/\, l$ und daher für die Federrate eines Seiles

$$c = \frac{A_m}{l} E_S \qquad (4.1/7)$$

l ... Länge des Seiles [mm]
c ... Federrate des Seiles der Länge l [N/mm]
A_m ... metallischer Querschnitt des Seiles [mm²]
E_S ... Elastizitätsmodul des Seiles [N/mm²]
$E_S \approx$ 80 – 110 kN/mm² für ein Rundlitzenseil mit Faserseele
100 – 130 für Rundlitzenseile mit Stahlseele
120 – 140 für Litzenspiralseile
130 – 160 für Spiralseile
(zum Vergleich: E_{Stahl} = 206 kN/mm²)

Seilrollen

Seilrollen sind aus Gußeisen oder Stahl gegossen oder aus Stahl geschweißt; es werden aber auch Kunststoffrollen verwendet. Für die Führung mehrerer Seile bei mehrfach aufgehängten Laststangen werden auch mehrrillige Seilrollen eingesetzt.

Seilrollenkonstruktionen sind exemplarisch in Abb. 4.1/2 dargestellt.

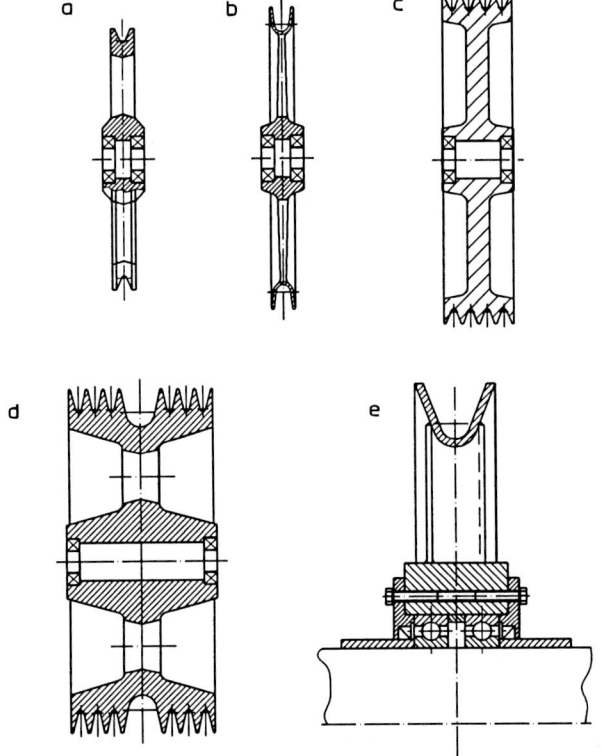

Abb. 4.1/2: Seilrollen nach DIN 56 919 „Seilrollen für Prospektzüge" a) bis d)
a) einrillige Seilrolle für Stahlseil, b) einrillige Seilrolle für Hanfseil, c) mehrrillige Seilrolle für Stahlseile, d) mehrrillige Seilrolle für Stahlseile und ein Hanfseil, e) Beispiel einer Seilrolle für Drahtseile für allgemeinen Einsatz

4.1 Seile und Seiltriebe

Um ein Scheuern des Seiles am Rillenrand zu vermeiden und das Herausspringen des Seiles aus der Rolle zu verhindern, darf der Ablenkwinkel α des Seiles aus der Rollenebene nicht größer als ca. 4° sein (Abb. 4.1/3). Darauf muß besonders geachtet werden, wenn am Schnürboden Seiltrassen mit Versatzrollen verlegt werden.

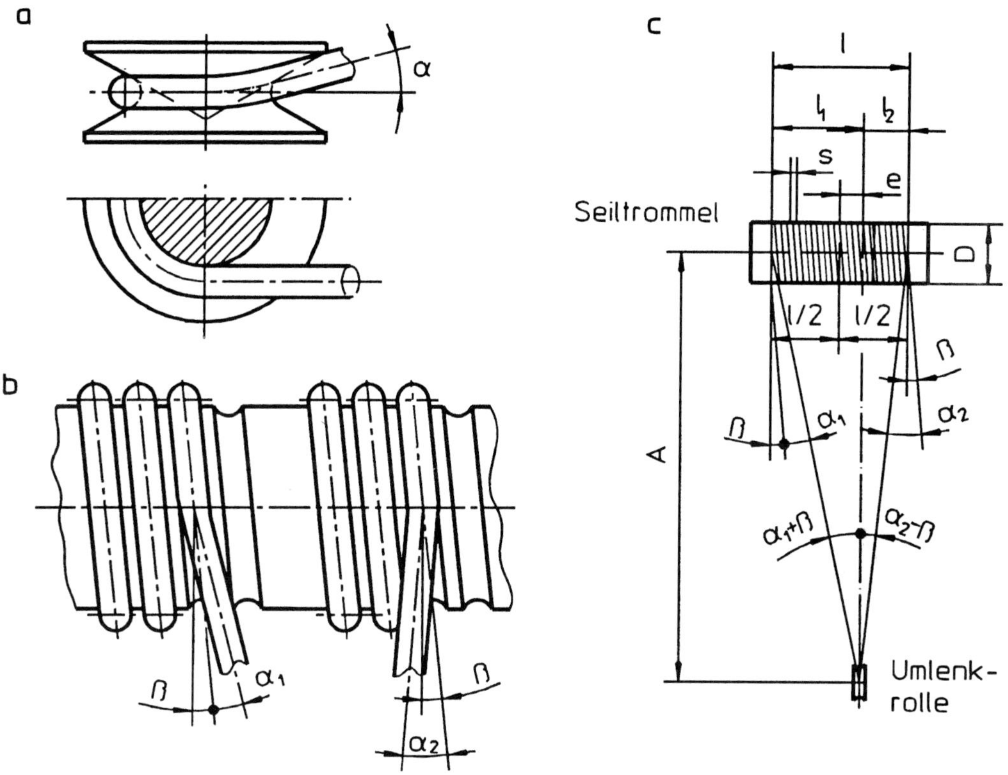

Abb. 4.1/3: Seilablenkung
a) an einer Seilrolle, b) an einer Seiltrommel, c) kürzester Abstand einer Umlenkrolle

Hanfseile

Alle bisherigen Ausführungen haben sich auf Drahtseile bezogen. Auch Hanfseile sind ähnlich aufgebaut, wie aus Abb. 4.1/4 ersichtlich ist. In der Bühnentechnik werden Hanfseile vor allem als Bedienungsseile bei Handkonterzügen (Kommandoseile) und bei Handleinenzügen verwendet.

Ein Hanfseil nach DIN 83 325, Form A (Abb. 4.1/4) als Bedienseil für einen Prospektzug mit einem Seildurchmesser $d_S = 26$ mm hat z. B. eine Mindestbruchkraft von 45 kN.

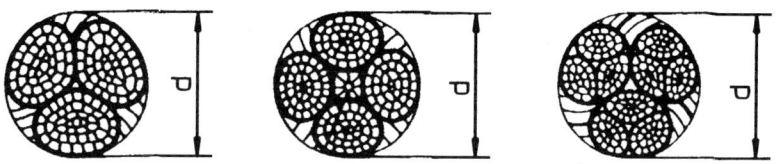

Abb. 4.1/4: Hanfseile nach DIN 83 325
a) Form A: Trossenschlag, 3litzig, b) Form B: Trossenschlag, 4litzig, c) Form C: Kabelschlag, 3kardelig, 9 Litzen

Flaschenzug

Durch Anordnung lagefixierter und beweglicher Seilrollen (Abb. 4.1/5) kann eine Kraft-Weg-Übersetzung ähnlich wie bei einem Hebel erreicht werden. Während eine feste Rolle nach Abb. 4.1/5 a, b nur eine Seilumlenkung bewirkt, ergeben lose Rollen einen Flaschenzug (Abb. 4.1/5 c–g).

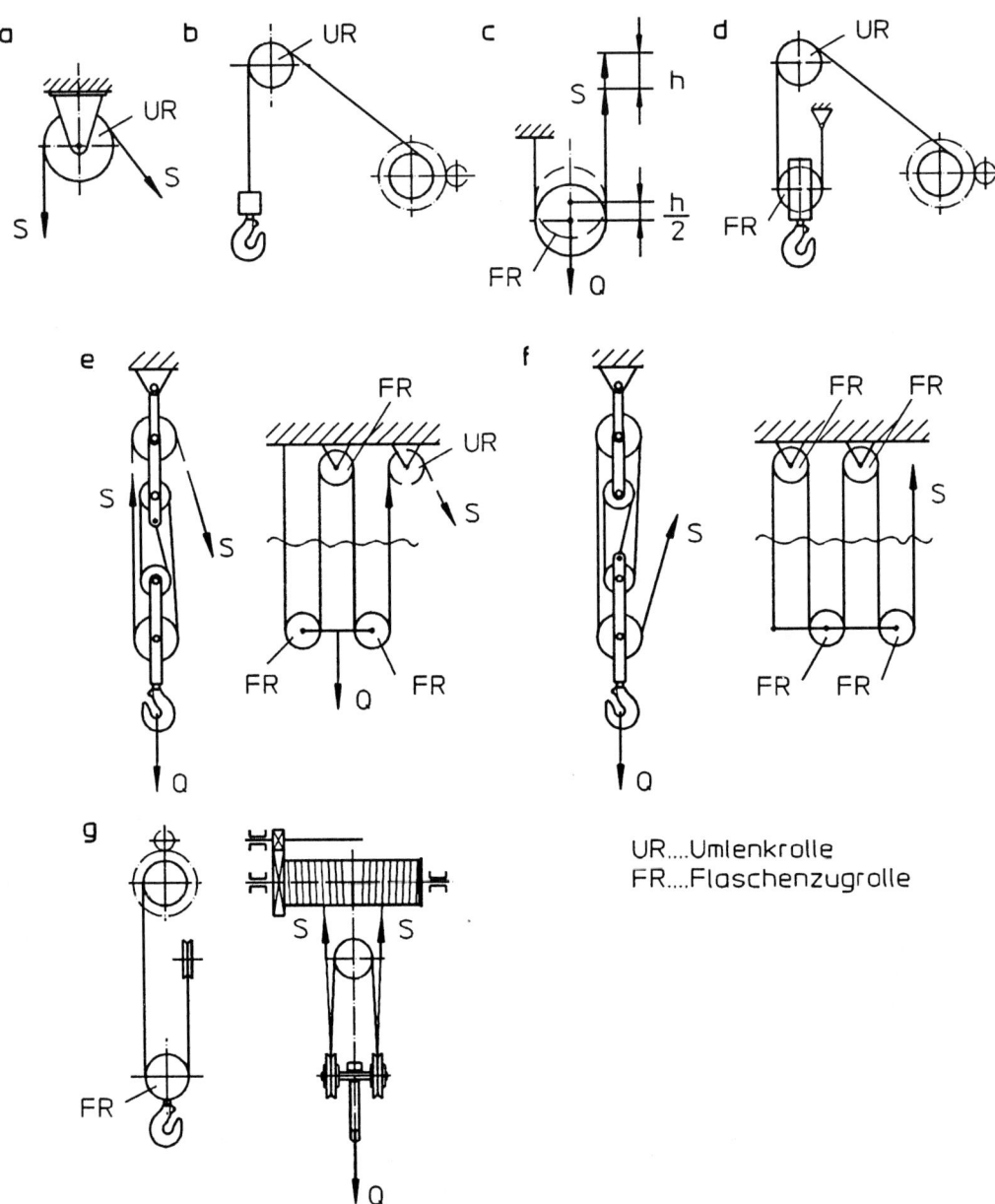

Abb. 4.1/5: Seilflaschenzug
a) feste Rolle als Umlenkrolle, b) Seilwinde mit Umlenkrolle, c) Flaschenzug mit einer losen Rolle ($i = 2$, $z = 2$), d) Seilwinde mit Flaschenzug ($i = 2$, $z = 2$), e) Seilflaschenzug ($i = 4$, $z = 4$), f) Seilflaschenzug ($i = 5$, $z = 5$), g) Seilwinde mit Zwillingstrommel – Aufwicklung beider Seilenden ($i = 2$, $z = 4$)

z Zahl der tragenden Seilstränge i Übersetzung des Flaschenzuges

4.1 Seile und Seiltriebe

Bei einfachen Flaschenzügen nach Abb. 4.1/5 c–f sind die Flaschenzugübersetzung i und die Zahl der tragenden Seilstränge z, an der die Last hängt, gleich groß, also $i = z$. Bei einem Zwillingsflaschenzug nach Abb. 4.1/5 g ist $i = z / 2$.

Betrachtet man eine bewegliche Rolle nach Abb. 4.1/5 c, so hängt die Last Q an zwei Seilsträngen und die Seilkraft beträgt $S = Q / 2$. Wird das Seil um den Weg h gezogen, so wird die Last Q um den Weg $h / 2$ gehoben. Verallgemeinert folgt daraus:

– Liegt ein **einfacher Flaschenzug** mit n Flaschenzugrollen (Umlenkrollen nicht mitgezählt) vor, so beträgt die Zahl der tragenden Seilstränge $z = n + 1$ und die Übersetzung des Flaschenzuges $i = z$.

Zum Halten der Last Q am Seilstrang ist daher nur eine Kraft

$$S = Q / z = Q / i \tag{4.1/8}$$

erforderlich. Soll die Last um den Weg h_Q bewegt werden, muß das Seil allerdings um den Weg

$$h_S = h_Q \cdot i \tag{4.1/9}$$

bewegt werden. Soll die Bewegung der Last mit der Geschwindigkeit v_Q erfolgen, erfordert dies die Seilgeschwindigkeit

$$v_S = v_Q \cdot i \tag{4.1/10}$$

Sieht man von geringen Verlusten im System ab, ist die verrichtete Arbeit (Glg. 3.1/3) und die Leistung (Glg. 3.1/6) betrachtet an der Last und am gezogenen Seilende natürlich gleich groß, nämlich

$$W = Q \cdot h_Q = S \cdot h_S = \frac{Q}{i} \cdot h_Q \cdot i \tag{4.1/11}$$

$$P = Q \cdot v_Q = S \cdot v_S = \frac{Q}{i} \cdot v_Q \cdot i \tag{4.1/12}$$

Q ... Last
S ... Seilzug
h_Q, h_S ... Weg der Last bzw. des Seiles
v_Q, v_S ... Geschwindigkeit der Last bzw. des Seiles
i ... Übersetzung des Flaschenzuges
z ... Zahl der tragenden Seilstränge
n ... Zahl der Flaschenzugrollen (Umlenkrollen nicht mitgezählt)

– Bei einem **Zwillingsflaschenzug** mit der Übersetzung i hängt die Last Q an $z = n + 2$ Seilen und $z = 2 \cdot i$. Zum Halten der Last Q ist daher an zwei Seilsträngen eine Kraft von je $S = Q / (z / 2) = Q / i$ aufzubringen. Für einen Lastweg h_Q müssen beide Seilenden um den Weg $h_S = h_Q \cdot i$ und für eine Geschwindigkeit v_Q beide Seile mit $v_S = v_Q \cdot i$ bewegt werden. Auch in diesem Fall sind Arbeit und Leistung bei Betrachtung der Last Q und beider Seilstränge auf An- und Abtriebsseite gleich groß.

Bei den bisherigen Betrachtungen wurden Reibungsverluste im Seil infolge der Biegeverformung an den Rollen und infolge von Reibungsverlusten in den Seilrollenlagerungen vernachlässigt, da diese sehr gering sind. Diese Verluste könnten als Rollenwirkungsgrad ($\eta_R \approx 0{,}96$ bei Gleitlagerung und $\eta_R \approx 0{,}98$ bei Wälzlagerung) berücksichtigt werden und zur Berechnung eines Hub- und Senkwirkungsgrades des Seilflaschenzuges herangezogen werden. (Siehe Kap. 3.5 bzw. Fachliteratur.)

In den meisten Fällen werden Flaschenzüge zur Aufbringung großer Kräfte verwendet, damit durch die Übersetzung mit kleinen Antriebskräften gearbeitet werden kann. Flaschenzüge können aber auch der umgekehrten Zielsetzung dienen. Soll z. B. ein Kurtinenblatt mit einem Gewicht von

120 kN mit einem Hydrozylinder 8 Meter gehoben werden, so ist es besser, in verkehrter Flaschenzuganordnung mit $z = i = 4$ (Abb. 1.8/3 b) einen Zylinder mit nur 8/4 = 2 m Hub einzubauen, mit dem dann allerdings eine Kraft von $120 \cdot 4 = 480$ kN aufgebracht werden muß. Nach dem gleichen Prinzip arbeiten auch hydraulische Personenaufzüge über mehrere Stockwerke.

4.1.2 Windentrieb

Bei einem Windentrieb wird das Seil auf einer Seiltrommel aufgewickelt. Der Seiltrommelmantel muß i. a. mit schraubenförmig geschnittenen Rillen versehen sein. Beim Bewickeln der Seiltrommel muß durch die Art der Seilführung sichergestellt werden, daß das Seil ordnungsgemäß, d. h. Windung neben Windung in den hiefür vorgesehenen Rillen, abgelegt wird. Besteht die Gefahr von Schlaffseilbildung, muß die Winde in diesem Fall von einer Überwachungseinrichtung sofort abgeschaltet werden. Im völlig abgewickelten Zustand muß sichergestellt sein, daß noch mindestens zwei Reservewindungen auf der Seiltrommel verbleiben; zwei Windungen sind erforderlich, um durch deren Reibschluß die Einbindung des Seilendes in der Trommel mit ausreichender Sicherheit zu gewährleisten, da die meist übliche Klemmung alleine nicht ausreicht. Außerdem darf es nicht zum vollkommenen Abwickeln und Aufwickeln des Seiles in entgegengesetzter Richtung kommen.

Bezüglich der Seilführung ist ähnlich wie bei einer Seilrolle zu beachten, daß bestimmte Ablenkwinkel nicht überschritten werden dürfen (Abb. 4.1/3 b). Bei einer Seiltrommel ist auch der Steigungswinkel β der Rillen am Trommelmantel zu berücksichtigen. Die Ablenkung des Seiles aus dieser um β geneigten Ebene darf wieder nur etwa $\alpha_1 \approx \alpha_2 \approx 4°$ betragen. Somit ist in der einen Richtung ein Ablenkwinkel von $(\beta + \alpha)$ und in der anderen Richtung von $(\beta - \alpha)$ zulässig. Dies hat zur Folge, daß bei einer möglichst nahe der Seiltrommel angeordneten Umlenkrolle nach Abb. 4.1/3 c ein Mindestabstand A eingehalten werden muß, wobei die Rolle etwas exzentrisch zur Trommelmitte zu situieren ist. Mit $\alpha_1 \approx \alpha_2$ folgt aus $\tan(\alpha + \beta) = l_1 / A$ und $\tan(\alpha - \beta) = l_2 / A$

$$l = l_1 + l_2 = A \cdot [\tan(\alpha + \beta) + \tan(\alpha - \beta)]$$
$$l_1 / l_2 = \tan(\alpha + \beta) / \tan(\alpha - \beta) \tag{4.1/13}$$

Daraus können A und l_1 / l_2 errechnet werden.

Dieses Kriterium der Seilablenkung ist beim Setzen von Versatzrollen für Punktzugwinden am Schnürboden zu beachten. Exakte Werte für die zulässige Abweichung unter Beachtung von eigentlich unterschiedlichen Werten von α_1 und α_2 sind der Fachliteratur zu entnehmen.

4.1.3 Treibscheibentrieb

Bei einem Windentrieb wird die Zugkraft auf das Seil durch Formschluß übertragen. Bei einem Treibscheibentrieb erfolgt die Übertragung an einer Scheibe durch Reibung. Dabei muß sichergestellt sein, daß der Reibschluß zwischen Seil und Seilscheibe auch tatsächlich ausreicht, die erforderliche Umfangskraft zu übertragen. Das Seil darf also nicht durchrutschen. Die Überprüfung, daß kein „Gleitschlupf" auftritt, kann folgendermaßen vorgenommen werden:

Umschlingt ein Seil eine Treibscheibe mit dem Zentriwinkel α (im Bogenmaß [rad] gerechnet!), wirkt zwischen Seil und Scheibe der Reibungskoeffizient μ und beträgt die Seilkraft auf der einen Seite S_1 und auf der anderen Seite S_2 (s. Abb. 4.1/6 a, b), wobei S_1 die größere und S_2 die kleinere Seilkraft ist, so lautet die Bedingung nach Eytelwein

$$S_1 / S_2 \leq e^{\mu\alpha} \qquad (S_1 > S_2) \tag{4.1/14}$$

4.1 Seile und Seiltriebe

Für die Umfangskraft folgt daraus als äquivalente Bedingung

$$U = S_1 - S_2 \leq S_2 \cdot (e^{\mu\alpha} - 1) \tag{4.1/15}$$

S_1 ... größere Seilkraft [N]
S_2 ... kleinere Seilkraft [N]
U ... Umfangskraft [N]
μ ... Reibwert zwischen Seil und Seilrolle [–]
   Bei leicht geschmiertem Stahlseil können für μ folgende Werte gesetzt werden:
   Stahl, Gußeisen $\mu = 0{,}12$
   Gummi mit Gewebe $\mu = 0{,}22$
   Leichtmetall $\mu = 0{,}25$
α ... Umschlingungswinkel [rad]
e ... Kurzzeichen für eine in der Mathematik häufig vorkommende Zahl; e = 2,718282 ... (ähnlich dem Kurzzeichen π = 3,141593 ...)

Ist diese Bedingung erfüllt, dann tritt kein Durchrutschen des Seiles ein; die Umfangskraft kann übertragen werden. Gilt das Gleichheitszeichen, so ist die Treibfähigkeit voll ausgenützt, und es besteht keine „Sicherheitsreserve" gegen Durchrutschen.

Mit Treibscheiben arbeiten die meisten Aufzugsanlagen. An einem Seilende hängt die Fahrgastkabine, am anderen ein Gegengewicht. Auch Seilbahnen und Lifte werden über Treibscheiben angetrieben. In der Bühnentechnik dürfen Treibscheibenantriebe nur dort eingesetzt werden, wo bei etwaigem Durchrutschen kein Sicherheitsrisiko besteht, oder aber betrieblich sichergestellt werden kann, daß immer ein ausreichender Reibschluß gewährleistet ist. Die Anwendung bei Hubzügen ist daher nur eingeschränkt möglich. Treibscheibentriebe finden aber z. B. als Antrieb von Drehscheiben und als Antrieb für horizontale Fahrbewegungen Verwendung.

Ein etwaiger Sicherheitsfaktor gegen Durchrutschen kann im Falle eines Treibscheibentriebes auf vielfältige Weise definiert werden. Entsprechende Vorschriften haben daher die Art der Berücksichtigung einer bestimmten Sicherheit gegen Durchrutschen anzugeben. Man kann z. B. verlangen, daß Durchrutschen auch bei einer um 25 % größeren Kraft S_1 nicht auftreten darf. D. h. der Sicherheitsfaktor $v = 1{,}25$ ist in diesem Fall definiert als

$$v_{S_1} = S_{1\,\text{zul}} / S_{1\,\text{vorh}} \quad \text{mit} \quad S_{1\,\text{zul}} = S_2 \cdot e^{\mu\alpha}$$

und es müßte gelten: $S_{1\,\text{zul}} / S_{1\,\text{vorh}} \geq 1{,}25$ bzw. $S_{1\,\text{zul}} / (1{,}25 \cdot S_{1\,\text{vorh}}) \geq 1$

Zum gleichen Ergebnis führt die Definition

$$v_{S_2} = S_{2\,\text{vorh}} / S_{2\,\text{erf}} \quad \text{mit} \quad S_{2\,\text{erf}} = S_1 / e^{\mu\alpha}$$

Mit beiden Ansätzen wird

$$v_{S_1} = v_{S_2} = (S_2 / S_1) \cdot e^{\mu\alpha} \tag{4.1/16}$$

Andere Werte für die Sicherheit ergeben sich, wenn man die Quotientenbildung auf die Umfangskraft U, auf den Reibwert μ oder den Umschlingungswinkel α bezieht:

$$v_U = U_{\text{zul}} / U_{\text{vorh}} \quad \text{mit} \quad U_{\text{zul}} = S_2 \cdot (e^{\mu\alpha} - 1)$$

$$v_U = \frac{S_2}{S_1 - S_2} \cdot (e^{\mu\alpha} - 1) \tag{4.1/17}$$

$$v_\mu = \mu_{\text{vorh}} / \mu_{\text{erf}} \quad \text{mit} \quad \mu_{\text{erf}} = (1/\alpha) \cdot \ln(S_1 / S_2)$$

$$v_\alpha = \alpha_{\text{vorh}} / \alpha_{\text{erf}} \quad \text{mit} \quad \alpha_{\text{erf}} = (1/\mu) \cdot \ln(S_1 / S_2)$$

$$v_\mu = v_\alpha = \mu \cdot \alpha / \ln(S_1 / S_2) \tag{4.1/18}$$

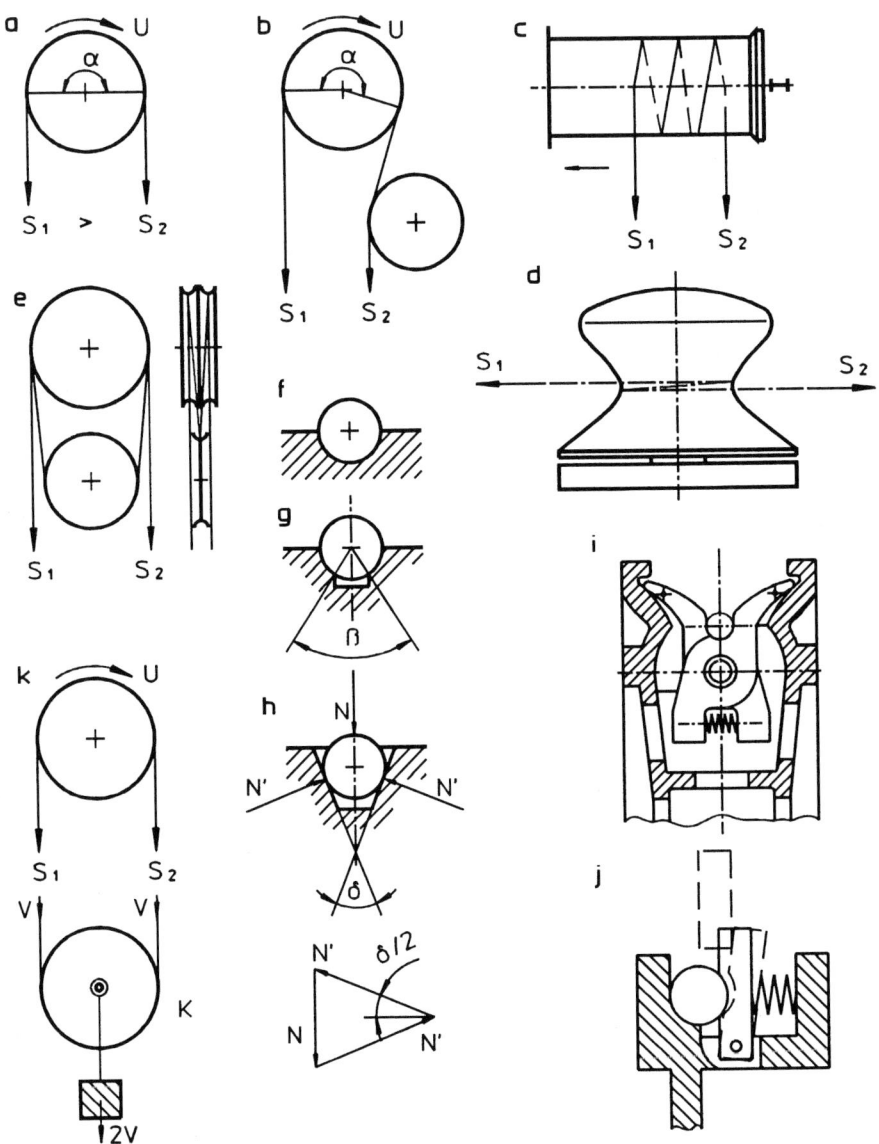

Abb. 4.1/6: Treibscheibentrieb
a) Prinzipskizze zur Bedingung nach Eytelwein – Vergrößerung der Treibfähigkeit durch Vergrößerung des Umschlingungswinkels α, b) mit einer Umlenkrolle, c) durch mehrfache Umschlingung einer Treibtrommel, d) durch mehrfache Umschlingung eines Spillkopfes (Spillwinde), e) mit zweirilliger Treibscheibe – Vergrößerung der Treibfähigkeit durch Vergrößerung der zwischen Seil und Treibscheibe wirkenden Druckkräfte mittels f) Halbrundrille, g) Halbrundrille mit Unterschnitt, h) Keilrille, i) selbstschließende Klemmzangen, j) Federklemmung – Vergrößerung der Treibfähigkeit durch Vergrößerung der Trumkräfte durch höhere Vorspannung, k) Spannrolle

Die Überprüfung des Reibschlusses mit Glg. 4.1/14, 4.1/15 hat selbstverständlich unter Beachtung aller Lastfälle zu erfolgen. Ist ein Seiltrum mit einer stets vorhandenen Totlast E und einer variablen Nutzlast $Q = 0 \div Q_{max}$ belastet und das andere Seiltrum mit einem Gegengewicht $G = E + Q_{max}/2$, so ist der kritischere Lastfall für $Q = 0$ gegeben.

4.1 Seile und Seiltriebe

Wie aus Glg. 4.1/14, 4.1/15 zu ersehen ist, können folgende Maßnahmen ergriffen werden, um die Treibfähigkeit zu verbessern, falls in einer gegebenen Situation zunächst kein ausreichender Reibschluß nachgewiesen werden kann:

- **Vergrößerung des Umschlingungswinkels** α durch eine Umlenkrolle (Abb. 4.1/6 b), durch mehrfache Umschlingung an einer **Treibtrommel** (Abb. 4.1/6 c) oder einer **Spillwinde** (Abb. 4.1/6 d) oder Hintereinanderschaltung zweier Treibscheiben, z. B. in Form einer zweirilligen Treibscheibe (Abb. 4.1/6 e).

- **Verbesserung der Reibverhältnisse** durch Wahl einer anderen **Reibpaarung.** So ist der Reibwert zwischen einem Stahlseil und einer Stahlscheibe z. B. kleiner als jener zwischen einem Stahlseil und einer mit einer Gummieinlage gefutterten Scheibe.

- **Erhöhung der Reibkraft** durch Vergrößerung der den Reibschluß bestimmenden Druckkraft zwischen Seil und Scheibe. Anschaulich kann dies an Hand der **Keilrille** erläutert werden (s. Abb. 4.1/6 h). In diesem Fall ist der Reibschluß nicht mehr durch eine Normalkraft N mit dem Wert $N \cdot \mu$, sondern durch Normalkräfte $2\,N'$ mit dem Reibschlußwert $2\,N' \cdot \mu$ gegeben. In Glg. 4.1/14 und 4.1/15 kann dies durch einen fiktiven Reibwert, bezeichnet als μ_f, berücksichtigt werden, nach dem Ansatz

$$\mu_f = \frac{1}{\sin(\delta/2)} \cdot \mu \qquad (4.1/19)$$

Aus ähnlichen Erwägungen ergibt sich für eine **Halbrundrille** nach Abb. 4.1/6 f

$$\mu_f = (4/\pi) \cdot \mu \qquad (4.1/20)$$

bzw. für eine Halbrundrille mit Unterschnitt nach Abb. 4.1/6 g

$$\mu_f = 4 \cdot \frac{1 - \sin(\beta/2)}{\pi - \beta - \sin\beta} \cdot \mu \qquad (4.1/21)$$

Besonders hoher Reibschluß kann durch Anwendung von Spezialscheiben erreicht werden: Am Umfang der Scheibe sind **Zangen** angeordnet, die durch die Radialkomponente der Seilkraft über Keilflächen betätigt werden und das Seil infolge der Hebelübersetzung in der Zange mit besonders großer Kraft klemmen (Abb. 4.1/6 i). Auf diese Art können Werte von $\mu_f \approx 6\mu$ erreicht werden.

- **Erhöhung der Trumkraft** S_2 (und damit allerdings auch der Trumkraft S_1), z. B. durch **Vorspannen** über eine Spannrolle mit einem Spanngewicht (Abb. 4.1/6 k), einer Spannfeder oder hydraulisch etc.

4.1.4 Klemmtrieb

Bei einem Klemmtrieb (Abb. 4.1/6 j) wird die Zugkraft auf das Seil ebenfalls durch Reibung übertragen. Allerdings wird in diesem Fall nicht wie an der Keilrille nach Abb. 4.1/6 h oder an den Klemmzangen nach Abb. 4.1/6 i durch die in radialer Richtung wirkende Seilkraftkomponente N der Seilkraft S eine hohe Reibschlußkraft erzeugt, sondern die Klemmkräfte werden durch vorgespannte Druckfedern erzielt. Dadurch können besonders hohe Kräfte übertragen werden, indem mehrere Klemmelemente z. B. in Form umlaufender Klemmscheiben hintereinandergeschaltet werden. Dieses Prinzip wird z. B. beim Klemmzug nach Abb. 1.7/32 a angewandt.

Bei der in Abb. 1.7/32 b dargestellten Seilzugeinrichtung wird das Seil zur Erhöhung des Reibschlusses in der Treibscheibe mit federbelasteten Rollen in die Rille gepreßt. Das freie Seilende wird in eine Speichertrommel gewickelt.

4.2 Ketten und Kettentriebe

Zur Übertragung von Zugkräften können anstelle von Seilen auch Ketten eingesetzt werden. In der Bühnentechnik finden Ketten vor allem bei Podienantrieben und bei Antrieben von Bühnenwagen zum Beispiel als Unterflurzug- und Unterflurschubketten Verwendung.

4.2.1 Ketten

Kettenbauarten

Rundstahlketten (Abb. 4.2/1 a)

Rundstahlketten werden beispielsweise in Kettenhandzügen, bei Kettenförderern und als Lastanschlagketten verwendet. Unverzahnte Kettenrollen zur Kettenumlenkung sind in Abb. 4.2/1 b dargestellt. Zur Übertragung von Kräften sind verzahnte Kettenräder nach Abb. 4.2/1 c erforderlich. In diesem Fall müssen lehrenhaltige Ketten mit engen Toleranzen für die Kettenteilung verwendet werden.

Stahlgelenkketten (Abb. 4.2/2)

Diese Ketten bestehen aus Bolzen und Laschen und sind, wenn man von Sonderbauformen absieht, nur in einer Ebene gelenkig. Je nach Bauart unterscheidet man Gallketten (Abb. 4.2/2 a), Buchsenketten (Abb. 4.2/2 b) und Rollenketten (Abb. 4.2/2 c, d). Die Buchsenkette ist für höhere Arbeitsgeschwindigkeiten einsetzbar, da am Bolzen bessere Gleitverhältnisse gegeben sind. Bei Rollenketten ist auf der Buchse noch eine Rolle gelagert.

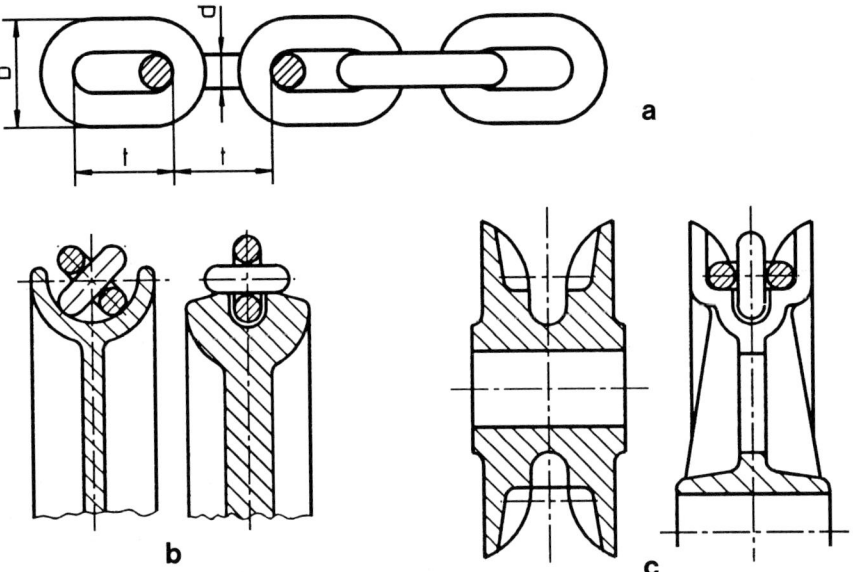

Abb. 4.2/1: Rundstahlkette und Kettenräder
a) Rundstahlkette, b) unverzahnte Kettenrolle, c) verzahntes Kettenrad (Kettennuß)

Rollenketten werden in der Fördertechnik sehr häufig verwendet, im bühnentechnischen Einsatz z. B. als Hubketten für Podien. Sie dienen aber auch als Transportketten bei Kettenförderern, wie in Abb. 4.2/2 g dargestellt, und finden daher auch für den Transport von Containern für Dekorationsmaterial Verwendung.

4.2 Ketten und Kettentriebe

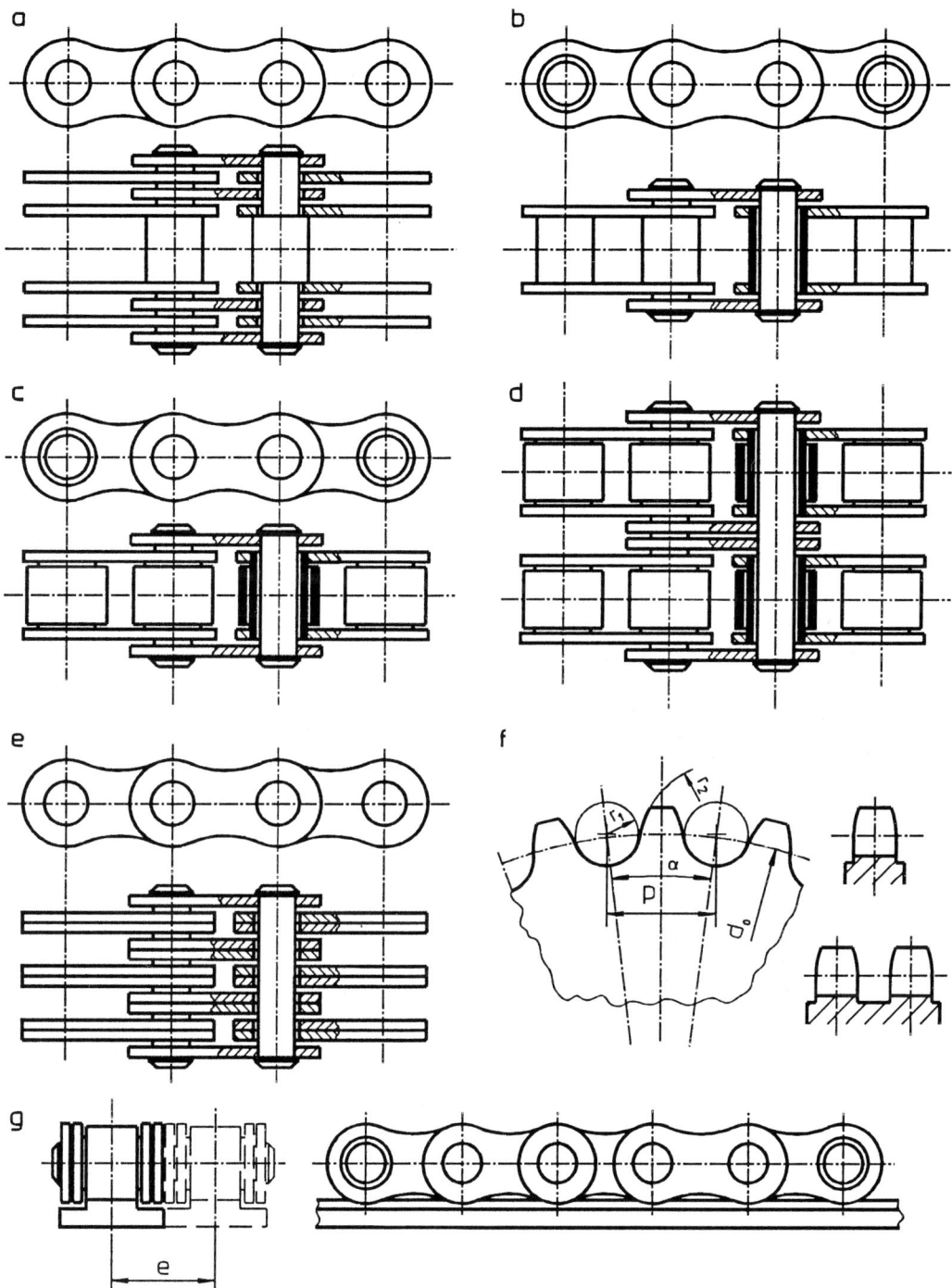

Abb. 4.2/2: Stahlgelenkketten
a) Gallkette (in mehrlaschiger Ausführung dargestellt), b) Buchsenkette, c) Einfach-Rollenkette, d) Zweifach-Rollenkette, e) Fleyerkette, f) Kettenrad, g) Rollenkette als Transportkette

Zur Übertragung besonders großer Kräfte kann die Fleyerkette nach Abb. 4.2/2 e dienen; allerdings kann diese Kettenart nicht über verzahnte Räder laufen.

Die Verzahnung der Kettenräder für Stahlgelenkketten ist in Abb. 4.2/2 f dargestellt. Solche Kettenräder sind immer dann zu verwenden, wenn das Kettenrad tatsächlich von der Kette umschlungen wird. Dient eine Stahlgelenkkette nur als Ersatz für einen Triebstock (s. Kap. 4.4), so sollte eigentlich – von untergeordneten Anwendungsfällen abgesehen – ein nach den Gesetzen der Verzahnungstheorie geformtes Triebstockritzel verwendet werden.

Dimensionierung einer Kette

In Normen und Herstellerangaben ist für jeden Kettentyp und jede Kettendimension die Mindestbruchlast angegeben. Sie entspricht der Mindestbruchlast beim Seil. Außerdem ist meist noch eine Prüfkraft genannt, bei deren Aufbringung noch keine bleibenden Verformungen auftreten. Die erforderlichen Sicherheiten sind in einschlägigen Vorschriften festgelegt und liegen je nach Einsatz zwischen 9 und 12, und die Bedingung lautet:

$$v = \frac{F_B}{F} \geq v_{erf} \qquad (4.2/1)$$

F ... in der Kette aus der Belastung vorhandene Zugkraft [N], [kN]
F_B ... Bruchkraft der Kette [N], [kN]

Elastizität von Ketten

Ähnlich wie ein Seil dehnt sich auch eine Kette unter Belastung. Die Kettenglieder verformen sich in Abhängigkeit von deren Konstruktionsweise, als Dehnung der Laschen und Biegung der Bolzen. Bis zu einer Betriebskraft von etwa 40 % der Mindestbruchkraft kann bei Rollen- und Buchsenketten rein elastische Verformung angenommen werden.

Ein dem Elastizitätsmodul E eines Stabes oder eines Seiles entsprechender Wert läßt sich für eine Kette nicht definieren, da über die Kettenlänge keine konstante Querschnittsfläche A gegeben ist. Macht man mit einer Kette einen Zugversuch und trägt in einem Diagramm nach Abb. 4.2/3 die Kettenkraft F bezogen auf die Kettenbruchkraft F_B über der Dehnung ε (Verlängerung Δl bezogen auf die Ursprungslänge l_0) auf, so ergibt sich ein etwa linearer Zusammenhang. Der Anstieg der Geraden wird oft als **relative Federrate** c_{rel} bezeichnet und von Herstellern angegeben.

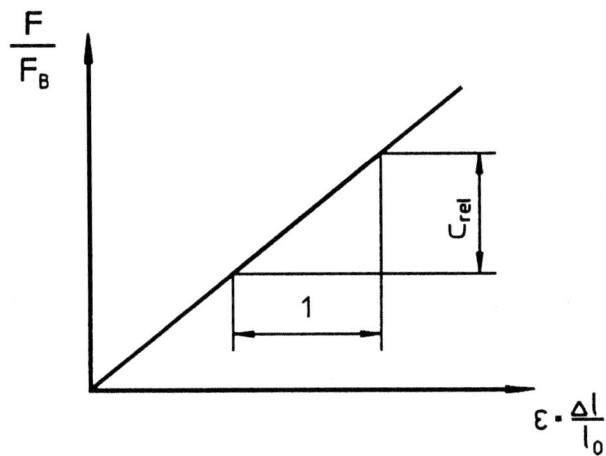

Abb. 4.2/3: Relative Federrate einer Kette

4.2 Ketten und Kettentriebe

$$\frac{\Delta F}{F_B} = c_{rel} \cdot \frac{\Delta l}{l_0} = c_{rel} \cdot \varepsilon \quad \text{und}$$

$$\varepsilon = \frac{\Delta l}{l_0} = \frac{\Delta F}{c_{rel} \cdot F_B} \tag{4.2/2}$$

Daraus läßt sich die von der Kettenlänge abhängige Federrate c errechnen zu

$$c = \frac{\Delta F}{\Delta l} = \frac{\Delta F / l_0}{\Delta l / l_0} = \frac{\Delta F}{\varepsilon \cdot l_0} = c_{rel} \cdot \frac{F_B}{l_0} \tag{4.2/3}$$

ΔF ... Erhöhung der Zugkraft in der Kette [N]
F_B ... Mindestbruchkraft der Kette [N]
l ... Länge der Kette [mm]
Δl ... Verlängerung der Kette infolge ΔF [mm]
c ... Federrate [N/mm]
c_{rel} ... relative Federrate [–], $c_{rel} \approx 50$
ε ... Dehnung [–]

4.2.2 Kettentrieb

Der Teilkreisdurchmesser eines Kettenrades nach Abb. 4.2/2 f bzw. Abb. 4.2/4 a beträgt

$$d_0 = \frac{p}{\sin(\alpha/2)} \tag{4.2/4}$$

$$\alpha \, [\text{rad}] = 2\pi / z \quad \text{bzw.} \quad \alpha \, [°] = 360° / z \tag{4.2/5}$$

d_0 ... Teilkreisdurchmesser des Kettenrades
p ... Kettenteilung [mm]
z ... Zähnezahl des Kettenrades
α ... Teilungswinkel des Kettenrades [rad], [°]

Rotiert ein Kettenrad mit der Winkelgeschwindigkeit ω, dann beträgt die Kettengeschwindigkeit v bei einem Kettenradradius r (Glg. 3.2/6) $v = r \cdot \omega$.

Beim Lauf einer Kette um ein Kettenrad ist zu beachten, daß aufgrund der Geometrie des Rades der wirksame Kettenradius, also der Normalabstand zwischen Kettenstrang und Kettenradmittelpunkt während der Drehung des Kettenrades stets zwischen einem Maximalwert $r_{max} = r_0 = d_0/2$ und einem Minimalwert $r_{min} = r_0 \cdot \cos(\pi/z)$ schwankt. D. h. auch bei Antrieb eines Kettenrades mit konstanter Winkelgeschwindigkeit ω variiert die auf die Kette als Umfangsgeschwindigkeit übertragene Tangentialgeschwindigkeit zwischen einem Maximalwert $v_{max} = \omega \cdot r_{max}$ und einem Minimalwert $v_{min} = \omega \cdot r_{min}$.

Dieser sogenannte **Polygoneffekt** wirkt sich, wie sich aus den im folgenden angeschriebenen Formeln leicht erkennen läßt, um so stärker aus, je kleiner die Zähnezahl des Kettenrades ist.

Die veränderliche Kettengeschwindigkeit v beträgt

$$v = \omega \cdot r = \omega \cdot r_0 \cdot \cos \varphi \quad \text{mit} \quad \varphi = \omega \cdot t \tag{4.2/6}$$

Für $\varphi = 0$ ergibt sich die Maximalgeschwindigkeit

$$v_{max} = \omega \cdot r_{max} = \omega \cdot r_0 = v_0 \quad \text{und} \tag{4.2/7}$$

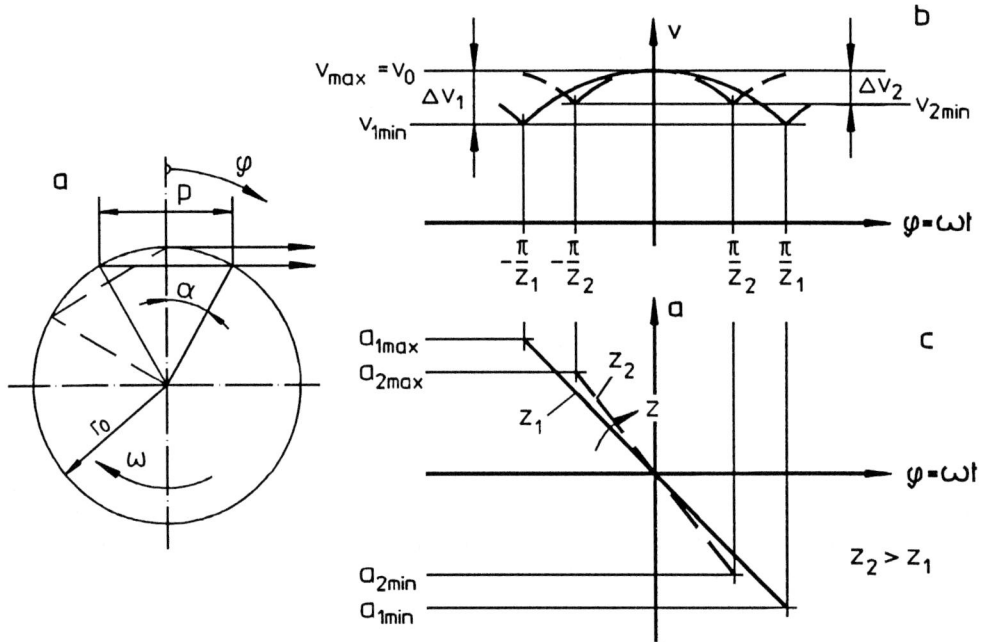

Abb. 4.2/4: Polygoneffekt am Kettenrad
a) Geschwindigkeitsvektoren am Kettenrad, b) Verlauf der Transversalgeschwindigkeit, c) Verlauf der Transversalbeschleunigung der Kette

für $\varphi = \pm \alpha$ die Minimalgeschwindigkeit

$$v_{\min} = \omega \cdot r_{\min} = \omega \cdot r_0 \cdot \cos \alpha = v_0 \cdot \cos \alpha \tag{4.2/8}$$

Für die Kettenbeschleunigung a gilt

$$a = dv / dt = - \omega^2 \cdot r_0 \cdot \sin \varphi \tag{4.2/9}$$

und für $\varphi = \pm \alpha$ als Extremwert mit $\sin \alpha = \dfrac{p/2}{r_0}$

$$a_{\max} = - \omega^2 \cdot r_0 \cdot \sin(\pm \alpha) = \pm \frac{p \cdot \omega^2}{2} \tag{4.2/10}$$

r ... wirksamer Radius [m]
r_0 ... Nennradius (Umkreisradius des Kettenpolygons) [m] $r_0 = d_0 / 2$
p ... Kettenteilung [m]
v ... Kettengeschwindigkeit [m/s]
a ... Kettenbeschleunigung [m/s²]
α ... Teilungswinkel des Kettenrades [rad], [°]
φ ... mit der Zeit t veränderlicher Drehwinkel [rad]
ω ... Winkelgeschwindigkeit des Kettenrades [1/s]
t ... Zeit [s]
z ... Zähnezahl [–]

Der Verlauf von Geschwindigkeit und Beschleunigung ist aus Abb. 4.2/4 b, c zu ersehen.

Aus dem Polygoneffekt resultierende Schwingungserregungen können vor allem dann problematisch werden, wenn die Erregerfrequenz mit einer Eigenfrequenz des Systems zusammenfällt und dadurch Resonanzerscheinungen auftreten. Die sprunghaften Beschleunigungsänderungen führen auf jeden Fall zu Stoßerregungen. Bei Wahl ausreichend großer Zähnezahlen und nicht zu großer Geschwindigkeiten wirkt sich dieser Effekt allerdings kaum störend aus.

Neben den beschriebenen Längsschwingungen in Kettenlaufrichtung hat der Polygoneffekt auch Querschwingungen der Kette zur Folge.

4.3 Keil- und Spindeltrieb

4.3.1 Keiltrieb

Kraft- und Geschwindigkeitsverhältnisse

Für die Geschwindigkeiten gilt nach Abb. 4.3/1 der Zusammenhang

$$v_1 = v_2 \cdot \tan \alpha \qquad (4.3/1)$$

In einer schiefen Ebene unter dem Steigungswinkel α ist zum Heben einer Last F_Q eine Kraft F_H bzw. als Rückhaltekraft zur Vermeidung einer Senkbewegung infolge einer Last F_Q eine Kraft F_S erforderlich, deren Größen vom Winkel α und den Reibungsverhältnissen an der Kontaktfläche in der schiefen Ebene abhängen. Bei den folgenden Überlegungen wird angenommen, daß an anderen Flächen keine Reibung wirke.

Ohne Reibung an der Kontaktfläche gilt gemäß Abb. 4.3/1 a

$$F_0 = F_H = F_S = F_Q \cdot \tan \alpha \qquad (4.3/2)$$

Bei Reibwirkung, bestimmt durch die Reibungszahl μ bzw. den Reibungswinkel ρ (tan $\rho = \mu$), wird gemäß Abb. 4.3/1 b, c für eine Bewegung im Hubsinn

$$F_H = F_Q \cdot \tan(\alpha + \rho) \qquad (4.3/3)$$

und für eine Bewegung im Senksinn

$$F_S = F_Q \cdot \tan(\alpha - \rho) \qquad (4.3/4)$$

F_Q ... Last am Teil 1 [N]
$F_{H,S}$ ... Verschiebekraft am Teil 2 [N]
α ... Steigungswinkel [°]
ρ ... Reibungswinkel [°]

Im Senksinn erfordert die Last F_Q im Falle $\alpha > \rho$ als Gleichgewichtskraft eine positive Kraft F_S als Rückhaltekraft. Wird $\alpha < \rho$, so wird gemäß Glg. 4.3/4 tan $(\alpha - \rho) < 0$ und damit auch die Kraft F_S negativ. In diesem Fall ist zum Senken also keine Rückhaltekraft, sondern eine treibende Kraft F_S erforderlich.

Im Falle $\alpha > \rho$ kann der Keil durch die Wirkung einer Kraft F_Q, wenn keine ausreichende Kraft F_S als Rückhaltekraft wirkt, verschoben und die Last F_Q abgesenkt werden. Im Falle $\alpha < \rho$ kann diese Senkbewegung auch durch eine noch so große Kraft F_Q nicht hervorgerufen werden. Man nennt diesen Zustand **Selbsthemmung** (s. auch Kap. 3.5).

Wirkungsgrad

Unter Anwendung der in Kap. 3.5 hergeleiteten Formeln für den Wirkungsgrad gilt

$$\eta_H = \frac{P_0}{P_H} = \frac{F_0 \cdot v_2}{F_H \cdot v_2} = \frac{\tan \alpha}{\tan(\alpha + \rho)} \qquad (4.3/5)$$

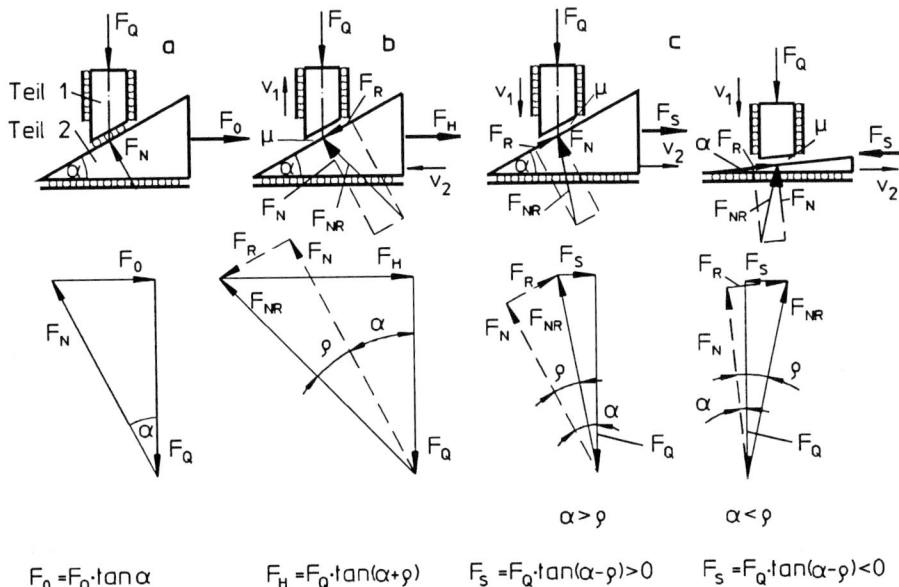

$F_0 = F_Q \cdot \tan\alpha \qquad F_H = F_Q \cdot \tan(\alpha+\rho) \qquad F_S = F_Q \cdot \tan(\alpha-\rho) > 0 \qquad F_S = F_Q \cdot \tan(\alpha-\rho) < 0$

Abb. 4.3/1: Kraftverhältnisse am Keil (am Teil 1 wirksame Kräfte)
a) ohne Reibung, insbesondere auch an der Keilfläche zwischen Teil 1 und 2, b) – d) mit Reibung in der Keilfläche, b) Bewegung im Hubsinn, c) Bewegung im Senksinn – $\alpha > \rho$ – keine Selbsthemmung, d) Bewegung im Senksinn – $\alpha < \rho$ – Selbsthemmung

und beim Senken

$$\eta_S = \frac{P_S}{P_0} = \frac{F_S \cdot v_2}{F_0 \cdot v_2} = \frac{\tan(\alpha-\rho)}{\tan\alpha} \qquad (4.3/6)$$

Im Falle der Selbsthemmung wird also wegen $\alpha \leq \rho$ der Senkwirkungsgrad $\eta_S \leq 0$. Im Grenzfall $\alpha = \rho$ bedeutet dies

$\eta_S = 0$ und

$$\eta_H = \frac{\tan\rho}{\tan 2\rho} = \frac{1-\tan^2\rho}{2}$$

Nur wenn $\tan^2\rho$ vernachlässigbar klein ist, also für $\tan^2\rho \approx 0$, wird $\eta_H = 0{,}5$, d. h. Glg. 3.5/6 gilt nicht exakt, da die Verlustleistungen beim Heben und Senken unterschiedlich groß sind. Diese lassen sich aus Glg. 4.3/5, 4.3/6 errechnen:

$$P_{VH} = P_H - P_0 = P_0 \cdot (1/\eta_H - 1) = P_0 \cdot \left[\frac{\tan(\alpha+\rho)}{\tan\alpha} - 1\right] \qquad (4.3/7)$$

$$P_{VS} = P_0 - P_S = P_0 \cdot (1 - \eta_S) = P_0 \cdot \left[1 - \frac{\tan(\alpha-\rho)}{\tan\alpha}\right] \qquad (4.3/8)$$

mit $\qquad P_0 = F_0 \cdot v_2 = F_Q \cdot \tan\alpha \cdot v_1 / \tan\alpha = F_Q \cdot v_1$

P ... Leistung [W]
η ... Wirkungsgrad [–]
Index: 0 ... verlustlos   H ... Heben
       V ... Verlustanteil S ... Senken

4.3.2 Spindeltrieb

Ein **Spindeltrieb** besteht aus einer Paarung von Spindel und Mutter, wobei je nach Betriebsart (vgl. Kap. 1.6.1 – Spindelhubpodien) die Spindel mit ω rotiert und die Mutter mit v bewegt wird, oder die Mutter mit ω rotiert und die Spindel mit v bewegt wird, oder die Spindel stillsteht und die Mutter die Bewegungen mit v und ω durchführt.

Da ein Gewinde als ein Keil in Schraubenform angesehen werden kann, sind alle für das Keilgetriebe hergeleiteten Beziehungen auch für den Spindeltrieb anwendbar.

Zunächst wird der als **Gleitgewindetrieb** benennbare klassische Spindeltrieb mit gleitender Reibung an der Keilfläche behandelt. Es gibt aber auch Spindeltriebe, bei denen die gleitende Bewegung an der Keilfläche durch eine Abwälzbewegung ersetzt wird; in diesem Fall spricht man von einem **Wälzgewindetrieb.**

Gleitgewindetrieb

Für solche Bewegungsgetriebe werden Trapezgewinde nach ISO DIN 103 mit der Normbezeichnung „Tr $d \times p$" eingesetzt (Abb. 4.3/2 a). d gibt den Außendurchmesser des Spindelgewindes und p die Steigung des Gewindes an. Bei Gewinden mit großer Steigung lassen sich mehrere Gewindegänge parallel nebeneinander als mehrgängiges Gewinde mit der Steigung p_n anordnen.

$$p_n = n \cdot p \quad \text{(Abb. 4.3/2 d)} \tag{4.3/9}$$

Gemäß Abb. 4.3/2 a sind folgende geometrische Größen definiert:

d ... Außendurchmesser des Spindelgewindes [mm]

d_K ... Kerndurchmesser des Spindelgewindes [mm]

d_F ... Flankendurchmesser des Spindelgewindes [mm]; dies ist der Durchmesser eines zur Spindelachse konzentrischen Zylinders, der das Gewindeprofil derart schneidet, daß Zahn und Lücke gleich groß sind.

p ... Profilteilung des Gewindes [mm]; dies ist der Abstand zweier gleichartiger Profilpunkte in einem Axialschnitt. Bei einer eingängigen Spindel ist dies gleichzeitig die Steigung des Gewindes.

p_n ... Steigung des Gewindes mit n Gängen [mm]; dies ist jene axiale Wegdifferenz, die sich bei Durchlaufen einer Schraubenlinie des Gewindeprofils nach einer Umrundung ergibt. Wird also z. B. die Mutter bei festgehaltener Spindel um 360 ° gedreht, so verschiebt sie sich axial um den Weg p_n.

α ... Steigungswinkel des Gewindes [°]

Wird der Mantel eines Zylinders mit dem Flankendurchmesser d_F in eine Ebene abgewickelt, stellt sich die Schraubenlinie mit dem Durchmesser d_F gemäß Abb. 4.3/2 b als Gerade dar. Der Steigungswinkel α läßt sich daher unter Bezugnahme auf den „mittleren" Durchmesser d_F errechnen nach

$$\tan \alpha = \frac{p_n}{d_F \cdot \pi} \quad \text{(für } n = 1 \text{ ist } p_n = p \text{)} \tag{4.3/10}$$

Aus Abb. 4.3/2 b ist ersichtlich, daß – wie bei einer Wendeltreppe – der Steigungswinkel am Kerndurchmesser größer und am Außendurchmesser kleiner ist.

Zur Berechnung der Kräfte bzw. Drehmomente kann man die Formeln für das Keilgetriebe anwenden, indem man die Kräfte F_H und F_S am Radius $d_F / 2$ als Drehmomente M_H bzw. M_S wirken läßt.

$$M_0 = \frac{d_F}{2} \cdot F_Q \cdot \tan \alpha \tag{4.3/11}$$

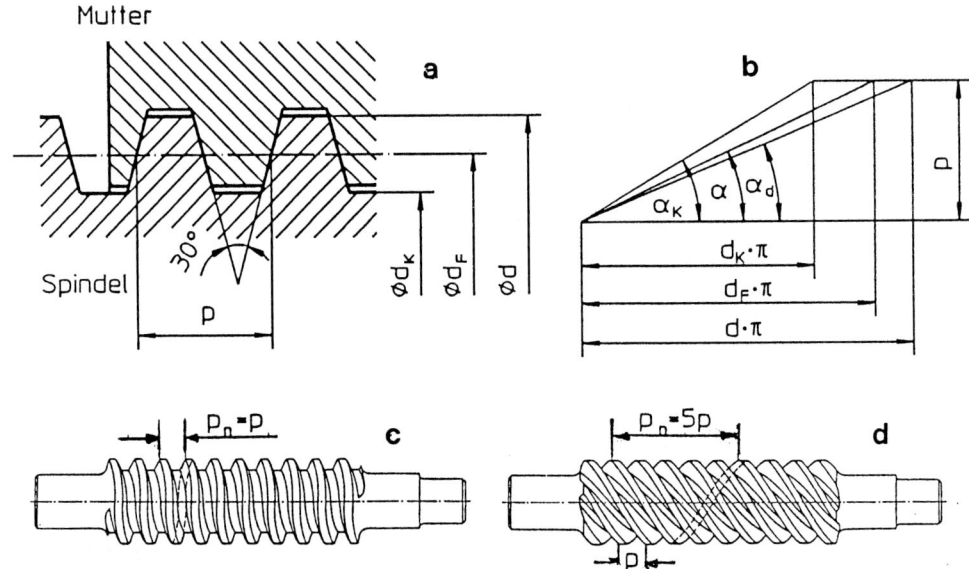

Abb. 4.3/2: Gleitgewindetrieb
a) Trapezgewinde nach ISO-Norm, b) Steigung eines Trapezgewindes, c) eingängig, d) mehrgängig

$$M_H = \frac{d_F}{2} \cdot F_Q \cdot \tan(\alpha + \rho) \tag{4.3/12}$$

$$M_S = \frac{d_F}{2} \cdot F_Q \cdot \tan(\alpha - \rho) \tag{4.3/13}$$

Daher gilt für die Wirkungsgrade in analoger Weise

$$\eta_H = \frac{P_0}{P_H} = \frac{M_0 \cdot \omega}{M_H \cdot \omega} = \frac{\tan \alpha}{\tan(\alpha + \rho)} \tag{4.3/14}$$

und beim Senken

$$\eta_S = \frac{P_S}{P_0} = \frac{M_S \cdot \omega}{M_0 \cdot \omega} = \frac{\tan(\alpha - \rho)}{\tan \alpha} \tag{4.3/15}$$

Wieder sind die Verlustleistungen beim Heben und Senken unterschiedlich und können nach Glg. 4.3/7, 4.3/8 errechnet werden.

In Anwendung von Glg. 4.3/1 folgt ferner für die Winkelgeschwindigkeit ω der Spindel- oder Mutterdrehung und die Längsbewegung der Spindel oder Mutter mit der Geschwindigkeit v der Zusammenhang

$$v = \frac{d_F}{2} \cdot \omega \cdot \tan \alpha \tag{4.3/16}$$

$$P_0 = M_0 \cdot \omega = \frac{d_F}{2} \cdot F_Q \cdot \tan \alpha \cdot \omega = F_Q \cdot v \tag{4.3/17}$$

Die Verlustleistungen an einem Spindeltrieb sind relativ hoch. Sie führen auch zu großer thermischer Belastung, so daß bei Spindeltrieben nur relativ kleine Leistungen übertragen werden bzw. nur kleine Einschaltdauern des Antriebes zulässig sind (s. Kap. 1.6.1).

Wälzgewindetriebe

In diesem Fall wird Gleitreibung durch Rollreibung ersetzt. Damit ergeben sich hohe Wirkungsgrade, und die thermischen Belastungen sind sehr gering. Der manchmal bei Spindeltrieben erwünschte Selbsthemmeffekt kann natürlich nicht erzielt werden.

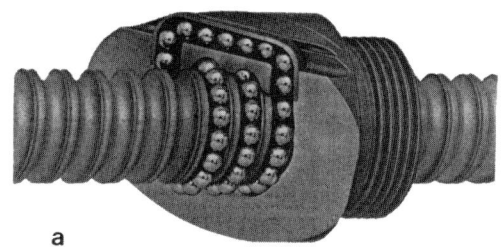

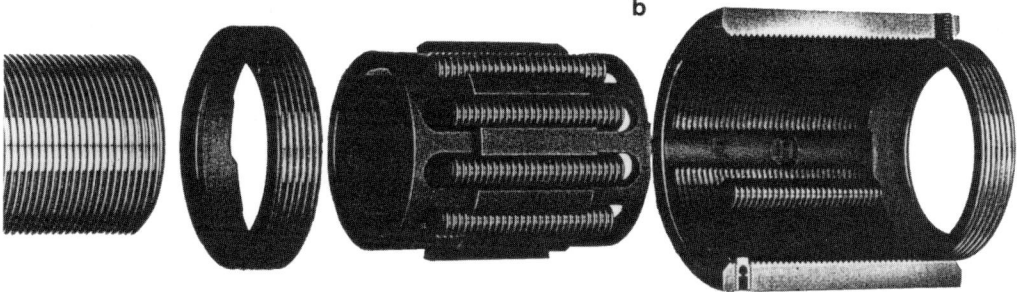

Abb. 4.3/3: Wälzgewindetrieb
a) Kugelgewindetrieb, b) Planetenrollen-Gewindetrieb
Bildnachweis: SKF

Als Wälzkörper sind für kleinere Kräfte Kugeln, für große Belastungen Rollen vorgesehen. Daher unterscheidet man zwischen **Kugel-** und **Rollengewindetrieben.** In Abb. 4.3/3 a ist das Prinzip eines Kugelgewindetriebes deutlich zu erkennen. Die Wälzkörper rollen durch die Gewindegänge der Mutter und müssen je nach Bauform innerhalb oder außerhalb des Mutternkörpers wieder rückgeführt werden. Besonders große Kräfte können mit **Planetenrollen-Gewindetrieben** übertragen werden. Bei der in Abb. 4.3/3 b dargestellten Bauform sind in die Mutter in einem Käfig gelagerte kleine Gewinderollen eingebaut, die sich in einer Planetenbewegung an Spindel und Mutterngewinde abwälzen.

Bei Wälzgewindespindeln ist in Anwendung der Glg. 4.3/10 statt des Flankendurchmessers d_F der Gewindenenndurchmesser d_0 (laut Herstellerangabe) einzusetzen. Zur Ermittlung der Wirkungsgrade können wieder Glg. 4.3/5, 4.3/6 herangezogen werden. In der folgenden Tabelle sind zum Vergleich Richtwerte für die Reibungsverhältnisse beim Gleit- und Wälzgewindetrieb angegeben.

Gleitgewindespindel	$\rho = 6°$	$\tan \rho = \mu = 0{,}1$
Kugelgewindespindel	$\rho = 0{,}34°$	$\mu = 0{,}006$
Planetengewindespindel	$\rho = 0{,}46°$	$\mu = 0{,}008$

4.4 Zahntriebe

Mit Zahntrieben können durch formschlüssige Koppelung verzahnter Bauelemente Bewegungen unter Kraftwirkungen übertragen werden. In diesem Buch sollen nicht Theorie und Berechnung von Verzahnungen vermittelt werden; es werden nur einige Grundbegriffe erläutert und Hinweise zur speziellen Thematik gegeben.

4.4.1 Verzahnung

Evolventenverzahnung

Aus der Bedingung, daß über Formschluß eine gleichförmige Bewegung am Antrieb auch eine gleichförmige Bewegung am Abtrieb ergeben soll, läßt sich zu jeder gewählten Zahnform des einen Elements eine Zahnform des zweiten Elements konstruieren. Im allgemeinen Maschinenbau – und so auch in der Bühnentechnik – wird fast ausschließlich die sogenannte **Evolventenverzahnung** nach Abb. 4.4/1 a, b verwendet. Wie der Name zum Ausdruck bringt, haben die Zahnflanken eine Kurvenform, die als Evolvente bezeichnet wird: Wickelt man einen gespannten Faden gemäß Abb. 4.4/1 c von einer Scheibe, so beschreibt das Fadenende eine derartige Kurve.

Die Größe des Zahnes wird durch eine als **Modul** bezeichnete Kennzahl charakterisiert. Sollen am Umfang u eines Kreises z Zähne Platz finden, so besteht folgender geometrischer Zusammenhang:

$$p = \frac{\pi \cdot d}{z} \tag{4.4/1}$$

$$d = \frac{p}{\pi} \cdot z = m \cdot z \quad \text{mit} \quad m = \frac{p}{\pi} \tag{4.4/2}$$

Kämmen zwei Stirnräder mit den Zähnezahlen z_a und z_b nach Abb. 4.4/1 a, so müssen zwei Bedingungen erfüllt sein:

– Die Umfangsgeschwindigkeiten am Teilkreis (Wälzkreis) beider Räder müssen gleich groß sein.

$$v = \frac{d_a}{2} \cdot \omega_a = \frac{d_b}{2} \cdot \omega_b = \frac{m \cdot z_a}{2} \cdot \omega_a = \frac{m \cdot z_b}{2} \cdot \omega_b$$

Daraus folgt

$$i = \frac{d_b}{d_a} = \frac{z_b}{z_a} = \frac{\omega_a}{\omega_b} = \frac{n_a}{n_b} \tag{4.4/3}$$

– Die Leistung muß bei Annahme verlustloser Übertragung an der An- und Abtriebsseite gleich groß sein.

$$P_a = M_a \cdot \omega_a = P_b = M_b \cdot \omega_b$$

Daraus folgt

$$i = \frac{\omega_a}{\omega_b} = \frac{M_b}{M_a} \tag{4.4/4}$$

Ist der Wirkungsgrad der Zahnradstufe $\eta < 1$ zu berücksichtigen, so ist bei Antrieb mit M_a das Abtriebsmoment $M_b = M_a \cdot i \cdot \eta$.

Wird der Teilkreisdurchmesser eines Zahnrades unendlich groß, so wird aus einem Zahnrad eine Zahnstange nach Abb. 4.4/1 b. Damit kann eine rotierende Bewegung in eine lineare Bewegung umgesetzt werden und umgekehrt.

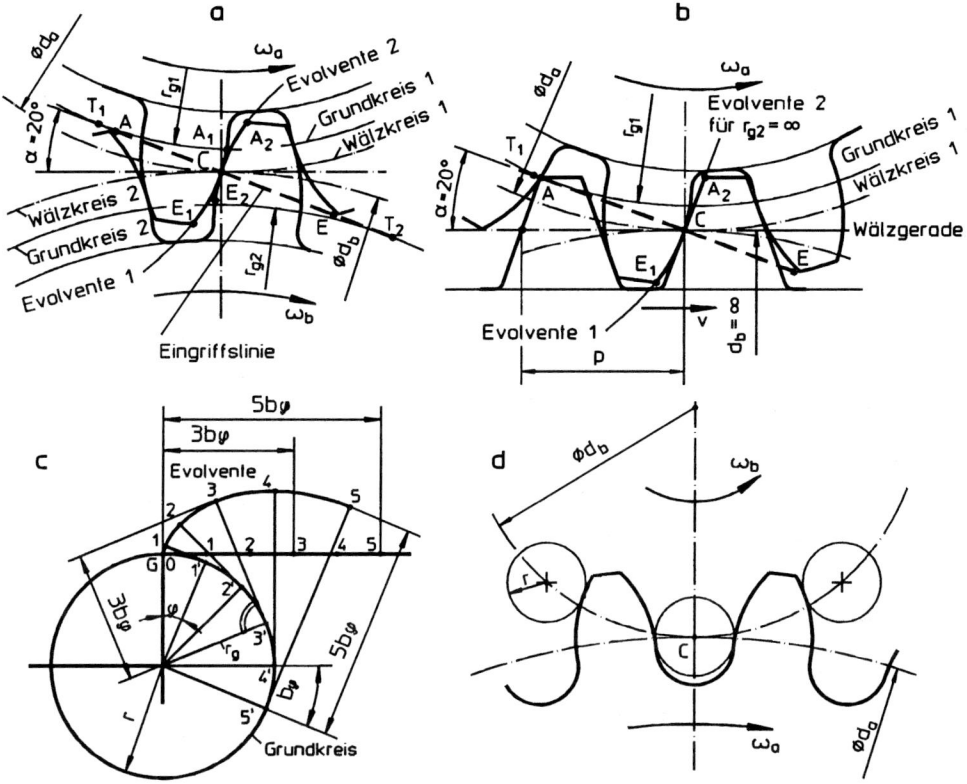

Abb. 4.4/1: Evolventenverzahnung
a) Paarung Rad-Rad, b) Paarung Rad-Zahnstange, c) Geometrie der Evolvente, d) Triebstockverzahnung

Treibt ein Ritzel mit der Zähnezahl z eine Zahnstange nach Abb. 4.4/1 b, so gilt

$$v = \frac{d}{2} \cdot \omega = \frac{m \cdot z}{2} \cdot \omega \qquad (4.4/5)$$

und wegen $P = M \cdot \omega = F \cdot v$

$$\frac{M}{F} = \frac{v}{\omega} \qquad (4.4/6)$$

F ... Längskraft an der Zahnstange und Umfangskraft am Ritzel [N]
M ... Drehmoment [Nm]
P ... Leistung [W]
d ... Teilkreisdurchmesser [m]
m ... Modul [m]
p ... Teilung [m], das ist die als Bogenlänge gemessene Entfernung zwischen zwei aufeinanderfolgenden Rechts- oder Linksflanken
z ... Zähnezahl [–]
i ... Übersetzung [–]
v ... Umfangsgeschwindigkeit am Teilkreis [m/s]
n ... Drehzahl [U/s], n^* [U/min]
ω ... Winkelgeschwindigkeit [1/s]
η ... Wirkungsgrad [–]

Triebstockverzahnung

Neben der Evolventenverzahnung wird in Sonderfällen manchmal die sogenannte **Triebstockverzahnung** angewandt. Bei einem Triebstock werden die Zähne gemäß Abb. 4.4/1 d durch zylindrische Bolzen ersetzt. Die Zähne des Ritzels müssen nach den Gesetzen der Verzahnungsgeometrie besonders geformt sein und entsprechen nicht der Evolventenform.

Schneckengetriebe

Eine in der Bühnentechnik häufig verwendete Form einer Verzahnung ist das **Schneckengetriebe.** In diesem Fall stehen eine Schneckenwelle (Schnecke) und ein Schneckenrad in Eingriff (Abb. 4.4/2).

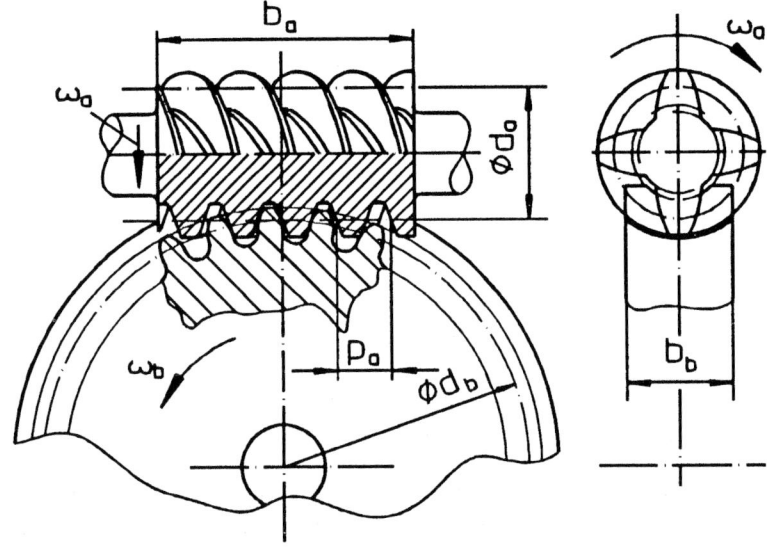

Abb. 4.4/2: Schneckengetriebe

Auch bei einem Schneckengetriebe gilt Glg. 4.4/3. Der mittlere Steigungswinkel der Schnecke mit z_a Zähnen und dem Modul m errechnet sich zu

$$\tan \alpha = \frac{m \cdot z_a}{d_a} \quad \text{mit} \quad m = \frac{p_a}{\pi} \qquad (4.4/7)$$

m ... Achsmodul [m], (an der Schneckenwelle im Achsschnitt und am Schneckenrad im Mittelstirnschnitt)

p_a ... Axialteilung [m]

z_a ... Zähnezahl der Schneckenwelle = Gangzahl der Schnecke (z_a = 1 bis 4) [–]

z_b ... Zähnezahl am Schneckenrad [–]

Der Wirkungsgrad eines Schneckengetriebes darf auf keinen Fall vernachlässigt werden, da im Zahneingriff Gleiten wie bei einer Gewindespindel stattfindet und nicht vernachlässigbare Verluste auftreten. Daher sind auch die für einen Spindeltrieb in Kap. 4.3 angegebenen Formeln anwendbar. Für eine **treibende Schnecke** (Übersetzung ins Langsame) gilt

$$\eta_H = \frac{\tan \alpha}{\tan (\alpha + \rho)} \quad \text{und} \quad M_b = M_a \cdot i \cdot \eta_H \qquad (4.4/8)$$

für ein **treibendes Schneckenrad** (Übersetzung ins Schnelle)

$$\eta_S = \frac{\tan(\alpha - \rho)}{\tan \alpha} \quad \text{und} \quad M_a = M_b \cdot \frac{1}{i} \cdot \eta_S \tag{4.4/9}$$

i ... Übersetzung des Schneckengetriebes [–]
M_a ... Moment an der Schneckenwelle [Nm]
M_b ... Moment an der Schneckenradwelle [Nm]
α ... mittlerer Steigungswinkel der Schnecke [°]
ρ ... Reibungswinkel der Paarung Schnecke–Schneckenrad [°] (tan $\rho = \mu$)
$\eta_{H,S}$ ... Wirkungsgrad

Ist $\alpha \leq \rho$ bzw. $\eta_S \leq 0$, tritt Selbsthemmung ein.

4.4.2 Getriebe

Zur Erzielung größerer Übersetzungsverhältnisse können auch mehrere Zahnradstufen hintereinandergeschaltet werden, und es gilt dann

$$i_{b/a} = \frac{z_2}{z_1} \cdot \frac{z_4}{z_3} \cdot \frac{z_6}{z_5} \ldots = i_{2/1} \cdot i_{4/3} \cdot i_{6/5} \ldots \quad \text{und} \tag{4.4/10}$$

$$\eta_{b/a} = \eta_{2/1} \cdot \eta_{4/3} \cdot \eta_{6/5} \ldots \tag{4.4/11}$$

$i_{b/a}$ ... Übersetzung des Getriebes
$i_{2/1}$ ... Übersetzung der ersten Getriebestufe
$\eta_{b/a}$ ... Wirkungsgrad des Getriebes
$\eta_{2/1}$ ... Wirkungsgrad der ersten Getriebestufe

Da elektrische Antriebsmotoren i. a. mit hoher Nenndrehzahl laufen, sind in den meisten technischen Anwendungen Übersetzungsgetriebe ins Langsame im Antriebsstrang einzubinden. Je nachdem, welche Übersetzungsverhältnisse, welche Achslagen von An- und Abtriebswelle und welche Betriebseigenschaften verlangt werden, können Stirnrad-, Kegelrad-, Kegelstirnrad- oder Schneckengetriebe oder Kombinationen verwendet werden (s. Fachliteratur). Bei Antrieb mit langsam laufenden Hydromotoren kann die Zwischenschaltung eines Übersetzungsgetriebes manchmal auch entfallen.

Getriebe können aber nicht nur zur Übersetzung von Drehzahl und Drehmoment, sondern auch zur Leistungsverzweigung verwendet werden. Müssen z. B. für ein Spindelhubpodium mehrere Spindeln von einem Antriebsmotor angetrieben werden, so muß dessen Drehbewegung über Zwischengetriebe auf alle Spindeln übertragen werden (Abb. 1.6/26). Eine andere Art der Leistungsverzweigung ist bei Planetengetrieben gegeben, deren Funktionsweise hier aber nicht behandelt wird.

4.5 Gelenkwellen

Von Gelenkwellen können insbesondere in bühnentechnischer Anwendung störende Schwingungserregungen und Schallemissionen ausgehen. Daher werden in diesem Abschnitt die kinematischen Eigenschaften einer Gelenkwelle etwas näher erläutert.

Kinematische Verhältnisse an einem Kreuzgelenk

Eine Gelenkwelle besteht aus zwei durch eine Zwischenwelle verbundenen Kreuzgelenken (Abb. 4.5/1). Daher ist zur Untersuchung des Bewegungsverhaltens zunächst die Situation an einem Kreuzgelenk mit dem Beugungswinkel β zweier Wellen zu betrachten (Abb. 4.5/2 a).

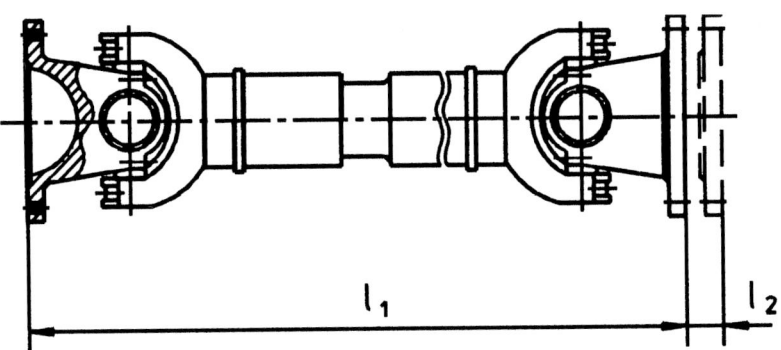

Abb. 4.5/1: Gelenkwelle

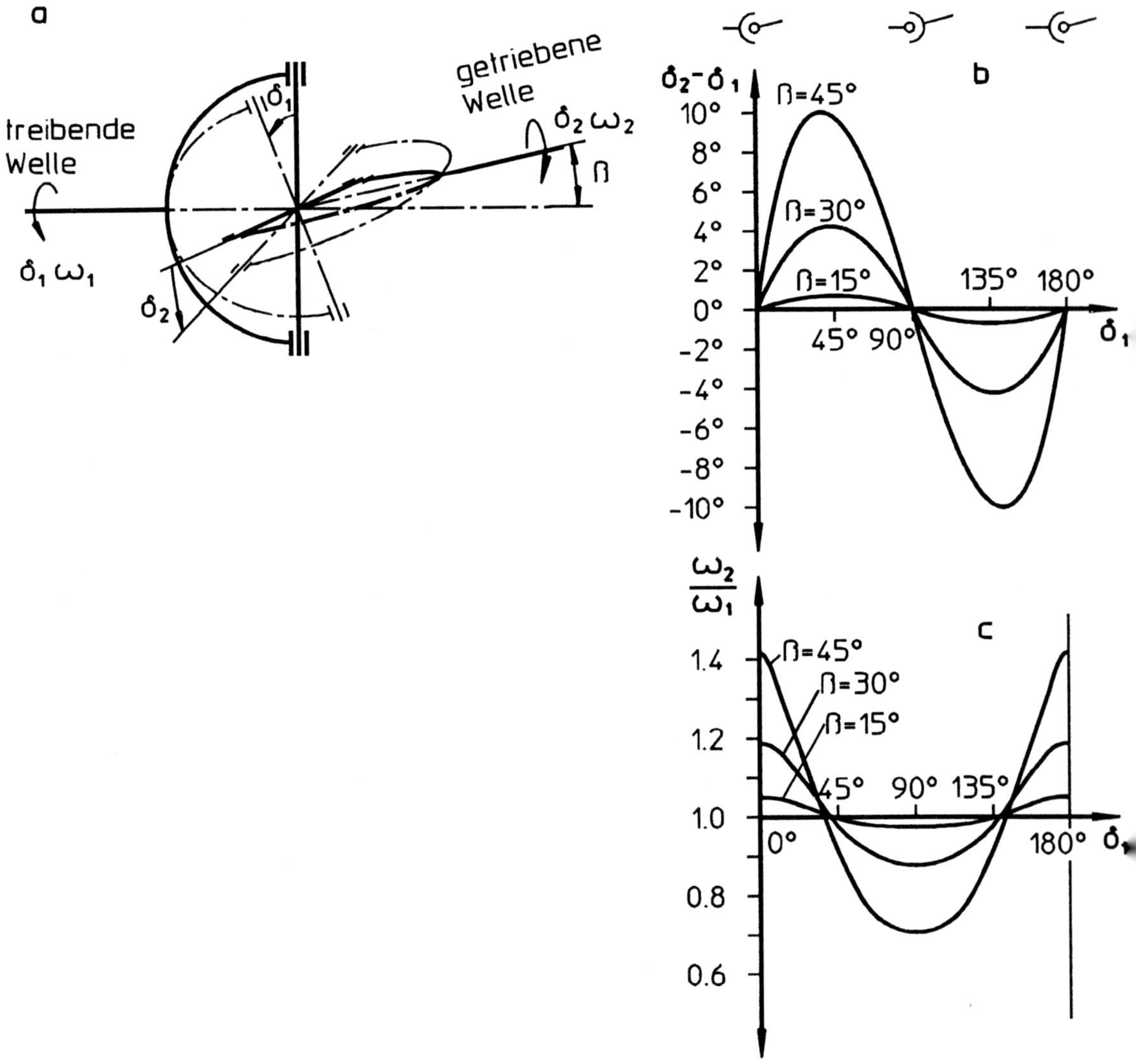

Abb. 4.5/2: Einfaches Kreuzgelenk
a) Schema eines einfachen Kreuzgelenkes, b) Differenzwinkel $\delta_2 - \delta_1$ über δ_1, c) Verhältniswert der Winkelgeschwindigkeiten ω_2 / ω_1 über δ_1 für verschiedene Beugungswinkel β

4.5 Gelenkwellen

Zwischen den Drehwinkeln δ_1 und δ_2 besteht der Zusammenhang:

$$\frac{\tan \delta_2}{\tan \delta_1} = \frac{1}{\cos \beta} \quad \text{bzw.} \quad \delta_2 - \delta_1 = \arctan\left(\frac{\tan \delta_1}{\cos \beta}\right) - \delta_1 \qquad (4.5/1)$$

In Abb. 4.5/2 b ist der Differenzwinkel $(\delta_2 - \delta_1)$ über δ_1 aufgetragen. Daraus ist ersichtlich, daß die Welle 2 gegenüber der Welle 1 zuerst vor- und dann nacheilt.

Das Verhältnis der Winkelgeschwindigkeiten der Wellen 1 und 2 erhält man durch Differenzieren zu

$$\frac{\omega_2}{\omega_1} = \frac{\cos \beta}{1 - \cos^2 \delta_1 \cdot \sin^2 \beta} \qquad (4.5/2)$$

Wird also die Welle 1 mit konstanter Winkelgeschwindigkeit angetrieben, schwankt die Winkelgeschwindigkeit der Welle 2 trotzdem in Abhängigkeit von der Winkelstellung δ_1 gemäß Abb. 4.5/2 c zwischen einem Maximalwert für $\delta_1 = 0°$ und einem Minimalwert für $\delta_1 = 90°$. Die Extremwerte betragen:

$$\max \omega_2 = \frac{1}{\cos \beta} \cdot \omega_1 \qquad (4.5/3)$$

$$\min \omega_2 = \cos \beta \cdot \omega_1$$

Kinetische Verhältnisse an einem Kreuzgelenk

Da der Leistungsfluß – von geringfügigen Reibungsverlusten abgesehen – konstant bleiben muß, ist mit der Winkelgeschwindigkeit ω_2 auch das in der Welle 2 wirksame Drehmoment M_{t2} veränderlich. In Anwendung von Glg. 3.1/7 und Glg. 4.5/2 für die Bedingung $P_1 = M_{t1} \cdot \omega_1 = P_2 = M_{t2} \cdot \omega_2$ wird

$$M_{t2} = \frac{\omega_1}{\omega_2} \cdot M_{t1} = \frac{1 - \cos^2 \delta_1 \cdot \sin^2 \beta}{\cos \beta} \cdot M_{t1} \qquad (4.5/4)$$

Die Umlenkung des Momentenvektors M_{t1} im Kreuzgelenk in den Momentenvektor M_{t2} hat jedoch auch die Wirkung von Biegemomenten M_{b1} in der Lagerung der Welle 1 und M_{b2} in der Welle 2 zur Folge. Aus den in Abb. 4.5/3 dargestellten Dreiecken lassen sich für $\delta_1 = 0°$ und $\delta_2 = 90°$ folgende Extremwerte ableiten:

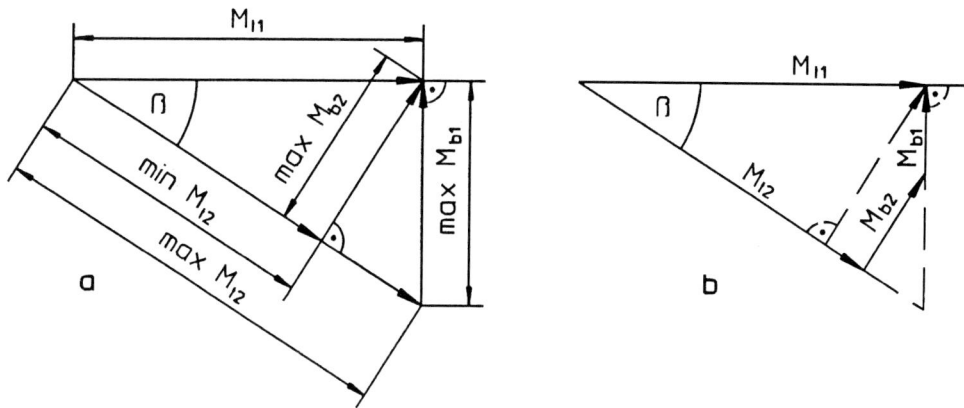

Abb. 4.5/3: Biege- und Drehmomente in den Wellen 1 und 2
a) Extremwerte für $\delta = 0°$ und $\delta = 90°$, b) allgemein

Für $\delta_1 = 90°$ wird $\omega_2 = \omega_1 \cdot \cos\beta$ $\quad (= \min \omega_2)$
$\qquad\qquad\qquad M_{t2} = M_{t1} \cdot 1/\cos\beta$ $\quad (= \max M_{t2})$
$\qquad\qquad\qquad M_{b1} = M_{t1} \cdot \tan\beta$ $\quad (= \max M_{b1})$
$\qquad\qquad\qquad M_{b2} = 0$ $\quad (= \min M_{b2})$ $\qquad\qquad$ (4.5/5)

Für $\delta_1 = 0°$ wird $\omega_2 = \omega_1 \cdot 1/\cos\beta$ $\quad (= \max \omega_2)$
$\qquad\qquad\qquad M_{t2} = M_{t1} \cdot \cos\beta$ $\quad (= \min M_{t2})$
$\qquad\qquad\qquad M_{b1} = 0$ $\quad (= \min M_{b1})$
$\qquad\qquad\qquad M_{b2} = M_{t1} \cdot \sin\beta$ $\quad (= \max M_{b2})$ $\qquad\qquad$ (4.5/6)

Diese periodischen Schwankungen in den Winkelgeschwindigkeiten, Dreh- und Biegemomenten führen zu Schwingungserregungen, die in bühnentechnischer Anwendung manchmal problematisch sein können.

Kinematik und wirksame Drehmomente in einer Gelenkwelle

Bei einer Gelenkwelle werden zwei Kreuzgelenke hintereinandergeschaltet. Durch Einhaltung bestimmter geometrischer Bedingungen kann erreicht werden, daß das zweite Kreuzgelenk die Ungleichförmigkeit des ersten Kreuzgelenkes vollkommen ausgleicht. Wird dann Welle 1 mit konstantem ω_1 angetrieben, so dreht sich zwar die Zwischenwelle mit ω_2 ungleichförmig, die Welle 2 bewegt sich aber wieder mit konstantem $\omega_3 = \omega_1$.

Ein derartiges Verhalten stellt sich dann ein, wenn folgende Bedingungen erfüllt sind:

– Der Beugungswinkel beider Kreuzgelenke muß gleich groß sein ($\beta_1 = \beta_2$), und zwar in sogenannter **Z-** oder **W-Anordnung** (Abb. 4.5/4).
– Die Wellen 1 und 3 und die Zwischenwelle 2 müssen in einer Ebene liegen.
– Die Gabeln der Zwischenwelle müssen in einer Ebene liegen.

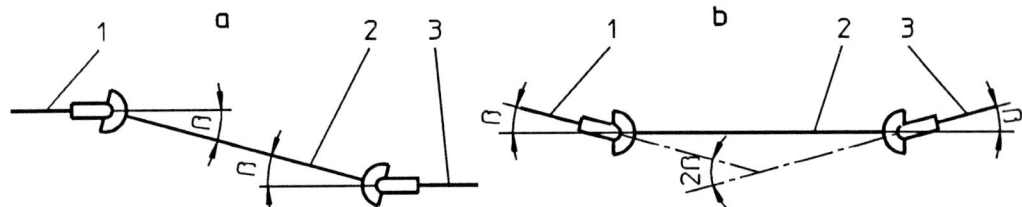

Abb. 4.5/4: Ausgleich des Kardanfehlers durch Hintereinanderschaltung zweier Kreuzgelenke in
a) Z-Anordnung, b) W-Anordnung

Es ist allerdings zu bedenken, daß durch Erfüllung dieser Bedingungen zwar Gleichförmigkeit in der Bewegung der Welle 3 bei Gleichförmigkeit der Drehzahl der Welle 1 erzielt wird; die Ungleichförmigkeit in der Drehung der Zwischenwelle und den Momentenwirkungen in den Kreuzgelenken bleibt aber bestehen. Die Drehzahl schwankt je Umdrehung der Wellen 1 und 3 zweimal zwischen dem Maximal- und Minimalwert. Die Zwischenwelle stellt also einen Schwingungserreger mit doppelter Frequenz der Drehbewegung der An- und Abtriebswelle dar.

Im allgemeinen Maschinenbau reicht es meist aus,

– in der Geometrie der Gelenkwellenanordnung eine Z- oder W-Anordnung zu realisieren, damit keine Ungleichförmigkeiten in Abtriebsdrehzahl und Abtriebsmoment auftreten, und
– Betriebsdrehzahlen im Bereich der kritischen Drehzahl zu vermeiden, um keine großen Biegeschwingungen entstehen zu lassen (s. Kap. 3.9.2).

Bei manchen bühnentechnischen Antrieben können rasch laufende Gelenkwellen aber trotzdem zu nicht tolerierbaren Vibrationen und Schallerregungen führen. Als Körperschall in der Konstruktion weitergeleitet, kann durch Resonanzerregung entsprechender Bauelemente besonders störender Lärm entstehen.

Exaktes Auswuchten der Gelenkwelle kann die Situation verbessern; die erfolgreichste Maßnahme ist jedoch, hohe Drehzahlen von Gelenkwellen zu vermeiden. Daher ist es im allgemeinen zweckmäßig, die Drehzahlen von Gelenkwellen durch Vorschaltung eines Übersetzungsgetriebes etwas zu reduzieren, obwohl man natürlich aus Kostengründen auch bestrebt ist, die Drehzahlen nicht zu niedrig anzusetzen, damit die zu übertragenden Drehmomente möglichst klein sind.

4.6 Besonders reibungsarme Lagerung

Berühren sich zwei Körper und soll eine Relativbewegung erfolgen, so sind dabei Reibkräfte zu überwinden, deren Größe vor allem von der Kraftwirkung an den Berührungsflächen und dem Reibwert abhängt.

4.6.1 Hydrostatische Lagerung

Der Reibwert kann entscheidend reduziert werden, wenn zwischen den beiden Festkörperflächen eine Flüssigkeit eingebracht wird. Bei ölgeschmierten rasch laufenden Gleitlagern erfolgt diese Schmierfilmbildung aufgrund hydrodynamischer Effekte. Flüssigkeitsreibung kann aber auch hydrostatisch durch Einpressen von Öl zwischen die beiden Reibflächen erfolgen. In der Bühnentechnik wurde dieses hydrostatische Lagerungsprinzip z. B. bereits für die Drehlagerung einer großen Drehbühne verwendet (s. Kap. 1.6.3). Diese Bauweise hat sich generell allerdings nicht durchgesetzt.

4.6.2 Luftkissentechnik

Besonders geringe Reibungswiderstände kann man auch dadurch erzielen, daß man zwischen den beiden Festkörpergleitflächen einen Luftspalt erzeugt.

Legt man zwei Glasplatten aufeinander, so gleitet die obere Platte fast reibungslos auf der unteren, bis der Luftfilm abgeflossen ist. Durchbohrt man die obere Platte in der Mitte und bläst Luft durch diese Öffnung, dann ist ständiges Gleiten der oberen Platte erzielbar. Ein stabiles „Luftkissen" kann also dann entstehen, wenn sich zwischen den gegenüberliegenden Flächen zweier Körper durch Einblasen ein Luftpolster ausreichenden Überdruckes ausbilden kann.

Auf diesem Prinzip beruhen Luftkissensysteme für den innerbetrieblichen Transport. Funktionsweise und insbesondere die Ausbildung des Luftkissens ist in Abb. 4.6/1 dargestellt: In der Ruhestellung ist die Last auf Stützen oder Stützrädern gelagert, um die Gummidichtung nicht zu beschädigen. Durch Einblasen von Luft werden der ringförmige Gummibalg und die Auftriebskammer mit Luft gefüllt. Zunächst wird die Abdichtung der Auftriebskammer zum Boden erhalten bleiben. Dann wird durch ausreichend große Kraftwirkung infolge des Luftüberdruckes in der Auftriebskammer die Last angehoben, bis Luft durch den Spalt zwischen Balg und Boden zu entweichen beginnt. Auf dem so entstehenden Luftfilm schwebt dann die Last fast reibungsfrei.

Solche Luftkissentragmodule sind am Markt in verschiedenen Durchmessern erhältlich. Durch Verwendung mehrerer Module können sehr große Lasten manipuliert werden.

Der Luftspalt beträgt ca. 0,05–0,25 mm, der Luftdruck in der Auftriebskammer ca. 2–4 bar. Je nach Größe des Tragmoduls können damit beachtliche Tragkräfte erreicht werden. Die Traglast kann folgendermaßen errechnet werden:

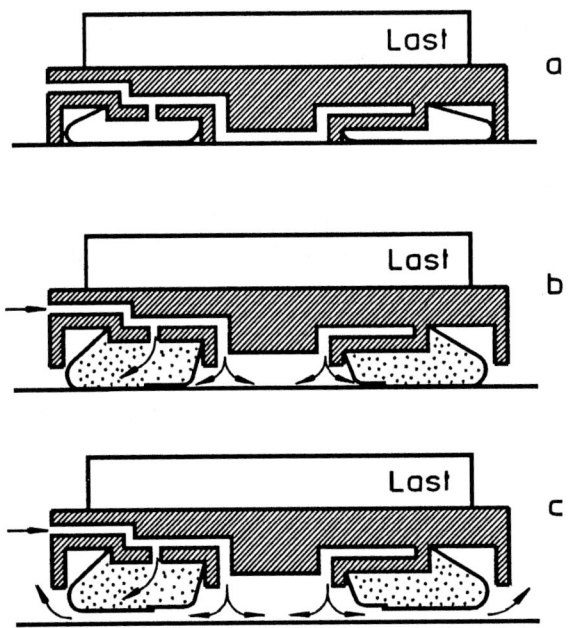

Abb. 4.6/1: Arbeitsweise eines Gummiluftkissens
a) Ruhestellung, die Last ruht auf Stützen oder auf Rädern, b) der ringförmige Gummibalg und die Auftriebskammer werden mit Luft gefüllt, c) der Druck in der Auftriebskammer ist etwas größer als die Last, so daß die Last leicht angehoben wird und Luft im Umkreis des Balges entweicht. Somit kann sich ein Schwebezustand als Gleichgewichtszustand einstellen
Bildnachweis: DELU GmbH (D-Nürnberg)

$$F = A \cdot \Delta p$$
$$A = d^2 \cdot \pi / 4, \qquad \Delta p = p_i - p_a \qquad (4.6/1)$$

F ... Tragkraft [N]
A ... Fläche des Tragmoduls [mm²]
d ... Durchmesser des Tragmoduls [mm]
p_a ... Außendruck [N/mm²], $p_a \approx 1$ bar $= 10$ N/cm² $= 0{,}1$ N/mm²
p_i ... Innendruck in der Auftriebskammer [N/mm²]

(Damit ergibt sich z. B. für $p_i = 3$ bar und $d = 300$ mm eine Tragkraft $F = 14{,}1$ kN.)

Der Bedarf an Druckluft hängt sehr von der Bodenbeschaffenheit ab. Auf einem porösen Boden, z. B. auf einem normalen Betonboden, kann sich kein Luftfilm bilden, da die Luft durch Kapillarkanäle entweicht. Je glatter und je weniger porös die Oberfläche ist, desto günstiger ist das Tragverhalten.

Die Luftkissentechnik wird daher vorteilhaft bei Montage großer Lasten und bei innerbetrieblichen Transportsystemen eingesetzt. Auch in der Bühnentechnik ergeben sich immer wieder Anwendungsmöglichkeiten:

Sie können den Transport und die Montage schwerer Dekorationselemente betreffen. Dies ist z. B. der Fall, wenn die Bühne der Wiener Staatsoper für den Opernball mit Logeneinheiten ausgestattet wird, die in ihrem Aussehen jenen im Zuschauerraum entsprechen. Aber auch Tribünen und großflächige Paletten mit montierten Sitzreihen, sogenannte Stuhlwagen, können damit gut manipuliert werden. Auf solche Anwendungen wurde bereits in Kap. 1.6.4 verwiesen.

Nachteilig für den Einsatz auf einer Bühne wirkt sich die Tatsache aus, daß bei Podien Spalte von etwa 10 mm vorhanden sind, und daß der normale Bühnenholzboden keine geeignete Oberfläche bietet. Es werden dann gegebenenfalls Kunststoffmatten auf die Transportflächen aufgelegt, um einen für die Luftkissentechnik geeigneten Boden zu schaffen.

4.6 Besonders reibungsarme Lagerung

Es wurden aber auch schon Sondersysteme erprobt, die geeignet sind, auch Spalte zu überfahren. Dies kann auf zweierlei Arten geschehen:

- Die Transporteinheit ruht auf mehreren Luftkissenelementen, wobei über ein geeignetes Steuerungssystem Luftkissen, die sich über einem Spalt befinden, außer Funktion gesetzt werden, d. h. für die Verweilzeit im Spaltbereich von der Luftzufuhr getrennt werden.
- Eine zweite Möglichkeit besteht darin, anders konzipierte Luftkissenelemente einzusetzen, die aufgrund ihrer Bau- und Funktionsweise beim Überfahren eines Spaltes nicht ihre gesamte Tragfähigkeit verlieren. Bei diesem System wird die Luft aus einem Balg mit sehr vielen Bohrungen (Luftdüsen) ausgeblasen, so daß beim Überfahren eines Spaltes nur ein sehr kleiner Prozentsatz dieser Düsen wirkungslos wird. Mit solchen Luftkissen können Bodenspalte, aber auch Niveauunterschiede bis zu etwa 10 mm Höhe problemlos überfahren werden. Der Nachteil dieser Luftkissenbauart besteht allerdings darin, daß deren Tragfähigkeit geringer ist.

In Kap. 1.6.2 wurde darauf hingewiesen, daß im Muziektheater Amsterdam nach diesem System arbeitende Bühnenwagen gebaut wurden. Für das Konferenzzentrum in Kuwait (Abb. 1.2/6) wurde für Stuhlwagen dasselbe Prinzip angewandt.

Hinweise für ergänzende Literatur zu den Teilen 2, 3 und 4

- Beitz, W., Küttner, K.-H.: *Dubbel – Taschenbuch für den Maschinenbau,* Berlin–Heidelberg–New York: Springer.
- Böge, A.: *Das Techniker Handbuch,* 2 Bde., Braunschweig–Wiesbaden: Friedr. Vieweg & Sohn, 1989.
- Böhm, W.: *Elektrische Antriebe,* Würzburg: Vogel, 1989 (Kamprath-Reihe).
- Böhm, W.: *Elektrische Steuerungen,* Würzburg: Vogel, 1991 (Kamprath-Reihe).
- Brosch, P. F.: *Moderne Stromrichterantriebe,* Würzburg: Vogel, 1989 (Kamprath-Reihe).
- Decker, K.-H.: *Maschinenelemente, Gestaltung und Berechnung,* München–Wien: Carl Hanser, 1982.
- Ernst, H.: *Die Hebezeuge – Bemessungsgrundlagen, Bauteile, Antriebe,* Braunschweig–Wiesbaden: Friedr. Vieweg & Sohn, 1973.
- Henn, H., Sinambari, G. R., Fallen, M.: *Ingenieurakustik,* Braunschweig–Wiesbaden: Friedr. Vieweg & Sohn, 1984.
- Hoffmann, K., Krenn, E., Stanker, G.: *Fördertechnik,* Bd. 1: *Bauelemente, ihre Konstruktion und Berechnung,* Bd. 2: *Maschinensätze, Fördermittel, Tragkonstruktionen,* Wien–München: Oldenbourg, 1993, 1994.
- Kaufmann, E., Mayer, K. (Hg.): *Hydraulische Steuerungen,* Braunschweig–Wiesbaden: Friedr. Vieweg & Sohn, 1980.
- Mannesmann-Rexroth (Hg.): *Der Hydraulik Trainer,* Bd. 1: *Grundlagen und Komponenten der Fluidtechnik,* Bd. 2: *Proportional- und Servoventil-Technik,* Würzburg: Vogel, 1989, 1991.
- Niemann, G., Winter, H.: *Maschinenelemente,* 3 Bde., Berlin: Springer, 1981, 1983, 1985.
- Roloff/Matek (Matek, W., Muhs, D., Wittel, H., Becker, M.): *Maschinenelemente – Normung, Berechnung, Gestaltung,* Braunschweig–Wiesbaden: Friedr. Vieweg & Sohn, 1992.
- Scheffler, M.: *Grundlagen der Fördertechnik – Elemente und Triebwerke,* Braunschweig–Wiesbaden: Friedr. Vieweg & Sohn, 1994.
- Zebisch, H.-J.: *Fördertechnik 1 – Hebezeuge, Fördertechnik 2 – Stetigförderer,* Würzburg: Vogel, 1975, 1976 (Kamprath-Reihe).

5 Sicherheitsvorschriften

5.1 Gefährdungen des Bühnenpersonals und der Darsteller

Die rasche Entwicklung der Technik zwingt immer wieder zur Änderung bereits bestehender und Formulierung neuer Sicherheitsvorschriften. Natürlich sind Vorschriften und Normen nicht in allen Ländern gleich und werden je nach Rechtsstruktur von verschiedenen Organisationen und Behörden erstellt.

In diesem Kapitel soll daher nur der Versuch gemacht werden, grundsätzliche Aspekte der Sicherheitstechnik darzulegen, ohne auf konkrete Formulierungen derzeit gültiger Vorschriften eines bestimmten Landes Bezug zu nehmen.

In diesem Sinn werden für die Verhältnisse im Bühnenbetrieb typische Gefährdungen aufgezählt, die Anlaß zur Festlegung von **Schutzzielen** sind, zu deren Verwirklichung technische Richtlinien und Vorschriften dienen sollen.

Im Prinzip gibt es drei Arten von Gefährdungen für Darsteller und Betriebspersonal:
– Gefährdungen, die aus dem Vorhandensein bzw. dem Einsatz bühnentechnischer Einrichtungen (Einrichtungen im Sinne dieses Buches) erwachsen,
– Gefährdungen durch szenische Einrichtungen und Dekorationen und
– Gefährdungen durch artistische Darbietungen.

Das Gefahrenpotential wird erhöht, wenn besonders umfangreiche Dekorationen eingesetzt werden und wenn besonders komplizierte szenische Abläufe gefordert sind.

Im Zusammenhang mit der in diesem Buch behandelten Thematik ist vor allem der erstgenannte Aspekt von Interesse, und es stellt sich die Frage, worin die daraus resultierenden speziellen Gefährdungssituationen im Bühnenbereich bestehen.

Sie ergeben sich vor allem aus der Tatsache, daß in der Unter- und Oberbühne **verfahrbare Einrichtungen** vorhanden sind, wie z. B. Hubzüge, Versenkeinrichtungen, Bühnenwagen, Drehscheiben etc., die im Umfeld befindliche Personen sowohl
– in der Durchführung beabsichtigter Arbeitsbewegungen als auch
– bei unbeabsichtigten Bewegungen aufgrund eines Störfalles gefährden können.

Unbeabsichtigte Bewegungen können durch Fehlfunktionen in Steuerung oder Regelung in hydraulischen oder elektrischen bzw. elektronischen Schaltkreisen hervorgerufen werden, verursacht durch Fehler in der Software oder in Hardware-Elementen, oder durch mechanisches Versagen von Bauelementen infolge von Überlastung, Verschleiß, Korrosion etc.

Bühnenpersonal und Darsteller agieren auf bewegten Bühnenbodenelementen oder im Fahrbereich beweglicher Einrichtungen und halten sich unterhalb einer Unzahl von im Schnürboden an Hubzügen abgehängten Lasten auf. Demgegenüber ist im normalen Hebezeugeinsatz i. a. das Verweilen unter hängenden Lasten verboten.

Schutzziel muß daher sein, daraus erwachsende Gefährdungen auszuschalten oder zumindest zu minimieren. Hiezu dienen besondere Vorschriften für die Organisation des Bühnenbetriebes und für die Gestaltung und Dimensionierung bühnentechnischer Einrichtungen. Es wird auch immer wieder szenische Abläufe geben, bei denen eine gewisse Gefährdungssituation unvermeidbar ist. Dann müssen so weit als möglich Schutzmaßnahmen ergriffen werden und der szenische Vorgang unter Originalbedingungen (Beleuchtung, Kostüm) ausreichend oft geprobt werden.

Im folgenden werden nun ohne Anspruch auf Vollständigkeit exemplarisch einige Bauvorschriften für bühnentechnische Einrichtungen angeführt, um damit die Art des Sicherheitsdenkens zu erläutern. Dabei ist jedoch, wie bereits erwähnt, zu bedenken, daß die Vorschriften derzeit in den einzelnen Ländern teilweise voneinander abweichen, ja, daß manchmal sogar Unterschiede zwischen verschiedenen Regionen innerhalb eines Staates, zwischen Bundes- und Landesbetrieben etc. bestehen.

a) Höhere Sicherheitsfaktoren für die Dimensionierung von Bauteilen als in der normalen Hebetechnik üblich:

- Seile und Ketten sind mit z. B. zwölffacher Sicherheit gegen Bruch zu dimensionieren. Bei Seilen bezieht man sich dabei oft auf die rechnerische, bei Ketten auf die Mindestbruchlast (s. Kap. 4.1 und 4.2).
- Zur Vermeidung hoher Biegebeanspruchungen im Seil muß der Durchmesser einer Seilrolle mindestens dem z. B. 20fachen Durchmesser des Seiles entsprechen.
- Getriebe, bei deren Bruch eine Last (Last an einem Hubzug, Hubpodium etc.) abstürzen würde, müssen für das Zweifache der auftretenden Belastung ausgelegt werden, müssen also doppelte Sicherheit gegenüber der sonst üblichen Dimensionierung aufweisen.
- Zylinder, Druckrohrleitungen etc. müssen in jenem Anlagenbereich, in dem deren Bersten zu einem Lastabsturz führen würde, für den zweifachen maximalen Arbeitsdruck dimensioniert werden.
- Der Berstdruck von Schlauchleitungen muß mindestens dem vierfachen maximalen Arbeitsdruck entsprechen.

b) Konstruktive Erfordernisse und Redundanzforderungen zur Verhinderung eines Lastabsturzes bzw. des Herabfallens von Gegenständen:

- Mechanische Triebwerke von Hubzügen oder Versenkeinrichtungen müssen mit zwei voneinander unabhängig wirkenden Bremsen (oder gleichwertigen Einrichtungen) ausgestattet sein, außer das Triebwerk ist aus der Bewegung selbsthemmend.
- Bei Gleitspindeltrieben muß zusätzlich zur Tragmutter noch eine unbelastet mitlaufende Zusatzmutter vorhanden sein, die bei Versagen der Tragmutter infolge von Bruch oder Verschleiß die Lastaufnahme übernimmt.
- Hydraulische Antriebe sind mit Rohrbruchsicherungen auszustatten, um Bewegungen mit ungewollter Geschwindigkeit oder unbeabsichtigte Bewegungen aus dem Stillstand zu verhindern.

Eine bühnenspezifische Gefährdung ergibt sich daraus, daß die Bühnenfläche von Arbeitsgalerien umgeben ist und oberhalb der Bühnenfläche ein begehbarer Schnürboden vorhanden ist. So besteht grundsätzlich die Gefahr, daß Gegenstände auch aus Unachtsamkeit herabfallen können. Konstruktive Maßnahmen sollen das Risiko reduzieren:

- Z. B. sind Arbeitsgalerien mit besonders hohen Fußleisten auszustatten.

Eine besondere Gefahrenquelle können auch die Gegengewichte von Handkonterzügen sein:

- Gegengewichte von Handkonterzügen sind z. B. vor dem Herausfallen aus dem Gegengewichtsschlitten zu sichern.
- Befindet sich unterhalb der Laufbahn von Gegengewichtsschlitten ein Verkehrsweg, wie dies oft beim Übergang von der Haupt- zur Seitenbühne bei doublierten Zügen der Fall ist, sind Auffangvorrichtungen vorzusehen.

c) **Festlegung der Mindesttragfähigkeit von Konstruktionselementen,** um deren Überlastung zu vermeiden. Zum Beispiel durch folgende Vorgaben:

– Bei Versenkeinrichtungen muß die Tragfähigkeit je Hubbodenebene im Stillstand mindestens 500 kg/m^2, im Fahrzustand mindestens 250 kg/m^2 betragen. Die Tragfähigkeit im Fahrzustand darf allerdings reduziert werden, wenn daraus eine Tragfähigkeit von mehr als 5000 kg resultieren würde, ein Wert von 100 kg/m^2 darf dabei aber nicht unterschritten werden.

d) **Steuerungserfordernisse:**

– Automatische Abschaltung erfolgt u. a.
  - beim Überfahren von sicherheitstechnisch definierten Begrenzungen eines Verfahrweges,
  - an Seiltrommeln zur Sicherstellung des Verbleibes von mindestens zwei Reservewindungen beim Abwickeln des Seiles,
  - beim Entstehen von Schlaffseil,
  - beim Überschreiten einer vorgegebenen Gleichlauftoleranz.

  Erfolgt die Abschaltung im Steuerkreis, sollte dies insbesondere bei Fahrwerken über eine Rampe mit definierter Verzögerung erfolgen, um ruckartiges Anhalten zu vermeiden. Denn dadurch könnten zusätzliche Gefährdungen durch Abreiß-, Umsturzvorgänge etc. hervorgerufen werden. Wird im Sinne einer Notabschaltung oder bei Stromausfall die Stromzufuhr unterbrochen, ist eine kontrollierte Absteuerung nur in Sonderfällen möglich.

– Eine spezielle Gefährdung ist auch dann gegeben, wenn Hubpodien verfahren werden und Darsteller z. B. mit ihrem Fuß in eine Scherkante geraten könnten. Deshalb ist oft vorgeschrieben, ein System zur automatischen Abschaltung vorzusehen.

– Gute Überschaubarkeit des Gefahrenbereiches vom Steuerplatz aus, eventuell unter Einsatz von Hilfseinrichtungen wie Fernsehkameras, muß gewährleistet sein.

– Akustische Signaleinrichtungen für Schutzvorhänge im Notschlußfall sind vorzusehen.

e) **Festlegung von Maximalgeschwindigkeiten für Arbeitsbewegungen** verfahrbarer Bühneneinrichtungen (allerdings werden solch generelle Einschränkungen neuerdings auch wieder in Frage gestellt):

– Die maximale Verfahrgeschwindigkeit von Hubzügen beträgt 1,2 m/s, jene von Hubböden 0,7 m/s, jene von Bühnenwagen 0,7 m/s.

– Die maximale Umfangsgeschwindigkeit von Drehscheiben und Drehbühnen gemessen am Außendurchmesser der begehbaren Fläche beträgt 1,0 m/s.

Diese für die Auslegung maßgeblichen Werte der Maximalgeschwindigkeit dürfen nicht in allen Situationen betrieblich ausgenützt werden. Daher können z. B. folgende Reduktionen vorgeschrieben sein:

– Die Bewegung von Hubzügen mit Personen (Flugwerken) darf nur mit maximal 1,0 m/s erfolgen.

– Erfolgt ein Zu- oder Abgang von Personen bei bewegten Bühnenwagen oder Drehscheiben oder ein Wechsel von einem bewegten Teil zum anderen, so darf die Differenzgeschwindigkeit an der Übergangsstelle nicht mehr als 0,3 m/s betragen.

f) **Sichere Begehbarkeit von Bühnenflächen:**

– Spielflächen mit größeren Niveauunterschieden stellen eine Absturzgefahr dar und müssen im Normalfall ab 1 m Höhenunterschied durch ein Geländer oder ähnliches abgesichert werden. Im Bühnenbetrieb sind oft Ausnahmeregelungen vorzusehen, um auch höhergelegene Flächen bespielen zu können. Auf jeden Fall sollten Absturzkanten durch Fußrampen, selbstleuchtende oder stark reflektierende Bänder oder Lichtketten deutlich sichtbar sein. Auch die Bühnenvorderkante zum Zuschauerraum oder Orchestergraben stellt eine gefährliche Absturzkante dar.

- Betriebsbedingte Spalte von mehr als 20 mm müssen abgedeckt werden.
- Schließen an begehbare Flächen nicht tragfähige Flächen an, müssen diese klar abgegrenzt sein.

g) Verpflichtende Durchführung von **Abnahmen und Überprüfungen der technischen Einrichtungen** durch Sachverständige:

- Vor der ersten Inbetriebnahme und nach wesentlichen Änderungen müssen bühnentechnische Einrichtungen durch einen Sachverständigen abgenommen und
- in regelmäßigen Zeitintervallen wieder überprüft werden.

5.2 Gefährdungen der Zuschauer

Gefährdungen für die Zuschauer bestehen vor allem in zweierlei Hinsicht. Einerseits sind, wie in allen Fällen, bei denen größere Menschenansammlungen gegeben sind, Fluchtmöglichkeiten vorzusehen; es sind Notausgänge, Notbeleuchtungen, nach außen öffnende Türen etc. verlangt. Da diese Vorschriften aber nicht die Bühnentechnik im Sinne dieses Buches betreffen, sollen darüber auch keine weiteren Aussagen gemacht werden.

Andererseits ergeben sich Gefährdungen aus dem Bühnenbetrieb. Eine direkte Gefährdung kann dann gegeben sein, wenn Zuschauer auf der Bühne plaziert werden; eine indirekte Gefährdung für Zuschauer ist im Sinne eines erhöhten Brandrisikos durch den Bühnenbetrieb gegeben.

Daher ist für jedes „Volltheater" – wie immer dieser Begriff auch im einzelnen definiert sein mag – ein Schutzvorhang vorgeschrieben. Ebenso zählen die Rauchgasabzuganlagen und Sprühwasser-Löschanlagen zu diesen Brandschutzmaßnahmen. Diese Einrichtungen wurden bereits in Kap. 1.8 näher behandelt.

Register

Adhäsionsantrieb 69, 76
Adhäsionsbedingung 182
Akustik 210
Amphitheater 9
Amplitude 198
Arbeitsgalerie 83, *89*
Arenabühne 13
Arenatheater 9
Asphaleia-System 12
Asynchronfahrt 164
Asynchronmotor 138
Auditorium 18
Ausgleichspodium 40

Bedienung der Bühnenantriebe 161
Beleuchterbrücke 84, 91, 119
Beleuchtungsrost 33
Beleuchtungstechnik 116
Beleuchtungszug 121
Beschleunigung 173, 176
Biegeschwinger 202, 206
Brandschutz *123*, 256
Brückenwagen 27, *65*
Bühnenfall 12, 48
Bühnenhaus 10
Bühnenpodeste 78
Bühnenpodium 12, 25, *39*, 253
Bühnenraum 12, 83, 123
Bühnensysteme 24
Bühnenwagen 12, 26, *65*, 253

Computersteuerebene 163
Container 34
Cycloramazug 84, 99, 115

Dekorationsbehälter 37
Dekorationsmagazin 36
Doppelstockpodium 25, 45
Doublierzug 99
Drahtseil 12, *221*
Drehbühne 12, 26 ff., *69*, 253
Drehbühnensystem 26
Drehsäule 73
Drehscheibe 26 ff., *69*, 229, 253
Drehscheibenkassettenwagen 26, 65, 69
Drehschwinger 203

Drehstrommotor 173
Drehzahl 178
Drossel 126, 151
Druckventile 151
Druckzentrale 147, 158
Dynamik 179

Effektivwert 197
Eigenfrequenz 198, 205, 210
Einheitensystem 173
Einmassenschwinger 198
Eiserner Vorhang 84, 95, *123*
Elastizitätsmodul 195, 199, 223
elektrische Antriebe 49, 67, 76, 133, *134,* 159
Elektromotor 49, *134,* 160, 218
Endlagendämpfung 147
Erregerfrequenz 198, 208, 210
Evolventenverzahnung 242

Faltspindel 64
Feder-Masse-System 198
Federkonstante 198, 199, 223, 234
Fernsehstudio 33
Flaschenzug 99, 133, *226*
Flugwerk 84, *121*
Freifahrt 10
Freizug 84, 99
Frequenz 137 ff.
Frequenzumrichtersteuerung 139, 143

Gassensystem 12
Gasspeicher 147, *192*
Gedeck, neigbar 48, 67
Gefährdungen 253, 256
Gegengewichtsschlitten 99
Gegengewichtswand 99
Gelenkwelle 207, 218, *245*
Geschwindigkeit 173, 176
Getriebe 218, *245*
Gitterklappe 11
Gitterträger 11
Gleichstrommotor 135
Gleitgewindetrieb 62, *239*
Greifzug 112
Grundgeräuschpegel 217
Gruppenfahrt 164
Guckkastenbühne 11, 12, *13*

Handantrieb 99, 109, *133*
Handkonterzug *99,* 225
Handleinenzug 90, 109
Handsteuerebene 162
Handwindenzug 102, 109
Hanfseil 225
Hängestativ 33
Hauptbühne 13
Hinterbühne 13, 102
Hinterbühnentor 123, 216
Hinterbühnenwagen 65
Hinterbühnenzug 98
historische Entwicklung 9
Hubkette 51, 52, 232
Hubkurtine 123
Hubpodium 18, *39*
Hubvorhang 92
Hubzug 96 ff.
Hydraulik 187
Hydraulikaggregat 144, 218
Hydraulikflüssigkeit 161, *193*
hydraulische Antriebe *144,* 159
Hydromotor 49, 133, 147, 150, 203, 209
Hydropumpe *144,* 209, 218
Hydrospeicher 133, 144, 160, *191*
hydrostatische Antriebe 49, 76, 102, 126, 133, *144,* 159, 189, 200
hydrostatische Lagerung 75, 249
Hydrozylinder 49, 59, 63, 102, 133, *147,* 150

Kassetten 10
Keiltrieb 237
Kernscheibe 31
Kette 18, 51, 52, 232
Kettenrad 52, 232
Kettentrieb 51, 52, 67, 78, *232*
Kinematik 175
kinetische Energie 180
Klemmkopf 49, 62, 147
Klemmtrieb 112, *231*
Kletterantrieb 48, 54, 57
Kommandoseil 99, 225
Kompressibilität 195
Kompressionsmodul 195
Konstantpumpe 145, 158
Körperschall 49, 210, 219
Kreisfrequenz 198
kritische Drehzahl 207, 248
Kugeldrehverbindung 73
Kugelspindel 58

Kühler 150, 155
Kulissenaufzug 37
Kulissenbühne 10, 12
Kulissendepot 36
Kulissenwagen 10, 36
Kurtine 123
Kurzschlußläufermotor 140

Lagersysteme (Läger) 33
Längsschwingung 205
Laststangenzug 96
Leistungsermittlung 185
Lichtgitterdecke 33
Linearmotor, hydraulisch 102, 126, 133, 147
Linearmotor, elektrisch 133, 144
Linearzug, hydraulisch 102
Literaturhinweise 132, 252
Logentheater 10
Löschanlage 130
Luftkissentechnik 67, 249
Luftschall 210

manuelle Antriebe 99, 109, *133*
Massenreduktion 180
Mechanik 173
Mehrzweckraum 18
Mindestbruchkraft 212, 234
Monitor 163

Nachhallzeit 215
Notantrieb 134, 162

Oberbühne 13, *83*
Oberlichtzug 84, 121
Orchesterpodium 18, 40
Orchesterraum 9, 17

Panoramazug 84, 98, 115
Parkettpodium 40
Pendel 204, 208
Personenversenkung 45, 71
Planetenspindel 58
Plungerzylinder 59, 147, 149
Podest 78
Podien 78
Podienbühne 26, 28
Polygoneffekt 52, 209, *235*
Portalbrücke 90, 119
Portalturm 90
Praktikabel 78
Primärpodium 47

Primärverstellung 156
Probebühne 31
Proportionalventil 155, 158
Prospekt 10
Prospekthubpodium 33, 42, 44
Prospektmagazin 33, 37, 38
Prospektzug 84, *97*, 225
Proszenium 9, 13, 84, *90*
Pumpe 145
Pump-Speicher-Anlage 158
Punktzug 84, 96, *109*

Raffvorhang 93
Rahmenbühne 12
Rangtheater 10
Rauchgasabzuganlagen 123, *129*, 256
Rauchhaube 130
Rauchklappe 129
Raumkonzepte 12
Raumspielfläche 13
rechnerische Bruchkraft (Seil) 222
Regelventil 155, 159
Reibradantrieb 69, 76
Reibung 181
reibungsarme Lagerung 75, 249
Reibungsschwingung 209
Resonanz 198
Ringdrehbühne 26
Ringscheibe 31
Rohrleitungen 193
Rohrwellenzug 107
Rollenkette 52, 232, 233
Rollenrost 86
Ruckgleiten 209
Rundhorizont 84, 115
Rundstahlkette 232
Rundstangenzug 84, 98, 115

Säulenlagerung 73
Schachbrettbühne 39, 43
Schalldämmung 216, 219
Schalldämpfung 210, 219
Schalldruck 211
Schallemission 49, 161
Schalleistung 212, 213
Schallfeldgrößen 213
Schallintensität 213
Schallpegel 213
Schallschnelle 214
Schallvorhang 95

Scherenpodium 22, 62
Scherenvorhang 93, 94, 95
Schiebebühnensystem 25
Schiebekurtine 125
Schleiervorhang 95
Schleifringläufermotor 140
Schleppboden 46
Schluckvolumen 191
Schmuckvorhang 95
Schneckengetriebe 244
Schnürboden 83, *86*
Schutzvorhang 123, 256
Schwerlastzug 112
schwingendes Kontinuum 205
Schwingungen 161, 196
Schwingungserregung 208
Seil 221
Seilablenkung 225, 228
Seilrolle 224
Seilstopper 102
Seilsynchronisation 59, 61
Seiltrieb 221
Seiltrommel 228
Seilwindwerk 50, 228
Seitenbühne 13, 65, 102
Seitenbühnentor 123, 216
Seitenbühnenwagen 65
Sekundärpodium 47
Sekundärverstellung 156
Selbsthemmung 237
Servomotor 142
Servoventil 155, 158
Sicherheitseinrichtungen 123
Simultanbühne 10
Slip-Stick-Effekt 209
Speicher 145, 150, 158
Sperrventil 151
spezifische Wärme 196
Spielraumbegrenzung 115
Spielvorhang 92
Spindeltrieb 57, 62, 237, *239*
Spirallift 64
Sprinkleranlage 131
Sprühflutanlage 125
Sprühwasser-Löschanlage 130
Standortbühne 10
Stegspielfläche 13
Stetig-Ventiltechnik 155
Steuerpult 161, 165

Stromregelventil 151
Synchronfahrt 134, 164
Synchronisationswelle 61
Synchronlauf 134
Synchronmotor 138
Szenothek 163

Teach-in-Betrieb 163
Teilvorhang 92
Telaribühne 9
Teleskophängestativ 33
Teleskoptribüne 81
Teleskopzylinder 61
Thrust-Stage 13
Tischversenkung 42
Touch-screen 170
Transmissionswellenzug 107
Transport- und Lagersysteme 33
Treibscheibentrieb 77, 107, 228
Tribüne 18, 20, *78*
Triebstockverzahnung 78, *244*

Umfangsgeschwindigkeit 179
Umrichtersteuerung 139
Unterbühne 13, *39*, 102

Vektorregelung 143
Ventile 151
Verriegelung 50
Versatzrolle 109, 110, 225

Versenkbühnensystem 25
Versenkung 39
Versenkungsschieber 45
Verstellmotor 156
Verstellpumpe 145, 156
Verzahnung 242
Viskosität 194
Vorbühne 18, 40
Vorbühnenzug 98
Vorhang 84, *92*
Vorschriften 253

Wagenbühne 25
Wälzgewindetrieb 62, 239
Wandelprospekt 11
Wärmeausdehnung 196
Wegeventil 155
Windentrieb 219, *228*
Windenzug, elektrisch 104
Windenzug, hydraulisch 104
Winkelbeschleunigung 173, 177
Winkelgeschwindigkeit 173, 177
Wirkungsgrad *183*, 189, 237
Wolkenvorhang 94

Zahnstangentrieb 54, 242
Zahntrieb 77, 242
Zentrallager 74
Zuschauerraum 9, 18, 123, 129
Zylinderdrehbühne 12, 30, 71

Anzeigenteil

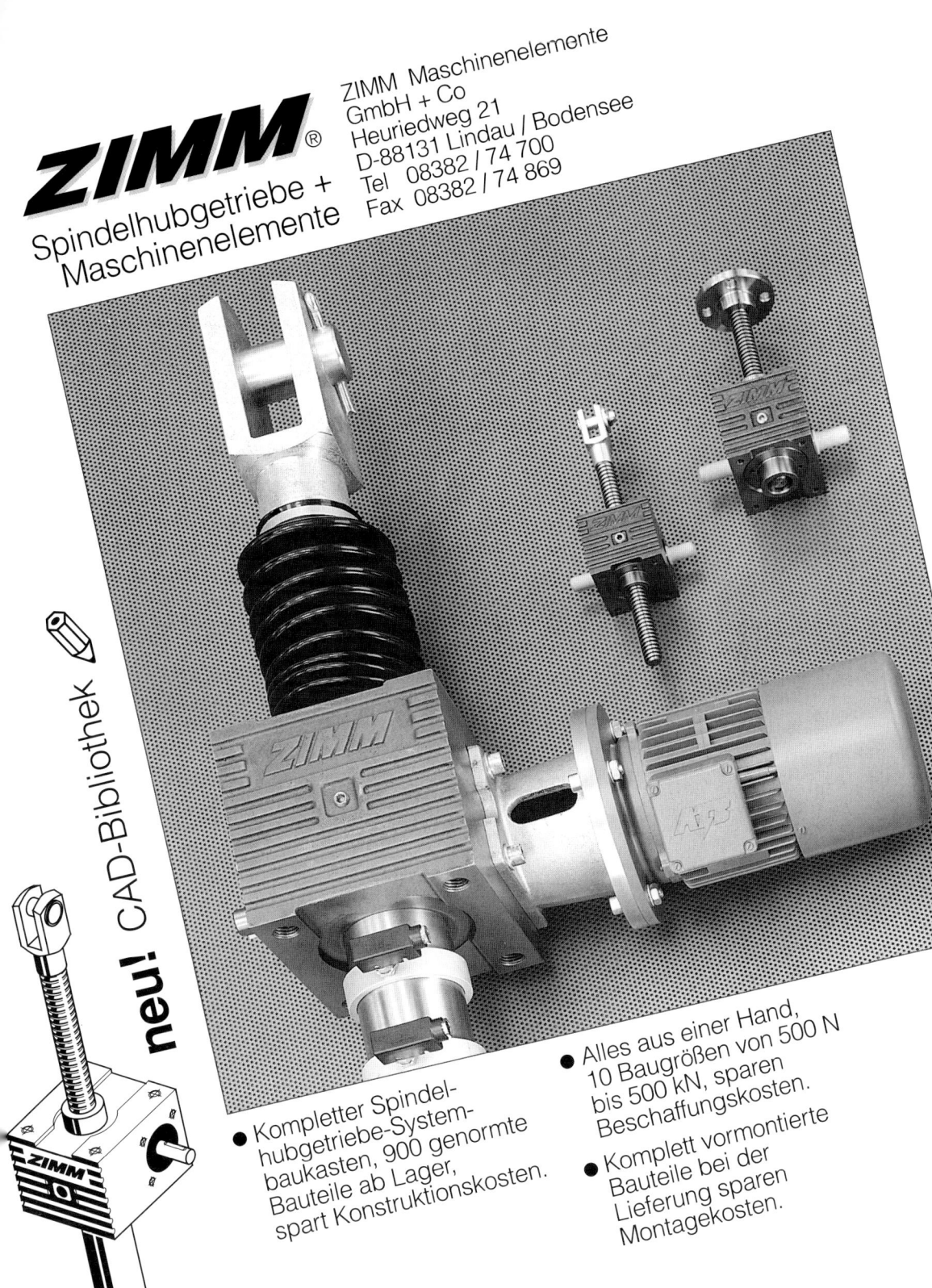

INTERNATIONALE THEATER- UND VERANSTALTUNGSTECHNIK

Concert Hall Athen

Prospektzugwinden Piccolo Theater Mailand

Orchesterpodium Cairo

Spezialtransporter Singapore

REFERENZEN

Deutschland
Stadttheater • Augsburg
Forum • Ludwigsburg
Kleines Haus • Braunschweig
Ammergauer Haus • Oberammergau
Stadttheater • Passau
Theater d.Uni • Tübingen
Kurhaus • Überlingen
Haus d. Kurgastes • Borkum
Wolf-Ferrari-Haus • Ottobrunn
Residenztheater • München
Prinzregententheater • München
Deutsches Theater • München
Nationaltheater • München
Rheingoldhalle • Mainz
Philharmonie • Suhl
Schaubühne • Berlin
Sporthalle Anton Saewkow Pl. • Berlin
Axel Springer Haus • Berlin
Hansa Halle • Lübeck
Stadttheater • Konstanz
Vogtland Theater • Plauen
Stadttheater • Münster
Stadttheater • Krefeld
Stadttheater • Ingolstadt
Stadthalle • Stade
Stadthalle • Frankenthal
Stadthalle • Bobingen
Kongresszentrum • Würzburg
Kongresszentrum • Saarbrücken
Ersatzspielhaus • Magdeburg
Maxim-Gorki-Theater • Magdeburg
Operettenhaus • Dresden
Theater d. Jungen Generation • Dresden
Technische Sammlung • Dresden
Union • Celle
MDR -Studios • Potsdam
Kaisersaal • Erfurt
Konzerthaus • Karlsruhe
Badisches Staatstheater • Karlsruhe
Kongresscenter • Amberg

Österreich
Kulturzentrum • Telfs
Stadthalle • Fürstenfeld
Arbeiterkammersäle • Graz
Stadttheater • Klagenfurt
Konzerthaus • Wien
ORF-Studios • Wien

Italien
Kongresszentrum • Rimini
Teatro de Scala • Mailand
Piccolo Theater • Mailand

England
ALCO-Sportcenter • Watford

Schweden
Theater •stersund
Theater • Motala

Norwegen
Grieghalle • Bergen
Konzerthaus • Oslo

Finnland
Theater • Kemi

Belgien
Theater • Tuornai

Luxemburg
Theatre des Capucines • Luxemburg
Musikkonservatorium • Luxemburg

CSFR
Kulturpalast • Prag
Nationaltheater • Prag

Russland
Theater d. Univ. Moskau
Convention Center • St.Petersburg

Griechenland
Concerthall • Athen
Rex Theatre • Athen
Crown Odysee Cruise Liner

Irak
Al Rashinjt Hotel

Saudi Arabien
International Airport • New Jeddah
King Fahdt Cultural Center • Riyadh

Iran
Diplomatic Club • Teheran

Türkei
Brega Center • Istanbul

Singapur
Convention Center • Sun Tech City

Korea
Arts Center • Seoul (BBH)

Ägypten
Neue Oper • Cairo

BAYERISCHE BÜHNENBAU GMBH

Am Forst 17
92637 Weiden
Tel. 0961/30090
Telefax 0961/300929

Lautlos auf den Bühnen dieser Welt

Die Flüsterwinde®

Die Neuentwicklung von Krupp umfaßt Punkt- und Prospektzüge nach DIN 56925 und DIN 56921 von 300-1500 kg Nutzlast und max. 1,2 m/s. Der Schallpegel in m Abstand beträgt weniger als 55 dB (A)! Auf Schalleinhausungen kann verzichtet werden. Für den Bühnenbetrieb extrem bedienungsfreundlich mit der TÜV-bauartgeprüften Computersteuerung Krupp STACON®.

Krupp Industrietechnik GmbH
Vertrieb Bühnentechnik
Franz-Schubert-Straße 1-3
47226 Duisburg
Telefon (0 20 65) 78-36 28
Telefax (0 20 65) 78-38 60

WAAGNER-BIRÓ

Stahl- und Maschinenbau Ges.m.b.H. Wien

Bühnentechnik

Planung, Fertigung, Montage von maschinellen Bühneneinrichtungen sowie kompletten Bühnenanlagen mit elektrischem oder hydraulischem Antrieb für Opernhäuser und Theater, Film- und Fernsehstudios sowie Mehrzweckhallen

Oper, Genua

Teatro Real, Madrid

Amazonas Theater, Manaus

Tsim Sha Tsui Cultural Center, Hongkong

Nationaltheater, Marburg

Kulturzentrum Seoul, Korea

Opernhaus, Sydney

Smetana Theater, Prag

Festspielhaus, Salzburg

Staatsoper, Wien

WAAGNER-BIRÓ GmbH MÜNCHEN
D-81241 München, Landsbergerstr. 441
Tel.: 089-883071, Fax: 089-8888887

WAAGNER-BIRÓ Stahl- und Maschinenbau Ges.m.b.H. WIEN
A-1221 Wien, Stadlauer Straße 54
Tel.: 43-1-2244-0, Fax: 43-1-2244-333

MANNESMANN REXROTH

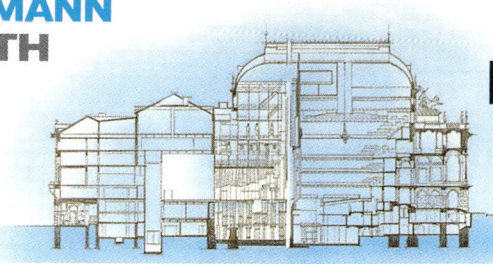

Steuerungs- und Regelungssysteme für bühnentechnische Einrichtungen

Elektrohydraulische 500-daN-Prospektzugwinde für die Obermaschinerie

Auf der Bühne wird heutzutage eine aufwendige Technik eingesetzt, die moderne und variable Gestaltungsmöglichkeiten zuläßt. Eine sichere, bedienungs- und wartungsfreundliche Bühnentechnik braucht für Antrieb, Steuerung und Regelung perfekt aufeinander abgestimmte Komponenten. Nutzen Sie deshalb das Systemangebot von Mannesmann Rexroth: Hydraulik und Elektronik komplett aus einer Hand. Modular im Aufbau, intelligent bis ins Detail und von beispielhafter Qualität. Dazu qualifizierte Beratung für Sie und weltweiter Service für Ihre Kunden.

Druckstation mit Axialkolbenpumpen, Typ A10VO, Ölbehälter und Leistungselektrik

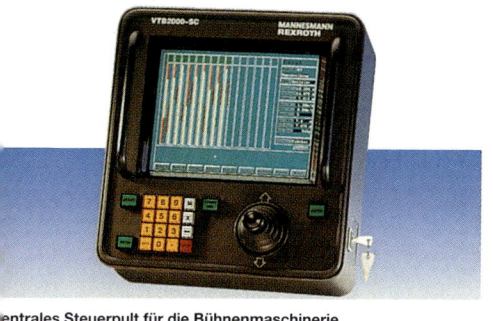

Zentrales Steuerpult für die Bühnenmaschinerie, Typ VTB 1000

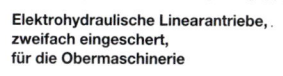

Elektrohydraulische Linearantriebe, zweifach eingeschert, für die Obermaschinerie

Zentrales Steuerpult für die Bühnenmaschinerie, Typ VTB 2000, mit komfortabler Benutzerführung, die Eingabe der Bedienkommandos erfolgt über Touchscreen

Detailliertes Informationsmaterial erhalten Sie von unseren Vertriebsniederlassungen oder von:

Mannesmann Rexroth GmbH
Abt. VT9.3
97813 Lohr a. Main
Jahnstraße 3-5 · 97816 Lohr a. Main
Tel.: 0 93 52/18-10 19
Fax: 0 93 52/18-10 00

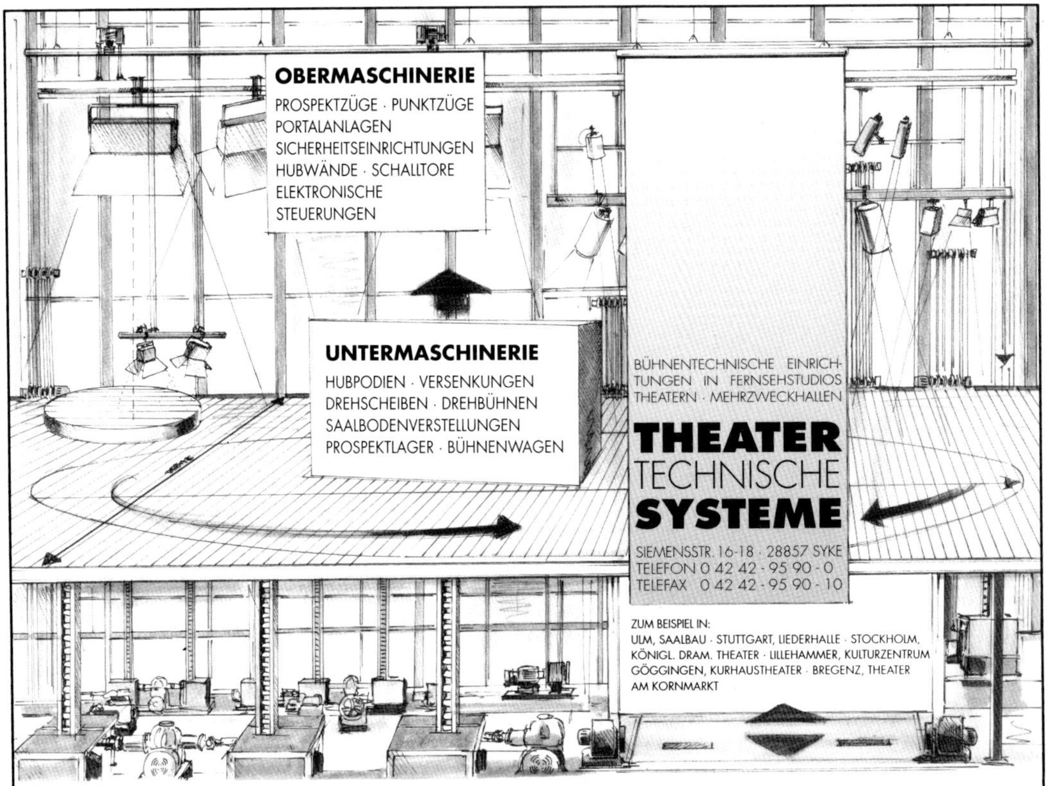

OBERMASCHINERIE
PROSPEKTZÜGE · PUNKTZÜGE
PORTALANLAGEN
SICHERHEITSEINRICHTUNGEN
HUBWÄNDE · SCHALLTORE
ELEKTRONISCHE
STEUERUNGEN

UNTERMASCHINERIE
HUBPODIEN · VERSENKUNGEN
DREHSCHEIBEN · DREHBÜHNEN
SAALBODENVERSTELLUNGEN
PROSPEKTLAGER · BÜHNENWAGEN

BÜHNENTECHNISCHE EINRICH-
TUNGEN IN FERNSEHSTUDIOS
THEATERN · MEHRZWECKHALLEN

**THEATER
TECHNISCHE
SYSTEME**

SIEMENSSTR. 16-18 · 28857 SYKE
TELEFON 0 42 42 - 95 90 - 0
TELEFAX 0 42 42 - 95 90 - 10

ZUM BEISPIEL IN:
ULM, SAALBAU · STUTTGART, LIEDERHALLE · STOCKHOLM,
KÖNIGL. DRAM. THEATER · LILLEHAMMER, KULTURZENTRUM
GÖGGINGEN, KURHAUSTHEATER · BREGENZ, THEATER
AM KORNMARKT

engagiert

RUND UM DIE BÜHNE

Ob im Theater oder im Konzertsaal, im futuristischen Neubau oder im historisch bedeutsamen Altbau - unsere Bühnentechnik kommt überall gut an. Individualität wird bei uns groß geschrieben. Wir entwickeln, produzieren und montieren zuverlässige Systeme; von der Punktzuganlage bis hin zur kompletten Ausrüstung beliebig großer Bühnen. Wir legen Wert auf Sicherheit und Service - zu jeder Zeit, an jedem Ort. Für Ihre Aufgabe legen wir uns voll ins Zeug. Mechanisch, hydraulisch, elektronisch - und garantiert engagiert!

MITGLIED IM FÖRDERVEREIN DES
INTERNATIONALEN THEATERINSTITUTS

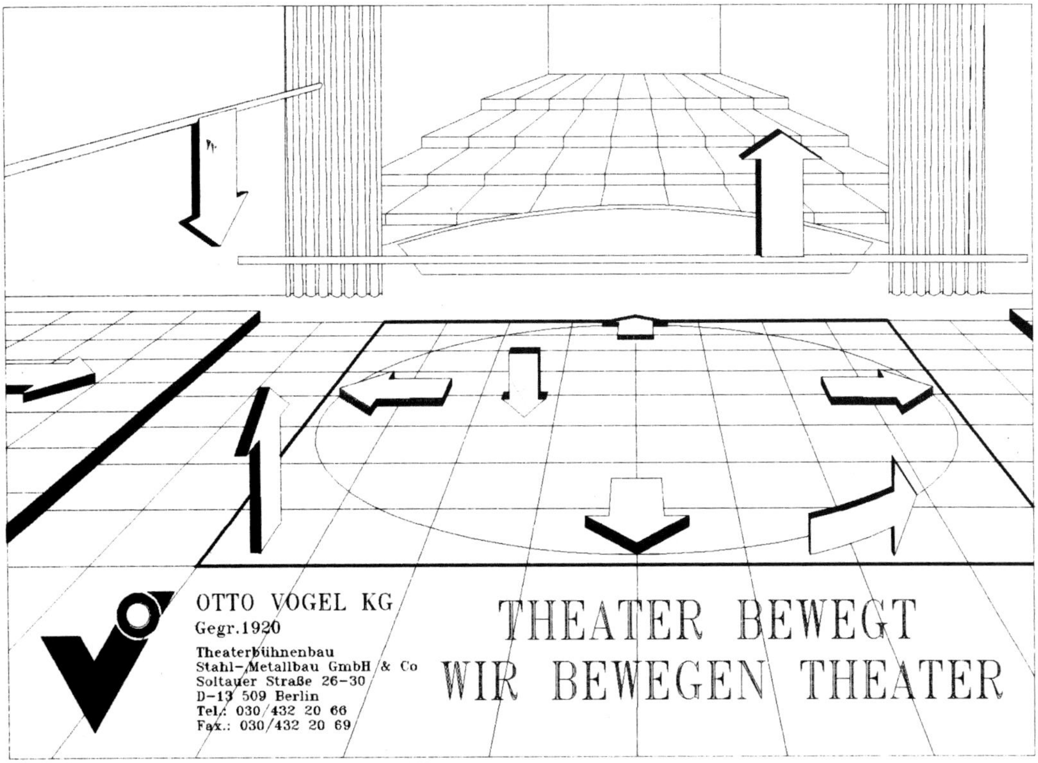

OTTO VOGEL KG
Gegr. 1920
Theaterbühnenbau
Stahl-/Metallbau GmbH & Co
Soltauer Straße 26-30
D-13 509 Berlin
Tel.: 030/432 20 66
Fax: 030/432 20 69

THEATER BEWEGT
WIR BEWEGEN THEATER

Zarga-System

Wir projektieren, planen und fabrizieren komplette Bühnenanlagen im In- und Ausland. Als Spezialisten bieten wir oft ungewöhnliche Lösungen für Antriebs- und Steuerungsfragen an.

Zu diesem Gebiet zählen auch unsere bewährten Zarga-Antriebe, die in den Bauhöhen 16 $^2/_3$ oder 20 cm in allen Dekors für geradlinige oder auch kurvenförmige Bewegungen eingesetzt werden.

Diese Antriebe sind kabelgebunden oder auch funkferngesteuert lieferbar und passen ausgezeichnet in unser bewährtes Zarga-System: Aluminium Leichtbauzargen für den täglichen Gebrauch auf der professionellen Bühne.

Eberhard AG Bühnenbau   CH-8872 Weesen
Tel. 058/43 17 18 · Fax 058/43 17 81

MANTRONIC®
Vorhang auf für Bühnenleitsysteme der neuen Generation

*Opernhaus
Chemnitz
Szene aus Salome
von Richard Strauss
Inszeniert von
Michael Heinicke*

MAN Technologie bewegt die Bretter, die die Welt bedeuten - modernste Digitaltechnik für maßgeschneiderte Steuerung der gesamten Bühnentechnik in allen Ebenen.

Viele Inszenierungen setzen im dramaturgischen Konzept auf die kreative Dynamik des Bühnenaufbaus.
Ein Beispiel für die überragenden schöpferischen Möglichkeiten hochmoderner Bühnentechnik ist das Opernhaus Chemnitz.

Das Herz der Anlage ist das digitale Steuerungssystem MANTRONIC von MAN Technologie. Völlig neu ist, daß Ober- und Untermaschinerie über eine gemeinsame Steuerung bewegt werden.
Eine neue Dimension moderner Dramaturgie ist damit eröffnet.

MANTRONIC – Die Technologie für einen reibungslosen Vorstellungsablauf mit optimalem Bedienungskomfort. Eine Pionierleistung in der Theatertechnik, entwickelt von MAN Technologie in Zusammenarbeit mit dem TÜV Bayern.

Für weitere, detaillierte Informationen stehen wir Ihnen gerne zur Verfügung.

MAN Technologie AG
Systemelektronik
Postfach 13 47
D-85751 Karlsfeld
Telefon   0 81 31/89-16 45
Telefax   0 81 31/89-19 24

Wir machen Theater!

Bühnentechnik

Bühnenausstattungen

Sicherheitseinrichtungen

Bühnenbau Schnakenberg Wuppertal
Gegründet 1877

Postfach 21 06 25, D-42356 Wuppertal
Rosenthalstr. 22 - 26, D-42369 Wuppertal
Telefon (02 02) 4 69 08-0
Telefax (02 02) 4 69 08-25

Bühnentechnik aus Passion

... und hier einige Beispiele
unserer bühnentechnischen Aktivitäten:

STADTHALLE ASCHAFFENBURG
FESTSPIELHAUS BAYREUTH
STADTTHEATER BERN, Schweiz
GOETHEPLATZTHEATER BREMEN
LANDESTHEATER COBURG
OPERNHAUS HELSINKI, Finnland
CIVIC THEATRE JOHANNESBURG, Südafrika
STAATSTHEATER KARLSRUHE
NATIONALTHEATER MÜNCHEN

FESTSPIELHAUS OBERAMMERGAU
KING FAHD CENTRE, Saudi-Arabien
STAATSTHEATER STUTTGART
LIEDERHALLE STUTTGART
THEATER ULM
STAATSTHEATER WIESBADEN
STADTTHEATER WÜRZBURG

*Für weitere Informationen
über kompetente Bühnentechnik
steht Ihnen das TECO-Team jederzeit
gern zur Verfügung.*

TECO
BÜHNENTECHNIK–WIESBADEN

TECO BÜHNENTECHNIK GMBH · Alte Schmelze 18-20 · D-65201 Wiesbaden · Telefon (06 11) 2 10 55 · Telefax (06 11) 2 57 87

BTR
BÜHNENTECHNISCHE RUNDSCHAU

Zeitschrift für
Technik,
Architektur,
Bühnenbau und
Gestaltung
in Theatern,
Film, Fernsehen und Mehr-
zweckhallen-
betrieben

Die Zeitschrift „Bühnentechnische Rundschau" erscheint 6 x jährlich, zuzüglich eines Sonderheftes.

Bezugspreise:
Einzelhefte DM 17,00.
Jahresabonnement DM 78,00,- zuzüglich Versandkosten. Studenten erhalten gegen Einreichung der Studienbescheinigung 25% auf den Abonnementpreis. Bitte richten Sie Ihre Bestellung für ein Jahresabonnement oder ein Einzelheft an

Erhard Friedrich Verlag
GmbH & CO. KG
Postfach 10 01 50
D-30917 Seelze

Tel.: 0511/4 00 04-0
Fax 0511/4 00 04-70

BÜHNENANTRIEBSTECHNIK

A-2201 Gerasdorf bei Wien, Hugo Mischek-Straße 3
Telefon 02246/20640, Fax DW 91

Die Firma ING. BATIK GMBH, seit 15 Jahren mit der Entwicklung, Fertigung und Inbetriebsetzung von Elektroausrüstungen für elektromechanische und elektrohydraulische Antriebssysteme vertraut, beschäftigt heute 40 Mitarbeiter.

Diese oben genannten Systeme setzen wir hauptsächlich in der Bühnenantriebstechnik, dem Krananlagenbau sowie in diversen Sondermaschinen für Umweltschutz ein.

Durch die erstklassige Qualifikation unseres Teams, die durch permanente Entwicklung stets am letzten Stand der Technik sind, und durch pausenlose Zusammenarbeit mit Theaterplanern und dem technischen Bühnenpersonal wird gewährleistet, daß wir unseren Kunden Kompetenz, max. Flexibilität und exzellentes Know how bieten können.

Daneben sorgt der Einsatz von namhaft anerkannten Markenprodukten und die sorgfältige Fertigung in unseren Werkstätten für einen Qualitätsstandard, der es uns ermöglicht hat, bereits eine Vielzahl von Projekten auf nationaler und internationaler Ebene abzuwickeln.

National: Staatsoper Wien, Festspielhaus Bregenz, Opernhaus Graz, Großes Festspielhaus Salzburg, Kleines Festspielhaus Salzburg, Burgtheater Wien, Raimundtheater Wien, Mehrzweckhallen in Hartberg und Knittelfeld, Landestheater Linz, Theater in der Josefsstadt Wien, Akademietheater Wien, Wiener Kammerspiele, Konzerthaus Wien, AKZENT Wien, Spirallift Waagner Biro,...

International: Kongresszentrum Kuwait, Kulturzentrum Hongkong, Kulturpalast Minsk, Teatro Communale Dell´ Opera di Genova, Deutsches Theater München, Slovensko Narodno Gledalisce Maribor, Theater Caixa, Teatro Real de Madrid, Nationaltheater Mannheim,...

Da wir als modernes österreichisches Unternehmen weltweit arbeiten, ist es uns in den letzten Jahren gelungen, in der Industrie der Elektrotechnik eine bedeutende Position einzunehmen.

Nicht zuletzt die fach- und termingerechten Ausführungen in der Vergangenheit waren für den Kunden ausschlaggebend uns mit den jüngsten Großprojekten Staatsoper Wien und Nationaltheater Mannheim zu beauftragen.

Wir haben diese beiden Projekte mit der zur Zeit modernsten Bühnenantriebstechnik sowie mit dem höchsten Sicherheitsstandard ausgestattet.

» genauere Produktbeschreibungen bzw. Referenzlisten unserer Anlagen können angefordert werden unter: Fa. Ing. BATIK GMBH, 2201 Gerasdorf bei Wien, Hugo Mischek-Straße 3, Tel.: 02246/20640, Fax DW 91

Hinter der Bühne spielen wir die erste Geige, pardon, Harfe.

Casar Spezialdrahtseile für die Bühnentechnik

Casar Drahtseilwerk Saar GmbH, Casarstraße 1, D 66459 Kirkel
Tel. 0 68 41 / 80 91-0 , Fax 0 68 41 / 86 94

Klaus Hoffmann / Erhard Krenn / Gerhard Stanker

Fördertechnik

Band 1: Bauelemente, ihre Konstruktion und Berechnung
246 Seiten, 4. Aufl. 1993

Band 2: Maschinensätze, Fördermittel, Tragkonstruktionen
298 Seiten, 3. Aufl. 1994

Aus dem Inhalt von Band 1: Seiltriebe (Stahldrahtseile, Seilrollen, Seiltrommeln, Normen) / Kettentriebe / Lastaufnahmemittel / Laufräder und Schienen / Kupplungen / Berechnung von Triebwerken / Bremsen und Bremslüftgeräte / Getriebe (Stirnradgetriebe, Planetengetriebe) / Antriebe (elektrische Antriebe, hydraulische Antriebe) / Sicherheitseinrichtungen.

Aus dem Inhalt von Band 2: Hubwerke / Fahrwerke / Drehwerke / Wippwerke / Krane und Hebezeuge / Stetigförderer / Tagebaugeräte und Haldengeräte / Schachtförderanlagen / Aufzüge / Arten von Tragkonstruktionen / Elemente von Tragkonstruktionen / Statische Werte / Berechnung statisch bestimmter und unbestimmter Systeme / Knoten und Anschlüsse / Verbindungen / Bemessungsgrundlagen / Aluminiumtragwerke.

R. Oldenbourg Verlag Wien München

Klik Bühnensysteme

Klik Bühnensysteme
Gesellschaft m.b.H.

Sitz: 1070 Wien
Mariahilfer Straße 100

Werk: 2514 Traiskirchen
Badener Straße 29
Telefon 0 22 52/5 39 21 / DW 20
Fax 0 22 52/5 37 96

---

ahf - Passecker
Gesellschaft m.b.H.
Hebe- und Fördertechnik
Anschlagmittel

1121 Wien, Michael Bernhard-Gasse 11
P.O. Box 136

Tel. 0222/813 42 88, 812 21 80
Telefax 0222/813 42 89
Telex 132920 krane a

Wir liefern:

- ELEKTROSEILWINDEN
  nach VBG70
- TIRAK-THEATERWINDEN
  nach VBG70
- ELEKTRO-KETTENZÜGE
  nach VBG70
- ELEKTRO-KETTENZÜGE
  upside-down
  (Kletterzüge)
- HANDWINDEN
  für Bühnenbetrieb
- BÜHNENELEMENTE
  aus Leichtmetall
- LASTMESZGERÄTE
- HUBARBEITSBÜHNEN
  elektrisch
  elektrohydraulisch
  auch selbstfahrend
- ARBEITSGERÜSTE
- DRAHTSEILE
- HANFSEILE
- KETTEN
- KARABINERHAKEN
- SEILROLLEN
- HEBEBÄNDER
- STEUERUNGSANLAGEN
- SONDERKONSTRUKTIONEN
  aller Art
- SERVICE
- REPARATUR und
- SICHERHEITSPRÜFUNG